Bulletin d'histoire politique
volume 18 numéro 3

Le Québec, l'Irlande et la diaspora irlandaise

AQHP / VLB Éditeur

LE BULLETIN D'HISTOIRE POLITIQUE

Adresse Internet : http://unites.uqam.ca/bhp

BULLETIN D'HISTOIRE POLITIQUE
volume 18, numéro 3 – printemps 2010

Chaque texte publié dans la revue est évalué par deux personnes
compétentes dans le domaine concerné.

La responsabilité des textes incombe uniquement à leurs auteurs.

Pour devenir membre de l'Association québécoise d'histoire politique
et vous abonner à son bulletin, libellez votre chèque
à l'ordre de l'Association québécoise d'histoire politique.

Faites-le parvenir à :
l'AQHP, a/s de Pierre Drouilly, département de sociologie,
UQAM, C. P. 8888, succ. Centre-ville,
Montréal (Québec), H3C 3P8

Prix de l'abonnement (3 numéros) :
étudiants : 40 $
membres : 50 $
institutions : 60 $

Le *Bulletin d'histoire politique* est coédité
par l'Association québécoise d'histoire politique et VLB Éditeur.
Il est publié trois fois par année :
à l'automne (n° 1), en hiver (n° 2) et au printemps (n° 3)

Les articles du *Bulletin d'histoire politique* sont résumés et indexés dans
America : History and Life, Historical Abstracts et *Repère*

Maquette de la couverture : Nicole Lafond
Photo de la couverture : Alexandre Bilodeau

La distribution dans les librairies est assurée par
Les messageries ADP
2315, rue de la Province
Longueuil (Québec), J4G 1G4

Sommaire

Premier dossier
Le Québec, l'Irlande et la diaspora irlandaise

SIMON JOLIVET
Présentation   7

Notices biographiques des auteurs   11

JASON KING
L'historiographie irlando-québécoise
Conflits et conciliations entre Canadiens français et Irlandais.   13

ANDRÉ POULIN
Victor-Lévy Beaulieu et la question nationale irlandaise   37

JULIE GUYOT
Les discours publics de Theobald Wolfe Tone sur l'Irlande
    et de Louis-Joseph Papineau sur le Bas-Canada   49

SIMON JOLIVET
Orange, vert et bleu : les orangistes au Québec depuis 1849   67

ISABELLE MATTE
La crise des scandales sexuels du clergé en Irlande a-t-elle
    fait fondre le plomb de la chape ?   85

JANET MULLER
Une charte de la langue irlandaise en Irlande du Nord   101

Second dossier
La nécessaire histoire du politique

JEAN-MARIE FECTEAU
Présentation   113

CATHERINE DESBARATS
Deux pas vers une histoire du politique décolonisée :
    les problèmes de la souveraineté et de l'esclavage
    amérindien en Nouvelle-France.   117

LOUIS-GEORGES HARVEY
L'histoire politique au Québec : le régime britannique   127

YVAN LAMONDE
Le politique en histoire des idées   137

MICHEL SARRA-BOURNET
La Révolution tranquille et ses suites : l'histoire politique
    en question   143

Numéro régulier
Éditorial

LOUIS GILL
Les orientations insoutenables de Québec solidaire   149

Chronique d'histoire militaire

YVES TREMBLAY
Masculinité et conscription   157

SÉBASTIEN VINCENT
Un lieu de rassemblement, de partage et de diffusion
    d'un pan de l'histoire militaire spécifiquement québécoise :
    le site internet *Le Québec et la Seconde Guerre mondiale*   171

Articles

ANDRÉ PATRY
La visite énigmatique du président d'Haïti en 1943   175

JACQUES BERNIER
Québec, 1859 : la commémoration des événements de 1759.   179

FRÉDÉRIC BOILY
Qu'est-ce que le Canada ? : la réponse des intellectuels
    albertains   197

Béatrice Richard
Lionel Groulx et la Grande Guerre : ruses et paraboles
  d'un historien public 209

Mathieu Bock-Côté
Le multiculturalisme en débat : retour sur une
  tentation thérapeutique. 227

Notes de lecture

Martin Roy
De quelques ouvrages sur l'athéisme 269

Wilfried Cordeau
Jacques Rouillard, *L'expérience syndicale au Québec*. 277

Recensions

René Boulanger
Yves Tremblay, *Plaines d'Abraham. Essai sur l'égo-mémoire
  des Québécois* 283

Michel Sarra-Bournet
Alain-G. Gagnon, *La raison du plus fort : plaidoyer pour le
  fédéralisme multinational* 285

Louise Mailloux
Djemila Benhabib, *Ma vie à contre-Coran. Une femme témoigne
  sur les islamistes*. 289

Serge Gagnon
Bédard, Éric, *Les réformistes* 293

Mourad Djebabla
Jonathan R. Dull, *La Guerre de Sept ans. Histoire navale,
  politique et diplomatique*. 299

Pierre Vennat
Bill Rawling, *La mort pour ennemi. La médecine militaire
  canadienne*. 303

Pierre Vennat
Yves Tremblay, *Instruire une armée. Les officiers canadiens et
  la guerre moderne, 1919-1944* 307

GASTON DESCHÊNES
Charles-Philippe Courtois, *La Conquête. Une anthologie*. 311

Parutions récentes

Compilation par SÉBASTIEN VINCENT 315

Premier dossier

Le Québec, l'Irlande et la diaspora irlandaise : les débats politiques et identitaires

SIMON JOLIVET[1]
Chercheur post-doctoral en histoire
Université d'Ottawa

Depuis 1815, les Irlandais ont contribué grandement à l'histoire québécoise. Arrivant au Bas-Canada dès la fin des guerres napoléoniennes, ils ont participé à la vie communautaire, sociale, culturelle, religieuse et politique de la province québécoise. Les vagues successives d'immigration irlandaise au Bas-Canada, au début des années 1830 d'abord, mais surtout pendant et après la Grande Famine de la pomme de terre (1845-1849), ont permis à la communauté franco-catholique majoritaire de côtoyer une communauté dynamique, engagée et fière de ses racines irlandaises[2].

Au Québec, comme l'ont noté divers historiens, plus des deux tiers des immigrants irlandais étaient catholiques[3]. Ceci est important à retenir. L'expérience irlandaise au Québec est d'ailleurs originale si on la compare à celle de la province ontarienne où les historiens ont remarqué que plus de deux immigrants irlandais sur trois étaient protestants[4]. Pratiquant la religion catholique, la majorité des Irlando-Québécois ont longtemps participé aux activités organisées par la communauté canadienne-française. Par exemple, aux XIXe et XXe siècles, ils ont régulièrement tenu à assister aux processions de la Saint-Jean-Baptiste ou à celles de la Fête-Dieu[5].

Pourtant, comme le note l'excellent article de Jason King sur l'historiographie irlando-québécoise, la participation des Irlandais à la vie sociale et religieuse ne s'est pas toujours faite sans heurts. Par exemple, les négociations souvent difficiles, menées par les clergés irlandais et canadiens-français au sujet de l'établissement de la paroisse *St. Patrick* de Montréal, ont alimenté la discorde entre coreligionnaires[6]. Cependant, comme le souligne toujours Jason King, d'importants rapprochements ont également été possibles, notamment en politique. Une convergence des destins nationaux du Bas-Canada (et plus tard du Québec) et de l'Irlande, tous deux longtemps considérés comme territoires de l'Empire britannique, a permis aux politiciens et aux autonomistes de faire cause commune et aussi de se comparer.

Récemment, plusieurs personnes ont aussi tenu à comparer les destins politiques de l'Irlande et du Québec. C'est le cas de Victor-Lévy Beaulieu qui a publié en 2006 une œuvre colossale intitulée *James Joyce, l'Irlande, le Québec, les mots*. André Poulin considère, dans son article très intéressant au sujet de l'ouvrage de VLB, les difficultés pouvant surgir au moment de comparer les nationalismes irlandais et québécois. En effet, la question politique irlandaise doit être finement décortiquée avant de la mettre en parallèle à l'expérience nationaliste québécoise.

Par ailleurs, dans un texte qui se veut justement comparatif, Julie Guyot établit des liens entre deux figures politiques importantes en Irlande et au Bas-Canada : le républicain Theobald Wolfe Tone et le patriote Louis-Joseph Papineau. Si l'essai traite occasionnellement de l'implication irlando-québécoise dans le mouvement patriote bas-canadien, l'objectif est d'abord de dresser un portrait des politiques d'Érin et du Bas-Canada entre 1790 et 1837.

Ceci dit, les Irlandais du Québec ont souvent pris part aux débats politiques québécois. Et la présence de ces mêmes Irlandais a aussi su intéresser de nombreux Canadiens français à la cause de l'autonomie irlandaise, notamment au temps du *Home Rule* irlandais. Ce projet visait à accorder un parlement à l'Irlande et fut examiné par les nationalistes constitutionnels irlandais et les gouvernements libéraux anglais entre 1875 et 1921. Il ne fut toutefois jamais concrètement implanté.

En côtoyant les Irlandais, les Canadiens français, plus tard devenus Québécois, ont appris à tirer des leçons du passé politique de l'Irlande. Ces mêmes Canadiens français, de toutes tendances politiques, ont tenu à prendre acte du passé prétendument malheureux de l'Irlande depuis l'Acte d'Union adopté en 1801 et liant l'Irlande à la Grande-Bretagne. De 1801 à 1921, aucun parlement irlandais n'existait ; les députés irlandais devaient représenter leurs commettants à Westminster. Pour les journalistes ou politiciens canadiens-français, comme Henri Bourassa qui ira deux fois en Irlande au début du XXe siècle, la lutte de l'Irlande soulignait toute la force de caractère que les minorités nationales se devaient de manifester face aux institutions « impérialisantes ».

En ce qui concerne justement l'impérialisme, mon article signale la présence de grands impérialistes irlando-protestants : les orangistes. L'article traite de l'histoire des orangistes québécois, actifs à partir de 1849 ; une histoire qui n'avait rien à voir avec celle de l'Ontario où l'Ordre d'Orange était maître et roi. Néanmoins, même dans la province québécoise, les membres orangistes s'activaient et, prenant eux aussi l'exemple des luttes autonomistes irlandaises, tentaient de combattre les idées nationalistes prônées tant par les Irlando-catholiques que par les Canadiens français.

Isabelle Matte, quant à elle, signe un article qui retiendra certainement l'attention de plusieurs lecteurs québécois. En traitant des abus sexuels au sein des institutions catholiques irlandaises ainsi que de la mise au jour de nombreux scandales depuis la publication récente du *Ferns Report* (2005) et du *Ryan Report* (2009), elle constate que la loi du silence s'effrite peu à peu dans la République d'Irlande. Politique et catholicisme ont souvent fait bon ménage en Irlande. Ce texte nous le rappelle.

Enfin, Janet Muller remarque la difficile marche des activistes nord-irlandais qui souhaitent voir une législation sur la langue irlandaise être adoptée par l'Assemblée de l'Irlande du Nord. Rappelons que l'Irlande du Nord a été créée en 1920 par le gouvernement de coalition de David Lloyd George. Si les Troubles nord-irlandais (1969-1998), qui firent près de 3500 morts au sein d'une population d'environ 1 685 000 habitants, ont aujourd'hui fait place à une paix relative, il reste cependant des questions, comme celle touchant à la langue irlandaise, qui sont toujours autant contestées et controversées. L'adoption d'une éventuelle loi sur la langue irlandaise, que Janet Muller compare à la loi 101 du Québec, est toujours retardée même si une majorité de citoyens semble favoriser le projet.

Notre dossier s'inscrit dans le nouvel engouement pour les études irlandaises et québécoises. L'organisation de deux colloques « Irlande-Québec » dans le cadre des congrès de l'ACFAS (en 2008 et en 2009), ainsi que la publication d'articles comparant ces deux régions ou évoquant l'expérience irlando-québécoise soulignent la vivacité de ce champ d'études. Ce numéro du *Bulletin d'histoire politique* réitère l'intérêt de nombreux chercheurs, historiens, anthropologues et littéraires, pour ce domaine de moins en moins inconnu.

NOTES ET RÉFÉRENCES

1. L'auteur remercie le conseil de recherches en sciences humaines pour l'appui financier au cours de ses études post-doctorales.
2. Voir notamment les travaux de Marianna O'Gallagher au sujet des Irlandais immigrant au Bas-Canada entre 1832 et 1860. O'Gallagher, « The Irish in Quebec », dans Robert O'Driscoll (dir.), *The Untold Story : The Irish in Canada*,

Toronto, Celtic Arts of Canada, vol. I, 1988, p. 253-261 ; O'Gallagher, *La Grosse Île, Porte d'entrée du Canada, 1832-1937*, Québec, Carraig Books, 1987, 190 p.

3. Voir Matthew Barlow, *The House of the Irish* » : *Irishness, History, and Memory in Griffintown, Montréal, 1868-2009*, thèse de doctorat (histoire), Université Concordia, 2009, p. 23 ; voir aussi Alan O'Day, « Revising the Diaspora », dans D.G. Boyce & Alan O'Day (dir.), *The Making of Modern Irish History, Revisionism and the Revisionist Controversy*, London, Routledge, 1996, p. 194.

4. Voir Cecil Houston et William Smyth, *The Sash Canada Wore: A Historical Geography of the Orange Order in Canada*, Toronto, University of Toronto Press, 1980, p. 40 ; voir aussi Donald Akenson, « Ontario : Whatever Happened to the Irish ? », *Canadian Papers in Rural History*, Ontario, 1982, vol. III, p. 221.

5. Simon Jolivet, *Les deux questions irlandaises du Québec, 1898-1921 : des considérations canadiennes-françaises et irlando-catholiques*, thèse de doctorat (histoire), Université Concordia, 2008, p. 191-193.

6. Voir Rosalyn Trigger, « The geopolitics of the Irish-Catholic parish in nineteenth-century Montreal », *Journal of Historical Geography*, vol. 21, n° 4, 2001, p. 555-565 ; voir aussi Dorothy Suzanne Cross, *The Irish in Montreal, 1867-1896*, mémoire de maîtrise (histoire), McGill University, 1969, p. 95-99.

Notices biographiques des auteurs du premier dossier

Jason King

Jason King enseigne au Département des langues et études culturelles à University of Limerick. Il a auparavant été professeur associé au Département d'anglais et au Centre d'études canado-irlandaises de l'Université Concordia ainsi que chargé de cours à la National University of Ireland, Maynooth. Il étudie la culture, l'histoire et la littérature de la diaspora irlandaise au Canada et au Québec. Il a récemment dirigé l'ouvrage *Ireland and the Americas : Culture, Politics, History* (2008) et publié plusieurs articles dans *Éire/Ireland* et dans *The Canadian Journal of Irish Studies*.

André Poulin

Spécialiste de l'Irlande et du Royaume-Uni, André Poulin est titulaire d'un doctorat en histoire de l'Université de Montréal. Il enseigne présentement l'histoire à l'Université de Sherbrooke. Parallèlement à son enseignement, il travaille sur un ouvrage portant sur la question nationale irlandaise de Wolfe Tone aux Accords du Vendredi saint.

Julie Guyot

Julie Guyot enseigne au Cégep de Granby. Elle a rédigé un mémoire de maîtrise en histoire, intitulé *Comparaison des discours publics de Theobald Wolfe Tone (Irlande) et de Louis-Joseph Papineau (Bas-Canada) sur le lien à la Grande-Bretagne et sur la constitution*, à l'Université du Québec à Montréal en 2008. Elle siège aussi à l'Exécutif de l'Association des professeurs d'histoire au collégial du Québec (APHCQ) et est membre de la Coalition pour la promotion de l'enseignement de l'histoire au Québec.

Simon Jolivet

Simon Jolivet a été chargé de cours à l'Université McGill et, depuis mai 2009, il est chercheur postdoctoral en histoire au Centre de recherche en civilisation canadienne-française de l'Université d'Ottawa. Boursier du CRSH, il examine l'ambiguïté des relations entre Canadiens français et Irlando-catholiques au Québec et en Ontario entre 1890 et 1927. Il a récemment publié un article sur l'historiographie irlando-québécoise dans *MENS : Revue d'histoire intellectuelle de l'Amérique française*.

Isabelle Matte

Isabelle Matte est candidate au doctorat en anthropologie à l'Université Laval, où elle enseigne l'anthropologie du Québec. Elle s'intéresse à la Modernité en contextes catholiques majoritaires et propose une comparaison du Québec et de l'Irlande. Sa plus récente contribution, « Malaise existentiel et discours apocalyptique dans la jeune chanson québécoise », dans R. Mager et S. Cantin (dir.), *Modernité et Religion au Québec*, est à paraître aux PUL à la fin 2009.

JANET MULLER
Janet Muller est directrice de l'organisme cadre POBAL travaillant auprès de la communauté irlandisante en Irlande du Nord. En 2010, elle publiera une œuvre sur la politique linguistique en Irlande du Nord et au Québec/Canada.

L'historiographie irlando-québécoise
Conflits et conciliations entre Canadiens français et Irlandais

JASON KING

Department of Languages and Cultural Studies
University of Limerick

Il est coutume de dire que les communautés irlandaises se sont implantées au Québec bien avant la grande vague d'immigration de la Grande Famine irlandaise de 1847[1]. La consécration de l'église *St. Patrick* à Québec en 1833 et celle de Montréal le 17 mars 1847, deux mois *avant* l'arrivée des immigrants de la Famine, indiquent d'ailleurs que d'importantes congrégations irlando-catholiques y étaient déjà établies. Cependant, des études récentes ont aussi identifié « the arrivals of 1847 as a demographic turning point »[2] ; un point tournant qui aurait modifié de façon significative la composition sociale et religieuse des communautés irlando-québécoises installées depuis plusieurs décennies[3]. La Famine irlandaise bouleversa aussi la politique au Québec. Dix ans avant la Famine, Edmund Bailey O'Callaghan était le bras droit du Parti Patriote de Louis-Joseph Papineau. Il était l'éditeur du *Vindicator*, un journal entérinant les aspirations réformistes de la population irlando-québécoise et qui, politiquement, soutenait la majorité canadienne-française ; cela, même s'il est vrai que peu d'Irlandais participèrent concrètement à la rébellion de 1837[4]. Mais une décennie après la Famine, la situation avait changé : les Irlandais du Québec étaient maintenant beaucoup plus divisés. Des querelles internes, religieuses et ethniques, éclatèrent lors des émeutes de Gavazzi à Québec et Montréal en 1853 et pendant l'affaire Corrigan, dans la région de Saint-Sylvestre en 1854. Ces événements, entre autres, menèrent à un schisme au sein de la *St. Patrick's Society of Montreal* (SPS) ; ses membres protestants formeront une organisation concurrente, l'*Irish Protestant Benevolent Society*, en 1856.

La donne avait aussi changé quant aux relations avec les Canadiens français. Trente ans avant la Famine, ce fut grâce aux Canadiens français si

« *the Irish were first assembled* [...] *as a people, in the little church of Bonsecours, by the lamented Father Richards* »[5]; ce dernier périra plus tard, comme tant d'autres malades irlandais, à Pointe-Saint-Charles en 1847. Quoi qu'il en soit, moins de vingt ans après la Famine, en 1866, le clergé et les élites irlando-catholiques, comme le père Patrick Dowd et Thomas D'Arcy McGee, avertirent l'évêque montréalais Ignace Bourget que ses tentatives « [*to*] *introduce a double service into St. Patrick's Church would likely lead to bloodshed, and consequently, to a domestic war between Irish and Canadian Catholics throughout the city* »[6]. Comme nous le verrons donc dans ce texte, l'arrivée des immigrants de la Grande Famine irlandaise (1845-1849) marque non seulement un point tournant démographique, mais, politiquement, elle met fin à l'alliance irlandaise et canadienne-française.

Depuis la publication, en 1993, de l'ouvrage de Robert Grace, *The Irish in Quebec: An Introduction to the Historiography*[7], les chercheurs ont délaissé l'étude des alliances entre Irlandais et Canadiens français. Ils ont plutôt choisi d'étudier le développement des associations, des institutions et des réseaux sociaux de la communauté irlandaise elle-même. De plus, la recherche traita davantage de la communauté irlando-catholique de Montréal que de celles vivant à Québec ou en milieu rural. Ce changement de perspective peut paraître surprenant, surtout en tenant compte de la « rehabilitation of the Patriote tradition »[8] qui s'est pointée dans l'historiographie québécoise.

Pourtant, le rôle joué par certains Irlandais durant les rébellions n'a pas été révisé, cela, même si Jocelyn Waller, Daniel Tracey et Edmund Bailey O'Callaghan furent des acteurs essentiels dans le mouvement patriote; des acteurs qui aidèrent à élargir la base militante du mouvement tout en unissant les aspirations patriotes aux courants réformistes se manifestant à la même époque de l'autre côté de l'Atlantique. Les plus importants travaux analysant l'apport irlandais au mouvement patriote restent les thèses doctorales écrites à l'Université Concordia dans les années 1980, notamment celle de Robert Daley intitulée *Edmund Bailey O'Callaghan: Irish Patriote* (1986). Ces études firent remonter l'origine de l'alliance irlandaise et canadienne-française aux années 1820. Elles relevèrent la coopération politique entre Louis-Joseph Papineau et Jocelyn Waller, éditeur du *Canadian Spectator* et qui « *was a constant supporter of the reform program of Papineau* [...] *and kept* [*his*] *readers informed of O'Connell's speeches and activities in Ireland, and of the success or failure of liberal causes in Europe* »[9]. Les travaux récents ne s'entendent pas sur l'événement le plus marquant de cette alliance irlandaise et canadienne-française. Était-ce la campagne québécoise des « *Friends of Ireland Society* » en faveur de l'émancipation catholique en Irlande à la fin des années 1820[10], ou les victoires patriotes de 1832 et 1834[11], ou la formation de la coalition Baldwin-LaFontaine, après la rébellion, alors que ces derniers purent compter sur le vote irlandais du

Canada-Est pour faire adopter le gouvernement responsable?[12] Si cela reste débattu, les études s'accordent néanmoins pour dire que la coopération entre les deux communautés influença de manière cruciale les politiques réformistes du Québec au cours de la période 1825-1848.

D'autres travaux ont examiné le développement d'associations ou d'institutions. La SPS, à partir de sa fondation en 1834 jusqu'à son infiltration par des sympathisants *fenians* à la fin des années 1860[13] a été particulièrement étudiée. Les travaux ont aussi porté sur les défilés du *St. Patrick's Day*[14], sur la construction de l'église *St. Patrick* à Montréal[15], sur le rôle de la paroisse dans la promotion d'une façon typiquement «irlando-canadienne» de concevoir l'identité ethnique[16], sur les perceptions irlandaises des Canadiens français[17], et vice versa[18]. Même si ces derniers semblaient moins tournés vers le comportement politique des Irlandais du Québec, ils illustrèrent cependant la division qui eut cours entre Irlandais et Canadiens français après la Famine.

Au cœur de l'historiographie irlando-québécoise se pose ainsi la question des relations entre Irlandais et Canadiens français : étaient-elles principalement conflictuelles ou conciliantes ? Les réponses sont variables et changent selon la période étudiée. La tendance répétée à analyser principalement le fonctionnement d'institutions irlandaises locales, au lieu de mettre l'accent sur l'examen d'événements politiques controversés tels que les rébellions, la Famine, les menaces *fenians*, etc., semble avoir masqué les changements politiques importants connus au sein de la communauté irlandaise entre le début des rébellions et la Confédération. Le fait que les réformistes irlandais forgèrent des alliances répétées avec les Canadiens français dans les années 1830 et 1840, mais non pas en 1850 et en 1860, appelle à une analyse exhaustive qui n'a toujours pas été réalisée. Cela est dû, partiellement du moins, à la façon dont les chercheurs ont tenu à périodiser la trame narrative historique.

Le problème de la périodisation est manifeste dans deux articles récents, celui de Mary Haslam et celui de David Wilson ; deux articles qui avancent des interprétations diamétralement opposées quant à la portée et à la durée des alliances politiques scellées entre Irlandais et Canadiens français avant et après la Famine. Selon Haslam, les nombreux éditoriaux des journaux patriotes souscrivaient à «la cause commune [*of*] Irlandais-Canadien *solidarity*» dans les années 1830, et spécialement durant la campagne électorale de 1834 qui conduisit à une nouvelle forme de «*Hiberno-Canadien hybrid identity*» ; ce qu'elle nomme la «Canadiennité»[19]. Haslam indique que la presse patriote francophone voyait les Irlandais comme des alliés politiques indispensables et approuvait la campagne de Jocelyn Waller, Daniel Tracey et Edmund Bailey O'Callaghan visant à mobiliser les Irlandais en faveur de Papineau. Bien au contraire, David Wilson a remarqué, qu'après la fin de la Famine :

the lack of a sustained and successful Irish-French revolutionary alliance speaks to the recurring disjunction between external and internal Irish nationalist images of French Canada. While revolutionary Young Irelanders, Irish-American annexationists of 1848-49 and Fenian filibusters of 1865-66 believed that French Canadians would passively or actively support Irish efforts to emancipate Quebec from British rule, Irish Canadians in Montreal and Quebec were sending out very different signals – that the two communities were jealous and suspicious of one another, and that French Canadians discriminated against Irish immigrants[20].

Selon Wilson, la notion même d'une « *Irish-French revolutionary* alliance » serait le reflet de ce qu'il a appelé le « *narcissism of nationalism* ». Étonnamment, tant Haslam que Wilson proposent des interprétations convaincantes, mais en décrivant ce qui semble être deux mondes totalement différents. Pourtant, seulement une décennie sépare leurs périodes d'études respectives. Si le concept de « canadiennité » d'Haslam apparaît moins à propos pour ce qui est de l'après-Famine, il reste qu'il n'y avait rien de narcissique dans les appels de Louis-Joseph Papineau aux électeurs irlandais de Montréal ou dans ceux d'O'Callaghan aux voteurs canadiens-français dans Yamaska en 1834. De la même façon, si la notion d'une alliance irlandaise et canadienne-française semble souvent chimérique après 1848, que dire de l'assertion de Lord Elgin qui déclara : « *that the only thing which prevented an invasion of Canada* [...] *was the political contentment prevailing among the French Canadians and Irish Catholics* » ?[21] Les études traitant de la coopération politique entre Irlandais et Canadiens français durant les années 1840, et qui n'examinent pas les changements de perception de l'un vis-à-vis de l'autre, ne posent pas les bonnes questions.

En fait, on pourrait dire que les alliances irlandaises et canadiennes-françaises atteignirent un sommet en même temps qu'elles amorcèrent un déclin durant la même année 1848. Si l'historiographie relate habituellement l'alliance entre Papineau et O'Callaghan, il demeure que la coalition Baldwin-LaFontaine, organisée par Francis Hincks en 1839, employa des tactiques souvent semblables à celles des patriotes, incluant la fondation du journal *The Pilot* à Montréal en 1844, pour mobiliser le soutien irlandais en faveur du gouvernement responsable. Les deux coalitions furent aussi l'objet d'importantes instabilités. À partir de 1835, l'alliance patriote devint de plus en plus difficile à maintenir, à cause notamment des inquiétudes suscitées par les épidémies de choléra en 1832 et 1834, de l'augmentation de l'immigration irlandaise, de l'opposition du père Patrick McMahon de Québec et des efforts concertés du parti « *Tory Constitutionalist* ». Ce dernier parti voulut diviser le vote irlandais en fondant l'*Irish Advocate* et en établissant la *St. Patrick's Society of Montreal* (*SPS*) en 1834. À cet égard, il importe de rester critique. Par exemple, si les journaux réformistes irlandais ont pu fleurir de 1825 à 1837 – le nombre d'abonnés passant même de 700 à 2 000 au cours du mandat d'O'Callaghan comme éditeur du *Vindicator* (1833-1837) – l'*Irish Advocate* tory, lui, dura moins de deux ans (1834-1836)[22].

De même, si les activités de la *SPS*[23] sont souvent remarquées dans les études, il demeure que celle-ci était, à l'époque, certainement moins influente, dans les cercles irlandais, que ses rivales comme *The Hibernian Benevolent Society* qui, elle, « tended toward a radical branch of politics both in Irish and Lower Canadian terms »[24]. Les allégations de Garth Stevenson comme quoi « *in Lower Canada, Irish Catholic immigrants had originally played a prominent part in the Patriote movement, but by 1837 the majority of them, although by no means all, were supporters of the colonial regime* »[25] sont basées sur une source vieille de cinquante ans et qui paraît moins crédible que l'analyse détaillée de Daley. S'il ne fait pas de doute qu'Edmund Bailey O'Callaghan perdit un soutien irlandais considérable lorsqu'il passa de réformiste à rebelle, il faut aussi mentionner que les Irlandais ne semblent pas avoir voulu risquer leurs vies afin de supprimer les troubles. Comme le dit Daley : « *few Irish Catholics* [...] *were willing to shed their blood for a British administration, while only a handful were prepared to die to overthrow it* »[26]. L'éclatement de la rébellion autour de Montréal, jumelé à la concentration extraordinaire des forces militaires dans la ville où se retrouvaient justement les plus ardents sympathisants patriotes irlandais, empêchèrent une participation accrue des Irlandais à la révolte[27]. Ceci dit, cette première phase d'alliances irlandaises et canadiennes-françaises s'est certainement soldée par un échec et une défaite personnelle pour O'Callaghan.

Après les rébellions, les Irlando-catholiques seront perçus comme n'appartenant à aucune des « *two nations warring within the bosom of a single state* », tel que formulé par Lord Durham. Après l'Acte d'Union de 1840, ils continuèrent ainsi d'occuper une place stratégique, eux qui étaient placés entre la minorité anglo-protestante et la majorité canadienne-française. Dans les années 1840, ils furent convoités par les politiciens de toutes allégeances, qui les considéraient comme essentiels dans leurs stratégies respectives. L'extraordinaire volatilité du vote irlandais devint d'ailleurs apparente lors d'une élection partielle, et ensuite des élections générales, tenues toutes deux en 1844 : le candidat de LaFontaine à Montréal, Lewis Drummond, gagna la première manche, mais perdit la deuxième alors que les ouvriers travaillant à la construction des canaux changèrent d'allégeances suite aux pressions de leurs employeurs. Comme le dit Daley, les électeurs irlandais firent souvent face à « *a difficult choice – the appeal of moderate reform against Tory promises of employment* »[28]. Néanmoins, « *the majority, especially among Catholics, generally supported the policies of LaFontaine and his platform of moderate reform and responsible government* »[29]. Shirley Sellar a noté que la coalition réformiste de Baldwin-LaFontaine était elle-même « *basically an Irish-French alliance with a historical as well as a practical basis* ». Selon elle :

[*the*] *predominant social goal espoused by William Warren Baldwin and his son's* [*Robert Baldwin's and Francis Hincks's*] *generation of Irish-Canadian reformers* [...] *was* [...] *that the conditions which had had such detrimental effects upon the social and economic life of Ireland should not be permitted to intrude upon the colony*[30].

Comme éditeur du *Pilot*, Francis Hincks essaya de mobiliser les Irlando-catholiques de Montréal en faveur du leadership irlando-protestant et canadien-français de Baldwin et LaFontaine. Somme toute, Hincks réussit bien cette mission. Ceci dit, les fidélités politiques complexes des Irlandais menèrent tout de même à une drôle de situation en 1848 alors que le ministère Baldwin-LaFontaine n'était pas la seule alliance irlandaise et canadienne-française convoitée. En 1848, à son retour d'exil, Louis-Joseph Papineau tenta en effet de refaire sa carrière politique en liant le nationalisme révolutionnaire européen et les efforts pour supprimer les Actes d'Union votés pour le Canada et pour l'Irlande. Moins de deux moins après que Lord Elgin eût concédé le gouvernement responsable, Papineau défia la légitimité du mandat réformiste en dénonçant la persistance de la domination coloniale, sous des hommes d'État « [*whose*] *politics* [*were*] *as profound as an abyss, as silent as the tomb* »[31]. « *Blessed be the acts of union of Ireland and Canada* », ironisera Papineau, « *by the men for which* [...] *place, gold, and what is termed honors are sought* ».

Est-ce que l'union canadienne était avantageuse ou désavantageuse aux Irlandais ? Voilà une question longuement débattue dans les journaux radicaux et réformistes comme *L'Avenir* et *The Pilot*. Le *Pilot* de Francis Hincks tenta de discréditer les assertions de Papineau alléguant que les Irlandais étaient avec lui. Dans son éditorial, Hincks écrit :

Whatever may be the grievances of Ireland – and we certainly should be the last to deny their existence – Canada has of late years been treated fairly by the Imperial Government : so fairly, that it has been asserted in Ireland that if self-government were conceded to the people of that unhappy country to the extent that it prevails in Canada, the people would be satisfied[32].

L'argumentaire de base du nationalisme irlandais modéré, et qui ne changera pas dans les décennies à venir, se résumait ainsi : le gouvernement responsable et le modèle canadien de respect mutuel étaient des exemples de remèdes qui pouvaient régler les injustices commises en Irlande par la « British misrule ». Autre point à noter, Papineau eut de la difficulté à recueillir l'appui de ses anciens partisans irlandais à cause de son anticléricalisme. LaFontaine et Hincks réussirent mieux que lui à les courtiser en leur proposant des mesures modérées.

Il faut aussi prendre en compte la dimension ecclésiastique lorsque l'on étudie le système d'alliances entre Irlandais et Canadiens français en 1848. Même s'il a souvent été noté que l'arrivée des immigrants de la Famine, en 1847, attisa les tensions entre les deux groupes puisque les

Irlandais auraient propagé l'épidémie de typhus au Canada-Est, il n'y a pourtant rien qui indique que cela eut vraiment un effet plus important que lors des épidémies de choléra de 1832 et 1834. Les souvenirs de la générosité canadienne-française à l'égard des immigrants irlandais et ceux concernant l'adoption d'orphelins irlandais par des franco-catholiques restèrent dans la mémoire. Cependant, il y eut effectivement des impacts politiques immédiats résultant de la grande vague d'immigration de la Famine; et étrangement, peu d'études récentes les ont analysés, les chercheurs étant davantage préoccupés par les questions de la commémoration de la migration de la Famine au lieu de l'événement lui-même[33].

Par exemple, le prêtre irlandais installé à Sherbrooke, Bernard O'Reilly, fut si touché par son expérience passée à Grosse-Île, administrant les soins aux malades en juillet 1847, qu'il décida de fonder une organisation ayant pour but de prévenir toute situation désastreuse pouvant surgir chez ses ouailles françaises et irlandaises de Sherbrooke[34]. Moins de trois mois après son retour de la station de quarantaine de Grosse-Île, O'Reilly fit la promotion d'une société de colonisation canadienne-française dans les Cantons-de-l'Est. Comme l'a mentionné J. I. Little, O'Reilly écrivit fréquemment aux journaux anglophones et francophones de Montréal et de Québec « [...] [which] published [his] accounts of young French-speaking families close to perishing from hunger and cold in the midst of a generally affluent population, and of youths placed in English-speaking [households] »[35]. O'Reilly était particulièrement sensible aux inquiétudes des Canadiens français des townships, eux qui habitaient une région majoritairement anglo-protestante. Il rédigea trois lettres publiques à la presse canadienne-française dans lesquelles il énonça les similitudes entre le destin de ses paroissiens canadiens-français et celui des immigrants irlandais de la Famine[36]. Dans la troisième lettre, écrite le 31 janvier 1848, O'Reilly insista pour dire que la meilleure façon de préserver la langue française, la religion catholique et « le caractère distinctif de la population d'origine française en cette province » était de solidifier l'alliance avec les Irlandais de la région des Cantons-de-l'Est :

> Parce que ensuite, en dépit des jalousies ou des haines des autres races, [...] le peuple canadien restera là debout, comme l'élément principal de notre société autour duquel dans le bonheur comme dans le malheur, se ralliera un autre élément, l'élément irlandais [...] Ce ne sera que sur les débris de leur union et de leur mutuelle affection que la tyrannie assoira son trône.

Une telle union affective et mutuelle complémentait et remplaçait l'alliance politique orchestrée par Francis Hincks et LaFontaine.

Des appuis notables de la part d'une grande variété de prêtres et politiciens canadiens-français récompensèrent en quelque sorte les efforts d'O'Reilly; en l'espace de quelques mois, les propositions du prêtre O'Reilly formèrent la base de la politique gouvernementale. En mars 1848, les idées d'O'Reilly furent mises en pratique avec le lancement de «l'Association pour l'établissement des Canadiens-Français dans les Townships du Bas-Canada». L'évêque montréalais Ignace Bourget fut nommé «tuteur officiel» de l'association, mais celle-ci était aussi appuyée par des membres radicaux et anticléricaux qui avaient déjà partagé la scène avec O'Reilly lors d'une manifestation à Montréal le 5 avril 1848: «*Where Papineau had emphasised nationalism and politics, O'Reilly stressed religion*»[37]. Le journal protestant *The Montreal Witness* nota même les souhaits du prêtre O'Reilly, à l'effet que les Canadiens français «*will cut the first tree in each new settlement*» à partir duquel une croix pourrait être bâtie et «*erected on the eve St. Jean Baptiste, the patron saint of French Canadians*»[38]. Par ailleurs, comme le mentionne J. I. Little, autant LaFontaine que Lord Elgin «*had little choice but to throw [their] support behind the project*» dans l'espoir, comme le dit Lord Elgin, que ce groupement ne devienne pas «*a potent instrument of agitation*»[39]. L'appui officiel aliéna certains membres canadiens plus radicaux, qui accusèrent O'Reilly de se mêler de politique[40]. Pour réponse, O'Reilly rédigea une lettre hautement ambiguë dans laquelle il approuva la politique gouvernementale tout en avertissant que, lui-même, étant Irlandais de naissance «[...] et connaissant l'histoire de mon pays, et les conséquences de la discorde entre frères, puis-je ne point désirer l'union entre vous et les Canadiens-français?»[41]. J. I. Little souligne que «[l'] Association des Townships *was a failure*» et que l'échec était prévisible puisqu'elle tenta d'aller chercher l'appui d'une variété trop grande et trop diverse de Canadiens français:

> Because Father O'Reilly felt that it would force the French Canadian spokesmen to transcend their deep-rooted internal differences, he encouraged the participation of the radical Institut Canadien members as well as their foes, the Church and the LaFontaine politicians[42].

Bernard O'Reilly fut tout de même l'un des Irlandais les plus influents au sein des groupes religieux et politiques du Canada français au XIXᵉ siècle, même s'il n'est que très peu connu aujourd'hui. Le poète québécois Octave Crémazie l'encensa dans son poème «Colonisation, 1853» en le qualifiant de père spirituel de la survivance canadienne-française. Crémazie rendit hommage au «discours sublime» de Bernard O'Reilly qui demandait aux Canadiens français de prendre possession de leur terre ancestrale:

> Amis, la forêt vous attend!
> Devant vous se déroule un monde magnifique
> Qui veut de vos efforts l'aide patriotique.
> Votre langue et vos lois, votre religion,

L'avenir entier de la race française
Voulant se conserver sur une terre anglaise,
Toute est dans ce seul mot: COLONISATION!

Comme instigateur de la colonisation canadienne-française «sur une terre anglaise», O'Reilly aida pourtant à modifier la donne ethno-culturelle, menant plus tard à d'importants conflits entre lrlandais et Canadiens français.

Ceci dit, l'échec d'une alliance durable ne fut pas causé par la coloni-sation canadienne-française, ni par les rébellions ou la Famine, mais da-vantage par la résurgence d'un catholicisme fervent après 1848. Plus spé-cifiquement, il existe trois raisons qui firent de la résurgence catholique l'arme par excellence de la désunion, opérant une césure entre les nationa-lismes culturels canadiens-français et irlandais. Premièrement, même si la majorité des immigrants de la Famine n'ont fait que passer par Québec et Montréal, en route pour s'établir ailleurs à l'ouest ou aux États-Unis, il demeure que plusieurs d'entre eux sont restés dans les deux villes québé-coises, augmentant de façon significative les effectifs, le poids et l'influence politique des Irlandais. Deuxièmement, l'un des immigrants irlandais les plus influents, le sulpicien Patrick Dowd, débarqua à Montréal en juin 1848, assumant dès lors un leadership plus vivant et revendicateur que ceux de ses prédécesseurs.

Par la suite, les idées de Dowd vont s'opposer à celles d'Ignace Bourget. Gillian Leitch et Rosalyn Trigger s'accordent pour dire que «*there was relatively little friction between French and Irish Catholics*» au début du xixᵉ siècle quand les Irlandais étaient accommodés, mais tout de même subordonnés, à l'Église canadienne-française[43]. La résurgence d'un catho-licisme fervent, jumelée aux nombreux immigrants irlandais défendus par le père Dowd, donnèrent à la communauté irlando-catholique la force de développer ses propres institutions. Comme le souligne Kevin James: «*Dowd was in Ireland while the devotional revolution was still in its infancy; he had been exposed to expressions of Irish Catholic institution-building articulated by men such as Father Theobald Matthew*». Ainsi, Dowd s'activa pour fonder, au Canada, la *St. Patrick's Temperance Society* (1850), le *St. Patrick's Orphans Asylum* (1851), et la *St. Bridget's Home for the old and infirm* (1865):

> *In establishing these institutions, Dowd insisted upon their independence from the structures of both Protestant and French Catholic associational networks – thereby underscoring the extent to which the associational culture Dowd advanced was Irish-Catholic in character*[44].

Troisièmement, et plus important encore, le programme de Dowd éveilla la conscience historique de la communauté irlandaise, qui se carac-térisera progressivement comme insulaire, pieuse et indépendante; no-tamment lorsque les institutions irlandaises semblaient menacées. Dans ces circonstances, l'idée d'une alliance irlandaise et française devait être pensée différemment.

Plus particulièrement, les Irlandais ne considérèrent plus le « Canadien français » comme un compatriote politique, mais davantage comme un coreligionnaire. Si le *Vindicator* des années 1830 pouvait vanter les mariages entre « *Irish lads and Canadian lasses – [for] union is strength* »[45], en notant la force politique que pouvaient engendrer ces mariages, ce genre d'idées céda sa place. Le nationalisme culturel devait maintenant passer par le catholicisme romain[46]. En conséquence, ceci accentua les différences culturelles entre coreligionnaires québécois. Alors que *The Vindicator* avait chanté, avant les rébellions[47], les vertus de l'alliance politique entre « *Pat and Jean Baptiste* », le journal modéré *The True Witness and Catholic Chronicle*, après la Famine, répudiera le « *rebellious sentiment* » et « *[any] attempt to kindle anew in our mixed community the scarce extinguished embers of religious and national discord* »[48]. Les opinions politiques de certains récalcitrants furent condamnées comme étant « *directly opposed to the teachings of the Catholic Clergy of Canada, who are now, as they were in '37 and '38, the preacher of dutiful obedience to lawfully constituted authority* ». Papineau lui-même, moins d'une décennie après ses efforts pour redéployer une alliance irlandaise et française, et moins de trois ans après l'affaire Corrigan, rédigea une lettre pour le *New Era* de Thomas D'Arcy McGee. Dans celle-ci, Papineau avertit la communauté irlandaise d'éviter les schismes et les « *party feuds* […] *that have been as great a curse as oppression from abroad* »[49]. « *Let them not import secret, antagonistic, hating societies* », écrit Papineau, qui, en 1858, ne voyait plus les Irlandais comme des amis politiques.

L'accroissement de tensions ethno-religieuses entre Irlandais et Canadiens français, auquel Papineau fit allusion, fut visible durant les émeutes de Gavazzi, pendant l'affaire Corrigan, au cours du schisme de la *St. Patrick's Society* et pendant cette décennie qu'Aidan McQuillan a qualifié de « *difficult 1850s* »[50]. Peu de recherches ont examiné les émeutes entourant la venue du prêtre italien défroqué Gavazzi à Québec et à Montréal en 1853 (émeutes qui coûtèrent la vie à dix-huit personnes), mais l'affaire Corrigan et l'expulsion des protestants de la SPS ont été l'objet de nombreuses études. Aidan McQuillan a démontré que les disputes ethno-religieuses furent à l'origine de la formation d'une identité irlando-catholique distincte au Québec. En 1854, un fermier protestant fut tué par une bande d'Irlando-catholiques dans le secteur de Beaurivage. L'événement sera connu comme l'affaire Corrigan. McQuillan suggère que cet événement marqua un point tournant dans la transition faisant des Irlando-catholiques de la région non plus des immigrants, mais une communauté ethnique permanente[51]. De tels incidents de violence, localisés pour sûr, furent tout de même fortement condamnés par les éléments plus modérés de la communauté irlandaise, notamment par le journal de Thomas D'Arcy McGee.

Le journal *The New Era* de McGee ne voyait pas d'un bon œil l'importation de querelles irlandaises ancestrales ainsi que les efforts « *to divide the French and Irish into irreconcilable enemies* »[52]. Ces conflits, toutefois, marquèrent un point tournant dans la consolidation de l'image que se faisaient les Irlando-catholiques d'eux-mêmes au Québec.

L'évolution de la *SPS*, au cours du XIXe siècle, démontre bien la transformation de la société irlandaise, qui passa de minorité anxieuse à une communauté confiante en elle-même. Deux articles récents, par Kevin James et David Wilson respectivement, ont décrit les origines de la *Society*, la subdivision de celle-ci en deux entités, l'une catholique et l'autre protestante (appelée *Irish Protestant Benevolent Society*) et l'activisme *fenian* entre 1862 et 1868[53]. Kevin James explique que la *SPS* fut fondée en 1834 par des Irlandais «Constitutionnels Tories» qui étaient explicitement « *opposed to the* patriote *programme*». Ces Tories étaient d'ailleurs dénoncés vigoureusement par Edmund Bailey O'Callaghan dans son *Vindicator*[54]. À la suite des rébellions, l'organisation dut se réinventer en une société de bienfaisance mutuelle, mais l'élection difficile de Francis Hincks à la présidence de la *SPS* amplifia les discordes internes. Qui plus est, l'impossibilité de bien soutenir les immigrants de la Famine amena les gens à dénoncer la *SPS*. *The Transcript* dit qu'elle était «*a burlesque of that nation which it purports to represent*». En 1856, la *SPS*, après plusieurs années à être «*ideologically adrift and torn by factionalism*»[55], fut dissoute et reconstituée en une organisation exclusivement catholique «*under the watchful eye of the Sulpician Father Patrick Dowd*». Comme le mentionne Rosalyn Trigger : «*the transformation of St. Patrick's Society* […] *into an exclusively Catholic association* […] *set a precedent for the future subservience of Irish national societies to the Catholic Church in Montreal*»[56]. Le *Transcript* condamna la *SPS* «*[for] intolerance and [the] complete exclusion of Irish Protestants from [it]*»[57].

L'expulsion des protestants rendit la *SPS* plus vulnérable à l'infiltration de groupes radicaux nationalistes, qui essayèrent de la transformer, à partir de 1862, en une «*Fenian front organization*» et ce, malgré l'opposition de Patrick Dowd et de Thomas D'Arcy McGee. David Wilson a remarqué la difficulté de documenter les activités clandestines des sociétés secrètes, mais il a aussi noté que «*the Fenians of Montreal* […] *were among the most militant revolutionaries on the continent*» et que ceux-ci avaient le soutien passif d'environ un cinquième des Irlando-Montréalais (nés en Irlande) :

> [*Although they*] *had failed to take over St. Patrick's Society, they had become a significant political presence within the organization, were gradually extending their influence among the Montreal Irish, and were looking for ways to destroy McGee's power base in the city*[58].

Ainsi, en moins de trente ans, la *SPS* fut totalement transformée, passant d'une organisation conservatrice tory à un espace où pouvait fleurir

le nationalisme irlandais. Cette transformation reflétait aussi la force grandissante du membership irlando-catholique de la ville. Wilson suggère
que les *Fenians* montréalais ne purent jamais contrôler la *SPS* et ne furent
pas capables de lancer une insurrection en 1856. Cependant, ils représen-
tèrent une menace formidable tout au long de la décennie, comme le montre
d'ailleurs l'assassinat de Thomas D'Arcy McGee en 1868[59]. Contrairement
à l'alliance patriote des années 1830, les *Fenians* montréalais ne firent jamais cause commune avec les Canadiens français : « *rather than welcoming
the Fenians as liberators, French Canadians were much more likely to have resisted them as invaders* »[60]. La présence des *Fenians* mina aussi l'harmonie com-
munale chez les Irlando-catholiques eux-mêmes, dissociant les plus modérés comme Dowd et McGee de leurs frères nationalistes plus radicaux[61].
Après l'assassinat de McGee, toutefois, la désapprobation du *fenianism*
permit de renforcer le rôle du catholicisme et du clergé. Le catholicisme
devint alors un véritable marqueur identitaire chez les Irlandais du
Québec.

Ce ne fut pas la menace des *Fenians*, cependant, qui signala la fin de
l'alliance irlandaise et canadienne-française en 1866. Ce fut plutôt le plan
de Bourget de subdiviser la paroisse Notre-Dame en plusieurs petites
paroisses. Menaçant le contrôle du clergé irlando-catholique dans sa
propre église *St. Patrick* et dans les institutions irlandaises environnan-
tes, le plan Bourget fut perçu comme un projet visant à fragmenter la
communauté irlandaise en général. La controverse entourant le « démembrement » ou la subdivision de la paroisse Notre-Dame a été bien
explicitée par Rosalyn Trigger, qui asserte de façon convaincante que
l'événement fut « *instrumental in the formulation and maintenance of Irish-
Catholic consciousness in nineteenth-century Montreal* »[62]. Plus particulièrement, la controverse agita tant les élites laïques, cléricales que les paroissiens irlandais qui luttèrent pour préserver leurs institutions religieuses
et sociales. Pour réponse à une lettre pastorale écrite par Bourget, des
membres éminents de la communauté, incluant Thomas D'Arcy McGee
et Thomas Ryan, publièrent un pamphlet intitulé *The Case of St. Patrick's
Congregation*. Ils parlèrent de la possibilité d'émeutes sanglantes et d'une
« *war between Irish and Canadian Catholics throughout the city* » si le plan de
Bourget était mis à exécution[63]. Comme Rosalyn Trigger l'a dit, ce ne furent pas seulement les laïques, mais également les sulpiciens, notamment le père Dowd, qui s'opposèrent « *to Bourget's plan because it was seen
as an attempt to undermine their authority* ». Le père Dowd protesta, le 20
septembre 1866, dans une lettre qui mentionnait que les services religieux mixtes entre Canadiens français et Irlandais avaient été par le passé abandonnés « *after much bad feeling had been created, acts of violence committed at the very doors of the church, and even open scandal given within its
sacred walls* »[64].

L'animosité publique fut remarquée par des voyageurs passant par Québec et Montréal, tels que le député de Cork et fondateur du *Cork Examiner*, John Francis Maguire, et le révérend M. B. Buckley, tous deux invités par le père Dowd. «*A great antipathy seems to exist between [the French] and the Irish, clearly not on religious grounds, inasmuch as both are Catholics*» souligna Buckley en disant que les deux groupes étaient «*embittered as much, if not more, by political and national prejudices as by differences of religious faith. In many places efforts have been made by ecclesiastical authorities to blend the two nationalities [...] but oil and water are not more dissociable*»[65]. Les conflits ouvriers et la «*difference of language must [...] create a barrier against international fusion, or thorough sympathy between races*», remarqua pour sa part Maguire dans *The Irish in America.*[66]

Attisant l'antipathie entre Irlandais et Canadiens français, la «controverse du démembrement» éveilla la conscience historique irlando-canadienne en créant aussi un contexte singulier où les coreligionnaires firent la promotion de deux interprétations différentes du passé. Les Irlandais de Montréal furent particulièrement choqués des insinuations de Bourget à propos de la prétendue ingratitude des Irlandais quant au sacrifice des Canadiens français qui soignèrent et adoptèrent les immigrants irlandais quelque deux décennies auparavant. Le pamphlet *The Case of St. Patrick's Congregation* note ceci :

> Your Lordship, referring to the sad events of 1847, is pleased to call us an « unfortunate » people. In 1866 we are still « unfortunate » – for your Lordship will not allow us to forget our sad destinies. The memory of all past afflictions must be kept fresh : and all the charities of which we have been the sad recipients, must be turned into an argument to force us to surrender, in silence, all the advantages of our present condition, which we owe to our own efforts [...] and the generous sympathy of our immediate Pastors[67].

La communauté irlandaise tenta de mettre l'accent sur la résilience et l'indépendance de ses membres, eux qui surmontèrent leur «triste destinée». Elle ne voulut point marquer sa dépendance face à Bourget et aux coreligionnaires canadiens-français. Comme premier document publié par la communauté irlando-québécoise, *The Case of St. Patrick's Congregation* constitue un écrit très explicite de l'image que se faisaient les Irlandais d'eux-mêmes. Cette image favorisait la prospérité et l'auto-suffisance et évitait de revenir sur les difficultés du passé. Les expressions comme «*on our efforts*» et «*our immediate Pastors*» attestent de l'émergence d'une conscience irlando-catholique de plus en plus indépendante et insulaire. Le pamphlet fut aussi précurseur de futures publications de la fin du siècle. Plus tard, il y eut par exemple la publication du *Golden Jubilee of the Reverend Fathers Dowd and Toupin, with Historical Sketches of the Irish Community* (1887) par J. J. Curran ; du *Golden Jubilee of St. Patrick's Orphan Asylum* (1902) ; de la *History of the Irish Catholics of Quebec : Saint Patrick's*

Church to the death of Rev. P. McMahon (1895) par James O'Leary.[68] Tous ces documents réitèrerent la résilience dont a fait preuve la communauté irlandaise et éviteront de parler de la générosité canadienne-française lors des « *sad events of 1847* ».

Même la mémoire sacrée de la générosité des Canadiens français qui adoptèrent des orphelins irlandais n'eut pas beaucoup d'échos avant la publication, en 1909, du livre de J. A. Jordan intitulé *The Grosse Isle Tragedy and the Monument to the Irish Fever Victims, 1847*.[69] Avant 1909, le cas des adoptions fut mentionné dans le *Golden Jubilee of St. Patrick's Orphan Asylum* « [*as a temporary expedient*] *that was tried and did not work well* »[70] et qui appelait à la création d'un orphelinat irlandais. L'aversion des Irlandais pour Bourget est remarquée dans un chapitre du *Golden Jubilee of St. Patrick's Orphan Asylum*, reproduisant la correspondance exposant les disputes légales concernant des sommes d'argent laissées à Bourget après son refus de bâtir l'église *St. Brigid*. La résolution adoptée à propos des « *claims of the Asylum* » est significative[71]. Tout compte fait, la « controverse du démembrement » tourna à l'avantage de la communauté irlandaise alors que les appels de Dowd, Ryan et D'Arcy McGee furent entendus au Vatican. L'on créa alors des « paroisses nationales » séparées à Montréal et l'église *St. Patrick* fut réservée aux « Angli » ou « Hibernienses »[72].

Paradoxalement, les luttes ethno-religieuses ne semblèrent pas déstabiliser la position des catholiques irlandais du Québec. Elles semblèrent même la consolider. En 1866, les Irlando-catholiques de Montréal craignaient de voir leurs paroisses être fragmentées et de voir les divisions s'intensifier entre nationalistes radicaux et nationalistes modérés constitutionnels. Mais, Dowd et D'Arcy McGee réussirent à supprimer les menaces posées tant par Bourget que par les *Fenians*. Après 1873, après l'assassinat de D'Arcy McGee, après la disparition de la menace *fenian* suivant les raids désastreux de 1870-1871, et après l'action résolue du Vatican, l'autorité du clergé irlandais et la position du père Dowd furent nettement consolidées. Selon Trigger, « *the success of the clergy in bringing Irish national societies in Montreal more firmly under the supervision of the Catholic Church was reflected in the composition and routing of St. Patrick's Day processions* »[73]. Ces processions servaient habituellement à exposer le certain pouvoir du clergé ainsi que l'unité nationale et religieuse irlando-catholique. À la fin du XIXe siècle, les Irlando-Québécois avaient donc réussi à acquérir certaines caractéristiques qui continueront d'exister par la suite. Ils étaient majoritairement catholiques, socialement conservateurs, et parlaient l'anglais. Ils étaient aussi plus disposés à soutenir le nationalisme constitutionnel que le nationalisme radical, ce dernier ne niant parfois pas l'utilité de la force.

Les dimensions géopolitique et socio-économique, en rapport à l'intégration des Irlandais au Québec, furent méticuleusement étudiées par Sherry Olson, Patricia Thornton, Rosalyn Trigger et Aidan McQuillan.

Ceux-ci s'entendent généralement pour dire que le processus d'adaptation fut complété au moment de la Confédération[74]. Selon Sherry Olson et Patricia Thornton:

> the precursor generation was more often integrated into the French Canadian community, immigrants of the 1840s often became bilingual, and after 1860 the « national » parishes created for English-speaking Catholics reinforced a process of anglicization.

Olson et Thornton ont aussi examiné l'ascension socio-économique des Irlandais post-Famine en lien avec les Canadiens français. Elles notèrent ainsi des: « later marriage, longer breastfeeding, solidarity of brothers and sisters, a search for literacy in institutions of both languages and religions, assemblages of households of larger size and multiple breadwinners, and a preference for low density streets »[75]. L'ascension socio-économique des Irlandais coïncida avec la montée des tensions ethno-religieuses, connues entre la Famine et la Confédération. Ainsi, on pourrait arguer que ces conflits marquèrent un tournant pour la communauté irlandaise alors que celle-ci devenait de plus en plus autonome au sein de la société québécoise.

L'élévation sociale des Irlandais fut pourtant atténuée par le déclin démographique subséquent de la communauté, au XXe siècle. Mais ceci ne peut expliquer le manque de recherches à propos des Irlandais au XXe siècle. Comme le mentionne de façon convaincante Simon Jolivet, au tournant du siècle, les Irlando-catholiques « [were] still forming a coherent and ethnically distinct community in Québec, not only in 1898, but also twenty years later »[76]. Comme Haslam avant lui, Jolivet a aussi témoigné, en traitant de l'évolution du nationalisme canadien-français, des perceptions des Canadiens français face aux Irlandais et de l'impact des événements politiques ayant cours en Irlande. Il a démontré que les Canadiens français de toutes tendances s'informèrent des événements d'Irlande. Les Canadiens français dressèrent des parallèles entre leur propre situation politique et celle d'Irlande à la suite des débats sur le Home Rule, de la crise de la conscription irlandaise, de la montée du Sinn Féin, de la guerre d'indépendance de 1919-1921. Qui plus est, Jolivet a aussi découvert des preuves tangibles de liens politiques partagés par les nations irlandaise et québécoise. Il nota par exemple la présence de la Self Determination League for Ireland in Canada and Newfoundland « founded by Irish-Canadian nationalists and supported by the republican leader Éamon de Valéra, [to] promote Irish independence and Sinn Féin during 1920 and 1921 »[77]. Finalement, « whether they were nationalists, imperialists, liberals, conservatives, or ultramontanes », les Canadiens français, dit Jolivet, furent particulièrement intéressés à la question politique d'Irlande: « those who commented on the Irish situation […] did so in an introspective way. When French Canada spoke of Ireland, deep down it really spoke of itself »[78].

Le soutien pour le *Home Rule* était universel chez les Canadiens français. L'intérêt pour les affaires irlandaises atteignit son apogée durant la guerre d'indépendance irlandaise. Des foules aussi nombreuses que celles ayant manifesté à l'époque des troubles anti-conscriptionnistes canadiens s'assemblèrent pour honorer la mémoire du maire de Cork, Terence MacSwiney, mort à la suite d'une grève de la faim en octobre 1920. La mort de Terence MacSwiney permit aussi la réunion des Canadiens français et des Irlando-catholiques « *to such an extent that relations between these two communities were the most cordial ever recorded since the nineteenth century* »[79]. À l'inverse, les loyalistes ultra-protestants du Québec, comme Robert Sellar, examinèrent aussi l'exemple de l'Irlande et surtout de l'Ulster, avertissant que « *what Quebec is today Ireland will become under Home Rule* »[80].

Pour revenir aux Canadiens français, il faut rappeler que c'est l'exemple de l'Irlande et non des Irlando-Québécois qui les inspiraient. Il n'y eut pas d'équivalent, au xxᵉ siècle, de la « cause commune » patriote ; une véritable alliance ne pourra être ranimée. Il est certain que les mariages interethniques et la fraternité entre coreligionnaires existaient, mais les communautés ne travailleront plus à la poursuite de buts politiques communs, comme ils l'avaient fait avant 1848. En partie, ceci eut à voir avec le fait que les Irlando-catholiques étaient devenus plus influents et qu'ils avaient réussi à être reconnus comme une communauté distincte[81], alors que les politiciens canadiens-français, quant à eux, n'avaient plus besoin du soutien irlandais important à Québec.

Quoi qu'il en soit, un nouveau rapprochement entre Irlandais et Canadiens français fut détecté durant les années 1890 et précisément au temps du cinquantenaire de la Famine en 1897. Si, en 1997, la commémoration de la Famine et le plan de développement de Grosse-Île furent controversés et critiqués, le cinquantenaire fut, quant à lui, très important dans la redéfinition de la relation entre Irlandais et Canadiens-français. Le 29 août 1897, l'*Ancient Order of Hibernians* organisa un pèlerinage à Grosse-Île, inspirant le procureur-général du Canada, Charles Fitzpatrick, à lancer une campagne de financement afin d'ériger un monument soulignant la « *devotion of the French clergy of Canada, not a fe of whom had sacrificed themselves [… in] their sympathy for a plague-stricken and afflicted race* »[82]. Des idées semblables n'avaient pas été souvent exprimées depuis plusieurs décennies. Si Bernard O'Reilly, qui avait lui-même soigné des malades à Grosse-Île, montra sa gratitude « *to the Bishops, Priests, Nuns, and… French Canadian people […] for, […] their sympathies […] towards the emigrant* »[83], cette façon de voir n'avait pas été très populaire au sein de la communauté irlandaise avant 1897. Le cinquantenaire illustra un rapprochement nouveau.

Une fois les institutions irlandaises du Québec, sociales et religieuses, bien implantées, il put y avoir rapprochement. Les querelles intestines de la communauté irlandaise et les batailles avec les Canadiens français, au temps de la Confédération, étaient passées. Le temps était venu pour établir une relation plus chaleureuse. L'érection de la croix celtique de Grosse-Île, avec sa plaque commémorative trilingue (l'inscription était en français, anglais et gaélique irlandais), ainsi que la publication de *The Grosse Isle Tragedy*, en 1909 par J. A. Jordan, témoigneront aussi de l'influence d'une renaissance culturelle au tournant du siècle. Lors du dévoilement de la croix, tous les dignitaires rendirent hommage à l'esprit de *« brotherly love [and] kindness [exemplified by] French Canadians, who soothed the dying hours of [...] Irish exiles, and later assumed the duties of parents towards their orphan children »*[84]. L'imaginaire associé à ces orphelins de la Famine, adoptés par des familles canadiennes-françaises, naquit donc à cette époque. D'ailleurs, la différence de ton, concernant l'image de l'orphelin irlandais, dans les ouvrages *Golden Jubilee of St. Patrick's Asylum* (1902) et *The Grosse Isle Tragedy* (1909), est probante. Dans ce dernier pamphlet, l'orphelin devint le symbole de l'interdépendance de l'Irlandais et du Canadien français, symbole qui persiste encore aujourd'hui dans la mémoire[85].

En conclusion, quatre points méritent d'être relevés quant à l'état de l'historiographie irlando-québécoise. D'abord, il faut mentionner que la recherche comparative, concernant les Irlando-Québécois, reste toujours négligée, surtout en comparaison avec ce qui a déjà été fait au Canada et ailleurs. Au cours des décennies antérieures, plusieurs monographies et ouvrages collectifs furent publiés au sujet des Irlandais de l'Ontario et des Maritimes, mais aucun ouvrage exhaustif n'a été publié à propos des Irlando-Québécois[86]. Aussi, l'absence presque totale de recherches sur les Irlando-protestants du Québec peut parfois être expliquée par le fait que ceux-ci étaient *« identified with the ruling British elite »*[87].

Mais cela n'explique pas tout. Les études concernant les Irlando-Québécois ont pris la forme d'articles épars et de thèses universitaires. La non-publication de travaux pourtant marquants, telle que la thèse de Robert Daley, *Edmund Bailey O'Callaghan : Irish Patriote* (1986), a ralenti l'évolution de ce domaine d'études. De nouveaux chercheurs semblent avoir plus de succès que leurs prédécesseurs à publier leurs découvertes, mais il reste que le manque de travaux sur les Irlandais du Québec marginalise ce champ au sein des études irlando-canadiennes. Les éditeurs académiques ainsi que les universités canadiennes n'ont aussi montré que peu d'intérêt pour l'avancement de l'historiographie irlando-québécoise. Conséquemment, les chercheurs professionnels ne peuvent remettre en cause les travaux publiés par les historiens amateurs, ceux qui, en fait, ont largement aidé à l'avancement de ce champ. Alan Hustak, Donald Mackay, et spécialement Marianna O'Gallagher, ont tous publié des travaux de grande qualité; travaux qui devraient faire l'envie de leurs collègues universitaires[88]. L'idée souvent entendue que les historiens amateurs ont vu « *the Irish population as an indistinguishable suffering mass, objects of charity and pity: victims* »[89] n'est pas reflétée par les historiens amateurs du Québec. De toute manière, ces stéréotypes touchant aux Irlandais sont aussi de moins en moins en vogue chez les universitaires.

Deuxièmement, et plus important encore, la recherche a d'abord concerné les Irlando-Québécois qui vécurent durant la période comprise entre la Famine et la Confédération, à une époque où le père Dowd et Thomas D'Arcy McGee firent la promotion de valeurs irlando-catholiques insulaires et pieuses. La publication de la biographie en deux volumes de Thomas D'Arcy McGee, par David Wilson, va probablement couronner l'avancement des recherches quant à cette période historique précise[90]. Sa recherche semble impressionnante et la méthodologie rigoureuse, mais elle ne paraît pas faire état du changement profond, au niveau politique, perçu au sein de la communauté irlandaise à la suite de l'effervescence catholique et de l'arrivée des immigrants de la Famine. Les problèmes de périodisation autour de la Famine tendent également à obscurcir le changement de mentalité ainsi que les transformations des perceptions qu'entretenaient entre eux Canadiens français et Irlandais.

Au tournant du XXIe siècle, il serait temps de réhabiliter la tradition des patriotes irlandais. Contrairement au père Dowd ou à Thomas D'Arcy McGee, les patriotes Daniel Tracey et Edmund Bailey O'Callaghan firent la promotion de valeurs libérales, plurielles et séculaires. Leur conception de l'identité irlando-québécoise était également moins antagoniste, en termes de différence religieuse et ethnique, que ce qu'elle est devenue plus tard au cours du XIXe siècle. Leurs idées (moins teintées par le catholicisme romain) ainsi que l'alliance irlandaise et canadienne-française qu'ils ont aidée à bâtir demandent à être réévaluées, notamment pour mieux comprendre la coopération interethnique et politique possible entre la majorité et la minorité.

Troisièmement, les nombreuses études récentes concernant la Famine et sa commémoration ne devraient pas nous induire en erreur : en fait, les conséquences politiques de la Famine au Québec ne sont toujours pas bien comprises. L'influence extraordinaire, même si éphémère, de Bernard O'Reilly qui tenta de faire le pont entre les différentes factions religieuses et politiques canadiennes-françaises lors de la fondation de « L'Association pour l'établissement des Canadiens-Français dans les Townships du Bas-Canada » mérite d'être mieux comprise. De plus, l'évolution des communautés irlando-québécoises entre 1837 et 1857 fut plus importante que durant n'importe quelle autre période de vingt ans. Aussi bien en milieu urbain que rural, la montée des tensions ethno-religieuses, à partir des années 1850, est bien connue ; cette situation fut partiellement attribuable à l'arrivée des immigrants irlandais du temps de la Famine. Il est temps d'arrêter d'interpréter l'expérience de ces immigrants comme étant anormale, exceptionnelle, et stéréotypée, puisque ceci empêche les nouvelles recherches. Ceci masque aussi grandement l'impact qu'ils ont eu en regard des valeurs collectives, de la mémoire historique et de l'héritage institutionnel des communautés irlando-québécoises.

Finalement, la recherche innovatrice de Simon Jolivet a démontré que l'identité irlandaise distincte resta présente dans l'imaginaire politique canadien-français bien après le début du xxᵉ siècle. Son utilisation pionnière des sources francophones et son intérêt pour le début du xxᵉ siècle ont fait entrevoir de nombreuses possibilités pour le futur. Il serait intéressant d'examiner l'évolution de l'identité irlandaise et le degré de rétention d'un sens ethnique irlandais distinct dans la deuxième moitié du xxᵉ siècle[91]. À quel moment l'influence politique des Irlandais a-t-elle décliné et cela peut-il être mis en parallèle avec le déclin démographique? Voilà des questions qu'il reste à creuser. Depuis Haslam et Jolivet, les perceptions canadiennes-françaises des Irlandais ont été examinées pour la période des rébellions et pour le début du xxᵉ siècle, mais pas durant la Famine, durant les « *difficult 1850s* », au temps des *Fenians*, durant la « controverse du démembrement », ou après la guerre d'indépendance irlandaise de 1919-1921. De plus, une autre étude fascinante serait de comparer les mémoires canadiennes-françaises et irlandaises au sujet de la Famine, notamment chez les descendants des orphelins eux-mêmes. Aussi, il serait intéressant d'analyser l'impact de l'histoire commune des Irlandais et des Canadiens français, notamment pour voir si la majorité française est aujourd'hui plus près des Irlando-Québécois que de toute autre minorité anglophone du Québec. Le rapport Bouchard-Taylor suggère que les Irlandais ont été des modèles d'intégration au Québec. Du reste, ceux-ci auraient réussi à conserver une identité distincte[92]. Il appartient maintenant aux chercheurs d'évaluer cette assertion. Les sujets de recherches mentionnés précédemment, si étudiés sérieusement, pourraient révéler la part de conflit ou de conciliation qui a animé les relations irlandaises et françaises.

NOTES ET RÉFÉRENCES

1. Gillian Leitch, « The Irish Roman Catholics in Body Assembled : Ethnic Identity and Separate Worship in Nineteenth Century Montreal », dans Jean-Pierre Wallot, Pierre Lanthier, Hubert Watelet (dir.), *Constructions identitaires et pratiques Sociales*, Ottawa, University of Ottawa Press, 2002, p. 206-207.
2. Sherry Olson and Patricia Thornton, « The Challenge of the Irish Catholic Community in Nineteenth-Century Montreal », *Histoire sociale/Social History*, vol. 35, nº 70, 2002, p. 336.
3. Robert Grace, « Irish Immigration and Settlement in a Catholic City : Quebec, 1842-61 », *Canadian Historical Review*, vol. 84, nº 2, juin 2003, p. 217-251.

4. Robert Daley, «Edmund Bailey O'Callaghan: Irish Patriote», unpublished Ph.D. thesis, Concordia University, 1986, chapters 5-6.
5. *The Case of St. Patrick's Congregation as to the erection of a new canonical parish of St. Patrick's, Montreal, published by order of the committee of the congregation,* Montreal, 11 décembre 1866.
6. *Ibid.,* p. 25.
7. Robert Grace, *The Irish in Quebec: An Introduction to the Historiography,* Québec, Institut québécois de recherche sur la culture, 1993.
8. Garth Stevenson, *Parallel Paths: The Development of Nationalism in Ireland and Quebec,* Montreal & Kingston, McGill-Queens University Press, 2006, p. 93. Voir aussi Jim Jackson, «The Radicalization of the Montreal Irish: The Role of *The Vindicator*», *Canadian Journal of Irish Studies,* vol. 31, n° 1, 2005, p. 90; Ronald Rudin, «Representing Rebellion and Constructing Identity in Ireland and Quebec», unpublished paper presented at the «Constructions of Identity in Ireland and Quebec» academic workshop, Centre for Canadian Irish Studies, Concordia University, 27-28 octobre, 2006, p. 13-17.
9. Daley, *op. cit.,* p. 82.
10. Mary Finnegan, «The Irish-French Alliance in Lower Canada, 1822-1835», unpublished MA thesis, Concordia University, 1982, p. 64-66.
11. Daley, *op. cit.,* chapters 3-4; Aidan McQuillan, «Forging an Irish Identity in Nineteenth-Century Quebec», dans Liam Harte, Yvonne Whelan, and Patrick Crotty (dir.), *Ireland: Space, Text, Time,* Dublin, Liffey Press, 2005, p. 192.
12. Shirley Tobin Sellar, «The Irish Factor: The Baldwins and the Evolution of a Political Elite, 1799-1851», unpublished MA thesis, Concordia University, 1987, chapitre 4; Patricia Brown Peter, «A Question of Loyalty and Self-Interest: Irish Montrealers and the Struggle for Responsible Government in Canada, 1840 to 1848», unpublished MA thesis, Concordia University, 1981. Le mémoire de Peter a été porté manquant, mais ses conclusions sont résumées dans Daley, *op. cit.,* chapitre 9.
13. Kevin James, «Dynamics of Ethnic Associational Culture in a Nineteenth-Century City: Saint Patrick's Society of Montreal, 1834-56», *Canadian Journal of Irish Studies* vol. 26, n° 1, 2001, p. 47-66; David Wilson, «The Fenians in Montreal, 1862-68: Invasion, Intrigue, and Assassination», *Éire-Ireland,* vol. 38, n°s 3 et 4, automne/hiver 2003, p. 109-133.
14. Rosalyn Trigger, «Irish Politics on Parade: The Clergy, National Societies, and St. Patrick's Day Processions in Nineteenth-Century Montreal and Toronto», *Histoire Sociale / Social History,* vol. 37, n° 74, 2004, p. 159-198.
15. Gillian Leitch, «The Irish Roman Catholics in Body Assembled»; *op. cit.,* Sherry Olson and Patricia Thornton, «The Challenge of the Irish Catholic Community in Nineteenth- Century Montreal», *op. cit.,* p. 336-344; Alan Hustak, *Saint Patrick's of Montreal: The Biography of a Basilica,* Montreal, Véhicle Press, 1998.
16. Rosalyn Trigger, «The Geopolitics of the Irish-Catholic Parish in Nineteenth Century Montreal», *Journal of Historical Geography,* vol. 27, n° 4, 2001, p. 553-572.
17. Jason King, «"Their Colonial Condition": Connections Between French-Canadians and Irish Catholics in the *Nation* and the *Dublin University*

Magazine», *Éire-Ireland*, vol. 42, n°s 1/2, 2007, p. 108-131; David Wilson, «The Narcissism of Nationalism: Irish Images of Quebec», *Canadian Journal of Irish Studies*, vol. 33, n° 1, 2007, p. 11-19.

18. Jason King, «"Their Colonial Condition": Connections Between French-Canadians and Irish Catholics in the *Nation* and the *Dublin University Magazine*», *Éire-Ireland*, vol. 42, n°s 1/2, 2007, p. 108-131; David Wilson, «The Narcissism of Nationalism: Irish Images of Quebec», *Canadian Journal of Irish Studies*, vol. 33, n° 1, 2007, p. 11-19.

19. Mary Haslam, «Ireland and Quebec», *op. cit.*, p. 78-79.

20. David Wilson, «The Narcissism of Nationalism: Irish Images of Quebec», *op. cit.*, p. 19.

21. Letter from Elgin to Grey, 11 juin, 1849, *The Elgin-Grey Papers, 1846-1852*, dans Arthur G. Doughty (dir.), *op. cit.*, Ottawa, J. O. Patenaude, 1937. vol. 1, p. 369.

22. Daley, *op. cit.*, p. 253 et 204-205.

23. Mike Cronin and Daryl Adair, *The Wearing of the Green: A History of St. Patrick's Day*, London and New York, Routledge, 2002, p.19-22.

24. *Ibid.*, p. 137.

25. Garth Stevenson, *Parallel Paths*, *op. cit.*, p. 85.

26. Daley, *op. cit.*, p. 272.

27. *Ibid.*, p. 278-279.

28. *Ibid.*, p. 371-373.

29. *Ibid.*, p. 400.

30. Shirley Tobin Sellar, «The Irish Factor», p. 14 et 35.

31. *The Pilot*, 19 mai 1848.

32. *The Pilot*, 18 mai 1848.

33. Kathleen O'Brien, «Language, Monuments, and the Politics of Memory in Quebec and Ireland», *Éire-Ireland*, vol. 38, n°s 1/2, printemps/été 2003, p. 141-160; Rhona Richman-Kenneally, «Now you don't see it, now you do: Situating the Irish in the material culture at Grosse Ile», *Éire-Ireland*, vol. 38, n°s 3/4, automne/hiver 2003, p. 33-53; Colin McMahon, «Montreal's Ship Fever Memorial: An Irish Famine Memorial in the Making», *Canadian Journal of Irish Studies*, vol. 33, n° 1, 2007, p. 46-60; Kathleen O'Brien, «Famine Commemorations: Visual Dialogues, Visual Silences», dans David Valone and Christine Kinealy (dir.), *Ireland's Great Hunger: Silence, Memory, and Commemoration*, Lanham, Md, University Press of America, 2002, p. 271-293; Sylvie Gauthier, «Le Memorial: An Irish Memorial at Grosse Île in Quebec,» dans *Ireland's Great Hunger*, *op. cit.*, p. 294-310; Lorrie Blair, «(De)Constructing the Irish Famine Memorial in Contemporary Quebec», dans *Ireland's Great Hunger*, *op. cit.*, p. 311-329.

34. Jason King, «Remembering Famine Orphans: Catastrophe and Mobility», unpublished paper presented at the Keogh-Naughton Irish Seminar, Dublin, 1er juillet 2009.

35. J. I. Little, *Ethno-cultural Transition and Regional Identity in the Eastern Townships of Quebec*, Ottawa, Canadian Historical Association, 1989, p. 16. Voir aussi J. I. Little, *Nationalism, Capitalism, and Colonization in Nineteenth-Century Quebec: The Upper St. Francis District*, Montreal & Kingston, McGill-Queens University Press, 1989, p. 81-87.

36. Bernard O'Reilly, « Lettre I », *Le Canadien* 22 octobre 1847 ; *L'Avenir*, 4 mars 1848 ; « Lettre II », *Mélanges Religieux*, 19 novembre 1847 ; « Lettre III » *Le Canadien* 11 février 1848 ; *Mélanges Religieux*, 22 février 1848.

37. J. I. Little, *Nationalism, Capitalism, and Colonization in Nineteenth-Century Quebec, op. cit.*, p. 84-85.

38. « French Canadian Colonization », *Montreal Witness*, 17 avril 1848.

39. J. I. Little, *Ethno-cultural Transition and Regional Identity in the Eastern Townships of Quebec*, p. 16 ; Elgin cité dans *Nationalism, Capitalism, and Colonization in Nineteenth-Century Quebec, op. cit.*, p. 86.

40. *L'Avenir*, 28 juin 1848, p. 2.

41. Bernard O'Reilly, *La Minerve*, 30 juin 1848.

42. J. I. Little, « The Peaceable Conquest : French Canadian Colonization in the Eastern Townships during the Nineteenth Century », unpublished Ph.D. dissertation, University of Ottawa, 1977, p. 107.

43. Rosalyn Trigger, « The Geopolitics of the Irish-Catholic Parish », p. 557.

44. Kevin James, « Dynamics of Ethnic Associational Culture in a Nineteenth-Century City », p. 59.

45. *The Vindicator*, 25 mars 1831.

46. Garth Stevenson, *Parallel Paths, op. cit.*, chap. 4.

47. *The Vindicator*, 20 mars 1835.

48. *The True Witness and Catholic Chronicle*, 17 août 1860.

49. *New Era*, 1er avril 1858.

50. Aidan McQuillan, « Forging an Irish Identity in Nineteenth-Century Quebec », p. 193-195.

51. Aidan McQuillan, « Beaurivage : The Development of an Irish Ethnic Identity in Rural Quebec, 1820-1860 », dans Robert O'Driscoll & Lorna Reynolds (dir.), *The Untold story : the Irish in Canada*, Toronto, Celtic Arts of Canada, 1988, vol. 1, p. 269. Matthew Barlow, « Fear and Loathing in St. Sylvestre : The Corrigan Murder Case, 1855-58 », unpublished MA thesis, Simon Fraser University, 1998.

52. *New Era*, 22 août 1857 ; 9 janvier 1858.

53. Kevin James, « Dynamics of Ethnic Associational Culture in a Nineteenth-Century City » ; David Wilson, « The Fenians in Montreal, 1862-68 ».

54. Kevin James, « Dynamics of Ethnic Associational Culture in a Nineteenth-Century City », p. 54.

55. *Ibid.*, p. 56-59 ; *Transcript*, 25 février 1847.

56. Rosalyn Trigger, « Irish Politics on Parade », p. 183.

57. Kevin James, « Dynamics of Ethnic Associational Culture in a Nineteenth-Century City », p. 61 ; *Transcript*, 12 avril 1856.

58. David Wilson, « The Fenians in Montreal, 1862-68 », p. 110-116.

59. Kevin James, « Dynamics of Ethnic Associational Culture in a Nineteenth-Century City », p. 126-131.

60. David Wilson, « The Narcissism of Nationalism », p. 18.

61. Rosalyn Trigger, « Irish Politics on Parade », p. 183-188.

62. Rosalyn Trigger, « The Geopolitics of the Irish-Catholic Parish », p. 556.

63. *The Case of St. Patrick's Congregation as to the erection of a new canonical parish of St. Patrick's, Montreal, published by order of the committee of the congregation*, Montreal, 11 décembre 1866, p. 25.

64. Rosalyn Trigger, « The Geopolitics of the Irish-Catholic Parish », p. 561 et 558.
65. M. B. Buckley, *Diary of a Tour in America. By M.B. Buckley, of Cork, Ireland. A Special Missionary in North America and Canada in 1870 and 1871*, Dublin, Sealy, Bryers & Walker, 1889, p. 53-54.
66. John Francis Maguire, *The Irish in America*, Montreal & New York, D. & J. Sadlier, 1868, p. 99.
67. *The Case of St. Patrick's Congregation*, p. 19.
68. J. J. Curran (dir.), *Golden Jubilee of the Reverend Fathers Dowd and Toupin, with Historical Sketches of the Irish Community*, Montreal, John Lovell & Son, 1887, *Golden Jubilee of St. Patrick's Orphan Asylum, The Works of Father Dowd, O'Brien and Quinlivan with Biographies and Illustrations*, Montreal, Catholic Institute for Deaf Mutes, 1902 ; James O'Leary, *History of the Irish Catholics of Quebec : Saint Patrick's Church to the death of Rev. P. McMahon*, Quebec, Daily Telegraph Print, 1895.
69. J. A. Jordan, *The Grosse Isle Tragedy and the Monument to the Irish Fever Victims, 1847*, Quebec, Telegraph Printing Company, 1907.
70. J. J. Curran (dir.), *Golden Jubilee of St. Patrick's Orphan Asylum*, p. 43.
71. *Ibid.*, p. 37.
72. Rosalyn Trigger, « The Geopolitics of the Irish-Catholic Parish », p. 565. J. J. Curran (dir.), *Golden Jubilee of the Reverend Fathers Dowd and Toupin*, p. 64.
73. Rosalyn Trigger, « Irish Politics on Parade », p. 183.
74. Sherry Olson and Patricia Thornton, « The Challenge of the Irish Catholic Community in Nineteenth-Century Montreal », p. 331-362 ; Aidan McQuillan, « Forging an Irish Identity in Nineteenth-Century Quebec », p. 187-198 ; Rosalyn Trigger, « The Geopolitics of the Irish-Catholic Parish in Nineteenth-Century Montreal ».
75. Sherry Olson and Patricia Thornton, « The Challenge of the Irish Catholic Community in Nineteenth-Century Montreal », p. 355 et 359.
76. Simon Jolivet, « The Irish in Québec : A Political Community Which Has Survived the 19th Century ».
77. Simon Jolivet, « French Canadians and the Irish Question, 1900-1921 », dans Robert Blyth & Keith Jeffery (dir.), *The British Empire and its Contested Pasts*, Dublin, Irish Academic Press, 2009, p. 227.
78. *Ibid.*, p. 231 et 222-223.
79. Simon Jolivet, « French Canadians and the Irish Question, 1900-21 », p. 226-227.
80. Robert Sellar, *Ulster and Home Rule : A Canadian Parallel*, Belfast, Ulster Unionist Council, 1912, p. 20.
81. Garth Stevenson, *Community Besieged : The Anglophone Minority and the Politics of Quebec*, McGill et Kingston, McGill-Queens University Press, 1999, p. 33.
82. « 1847-1897,The Excursion to Grosse Isle on the Steamer Canada. Hundreds of Quebecers Honor the Memory of the Dead — An Imposing Spectacle », *Quebec Daily Telegraph*, 30 août 1897 ; « Ireland's Dead at Grosse Isle. Hon. Mr Fitzpatrick Makes a Timely Suggestion », *Quebec Daily Telegraph*, 1er septembre 1897 ; « Irish Dead at Grosse Isle », *Quebec Daily Telegraph*, 2 septembre 1897.
83. *The True Witness and Catholic Chronicle*, 17 décembre 1852.
84. J. A. Jordan, *The Grosse Isle Tragedy*, p. 95.

85. http://www.histori.ca/minutes/minute.do?id=101165.

86. Donald Akenson, *The Irish in Ontario: A Study in Rural History*, 2nd Ed. Montreal et Kingston, McGill-Queen's University Press, [1984,] 1999; Brian Clarke, *Piety and nationalism: lay voluntary associations and the creation of an Irish-Catholic community in Toronto, 1850-1895*, Montreal & Kingston, McGill-Queen's University Press, 1993; Cecil Houston and William J. Smith, *The sash Canada wore: a historical geography of the Orange Order in Canada*, Toronto, University of Toronto Press, 1980; Willeen Keogh, *The Slender Thread: Irish Women on the Southern Avalon, 1750-1860*. New York, Columbia University Press, 2005; Mark McGowan, *The Waning of the Green: Catholics, The Irish, and Identity in Toronto, 1887-1922*, Montreal et Kingston, McGill-Queen's University Press, 1999; Mark McGowan, *Death or Canada: The Irish Migration to Toronto, 1847*, Ottawa, Novalis, 2009; Scott O'Grady, *Exiles and Islanders: The Irish Settlers of Prince Edward Island*, Montreal & Kingston, McGill-Queen's University Press, 2004; Terence Punch, *Erin's Sons: The Irish in Atlantic Canada*, Baltimore, Genealogical Publication Company, 2008; Scott W. See, *Riots in New Brunswick: Orange Nativism and Social Violence in the 1840s*, Toronto, University of Toronto Press, 1993; David Wilson (dir.), *The Orange Order in Canada*, Dublin, Four Courts Press, 2007; Catherine Anne Wilson, *A New Lease on Life: Landlords, Tenants, and Immigrants in Ireland and Canada*, Montreal & Kingston, McGill-Queen's University Press, 1994. Deux articles récents du *The Canadian Journal of Irish Studies*, vol. 31, n° 1 se concentrent sur les Irlandais au Québec, mais ce dossier spécial du *Bulletin d'histoire politique* remédie quelque peu à ce manque de publications universitaires.

87. Aidan McQuillan, « Forging an Irish Identity in Nineteenth-Century Quebec », p. 188.

88. Alan Hustak, *Saint Patrick's of Montreal: The Biography of a Basilica*, Montreal, Véhicle Press, 1998; Donald Mackay, *Flight from Famine: The Coming of the Irish to Canada*, Toronto, McClellandet Stewart, 1990; Marianna O'Gallagher, *Saint Patrick's, Quebec: the building of a church and of a parish, 1827 to 1833*, Quebec, Carraig Books, 1981; Marianna O'Gallagher, *Grosse Ile: gateway to Canada, 1832-1937*, Ste-Foy, Quebec, Carraig Books, 1984; Marianna O'Gallagher, « The Orphans of Grosse Ile: Canada and the adoption of Irish Famine orphans, 1847-48 », dans Patrick O'Sullivan (dir.), *The Irish World Wide: The Meaning of the Famine*, London et Washington, Leicester University Press, 1997; Marianna O'Gallagher and Rose Masson Dompierre, *Eyewitness Grosse Isle 1847*, Ste-Foy, Quebec, Carraig Books, 1995.

89. Gillian Leitch, « The Irish Roman Catholics in Body Assembled », p. 207.

90. David Wilson, *Thomas D'Arcy McGee: Passion, Reason, and Politics: 1825-1857*, vol. 1, Kingston et Montreal, McGill-Queens University Press, 2008. vol. 2. *Thomas D'Arcy McGee: The Extreme Moderate, 1858-1868* (à venir).

91. John Matthew Barlow, « The House of the Irish: Irishness, Hystory and Memory in Griffintown, Montreal 1868-2009 », thèse de doctorat non publiée, Université Concordia, 2009.

92. Gérard Bouchard et Charles Taylor, *Building the Future: A Time for Reconciliation*, Québec, Commission de consultation sur les pratiques d'accommodements reliées aux différences culturelles, 2008, p.203 et 211-212.

Victor-Lévy Beaulieu
et la question nationale irlandaise

ANDRÉ POULIN
Département d'histoire
Université de Sherbrooke

Victor-Lévy Beaulieu a publié en 2006 *James Joyce, l'Irlande, le Québec, les mots*[1]. Ce livre complexe et multiple, qui se veut à la fois une biographie de Joyce, un essai critique et un récit historique sur l'Irlande et le Québec, a reçu de nombreux éloges bien mérités de la part de la communauté littéraire. Dans un numéro spécial de *L'Action Nationale*[2] dédié à ce livre et à son auteur, Jacques Pelletier, militant socialiste et indépendantiste bien connu, nous explique pourquoi il avait accepté la direction de ce dossier malgré qu'il fût « profondément blessé » par la prise de position de Victor-Lévy Beaulieu en faveur de l'Action démocratique du Québec lors de la campagne électorale de 2007[3]. Il était prêt à passer l'éponge sur cet « égarement » parce que, selon lui, cette œuvre doit être vue comme « la plus importante de la littérature québécoise contemporaine, tous genres confondus »[4]. Si ce livre réjouit l'amateur de grande littérature, il laisse toutefois perplexe l'historien. Cet article se penchera sur le contenu historique de cette importante contribution à la littérature québécoise.

Le premier constat que l'on peut faire est qu'à l'occasion, le contexte historique est déformé sous la plume de Victor-Lévy Beaulieu. Par exemple, il écrit qu'en 1922, l'année de publication de *Ulysse*, « Mussolini s'emparait du pouvoir par un sanglant coup d'état, et que partout en Europe on devenait hystérique juste à la pensée qu'on ferait peut-être bientôt face à un deuxième conflit mondial » (p. 1016). Or la réalité est beaucoup moins spectaculaire. La « Marche sur Rome » fut tout sauf un coup d'état sanglant. Pour reprendre les mots de Pierre Milza et Serge Berstein, spécialistes de l'Italie fasciste, « sur le plan insurrectionnel, la "Marche sur Rome" est un événement d'une ampleur médiocre »[5]. Ce jour-là, sous une forte pluie, 26 000 Chemises noires piètrement armées et sans vivres ont marché sur la capitale italienne où les attendaient 28 000 soldats bien armés.

Aucun affrontement n'eut lieu, le roi Victor-Emmanuel III avait déjà pris la décision de remettre le pouvoir à Mussolini. Ce dernier, d'ailleurs, suivait les événements bien à l'abri à Milan, prêt à quitter le pays au cas où les choses tourneraient mal. De plus, prétendre qu'en 1922 l'Europe était en proie à une hystérie collective devant la menace d'un second conflit mondial est loin de décrire l'atmosphère générale qui régnait en Europe aux lendemains de la Grande Guerre. Encore en 1938, qui prenait au sérieux Churchill lorsqu'il déclara à la suite de l'annexion de l'Autriche par l'Allemagne que: «L'Europe se trouve en face d'un programme d'agression soigneusement préparé et minuté qui s'exécute étape par étape»?[6]

S'il est inutile de poursuivre l'énumération de ces quelques erreurs, puisqu'elles n'enlèvent rien au récit, la question nationale irlandaise telle que présentée par Victor-Lévy Beaulieu dans son ouvrage mérite toutefois qu'on s'y arrête plus attentivement. À la lecture de *James Joyce, L'Irlande, le Québec, les mots*, on constate que l'auteur n'a pas su faire ressortir la nature, la complexité, et les objectifs variés des différents mouvements nationalistes irlandais. De cela découle une vision déformée de l'évolution historique de l'Irlande au XIXe et au début du XXe siècle qui porte en elle les déceptions de l'auteur à l'endroit du mouvement nationaliste québécois:

> [...] l'Irlande et le Québec se ressemblent, tous deux catholiques à gros grains et incapables de faire l'indépendance avec la fureur, la frustration et leur fougue. Toujours dans l'en-deçà du rêve et de la Terre promise, chaque fois déçus lorsque, tables de la Loi sous le bras, apparaît le Messie. Ce n'est jamais celui qu'on attendait; et le Messie lui-même ne reconnaît pas la terre sur laquelle il met les pieds: O'Connell, Parnell, Emmet pour l'Irlande, Duplessis, Lévesque, Bouchard pour le Québec, mêmes mirages, mêmes illusions, mêmes désillusions par peur de réussir l'acte de libération, par peur de ne pas être à la hauteur, par peur de ressembler à Ulysse et d'être pris à naviguer sur des mers inconnues et, de ce seul fait, incontrôlables comme l'est l'état de la lumière (p. 652).

Il n'est pas question ici d'élaborer sur l'utilisation du dogme de la Sainte Trinité pour représenter les dirigeants nationalistes, ni sur le choix discutable de certains des messies québécois. L'objectif sera d'analyser la question nationale irlandaise telle que vue par Victor-Lévy Beaulieu à travers les trois «messies» que sont Robert Emmet, Daniel O'Connell et Charles Stewart Parnell. Ironiquement deux des trois «messies», Parnell et Emmet, étaient protestants. Tous, cependant, ont partagé le même sort tragique. Aucun n'a réussi à libérer l'Irlande du joug britannique, selon Victor-Lévy Beaulieu, soit parce qu'il a été trahi par son peuple, soit qu'il n'avait plus la force de poursuivre sa mission. Mais ces hommes partageaient-ils les mêmes idéaux et ont-ils échoué dans la réalisation de leur projet politique pour les raisons évoquées par Victor-Lévy Beaulieu?

Commençons par le premier, Robert Emmet (1778-1803). Bien qu'il occupe une place enviable au panthéon des rebelles et martyrs irlandais, il est surprenant de voir Emmet en compagnie de O'Connell et Parnell. Emmet, à l'encontre des deux autres, est une des figures de proue du mouvement républicain irlandais qui prône la lutte armée comme unique moyen de libération de la patrie. Ce mouvement a pris naissance au temps de la Révolution française sous la conduite d'un avocat protestant, Theobald Wolfe Tone (1753-1798). Influencé par les idéaux républicains de la Révolution française, celui qui sera considéré comme le père du républicanisme irlandais fonda en 1791 la « Société des Irlandais Unis » qui militait de manière non violente pour une réforme constitutionnelle du parlement irlandais. En raison des sympathies pro-françaises ouvertement affichées par Wolfe Tone, la « Société des Irlandais Unis » fut déclarée illégale et démantelée par les forces britanniques en 1794, quelques mois seulement après l'entrée en guerre de la Grande-Bretagne contre la France révolutionnaire. Le passage à la clandestinité radicalisa cette société. Son nouveau programme proposait désormais la rupture complète du lien entre l'Irlande et la Grande-Bretagne comme seul remède à tous les maux politiques de l'Irlande :

> Renverser la tyrannie de notre exécrable gouvernement, briser les liens qui nous attachent à l'Angleterre, source ininterrompue de tous nos malheurs politiques, et conquérir l'indépendance de ma patrie, voilà mes objectifs. Unir tout le peuple d'Irlande, abolir le souvenir de toutes les dissensions passées, substituer le nom commun d'Irlandais aux dénominations particulières de protestants, catholiques et *dissenters*, voilà mes moyens[7].

Pour réaliser son projet, Wolfe Tone sollicita l'aide de la France révolutionnaire. L'insurrection armée eut lieu en 1798. Elle fut brutalement réprimée. Wolfe Tone n'eut pas le temps d'y participer, il fut capturé alors qu'il se trouvait toujours sur un navire français en route vers l'Irlande. S'étant vu refuser le privilège d'être fusillé dans l'uniforme militaire français qu'il portait lors de son arrestation, les autorités anglaises voulaient plutôt le pendre sur la place publique pour en faire un exemple, Wolfe Tone se suicida dans sa cellule de prison[8].

L'insurrection ratée de 1798 allait avoir de lourdes conséquences pour l'Irlande. Afin d'assurer son hégémonie sur l'île d'Érin, le gouvernement britannique proclama l'Acte d'Union qui prit effet le 1er janvier 1801. Cet acte abolissait le parlement irlandais et intégrait l'île au « Royaume-Uni de Grande-Bretagne et d'Irlande ». Désormais, les questions irlandaises allaient être débattues à Westminster. Malgré tout, l'entrée en vigueur de l'Acte d'Union suscita peu de réactions de la part de la population irlandaise, si ce n'est de la tentative de soulèvement de Robert Emmet, un des rares membres des « Irlandais Unis » toujours vivants. Accompagné de quelques hommes mal armés, Emmet se lança à l'assaut du Château de Dublin, siège historique du pouvoir exécutif irlandais, dorénavant le siège de l'administration britannique. Lui et ses hommes n'atteignirent jamais le Château, l'insurrection fut aisément réprimée. Comme Wolfe Tone, Emmet fut condamné à mort. Ses dernières paroles inspireront les futures générations de républicains irlandais. Avant de mourir, il déclara : « qu'on n'inscrive aucune épitaphe sur ma tombe tant que l'Irlande ne sera pas libre »[9].

Avec Wolfe Tone et Emmet naissait le mouvement républicain. Bien qu'il demeure marginal au XIXe siècle, ce mouvement fut loin d'être silencieux. Les « Jeunes Irlandais », d'une part, et le mouvement *Fenians*, connu aussi sous le nom d'*Irish Republican Brotherhood* (*IRB*), d'autre part, en prenant tous deux les armes gardaient en vie l'idéal des fondateurs du républicanisme irlandais. Cet idéal était toujours présent au début du XXe siècle et allait animer la nouvelle génération de républicains qui prirent les armes lors du soulèvement de Pâques en 1916. Sous la plume de Victor-Lévy Beaulieu, cependant, le soulèvement de Pâques s'inscrit dans la logique des actions et des idées des deux autres « messies » irlandais que sont O'Connell et Parnell.

Si Victor-Lévy Beaulieu ne présente pas le mouvement républicain à sa juste valeur, il en va tout autrement pour Daniel O'Connell. *James Joyce, l'Irlande, le Québec, les mots* renferme de très belles pages sur ce grand tribun irlandais. Victor-Lévy Beaulieu, quoiqu'il passe sous silence la campagne de O'Connell pour l'émancipation des catholiques et l'abolition de la dîme à l'église protestante, nous raconte avec grand talent son élection au parlement de Westminster, son combat pour la révocation de l'Acte d'Union, sa reculade à Clontarf, son arrestation, sa perte de popularité et son pèlerinage à Rome qu'il n'accomplira jamais, mourant en chemin :

O'Connell était le grand héros de la résistance passive irlandaise. Brillant avocat, il avait cessé de pratiquer le droit pour prendre la tête du mouvement autonomiste irlandais. Formé dans les grandes écoles britanniques, O'Connell croyait aux valeurs démocratiques qu'on lui avait enseignées. En s'armant de patience pour faire l'éducation du peuple, en jouant à fond les règles du parlementarisme anglais, ne cessant de revendiquer, de manifester, O'Connell pensait que l'Irlande, à défaut de redevenir souveraine, pourrait jouir d'une autonomie politique qui lui permettrait d'être maîtresse de son destin. Ce n'était pas un extrémiste. Il était plutôt persuadé que s'opposer à l'Angleterre par la violence lui donnerait le prétexte qu'elle attendait pour écraser définitivement un peuple qui n'en finissait pas de lui faire problème. Considéré comme le plus grand tribun à avoir jamais vu le jour en Irlande, [...]. Quand le parlement de Londres refusait de l'entendre en sa qualité de député, il s'en retournait en Irlande et mobilisait le peuple dans d'énormes meetings regroupant d'un seul coup plus de cent mille personnes. Savait, du haut d'une estrade, haranguer la foule. Savait aussi jusqu'où il pouvait aller à chauffer aussi le monde, mais en l'empêchant toujours de recourir aux armes (p. 258).

Plus d'un million d'Irlandais convergèrent vers les plaines de Clontarf, un lieu sacré pour les patriotes car ils y avaient jadis vaincu les Danois, [...]. Symboliquement, l'énorme rassemblement de Clontarf et son succès revêtaient une grande importance. Les protestants firent des pieds et des mains pour que le gouverneur-général de l'Irlande, par proclamation, interdise le meeting de Clontarf. Le peuple s'y trouvait déjà, on bâtissait l'estrade du haut de laquelle O'Connell prendrait la parole et demanderait à tous les Irlandais de faire front commun avec lui. Au désarroi des partisans, O'Connell s'en retourna chez lui sans haranguer la foule. On l'accusa d'être plus démocratique que ne l'était le gouvernement de Londres et de faire rater ainsi au peuple irlandais son rendez-vous le plus significatif avec l'histoire (p. 260-261).

Si O'Connell n'était pas un extrémiste, comme le souligne Victor-Lévy Beaulieu, il n'était cependant pas un partisan des valeurs démocratiques, telles qu'on les conçoit aujourd'hui. Il était plutôt un libéral du xixe siècle. Comme le souligne Maurice Goldring : « O'Connell n'était ni républicain, ni indépendantiste. Il voulait des structures de pouvoir irlandaises qui permettraient aux couches éduquées et riches issues de la population catholique de prendre des décisions pour les affaires intérieures irlandaises et d'accéder à des postes administratifs élevés »[10].

Avec la mort de O'Connell ne disparut pas le rêve d'abroger l'Acte d'Union et de rétablir le parlement de Dublin. Quelque trente ans plus tard, le mouvement pour le *Home Rule* allait reprendre la lutte là où l'avait laissée O'Connell. À la tête de ce mouvement, on retrouve Charles Stewart Parnell, le troisième « messie » irlandais. Comme O'Connell, Parnell ne put donner au peuple irlandais l'autonomie interne. Selon Victor-Lévy Beaulieu, cet échec est lié à la chute de Parnell, tombé au combat pour cause d'adultère. Si la carrière politique de Parnell fut détruite par cette histoire de mœurs, l'échec du mouvement du *Home Rule* trouve son explication ailleurs.

Le mouvement pour le *Home Rule* a été fondé à Dublin en 1870. Ce mouvement politique ne cherchait aucunement à rompre les liens avec la Grande-Bretagne. Pour Jean Guiffan, le *Home Rule* était « une solution de compromis dans le cadre du Royaume-Uni, rejetant toute idée de séparatisme »[11]. Sous le *Home Rule*, Westminster conservait la politique impériale, Dublin serait maître de la politique nationale irlandaise. Ce mouvement fit son entrée sur la scène politique anglaise lors des élections de 1874 en faisant élire 59 députés sous la bannière de l'*Irish Parliamentary Party* (IPP). Parnell en devint le chef l'année suivante après son entrée au parlement à la suite d'une élection partielle. Ce jeune protestant d'Irlande, converti à la cause irlandaise en réaction à l'exécution des *Martyrs de Manchester*[12], se révéla rapidement un leader politique de premier plan. Malgré les qualités indéniables de Parnell et les efforts incessants déployés par les députés de l'*IPP* pour que le parlement britannique se penche sur la question irlandaise[13], le *Home Rule* allait être propulsé à l'avant-scène de la politique anglaise uniquement au lendemain des élections de 1885. Lors de ces élections, le parti de Parnell réussit à faire élire 86 députés. Les libéraux de William Gladstone, qui firent élire 335 députés, avaient besoin du soutien de l'*IPP* pour gouverner puisque les conservateurs comptaient 249 députés.

Gladstone, qui avait déjà démontré une ouverture aux revendications irlandaises[14], accepta, en échange de la fidélité du parti de Parnell, de déposer un premier projet de loi portant sur le *Home Rule*. Présenté au parlement en 1886, ce projet fut rejeté. Des libéraux dissidents, sous la conduite de Joseph Chamberlain, s'opposèrent au *Home Rule*. Cet échec força la tenue de nouvelles élections qui renvoyèrent les libéraux dans l'opposition.

L'alliance de Parnell et des libéraux eut d'importantes conséquences. Les conservateurs allaient devenir d'inconditionnels défenseurs de la cause unioniste. Randolph Churchill ne pouvait être plus clair lorsqu'il déclara lors d'une visite à Belfast: «Ulster will fight and Ulster will be right». Tous les moyens pour contrer le *Home Rule* étaient donc légitimes. Cette alliance allait aussi faire de Parnell l'homme à abattre pour l'*establishment* anglais et le parti conservateur.

Victor-Lévy Beaulieu s'intéresse aux attaques menées à l'endroit de Parnell, cependant, il en attribue la responsabilité aux mauvaises personnes. Par exemple, en ce qui concerne les assassinats du nouveau secrétaire d'État pour l'Irlande, Lord Cavendish, et de son adjoint T. H. Burke, dans Phoenix Park le 6 mai 1882, il en attribue la responsabilité aux «extrémistes religieux protestants et catholiques» qui avaient selon lui «tout essayé pour ternir l'image de Parnell, avaient fait assassiner dans Phoenix Park les chefs anglais favorables à l'Irlande de Parnell, puis avaient tenté de l'associer à ces meurtres commandités en le faisant accuser de complicité» (p. 266). Si ces meurtres ont été commis par des extrémistes, ils l'ont été par des extrémistes républicains. En effet, ils furent l'œuvre des *Invincibles*, un groupe occulte lié aux *Fenians*. Victor-Lévy Beaulieu a toutefois raison, Parnell fut accusé d'avoir commandité ces assassinats. Cependant, les accusations ne venaient pas d'extrémistes religieux, mais de la voix de l'*establishment* anglais, le *Times*. Lors du procès intenté par Parnell contre le *Times*, il fut prouvé que les documents publiés par le journal étaient des faux. Parnell gagna la première manche.

Les accusations d'adultère allaient cependant avoir raison de ce dernier. Selon Victor-Lévy Beaulieu, Parnell tomba parce que «soudoyé par les extrémistes catholiques, le mari cocu porta l'affaire sur la place publique en poursuivant Parnell pour adultère» (p. 266). Il faut cependant chercher ailleurs les raisons qui ont motivé le capitaine O'Shea, le mari cocu, à poursuivre en justice le chef de l'*IPP*. La liaison de Parnell avec la femme de O'Shea, lorsque les accusations furent portées, était connue depuis plusieurs années par la classe politique anglaise. Certains ont avancé que le mari cocu, pour ne pas perdre sa part, attendit que sa femme ait touché un grand héritage pour aller devant les tribunaux. D'autres pensent que le *Times* a soudoyé le capitaine pour prendre sa revanche sur Parnell[15]. Une ou l'autre de ces explications écarte le récit proposé par Victor-Lévy Beaulieu.

Si les «extrémistes religieux» jouèrent un rôle dans la chute de Parnell, ce fut après la condamnation de ce dernier. Les non-conformistes libéraux, qui ne pouvaient accepter que leur parti s'associe avec Parnell, et l'Église catholique d'Irlande qui condamnait le comportement de Parnell, firent pression sur l'*IPP* pour qu'il démette leur chef de ses fonctions. Le parti décida à 45 contre 29 pour la destitution de Parnell. À partir de ce moment, le parti fut divisé en deux clans, anti-Parnell, majoritaire, et pro-Parnell, minoritaire. Épuisé et meurtri par ces attaques, Parnell mourut en 1891, à l'âge de 45 ans.

Malgré cette division, l'*IPP* et le projet du *Home Rule* allaient survivre à Parnell. Le retour de libéraux au pouvoir en 1892, qui devaient une nouvelle fois compter sur l'appui des députés irlandais pour gouverner, conduisit au dépôt du second projet de loi pour le *Home Rule*. Cette fois-ci, le projet fut accepté par la Chambre des communes le 1er septembre 1893. Une semaine plus tard, cependant, il fut rejeté par la Chambre des *Lords*, qui avait à cette époque le pouvoir de bloquer tout projet de loi.

Ce deuxième échec n'enterra pas définitivement la question du *Home Rule*. Elle refit surface lors des élections de 1910, au cours desquelles 272 libéraux, 272 conservateurs, 84 Irlandais *home rulers* et 42 travaillistes furent élus. Encore une fois, les libéraux avaient besoin des députés de l'*IPP* pour se maintenir au pouvoir. En échange du dépôt d'un troisième projet sur le *Home Rule*, les libéraux demandèrent aux députés de l'*IPP* de les soutenir dans leur projet de réforme constitutionnelle. Ce projet, le *Parliamentary Act* de 1911, avait entre autres comme objectif de restreindre à un véto suspensif d'une durée de deux ans le pouvoir de la Chambre des *Lords*. Rien ne semblait maintenant vouloir empêcher le *Home Rule* de devenir réalité, si ce n'est les protestants d'Ulster eux-mêmes.

Leur détermination à empêcher le *Home Rule* n'en était que renforcée. En septembre 1912, quelques mois après le dépôt du projet de loi sur le *Home Rule* (avril 1912), 218 206 Ulstériens signèrent une déclaration d'intention présentée par le Conseil Unioniste d'Ulster. Fondé en 1905, ce conseil, qui avait déjà voté la mise sur pied d'un gouvernement provisoire protestant en cas d'avènement du *Home Rule*, demandait maintenant aux signataires de ne pas reconnaître la légitimité d'un gouvernement irlandais issu du *Home Rule* et de s'engager à utiliser tous les moyens, même illégaux, pour parvenir à leur fin. Les milices unionistes firent leur apparition. Les républicains ne tardèrent pas à emboîter le pas. La situation était telle que le Consul de France à Dublin pouvait déclarer à la veille de la Première Guerre mondiale que: «l'Irlande est séparée en deux camps, munis chacun d'une véritable armée. Il suffirait d'une étincelle pour provoquer en Irlande une guerre civile»[16].

Mais bien avant le dépôt du troisième projet du *Home Rule*, le mouvement nationaliste irlandais était en pleine mutation. L'échec de la voie législative détourna la nouvelle génération de nationalistes de la politique constitutionnelle. De ce désintérêt va naître, selon Paul-Louis Dubois :

> un mouvement profond, puissant et durable de renaissance ou de restauration nationale, destiné à affranchir la nation irlandaise de la dépendance intellectuelle de l'Angleterre, à lui refaire une vie propre au point de vue mental et moral, économique et social, à faire revivre en un mot une Irlande digne de ce nom, une Irlande irlandaise[17].

Pour les promoteurs de ce «nouveau nationalisme», pour reprendre l'expression de Foster[18], le caractère révolutionnaire de leur mouvement était clair. Comme l'a affirmé en 1899 Standish O'Grady, l'un des pères de la renaissance littéraire irlandaise : «Nous possédons maintenant un mouvement littéraire, cela n'est pas très important. Lui succédera un mouvement politique qui ne sera pas très important, non plus. Ensuite viendra un mouvement militaire qui sera, lui, d'une réelle importance»[19].

Ce mouvement politique est bien sûr le *Sinn Féin*. Avant la Grande Guerre, selon Victor-Lévy Beaulieu :

> Joyce s'avouait socialiste et, renversement encore plus spectaculaire, s'affichait comme nationaliste et sympathisant du *Sinn Féin* : le parlementarisme à la britannique n'était pas une solution au problème irlandais et Charles Stewart Parnell l'avait définitivement démontré. L'Irlande devait être libre, sans compromis ni compromissions. Le recours aux armes devenait donc légitime parce que nécessaire (p. 417).

Le *Sinn Féin* serait donc selon Victor-Lévy Beaulieu un parti socialiste révolutionnaire avant la guerre. Ce parti n'était même pas républicain à ce moment. C'est seulement après le soulèvement de Pâques 1916 que le parti prit son orientation radicale. D'ailleurs, Arthur Griffith, le fondateur du *Sinn Féin*, avait condamné le soulèvement. Il se rallia finalement à l'idéologie républicaine en 1917, après que De Valera devint président du parti.

Journaliste de profession, Griffith rédigea un ouvrage intitulé *The Resurrection of Hungary : a Parallel for Ireland*, son programme politique qui allait donner naissance en 1905 au mouvement nationaliste baptisé *Sinn Féin*, ce qui signifie «Nous-Mêmes» ou «Nous-Seuls»[20]. Dans ce livre, qui sera vendu à plus de vingt mille exemplaires, Griffith présenta dans ses grandes lignes les politiques mises de l'avant par la Hongrie pour se soustraire à l'autorité de l'Empire d'Autriche. Dans cet ouvrage, les Irlandais pouvaient y apprendre, entre autres, que les députés hongrois s'étaient retirés du parlement de Vienne et avaient mené pendant des années une politique de résistance passive contre l'autorité autrichienne. Cette lutte avait mené à la création d'un Empire bicéphale, l'Autriche-Hongrie, dans lequel la Hongrie avait gagné son autonomie interne. Il ne faisait aucun doute pour Griffith que l'Irlande devait suivre le chemin tracé par la Hongrie. Pour cette raison, il demandait aux députés irlandais de se retirer de Westminster et de former un parlement à Dublin. Ces députés, légitimes représentants de la population irlandaise, allaient gouverner l'Irlande en boycottant les institutions britanniques et en ignorant Westminster. La résistance passive et non l'utilisation de la force armée était donc au cœur de son programme. De plus, Griffith n'était pas républicain avant la Première Guerre mondiale, il privilégiait la création d'une monarchie duale. Sur le plan économique, le programme du *Sinn Féin* s'inspirait de la pensée de Frederich List. Cet économiste autrichien conservateur proposait l'instauration d'une politique économique protectionniste. Sur ce point, Griffith était donc très loin des penseurs socialistes.

De plus, si Joyce eut des sympathies à l'égard du *Sinn Féin* elles durent être de très courte durée. Selon Brian Feeney, Joyce, même avant la Grande Guerre, considérait que le nationalisme (irlando-irlandais) prôné par Griffith était introspectif et culturellement appauvrissant[21]. D'ailleurs dans les pages d'*Ulysse*, Joyce s'est moqué de l'antisémitisme du fondateur du *Sinn Féin*, en attribuant la paternité du nom du parti au juif Leopold Bloom[22].

Le mouvement militaire allait être à l'origine du soulèvement de Pâques 1916. Les journaux ont attribué cet événement à tort au *Sinn Féin*. Mais qui donc alors en était responsable? Selon Victor-Lévy Beaulieu, «À Dublin, les Irlandais menaçaient une autre fois de faire la révolution pour que le *Home Rule*, qui leur accordait l'autonomie devienne enfin force de loi» (p. 522). Plus loin sur les conséquences du soulèvement on peut lire: «Il y aura d'ailleurs rébellion en 1916, et celle-ci sera durement réprimée dans un bain de sang où des milliers d'Irlandais furent torturés et mis à mort» (p. 522) et «L'insurrection irlandaise de 1916 qui, dans un bain de sang, fut durement réprimée par l'Angleterre, obligeant encore des milliers et des milliers d'Irlandais à émigrer en Amérique» (p. 659).

Pour Victor-Lévy Beaulieu, les artisans du soulèvement sont des partisans du *Home Rule*. Or la réalité est tout autre. Les partisans du *Home Rule* ne se sont pas soulevés contre l'Angleterre. Au contraire, ils se sont enrôlés en grands nombres dans l'armée britannique croyant, comme John Redmond, le nouveau chef de l'*IPP*, que ce combat était juste puisqu'il avait comme objectif, selon les termes de la propagande britanniqu, la libération des petites nations de l'autoritarisme allemand. Pour Redmond, le sacrifice irlandais n'allait pas être vain. Le gouvernement anglais serait forcé de reconnaître la nation irlandaise et de lui accorder son émancipation puisque son combat était mené au nom de la liberté des petites nations.

Cette idée était très répandue au début de la guerre, comme en témoigne le nombre élevé de catholiques qui se sont enrôlés dans l'armée britannique. Leur motivation peut être résumée par la lettre de William Redmond, le frère de John, adressée à la nation irlandaise. Cet homme de

55 ans, gravement malade, d'ailleurs il ne reviendra jamais de la guerre, expliquait dans sa lettre pourquoi il s'était enrôlé dans l'armée:

> Je voudrais que tous mes amis en Irlande sachent que, en joignant la brigade irlandaise et en partant pour la France, je crois sincèrement, comme tous les soldats irlandais, que je fais tout ce qui est en mon pouvoir pour le bonheur de l'Irlande[23].

Alors, qui a participé au soulèvement de Pâques? Ceux qui ont participé à cette rébellion sont plutôt les nationalistes radicaux qui puisent leur inspiration dans le renouveau culturel et la tradition républicaine. En résumé, ce sont les nationalistes qui rejetaient le *Home Rule*, car trop modéré, et qui désiraient instaurer par les armes une République. Pour ce groupe, la participation à la guerre était impensable, comme le souligne James Connolly: «nous ne servons, ni le roi, ni le Kaiser, mais l'Irlande»[24]. Ce groupe resta fidèle au vieil adage irlandais: les difficultés de l'Angleterre sont la chance de l'Irlande.

En ce qui concerne le bilan de l'événement, il est beaucoup moins spectaculaire que ne le prétend Victor-Lévy Beaulieu. En effet, au plus, 1600 volontaires ont pris part au soulèvement et le bilan des morts ne s'élève pas à plus de 450 (64 rebelles, 220 civils pris entre deux feux, 134 représentants des forces de l'ordre)[25]; loin des milliers de morts avancés par Victor-Lévy Beaulieu. Par contre, la répression fut brutale, comme l'a souligné Victor-Lévy Beaulieu, 15 des dirigeants du soulèvement furent exécutés et l'armée procéda à l'arrestation de plus de 2500 nationalistes.

Les conséquences de cet événement semblent aussi échapper à Victor-Lévy Beaulieu. Selon lui, ce qu'il faut retenir c'est que l'échec du soulèvement contraint des milliers et milliers de jeunes Irlandais à émigrer en Amérique. Or, durant la guerre, l'émigration était impossible. De plus, l'indépendance n'est pas un remède à l'émigration comme le laisse entendre Victor-Lévy Beaulieu. La République d'Irlande va connaître un solde migratoire positif seulement dans les années 1960, bien après son indépendance. Donc, quelles furent les conséquences de ce soulèvement?

Ce qu'on oublie souvent c'est que la population irlandaise ne s'était pas rangée derrière les rebelles. Comment pouvait-on sanctionner ce soulèvement, alors que des milliers de jeunes irlandais se battaient en Europe et ailleurs. Comme le souligne Maurice Goldring: «Les héros de 1916 furent d'une certaine façon vaincus par le peuple irlandais lui-même avant de l'être par les canonnières anglaises»[26]. Cependant, très rapidement, cette défaite se transforma en victoire. Pour George Bernard Shaw, en exécutant les dirigeants du soulèvement, les autorités militaires et le gouvernement britannique avaient commis une grave erreur. Par ce geste, les Britanniques:

canonisaient leurs prisonniers en en faisant des héros: selon moi, ces hommes qui ont
été tués de sang-froid après leur capture ou leur reddition étaient des prisonniers de
guerre [...] Un Irlandais combattant les armes à la main ne fait rien d'autre que ce que
ferait un Anglais si, par malheur, son pays était envahi et conquis par les Allemands [...]
Les Irlandais fusillés iront désormais prendre place aux côtés d'Emmet et des Martyrs
de Manchester [...] et rien, dans le ciel comme sur terre, ne pourra empêcher cela[27].

Ces exécutions retournèrent l'opinion publique irlandaise contre les
Anglais et en faveur des rebelles. Le *Sinn Féin*, devenu résolument républicain depuis le soulèvement de Pâques, devint le parti politique le plus
important d'Irlande. L'affrontement avec la Grande-Bretagne devenait
inévitable. Il eut lieu aux lendemains de la guerre, mené par Michael
Collins à la tête de l'IRA. Incapables de poursuivre la guerre d'indépendance, les nationalistes irlandais furent contraints d'y mettre fin par le
Traité anglo-irlandais, signé le 6 décembre 1921. Ces accords prévoyaient
la création de l'État Libre d'Irlande qui, dans les faits, recevait le statut de
Dominion, amputé de l'*Ulster*. Ce compromis qui ne pouvait plaire à l'ensemble des républicains déboucha sur une guerre civile, dont la conclusion ne modifia en rien le Traité signé à Londres. La question nationale
n'était pas encore résolue, l'État Libre d'Irlande s'affranchit pacifiquement
de Londres et se proclama République en 1948. De ce fait, la question nationale d'Irlande était devenue la question nationale d'Irlande du Nord.

Ce tour d'horizon de la question nationale irlandaise telle que présentée
par Victor-Lévy Beaulieu dans *James Joyce, L'Irlande, le Québec, les mots* n'a
certes pas donné entièrement crédit au travail de l'auteur. Ce livre contient
de nombreuses merveilleuses pages et, en raison de sa longueur et de sa
complexité, il mériterait sûrement une analyse plus approfondie. Cependant,
il a mis en évidence certaines lacunes dans la représentation faite par Victor-
Lévy Beaulieu de la question nationale irlandaise. Outre les quelques erreurs factuelles soulignées, on peut observer, en premier lieu, que le mouvement républicain et la tradition de la force armée n'occupent pas la place qui
leur revient dans ce récit. Après tout, l'indépendance s'est faite par les armes. En deuxième lieu, la dynamique de la politique britannique n'est pas
pleinement développée. Et finalement, ce qui est peut-être le plus important, en articulant la question nationale autour de trois « messies » qui
connurent chacun une fin tragique et qui ne purent conduire leur peuple à
la terre promise, l'auteur nous renvoie, nous Québécois, à notre propre incapacité de réaliser l'indépendance du Québec.

NOTES ET RÉFÉRENCES

1. Victor-Lévy Beaulieu, *James Joyce, l'Irlande, le Québec, les mots*, Éditions Trois-
   Pistoles, 2006, 1080 p.
2. VLB/Joyce, Lectures croisées, *L'Action Nationale*, mai-juin 2007.

3. Il faut dire que depuis les élections de 2007, Victor-Lévy Beaulieu a retiré son appui à l'ADQ et s'est présenté comme candidat du Parti indépendantiste.
4. J. Pelletier, «VLB et Joyce: rencontre sur les sommets de la littérature», *L'Action Nationale*, mai-juin 2007, p. 26.
5. P. Milza et S. Berstein, *Le Fascisme italien 1919-1945*, Paris, Seuil, 1980, p. 115.
6. Cité dans J. Guiffan, *Histoire de l'Europe au XXe siècle, 1914-1945*, Bruxelles, Éditions Complexes, 1995, 180 p.
7. Cité dans P. Joannon, *Histoire de l'Irlande et des Irlandais*, Paris, Perrin, 2006, p. 215.
8. R. Kee, *The Green Flag. A History of Irish Nationalism*, Londres, Penguin, 1970, p. 144.
9. R. English, *Irish Freedom.The History of Nationalism in Ireland*, Londres, Pan Books, 2006, p. 120.
10. M. Goldring, «Les mouvements nationaux en Irlande, 1850-1920», *Matériaux pour l'histoire de notre temps*, n° 43, juillet-septembre, 1996, p. 51-52.
11. Jean Guiffan, *La question d'Irlande*, Bruxelles, Éditions Complexe, 1989, p. 54.
12. Trois *Fenians* furent pendus à Manchester en 1867 pour leur participation à une tentative d'évasion de prison qui coûta la vie à des innocents.
13. Les députés de l'*IPP* pratiquaient l'obstruction parlementaire. Lorsqu'ils obtenaient la parole, peu importe le sujet débattu, les députés de l'*IPP* la conservaient le plus longtemps possible. Cette pratique fut abolie en 1881 lorsque la majorité parlementaire vota une loi limitant le temps de parole.
14. Arrivé au pouvoir, Gladstone s'était donné comme mission de «pacifier l'Irlande». En 1867, il déclara: «Le pays tout entier a senti se poser devant lui la question d'Irlande [...] L'Irlande a depuis des siècles, un compte ouvert avec ce pays et nous avons point assez fait pour le balancer en notre faveur. Si nous avons quelque sentiment chevaleresque, j'espère que nous ferons tous nos efforts pour effacer ces taches qu'aux yeux du monde civilisé notre traitement de l'Irlande imprime sur l'écusson de l'Angleterre». Voir à ce sujet R. Kee, *op. cit.*, p. 352 -375.
15. J. Guiffan, *op. cit.*, p. 66.
16. Cité dans P. Renouvin, *Le sentiment national et le nationalisme dans l'Europe occidentale*, Paris, CDU, 1963, p. 39.
17. Cité dans P. Joannon, *op.cit.*, p.381.
18. R. F. Foster, *Modern Ireland, 1600-1972*, Londres, Penguin, 1987, p. 431.
19. Cité dans P. Joannon, *op.cit.*, p. 382.
20. Brian Feeney, *op. cit.*, p.18.
21. *Ibid.* p. 27.
22. *Ibid.* p. 36.
23. Cité dans P. Joannon, *op.cit.*, p. 447.
24. Cité dans J. Guiffan, *op. cit.*, p. 88.
25. R. Kee, *op. cit.*, p. 570.
26. Maurice Goldring, *Le drame irlandais*, Paris, Bordas, 1972 p. 103.
27. Cité dans J, Guiffan, *op. cit.*, p.93.

Les discours publics de Theobald Wolfe Tone sur l'Irlande et de Louis-Joseph Papineau sur le Bas-Canada

Julie Guyot

Cégep de Granby Haute-Yamaska

Le mouvement patriote du Bas-Canada de la fin des années 1820 et des années 1830 a été appuyé par des personnalités d'origine irlandaise, comme les journalistes Jocelyn Waller (*Canadian Spectator*), Daniel Tracey et Edmund Bailey O'Callaghan (*The Irish Vindicator*, puis *The Vindicator*). Le docteur Tracey a été élu lors des célèbres élections partielles du mois de mai 1832 dans la circonscription électorale de Montréal-Ouest. Lors des élections générales de 1834, O'Callaghan l'emporte dans celle de Yamaska. En 1837, c'est lui qui sera considéré comme le bras droit de Louis-Joseph Papineau. Toujours en 1837 après les « Résolutions Russell », l'une des premières assemblées populaires de protestation à s'organiser et à être effectivement tenue est celle des « *Irish and British Reformers* » de la ville de Québec[1].

Il y a bien sûr des Britanniques favorables à l'orientation politique du parti patriote. Proportionnellement, cependant, davantage d'Irlandais appuient le mouvement. Cela pourrait renvoyer à leur expérience historique d'une Irlande dépendante de l'Angleterre. De leur côté, des adversaires des Patriotes et de Papineau, lorsqu'ils s'adressent aux gens de *Irish and British descent*, reconnaissent aussi la différence irlandaise. De ce point de vue, les Irlandais du Bas-Canada des années 1830 sont un groupe convoité tant par les Patriotes que par leurs adversaires.

Le présent article n'est pas une biographie de Theobald Wolfe Tone (1763-1798) ni de Louis-Joseph Papineau (1786-1871), ni un résumé de notre mémoire de maîtrise[2], et pas davantage une section de celui-ci. Plutôt, c'est un texte qui tente de faire état, en quelques pages, de l'intérêt qu'il y a à rendre compte de la teneur du discours politique de deux personnages qui ont marqué, à leur façon, l'histoire de l'Irlande et celle du Bas-Canada.

L'objectif de cet article est de comparer la montée des revendications constitutionnelles et l'évocation de l'indépendance dans deux territoires dépendants de la Grande-Bretagne : l'Irlande et le Bas-Canada. Dans les deux cas, les années choisies ont précédé des rébellions, celle de 1798 en Irlande et celle de 1837-1838 dans le Bas-Canada. Et, dans les deux cas, le pouvoir de la Grande-Bretagne s'est imposé, au-delà de simples mesures répressives, par d'importants changements constitutionnels : le rattachement de l'Irlande au Royaume-Uni et la réunion du Haut au Bas-Canada. De ce point de vue, les grands thèmes retenus pour l'analyse comparative sont naturellement ceux de la dépendance et de la constitution.

D'abord, c'est l'histoire de l'Irlande, et particulièrement celle de la figure de T. W. Tone, que l'historienne Marianne Elliott présente comme le « Prophet of Irish Independence »[3], que j'ai voulu étudier. De là, mon intérêt s'est élargi à une figure bas-canadienne, celle de L.-J. Papineau. On trouve ici et là dans l'historiographie une autre comparaison : celle de Daniel O'Connell et de Papineau. Évidemment, une comparaison n'en empêche pas une autre. Si les décennies de carrière politique de O'Connell et de Papineau sont plus immédiatement contemporaines, les situations de l'Irlande et du Bas-Canada par rapport à l'Angleterre, et les rôles politiques de Tone et de Papineau, présentent davantage d'analogies.

Le choix du discours public peut se justifier par son caractère spécifique en ce qu'il s'adresse à des auditeurs ou à des lecteurs qui pouvaient être relativement nombreux et parce que le discours public, comparativement à la correspondance privée, fait plus directement partie de l'action politique. L'espace chronologique choisi couvre les années 1790 à 1796 pour Tone et les années 1827 à 1837 pour Papineau. Précisons que deux imposants recueils de textes publiés en 1998, l'un pour Tone[4] et l'autre pour Papineau[5], ont grandement facilité ou plutôt permis la réalisation de cette recherche.

Irlande et Bas-Canada : deux territoires dépendants

Irlande

La mainmise politique de Londres sur le parlement irlandais s'exprime par l'application de lois et de règles multiples et variées, et elle s'exerce sur deux plans. Premièrement, l'institution n'est pas souveraine. Depuis le début de la décennie de 1690, Londres s'était mis à légiférer au nom du parlement irlandais. Deuxièmement, l'exercice parlementaire et législatif irlandais lui-même est encadré de façon très stricte, notamment par deux lois également imposées par Londres. La première est la loi *Poynings*, qui avait été mise en place en 1494. À compter de ce moment, seul le roi pouvait convoquer le parlement. Les projets de loi proposés par les parlementaires devaient d'abord obtenir l'assentiment des deux Conseils privés, à la fois celui de Dublin et celui de Westminster, qui pouvaient à leur gré les amender ou même les refuser, avant qu'ils soient présentés au roi pour être sanctionnés[6].

Ainsi, le gouvernement anglais et l'exécutif irlandais s'étaient dotés d'un outil leur permettant de contrôler les activités législatives et les débats au parlement irlandais. La subordination de ce dernier au parlement anglais allait s'accentuer avec l'adoption de la seconde loi limitative, le *Declaratory Act*, qui fut votée à Londres en 1720. Ce nouvel acte entérinait ce qui avait été depuis 1692 une pratique du parlement de Londres de légiférer directement pour l'Irlande. De plus, la Chambre des Lords irlandaise perdait avec le *Declaratory Act* son pouvoir juridictionnel en matière d'appels[7].

Dans le contexte de la Guerre d'Indépendance des «Treize» colonies américaines et des difficultés alors de la Grande-Bretagne, celle-ci doit céder à l'Irlande des avantages commerciaux. L'Irlande obtient (1779) le droit de commerce libre avec les colonies britanniques[8] et celui d'exporter le verre et la laine vers le marché anglais. Y contribuent le boycott des produits britanniques et des actions musclées dirigées par les *Volunteers* (une force d'initiative locale qui, en l'absence des troupes et de la milice régulières, assure le respect de la loi et de l'ordre public). De plus, cette force bénéficiera de l'appui des *patriots* qui, héritiers d'une longue tradition, font la promotion de l'idée d'un gouvernement de l'Irlande selon ses propres lois et institutions.

Autre succès, le jeu d'alliances politiques entre le parti whig anglais et les parlementaires patriotes irlandais mènera, en 1782, à un accord constitutionnel retirant à l'Angleterre son droit de légiférer pour l'Irlande, faisant de la Chambre haute irlandaise la dernière instance judiciaire d'appel, et favorisant l'indépendance des juges en Irlande. Ces nouvelles dispositions constitutionnelles mettaient fin au *Declaratory Act* (1720). Cependant, ce qui apparaissait être un gain considérable sur le plan de l'indépendance législative était contrecarré par le *Yelverton Act* (1782). Ce dernier, loin d'abolir la loi *Poynings* (1494), ne la modifiait qu'en partie, car le Conseil privé anglais conservait son droit de veto sur les projets de loi irlandais, et l'exécutif irlandais continuait d'être nommé par des politiciens britanniques responsables au Cabinet de Londres[9]. L'année suivante, Londres vote toutefois le *Renunciation Act* par lequel l'Angleterre reconnaît le droit exclusif du parlement irlandais de faire les lois et d'établir des cours pour les administrer. Il y avait donc effectivement eu des changements sur le plan constitutionnel. Demeurait cependant l'assujettissement du parlement irlandais à celui de Westminster. Demeuraient également les conditions de la pratique politique courante, dont les éléments fort importants de discrimination politique et légale.

Bas-Canada

À compter de la sanction au parlement britannique de la loi constitutionnelle de 1791, et de sa mise en application en 1792, la grande *Province of
Quebec* est divisée et forme dorénavant, dans le *British North America* deux
colonies distinctes : le Bas-Canada, dont la capitale sera Québec, et le
Haut-Canada, dont la capitale sera York (Toronto). Des considérations
géopolitiques conduisent à ce changement, par Londres, des frontières du
territoire de la vallée du Saint-Laurent et de la région des Grands Lacs. On
entend favoriser l'établissement dans le Haut-Canada d'immigrants demeurés loyaux à la Couronne britannique durant la Révolution américaine
(1776-1783) et en même temps leur donner un territoire où ils n'auraient
pas à subir l'influence d'une population en majorité française. L'envers de
cette perspective implique que, pour la partie qui devenait le Bas-Canada,
on se trouve à accorder, une fois de plus après l'Acte de Québec (1774),
une certaine reconnaissance du caractère français des « nouveaux sujets »
de Sa Majesté, c'est-à-dire ceux issus de la colonisation française d'avant
le Traité de Paris (1763).

En même temps, le *Constitutional Act* de 1791 accordait aux populations respectives du Bas et du Haut-Canada le droit à être représentées
dans des assemblées coloniales élues. Cela était déjà le cas, par exemple,
des colonies de la Nouvelle-Écosse et du Nouveau-Brunswick. Les
Loyalistes provenant des États-Unis étaient d'ailleurs habitués à l'exercice
de ce droit. En 1774 avait été mis en place un simple « Conseil pour l'administration des affaires de la Province », élargi à une vingtaine de personnes, mais nommé d'autorité et autorisé à faire des ordonnances « avec le
consentement du gouverneur de Sa Majesté »[10].

Au contraire, avec la formation d'une Chambre d'assemblée et le recours à des élections, la base du système représentatif est instituée en 1791.
Pris dans la population locale, mais nommés d'autorité à leur poste, les
conseillers de 1774 n'étaient pas des représentants de la population. Ainsi,
la constitution de 1791 reconduit une certaine orientation de celle de 1774,
mais ajoute la reconnaissance de droits démocratiques. Cependant, l'Acte
constitutionnel donnait au gouverneur, nommé par Londres, le privilège
de choisir ses collaborateurs au Conseil exécutif et même les membres
d'un autre Conseil, législatif celui-là (ou Chambre haute), mis en concurrence avec l'Assemblée élue.

Il était donc question de parlementarisme britannique, d'un parlementarisme appliqué aux colonies et qui ne pouvait qu'impliquer, à court
ou à long terme, le choc du pouvoir impérial et d'un pouvoir « populaire »
et local, reconnu à la population et à ses représentants. Quarante ans plus
tard, et aussi pour de multiples autres facteurs, les Rébellions de 1837 et de
1838, particulièrement dans le cas du Bas-Canada, correspondent au point

culminant de la remise en cause de cet ordre de choses mis en place par l'Acte constitutionnel de 1791.

L'Irlandais Tone et le Bas-Canadien Papineau

T. W. Tone est né à Dublin (1763) de père anglican et de mère catholique. Son père est dans les affaires. Theobald Wolfe Tone deviendra avocat après des études au célèbre *Trinity College* de Dublin. Il apparaît d'abord comme un Whig progressiste. Le «*Whig of the North*», tel qu'il s'est présenté lui-même, n'aurait d'abord pas détesté faire une carrière parlementaire. Alors qu'il fait partie d'un club de discussion politique à Dublin, et qu'il a 26 ou 27 ans, il présente plusieurs exposés, dont: «*On the English Connection*», «*On the state of Ireland in 1720*», «*On the state of Ireland in 1790*» et «*On the necessity of domestic union*»[11]. À eux seuls ces titres préfigurent ses orientations politiques.

Le Bas-Canadien Louis-Joseph Papineau est né à Montréal (1786). Il est fils de parlementaire. Élu à la Chambre d'assemblée coloniale en 1809, il en devient l'orateur ou le président en 1815. Il le demeurera jusqu'en 1837 ou jusqu'au moment où seront suspendues, pour le Bas-Canada, l'application de la Constitution de 1791 et l'activité de la Chambre d'assemblée.

Il faut lire son discours de 1820 à l'occasion du décès, après un très long règne, du roi George III et lorsqu'il compare «[…] l'heureuse situation où nous nous trouvons aujourd'hui avec celle où se trouvaient nos ancêtres lorsque George III devint leur monarque légitime […]»[12]. Le rappel des malheurs de la colonie «sous le gouvernement français»[13] y est opposé à un autre paragraphe décrivant plutôt «l'heureuse situation» advenue après le passage de la dépendance française à la dépendance à la Grande-Bretagne. Loyalisme et britannisme caractérisent ce texte du président de la Chambre d'assemblée du Bas-Canada. Encore en 1827, il se présentera comme un «Loyal Canadien»[14].

Plus généralement que dans ce discours de 1820, Papineau apparaît au même moment comme le président d'une Assemblée coloniale qui affirme ses droits et entend contrôler les dépenses de l'Exécutif colonial. Il est satisfait de la liaison à la Grande-Bretagne, et particulièrement de la constitution octroyée en 1791. Il croit aussi possible une évolution satisfaisante et progressive des pouvoirs de l'Assemblée. Cette confiance est ébranlée, particulièrement en 1822 par le projet de «ré-union» du Haut et du Bas-Canada. Ce projet avait été formé dans la colonie du Bas-Canada et relayé pour qu'on légifère discrètement à cet effet en Grande-Bretagne. Ce projet de 1822 est l'occasion d'une prise de conscience de la précarité du statut du Bas-Canada comme colonie distincte et territoire «canadien».

Discours publics sur la constitution et l'indépendance

Dès 1790, Theobald Wolfe Tone publie deux brochures à titre d'observateur ou d'essayiste politique. La première s'intitule *A Review of the Conduct of Administration, during the Last Session of Parliament*. Dans la seconde, *Spanish War!*[15], il invite les deux Chambres du parlement irlandais à s'opposer à la participation de l'Irlande à une guerre appréhendée par la Grande-Bretagne. Il considère que seuls les intérêts de celle-ci sont en jeu, et plus précisément ceux de la *East India Company* dans l'Océan Pacifique. En présence de deux royaumes (ou deux pays) distincts et à intérêts distincts, on ne pouvait pas, selon lui, en subordonner un à l'autre sous prétexte d'une couronne commune à l'Angleterre impériale, et à l'Irlande dépendante.

Tone reconnaît les avantages acquis par l'Irlande avec la reconnaissance de son «indépendance législative» (1782). Et il utilise la possibilité ou la menace d'un conflit armé concernant les intérêts impériaux britanniques pour étudier la nature du lien (*bound of right*) toujours existant entre l'Irlande et l'Angleterre. Pour lui, la question en est une de droit et elle est fondée sur deux principes: «*First, that the Crown of Ireland is an imperial crown and her legislature separate and independent; and, secondly, hat the prerogative of the Crown, and the constitution and powers of Parliament, are the same here as in Great Britain*»[16]. Il ajoute que le parlement irlandais doit faire usage de son pouvoir de dire non (*negative voice*), précisant que «*The king of Ireland may declare the war, but it is the parliament only that can carry it on*»[17].

Tone fait ressortir que les idées de sécurité du territoire (*security*) et de protection des individus (*protection*) sont fallacieuses. Selon lui, le territoire irlandais n'est en rien menacé de l'extérieur, au contraire ce sont plutôt les Irlandais qui doivent servir à la défense ou à l'expansion du territoire britannique. Il souligne «*the quarrel and profit are merely and purely English*»[18], le fait que l'Irlande a tout à perdre (dépenses financières et pertes humaines) et rien à gagner («*debarred from the gains of the commerce*»[19]), alors que la Grande-Bretagne, elle, a tout à gagner à assurer la sécurité de ses marchands en expulsant les concurrents.

Il récuse les allégations fallacieuses selon lesquelles l'Angleterre assurerait la sécurité (*security*) du territoire irlandais et la sécurité (*protection*) des individus. Cette position sur la *Spanish War* et sur l'autonomie législative de l'Irlande est en même temps une critique de la complaisance du parlement irlandais à l'égard des politiques britanniques.

En 1791, dans *An Argument on Behalf of the Catholics of Ireland* et à propos de 1782, Tone dit fortement que l'indépendance législative de l'Irlande n'est que partielle. Par ailleurs, rien selon lui n'a changé dans la politique exercée par l'Angleterre: nombreux sont les parlementaires irlandais qui se prêtent toujours au jeu d'influence encore pratiqué par le gouvernement anglais et qui ne poursuivent pas dans le sens des droits acquis en 1782[20]. Il reproche à ses compatriotes qui siègent au parlement, ce comportement servile. Il déplore surtout le fait que les réformistes irlandais soient divisés, particulièrement sur la vieille question du sort des catholiques en Irlande. Il expose sa thèse de manière très claire et succincte :

> [...] *to oppose the unconstitutional weight of government, subject as that government is to the still more unconstitutional and unjust bias of English influence, it is absolutely necessary that the weight of the people's scale should be increased. This object can only be attained by a reform in parliament, and no reform is practicable that shall not include the Catholics*[21].

Selon Tone, contre l'impuissance du gouvernement de l'Irlande, et pour faire de celui-ci un « *strong government* », il n'y a pas que des changements à l'Exécutif qui soient nécessaires, mais surtout peut-être « *a strength in the people* » lui-même, essentielle à la réforme du système électoral et de la représentation parlementaire. Il croit profondément à l'importance de la légitimité démocratique et à l'action unifiée de tous comme conditions d'une action efficace dans le sens d'une transformation en profondeur de la vie politique irlandaise.

Si ses brochures de 1790 n'ont pas eu un grand retentissement, celle de 1791 (*An Argument on Behalf of the Catholics of Ireland*), l'historiographie le reconnaît généralement, fut beaucoup lue durant toute la décennie 1790. Seul le *Rights of Men* de Thomas Paine aurait alors eu en Irlande une diffusion plus importante[22]. C'est après cet *Argument...*, sans qu'il faille y voir nécessairement une conséquence directe, que Tone s'inscrit dans le travail de fondation des *United Irishmen* de Belfast, puis de Dublin. Par ailleurs, à l'été de 1792, il sera nommé secrétaire du *Catholic Committee*, autre groupe de pression qui travaille à la réalisation de réformes.

À ce point, Tone envisage à la fois une réforme en profondeur de la constitution[23], de façon à rendre tous les citoyens irlandais égaux en droit, et l'Irlande véritablement autonome. À cet égard, tout comme d'autres réformateurs de l'époque, il considère la réforme de la représentation parlementaire comme l'une des modifications constitutionnelles essentielles.

À l'été 1793, dans une longue lettre au directeur du *Faulkner's Journal* qui avait publié un texte dans lequel on l'accusait d'avoir dit publiquement qu'il était en faveur de la séparation de l'Irlande et de l'Angleterre, Tone nie le fait et il affirme habilement sa fidélité au « roi d'Irlande »[24]. Cela ne l'empêche pas d'insister sur la nécessité de faire du lien du moment entre l'Irlande et l'Angleterre un outil au bénéfice des deux parties. Il utilise le terme « *connection* » pour souligner l'importance que ce rapport s'exerce sur des bases égalitaires et avec la volonté des parties en cause de respecter la liberté et la prospérité de l'autre :

*But it must be a connection of perfect equality, equal law, equal commerce, equal liberty, equal
justice. Such a connection, founded on a steady basis of common interest and mutual affection,
would be immutable and eternal. [...] But I can conceive a connection of very different nature,
where the only community is in dangers, the risques, and the losses, and where the gains and
glory are carefully secured to one party only*[25].

Sans cela, la séparation devait représenter l'unique et inévitable solution, car, écrit-il, «*I can conceive circumstances more ruinous to this country
than even separation*»[26]. Il terminera son exposé sur les bénéfices à retirer
du lien entre les deux pays, tout en manifestant son scepticisme face à
l'avenir :

*Where it is necessary to prove an axiom, it might be shown that the more Ireland is benefited
in all respects of commerce and constitution, the more strength does England acquire, and the
more connection riveted ; yet, obvious as it is, I fear judging at least from appearances, that
neither England nor her instruments in this country are yet aware of the truth of this position*[27].

Il doute fort de la volonté de l'Angleterre, ou de ses représentants en
Irlande, de changer leur position. Influence anglaise, abus, corruption,
voilà selon lui des éléments que les Irlandais doivent prendre en compte
dans l'examen de la question de la relation à l'Angleterre :

[...] *a question of weighty and serious import indeed ; a question not to be agitated but upon
great provocation, nor to be determined on but in the last extremity : for on the result of that
determination depends the fate of one, perhaps of both countries. Serious as it is, it must however,
and will, infallibly, arrive at some period, unless a speedy and effectual check be given to the
continuance of existing abuses and corruption*[28].

Lui-même, précise-t-il, préférerait l'indépendance complète :

If it were res integra, *God forbid but I should prefer independence ; but Ireland being connected
as she is, I for one do not wish to break the connection, provided it can be, as I am sure it can,
preserved consistantly with the honour, the interests, and the happiness of Ireland*[29].

En résumé, en 1793, Tone croit encore possible que soit maintenu le
rapport entre les deux pays, mais il distingue de façon frappante sa position personnelle et ses prévisions pour l'Irlande et pour l'avenir. Dans la
même lettre au *Faulkner's Journal*, on trouve, condensée en quelques lignes, ce qu'il appelle sa théorie politique. Et il affirme du même coup que
la séparation à la Grande-Bretagne n'en fait pas partie :

*My theory of politics, since I had one, was this : What is the evil of this country ? British in-
fluence. What is the remedy ? A reform in parliament. How is that attainable ? By a union of all
the people. [...] But of this creed, separation makes no part*[30].

Réaliste, Tone rappelle que les gens n'ont, de façon générale, pas de propension particulière au changement. S'il s'avérait que se développe dans la population un désir de séparation de l'Angleterre, ce serait à la suite de gestes hostiles à l'Irlande de la part des dirigeants britanniques.

1793 et 1794 sont des années charnières dans l'évolution de la pensée de Tone sur la question de l'indépendance. Y auront sans doute contribué les événements tels que la restriction du port d'armes, la suppression du mouvement des *Volunteers*, son remplacement par une milice irlandaise liée au gouvernement, l'arrestation des dirigeants du journal *Northern Star* (*United Irishmen*) et de plusieurs dirigeants du mouvement, et le démantèlement subséquent de celui-ci, de même que de manière générale les limites imposées aux réformes.

Depuis février 1793, l'Angleterre est en guerre contre la France révolutionnaire. En avril 1794, un membre du clergé anglican devenu journaliste radical passe en France et travaille à organiser contre l'Angleterre un soulèvement de la population irlandaise avec l'appui des forces françaises. Tone lui adresse une note[31] dans laquelle il déclare que le gouvernement de l'Irlande a des intérêts totalement opposés à ceux de sa population. Cette note est découverte par les autorités qui y voient la preuve de son engagement incontestable pour la révolution politique et l'indépendance. Proscrit en Irlande, Tone se rend d'abord aux États-Unis, puis il revient du côté européen, en France. Il y travaille à obtenir du gouvernement du Directoire l'appui à un projet de débarquement français associé à un soulèvement de la population irlandaise.

Tone participe alors aux préparatifs militaires du côté français. Il écrit aussi plusieurs appels à la population irlandaise, l'invitant à joindre le mouvement de libération. Deux de ces textes s'adressent au peuple irlandais, globalement. D'autres sont plus spécifiques, s'adressant soit à la paysannerie, soit à la milice, soit aux Irlandais à l'emploi de la marine britannique[32]. On y remarque, en plus bref, la reprise de ses propos antérieurs. On y remarque aussi en plus d'un effort d'adaptation au public visé, la défense surtout de la Révolution française, et aussi de la Révolution américaine.

Tone considère malheureux qu'en Irlande, où on a suivi les événements survenus en France depuis 1789, on attribue à ces événements un caractère unilatéralement terrible. Selon lui, cela est dû à l'influence de l'aristocratie irlandaise, tant protestante que catholique[33]. Du côté catholique, écrit-il dans *To the People of Ireland*, s'ajoute la prédication en faveur de la soumission passive d'un clergé manifestement intéressé :

> *Notwithstanding the Catholic clergy are so fully and so beneficially to themselves occupied in preaching up submission to those who are put over us, and uttering violent philippics against the principles and the conduct of the French Revolution, their aim is obvious[34].*

Il y a eu des débordements en France, reconnaît-il dans son *Address to the Peasantry of Ireland*, et quelques esprits extrémistes ont pu y faire verser le gouvernement dans des excès. Cependant, ces excès ne peuvent être imputés à l'ensemble du peuple français :

> [...] *the government was, unfortunately, for some time, in the hands of men utterly devoid of humanity and feeling, who sacrified, without distinction, the innocent and the guilty to their own avarice, ambition or revenge ; but the French people are not to be confounded with, or made responsible for the action of those mecreants, [...] It has been the policy of your oppressors to dwell upon the crimes which, unhappily, for a short period disgraced the Revolution*[35].

Et il ajoute : « *But the reign of liberty, justice, and truth is restored to France, and tyrants tremble on their thrones* »[36]. Il estime que la Révolution[37] a fait triompher en France les principes des droits de l'Homme et a créé tout un défi pour les régimes despotiques européens.

L'expérience étatsunienne est également évoquée dans le discours public de Tone. Par exemple, en 1796, alors que l'Irlande connaît une période de prospérité, qu'en général on ne veut pas compromettre, il met de l'avant l'idée de l'indépendance et rappelle à ceux qui seraient rébarbatifs à cette idée que les habitants des Treize colonies n'ont pas hésité à mettre leur prospérité économique temporairement entre parenthèses lorsque leur liberté était en péril :

> *Look, I beseech you, to America ! See the improvement in her condition since she so nobly asserted her independence on a provocation which, when set beside your grievances, is not even worthy to be named. Before the struggle, she too was flourishing in a degree far beyond what you have ever experienced ; England, too, was then infinitely more formidable, in every point of view, than at this hour ; but neither the fear of risquing the enjoyments she actually possessed, nor the terror of the power of her oppressors, prevented America from putting all to the hazard, and despising every consideration of convenience or of danger where her liberty was at stake. Contemplate the situation of America before and since her independence, and see whether every motive which actuated her in the contest does not apply to you with the tenfold force ; compare her laws, compare her government with yours, if I must call that a government which is, indeed, a subversion of all just principle, and a total destruction of the ends for which men submit to be controlled, [...]*[38].

Selon lui, le pari de la liberté en valait la peine et la prospérité, la paix et l'ordre public ont été non seulement reconquis mais aussi développés. Deux expéditions françaises auront lieu, en 1796 et en 1798. Lors de la première, une tempête empêche les navires français d'atteindre les côtes irlandaises. En 1798, le débarquement réussit, mais le grand objectif échoue. Fait prisonnier, Tone est jugé et condamné. Il choisit de se suicider plutôt que d'être pendu. L'insurrection irlandaise de 1798 sera suivie de l'Union, effective en 1801, de l'Irlande à la Grande-Bretagne. La figure de T. W. Tone est célébrée tous les ans, sans que ce soit unanime, comme celle d'un visionnaire et d'un héros.

En mars 1827, Papineau se présente encore comme un «Loyal Canadien». Mais il s'oppose à l'administration locale, au gouverneur Dalhousie et à son Conseil exécutif. Il déclare dans son *Adresse à tous les électeurs du Bas-Canada…* : «L'administration est constituée pour protéger la vie, l'honneur, la liberté, les biens des citoyens, pour punir les coupables. Si elle s'écarte de cette destination, elle devient une tyrannie organisée»[39].

Il a recours à la théorie d'un pacte social entre l'Angleterre et le Bas-Canada, basé sur la primauté des représentants et sur la primauté constitutionnelle du pouvoir législatif sur celui de l'Exécutif:

> Se choisir des représentans, en voir aucune partie de leurs lois [abrogées], nulle loi nouvelle donnée, nulle partie de leurs biens enlevée sans leur consentement exprimé par leurs délégués, tels furent les privilèges qu'acquirent nos pères, tels sont les droits de naissance, les droits inaliénables de leurs enfans. Le respect pour ces lois est la condition du pacte social, qui seul lie les sujets à l'autorité[40].

La métropole est ainsi représentée comme ayant déjà reconnu des droits qu'elle est tenue d'honorer. Au plan de la protection de toute la population, Papineau souligne que malgré une égalité de droits alléguée par les gens au pouvoir et l'absence de discrimination légale, les droits de la majorité au Bas-Canada ne sont pas respectés: «Mais lorsqu'ici [contrairement à ce qui se passait en Irlande] il n'y avait ni loi ni prétexte, lorsque les habitans du pays étaient admissibles à tous les emplois, et lorsqu'on voyait la même exclusion dans la pratique, le citoyen le plus aveugle ou même le plus lâche devait se récrier»[41]. Ici, la situation irlandaise constitue explicitement le contraste ou le point de comparaison.

Mais au Bas-Canada, estime Papineau, le gouvernement colonial agit selon son bon vouloir, faisant fi des orientations proposées par une Assemblée représentative élue démocratiquement. On peut remarquer que cette Assemblée n'est effectivement pas privée de tout moyen de contrôle de l'Administration, l'essentiel étant le contrôle du budget présenté par cette dernière. Le discours de Papineau est rempli de mentions sur les droits de l'Assemblée à l'égard des «subsides». Mais ces droits, quelqu'importants qu'ils soient, n'empêchent pas que les orientations politiques de l'Assemblée et ses initiatives législatives peuvent être refusées ou n'être pas mises en application par le gouverneur et le Conseil exécutif, voire bloquées par le Conseil législatif, avant même d'être présentées à l'Exécutif.

À compter de 1831, et plus encore de 1833, la principale nouveauté dans le discours de Papineau est la mise en question des pratiques du Conseil législatif, de sa composition, de sa nomination, voire de son existence. Il élabore alors tout un discours sur la convenance en Amérique de l'électivité de tous les postes publics, et sur une Amérique égalitaire où règne la petite propriété, propice à la participation politique de tous.

Il tient aussi un discours d'avertissement à l'Angleterre, montrant que le Bas-Canada pourrait trouver auprès des États-Unis ce qu'il ne trouve pas dans le rapport avec elle. À l'occasion d'un discours sur le Conseil législatif (1831), il déclare que « les habitans des Etats-Unis sont sans comparaison les mieux gouvernés qu'il y ait sur la surface du globe »[42].

En janvier 1833, Papineau met de l'avant les intérêts des coloniaux eux-mêmes :

> Nos motifs d'attachement à la métropole, se trouvent avant tout dans la protection puissante qu'elle nous offre contre les agressions du dehors. Dans le débouché avantageux qu'elle offre à nos produits par un échange réciproquement utile. [...] Ce qui donnera le plus de contentement au peuple l'attachera davantage à l'Angleterre. Nos intérêts seront d'accord avec nos devoirs si nous sommes bien gouvernés[43].

Suivant ce principe de bon gouvernement, Papineau trouvait essentiel que les lois civiles, la religion, la langue et les mœurs des Canadiens soient protégées, bien représentés et justement défendus devant les tribunaux[44]. À la fin de 1834, à propos de l'urgence d'une transformation l'administration locale, Papineau déclare devant ses électeurs du Quartier-Ouest de Montréal :

> Une nation n'en sut jamais en gouverner une autre. Les affections Bretonnes pour l'Irlande et les Colonies n'ont jamais été que l'amour du pillage de l'Irlande et des Colonies, abandonnées à l'exploitation de l'aristocratie bretonne et de ses créatures. [...] Un gouvernement local, responsable et national pour chaque partie de l'Empire quant au règlement de ses intérêts locaux, avec une autorité de surveillance dans le gouvernement impérial pour décider de la paix et de la guerre et des relations de commerce avec l'étranger : c'est ce que demandent l'Irlande et l'Amérique Britannique ; [...] et c'est là ce qu'avant un très petit nombre d'années elles seraient assez fortes pour prendre, si l'on n'était pas assez juste pour le leur donner[45].

Un « gouvernement local, responsable et national » est une expression déjà employée plus tôt dans les 92 Résolutions de l'hiver 1834. Papineau a participé à leur rédaction.

En février 1836, Papineau défend à la fois le pouvoir de l'Assemblée du Bas-Canada, le poids qu'y exercent la majorité canadienne et les droits de « sujets britanniques ». Londres avait décidé de maintenir inchangées les institutions politiques de la colonie et on venait d'apprendre ces intentions :

> La sollicitude paternelle du gouvernement qui nous fait manger la terre de dépit, [...] a donné une législature à cette colonie britannique, dont on ne veut se servir que pour éblouir les masses, [...] sa volonté, sa voix et ses lois [de la législature] ne sont pour rien quand cela contrarie les vues du gouvernement. On ne veut pas nous donner la peine de faire nos propres lois ; on s'arroge le droit d'en faire, et on en fait illégalement pour nous. Depuis 40 ans nous sommes en lutte contre de telles prétentions ; nous ne cessons de réclamer les droits de sujets britanniques, et rien de plus[46].

Dans cet extrait, il faut non seulement remarquer le contenu, mais également le ton d'exaspération. Le programme du parti de Papineau met au premier rang, après plusieurs hésitations, non pas l'abolition, mais l'éligibilité du Conseil législatif. Il fait face, de toute manière, à une opposition déclarée des Associations constitutionnelles puissantes au Bas-Canada, mais aussi du gouvernement anglais. Après les 92 Résolutions, le discours de Papineau porte pour beaucoup sur les moyens employés pour obtenir une réforme de la Constitution : par exemple, la non-consommation des produits importés soumis à des tarifs de douanes et contribuant à alimenter le Trésor gouvernemental, et la mobilisation populaire destinée à montrer l'appui de la population à la politique de la majorité à l'Assemblée. Dans l'avenir, comme moyen de pression et comme alternative au maintien éventuel du refus de l'autorité métropolitaine de procéder à la réforme de la Constitution, on voudra organiser des assemblées dans chaque comté à partir desquelles seraient nommés des délégués dont la réunion formerait une convention constitutionnelle. Ce dernier recours, bien sûr, n'est pas prévu par la Constitution. Lorsque Papineau dit vouloir n'avoir recours, quant à lui, qu'à des moyens légaux, paisibles et constitutionnels, il faut comprendre, en faisant la part des choses, qu'il s'oppose à l'usage de la violence et de la force armée.

Au printemps de 1837, après la remise du Rapport de la Commission Gosford, et après les Résolutions Russell qui, trois ans après les 92 Résolutions, refusaient de répondre favorablement aux demandes qui y étaient formulées, un mouvement de protestation se développe dans la colonie à l'instigation du Parti patriote et sous la forme d'assemblées publiques de comté. Lors de l'assemblée des comtés de l'Assomption et de Lachenaie, à la fin de juillet, Papineau déclare ne plus rien «espérer de la justice ou de l'amour de l'Angleterre» et il ajoute «nous ne pouvons nous attendre à un redressement qu'en agissant sur ses craintes»[41]. Puis, à l'ouverture de la dernière session de l'Assemblée du Bas-Canada, il lance, comme s'il n'y croyait plus : la liaison avec la mère-patrie pouvait faire le bonheur de la colonie, si elle pouvait la faire prospérer, il serait juste de faire durer une liaison qui néanmoins devra inévitablement cesser par la suite des temps[48]. Papineau émet ainsi l'idée d'une relation de dépendance qui doit cesser avec le temps. Il semble attendre encore quelque déblocage de la part des autorités métropolitaines. Et à la fin de la même séance, il va même jusqu'à évoquer la possibilité de céder sur la question de l'éligibilité du Conseil législatif la Couronne, par l'exercice de sa prérogative, remodelait le Conseil législatif de manière à faire espérer une législation avantageuse au peuple[49].

Conclusion

On peut penser que l'emploi du terme «*outsider* pour définir le rôle politique de T. W. Tone est réducteur. Évidemment, son action auprès des *United Irishmen*, et auprès du *Catholic Committee*, n'en fait pas un acteur sur la scène gouvernementale ou parlementaire elle-même. Cependant, observateur attentif, critique et engagé de ce qui se passe sur cette scène, il a joué un rôle plus important que bien des détenteurs des fonctions politiques officielles.

Son discours public, ce que l'on trouve dans ses brochures, et l'évolution de ce discours (1790-1796) témoignent d'une remarquable cohérence. On peut résumer ainsi cette évolution. Elle va d'un appel au parlement irlandais, duquel il espère un comportement plus autonome face au pouvoir britannique, à la dénonciation de l'exclusion de la majorité catholique du pouvoir politique. Les autorités constituées, à Londres et à Dublin, refusant de modifier leur politique, le discours de Tone, à compter de 1793, devient un plaidoyer pour l'indépendance. Puis, dès 1796, Tone incite à la mobilisation armée de la population en même temps qu'il cherche à obtenir l'appui militaire de la France.

Le discours public (1827-1837) de L.-J. Papineau sur la dépendance, sur la Constitution et sur l'indépendance présente aussi une évolution que l'on peut qualifier de limpide. Il se présente fondamentalement comme le défenseur des prérogatives de l'Assemblée et le promoteur de ses pouvoirs contre ceux, rivaux, du Gouverneur et de son Conseil. Son argument, souvent répété, indique que seule l'Assemblée élue représente la volonté du peuple ou du «pays». C'est le même argument qui sert dans l'attaque, à compter de 1831, contre le Conseil législatif, nommé d'autorité, et associé au pouvoir de l'Exécutif. L'Assemblée a hésité entre l'abolition ou l'électivité de ce deuxième corps législatif. Papineau dira qu'il n'y a pas en Amérique de place, normalement, pour un corps politique aristocratique. Il dira aussi que n'eût été de la crainte d'un refus du gouvernement de Londres, c'est l'abolition pure et simple du Conseil que l'on aurait demandée au gouvernement impérial.

Toute la période qui va de 1827 à 1837 est marquée par des pétitions au Gouvernement britannique et par la volonté que le point de vue de l'Assemblée soit connu au Gouvernement et au parlement à Londres par un représentant de l'Assemblée sur place. Finalement, en réponse à une lettre de la *London Working Men's Association* (1837) que Papineau a signée, on s'adressera au peuple anglais lui-même.

Le Papineau du discours public qui appelle à la mobilisation populaire ne désirait cependant pas de rébellion. Des éléments de son discours ont opposé changements immédiats, associés à des convulsions populaires, et réformes progressives, comme façon d'accéder à une indépendance à long terme.

De façon manifeste, la radicalisation du discours public de Tone s'est effectuée en moins de temps que chez Papineau, et cela même si pour ce dernier on ne compte que la période 1827-1837. Cependant, rendre compte de cette différence ne peut être fait uniquement à partir de la personnalité ou des orientations intellectuelles et idéologiques des deux personnages. Il faudrait aussi tenir compte des différences des fonctions exercées, du rapport à leurs partisans et à leurs adversaires, et de l'état de l'opinion publique.

NOTES ET RÉFÉRENCES

1. *The Vindicator*, 23 mai 1837.
2. Julie Guyot, *Comparaison des discours publics de Theobald Wolfe Tone (Irlande) et de Louis-Joseph Papineau (Bas-Canada) sur le lien à la Grande-Bretagne et sur la constitution*, mémoire de maîtrise (histoire), Université du Québec à Montréal, 2008, 186 p.
3. Marianne Elliott, *Wolfe Tone, Prophet of Irish Independence*, New Haven, Yale University Press, 1989, 492 p.
4. Thomas Bartlett, *Life of Theobald Wolfe Tone. Memoirs, journals and political writings, compiled and arranged by William T. W. Tone, 1826*. Introduction de Thomas Bartlett, Dublin, Lilliput Press, 1998, 990 p.
5. Yvan Lamonde et Claude Larin, *Louis-Joseph Papineau, un demi-siècle de combats. Interventions publiques*, Montréal, Fides, 1998, 662 p.
6. S. J. Connolly, *Religion, Law, and Power: The Making of Protestant Ireland, 1660-1760*, Oxford, Clarendon Press, 1992, p. 75; Hayton, David, «Patriots and Legislators: Irishmen and their parliaments, 1689-1740», dans Julian Hoppit (dir.), *Parliaments, Nations, and Identities in Britain and Ireland, 1660-1850*, p. 103-123, Manchester, Manchester University Press, 2003, p. 113.
7. David Hayton, «Patriots and Legislators: Irishmen and their parliaments, 1689-1740», p. 106, dans Julian Hoppit (dir.), *Parliaments, Nations, and Identities in Britain and Ireland, 1660-1850*, Manchester, Manchester University Press, 2003.
8. Le concept de *free trade* à cette époque signifiait une participation, dans l'égalité, au commerce de la Grande-Bretagne. Cela allait au-delà des avantages au plan des barrières tarifaires.
9. J. C. Beckett, «Anglo-Irish Constitutional Relations in the Later Eighteenth Century», p. 126-127 dans *Confrontations, Studies in Irish History*, Totowa (N. J.), Rowman and Littlefield, 1972, p. 126-127.
10. Adam Shortt et Arthur G. Doughty, *Documents relatifs à l'histoire constitutionnelle (1759-1791)*, tome I, Ottawa, Imprimeur du Roi, 1921, p. 552-558.
11. T.W. Tone, «Essays for the Political Club Formed in Dublin, 1790», dans Thomas Bartlett (dir.), *op. cit.*, p. 433 et suiv.
12. Fernand Ouellet, *Papineau. Textes choisis et présentés*. Coll. «Les Cahiers de l'Institut d'histoire», Québec, Presses de l'Université Laval, (1959) 1970, p. 21-22.
13. *Ibid.*
14. *Adresse à tous les Électeurs du Bas-Canada. Par un Loyal Canadien*, Montréal, Spectateur Canadien, 1827, Réédition-Québec, 1968, p. 2 et 4.

15. Theobald Wolfe Tone (Hibernicus), « Spanish War ! An inquiry how far Ireland is Bound, of Right, to Embark in the Impending Contest on the side of Great Britain : Addressed to the Members of both Houses of Parliament » (1790), dans Thomas Bartlett (dir.), *Life of Theobald Wolfe Tone. Memoirs, journals, and political writings.* Dublin, Lilliput Press, 1998, p. 265-277.

16. *Ibid.*, p. 266.

17. *Ibid.*, p. 267.

18. *Ibid.*, p.267.

19. *Ibid.*, p.268.

20. « An Argument on Behalf of the Catholics of Ireland », [1791], *ibid.*, p. 284.

21. *Ibid.*, p. 295.

22. Elliott, Marianne, « Wolfe Tone and the Development of a Revoluationary Culture in Ireland », dans *Culture et pratiques politiques en France et en Irlande. XVIᵉ–XVIIIᵉ siècles,* Actes du Colloque de Marseille (28 septembre-2 octobre 1988), p. 171-186, Paris, Cahiers du Centre de Recherches historiques, n° 3, avril 1989, p. 175.

23. À propos des exigences de réformes constitutionnelles de T. W. Tone entre 1791 et 1794, voir . J. C. Beckett, *The Making of Modern Ireland, 1603-1923,* London, Faber & Faber, (1966) 1981, p. 251-253 ; Sean Cronin, *Irish Nationalism. A History of its Roots and Ideology.* New York, Continuum, 1980, p. 43 ; Marianne Elliott, *Wolfe Tone, Prophet of Irish Independence,* p.106.

24. Theobald Wolfe Tone, « Letter to the Editor of Faulkner's Journal », 11 juillet 1793, Thomas Bartlett (dir.), *op.cit.,* p. 396.

25. *Ibid.*, p.397.

26. *Ibid.*, p.399.

27. *Ibid.*, p. 400.

28. Theobald Wolfe Tone, « Statement of the Light in which the Late Act for the Partial Repeal of the Penal Laws is considered by the Catholics of Ireland », (20 août 1793), dans Thomas Bartlett (dir.), *op.cit.,* p. 398.

29. *Ibid.*, p. 399.

30. *Ibid.*

31. « Statement by Tone of the situation of Ireland, found on Rev. William Jackon's arrest » (avril 1794), Thomas Bartlett (dir.), *op. cit.,* p. 229. Dans sa note, Tone décrivait, entre autres, l'écart entre la situation de l'Angleterre et celle de l'Irlande : « *The situation of England and Ireland are fundamentally different in this : The government of England is national ; that of Ireland provincial. The interest of the first is the same with that of the people. Of the last, directly opposite* ».

32. Theobald Wolfe Tone (1796), « An Address to the People of Ireland on the Present Important Crisis » ; « Address to the People of Ireland » ; « Address to the Peasantry of Ireland by a Traveller » ; « To the Militia of Ireland » ; « To the Irishmen now Serving aboard the British Navy », Thomas Bartlett (dir.), *op. cit.,* p. 674-718.

33. Dans son journal personnel, Tone reprend un thème qui lui est cher : la fin pour la France d'une époque sombre, soit celle de l'influence néfaste de la papauté sur l'État, et celle de la noblesse et du clergé dans l'administration. « *That what was true of her (France) ten or seven years ago was not true now ; [...]*

but then France was under the yoke of popery and despots, which she had since broken; that all the changes in the sentiments of the Irish people flowed from the revolution in France», Journals, 21 mars 1796, Thomas Bartlett (dir.), *op. cit.*, p.505.

34. Theobald Wolfe Tone, «Address to the People of Ireland», 1796, *ibid.*, p.703.

35. Theobald Wolfe Tone, «Address to the Peasantry of Ireland by a Traveller», (1796), *ibid.*, p. 709.

36. Theobald Wolfe Tone, «Address to the People of Ireland», (1796), *ibid,* p. 703.

37. La position de Tone à l'égard de la politique française du moment est clairement étayée dans l'extrait suivant tiré de son journal en date du 11 mai 1796: «*I think, in my conscience, the French have, at this moment, an exceedingly good form of government and such as every man of principle is bound to support. It might possibly be better, but the advantages which might result from an alteration are not such as to warrant any honest man in hazarding the consequences of another bloody revolution*», Journals., 11 mai 1796, Thomas Bartlett (dir.), *op. cit.*, p. 546.

38. Theobald Wolfe Tone, «An Address to the People of Ireland on the Present Important Crisis», (1796), *ibid.*, p. 689-690.

39. «Adresse à tous les électeurs du Bas-Canada par un Loyal Canadien», Montréal, Imprimerie du Spectateur canadien (1827), réédition Québec, 1968, p. 7.

40. Louis-Joseph Papineau, «Parlement provincial du Bas-Canada: État du Pays [abolition du Conseil législatif, 11 mars 1831]», Yvan Lamonde et Claude Larin, *op. cit.*, p. 156.

41. Louis-Joseph Papineau, «« Parlement provincial du Bas-Canada: Finances [10 mars 1830b et ss.]»», *ibid.*, p. 136. C'est nous qui ajoutons dans la phrase de Papineau la mention de l'Irlande, cependant dans le même paragraphe il le fait lui-même explicitement.

42. Louis-Joseph Papineau, «Parlement provincial du Bas-Canada: État du Pays [abolition du Conseil législatif, 11 mars 1831]», *ibid.*, p. 163.

43. Louis-Joseph Papineau, «Discours sur le Conseil législatif», *La Minerve* (21 janvier 1833), Fernand Ouellet: *Papineau. Textes choisis et présentés*, Québec, Presses Université Laval, coll. «Les Cahiers de l'Institut d'histoire», (1959) 1970, p. 54.

44. «Observations sur la réponse de Mathieu Lord Aylmer à la députation du Tattersall et sur le discours du très Honorable E.G. Stanley, Secrétaire d'État pour les colonies, délivré dans la Chambre des Communes, sur les affaires du Canada, le 15 avril 1834», [juillet 1834], p. 22. À l'encontre de Fernand Ouellet et André Lefort dans leur biographie de Denis Benjamin Viger (*Dictionnaire biographique du Canada* IX, 1977), Yvan Lamonde et Claude Larin attribuent ces *Observations...* à Papineau. Voir Yvan Lamonde et Claude Larin, *op. cit.*, p.640 et Louis-Joseph Papineau, «Aux Libres et Indépendants Électeurs du Quartier Ouest de Montréal [3 décembre 1834]», *ibid.*, p. 337.

45. Louis-Joseph Papineau, «Aux Libres et Indépendants Électeurs du Quartier Ouest de Montréal [3 décembre 1834]», *ibid.*, p. 349-350.

46. Louis-Joseph Papineau, "Parlement provincial du Bas-Canada: Conclusion des débats de lundi dernier [Discours de Sir John Colborne, 15 février 1836]», *ibid.*, p. 379.

47. «Aperçu du discours prononcé par l'Honorable Mr. Papineau, à l'assemblée des comtés de l'Assomption et de Lachenaie, [29 juillet 1837]», *ibid.*, p. 464.

48. Louis-Joseph Papineau, «Parlement provincial du Bas-Canada : État de la province [19 août 1837]», *ibid.*, p. 478.

49. *Ibid.*, p. 487.

Orange, vert et bleu : les orangistes au Québec depuis 1849

SIMON JOLIVET
Chercheur postdoctoral en histoire
Université d'Ottawa

L'Ordre d'Orange est une institution légendaire en Irlande. En 1795, ce sont des Irlandais protestants du comté d'Armagh, province de l'Ulster, qui décidèrent de sa fondation. À l'heure où de sérieux troubles politiques bouleversaient l'Irlande, il importait, selon eux, de sauvegarder la monarchie constitutionnelle britannique et de protéger le protestantisme[1]. Dans les années 1790, l'Ordre d'Orange se donna la mission de répliquer aux milices catholiques irlandaises et au mouvement républicain qui fomentaient, selon les rumeurs, une insurrection. Ces rebelles, disait-on, voulaient séparer l'Irlande de la Grande-Bretagne. L'insurrection républicaine, quand elle se déclara en 1798, se solda toutefois par un échec retentissant. Bien plus que cela, ce fut une boucherie monumentale : il s'agira d'ailleurs de la plus meurtrière de toutes les rébellions irlandaises, faisant plus de 30 000 morts.

Le gouvernement britannique ne tarda pas à répliquer à cet acte révolutionnaire. En 1801, il imposa l'Acte d'Union[2]. Les Irlandais allaient désormais être représentés à Westminster. Il fallait mettre une croix sur l'ancien parlement dublinois. En Irlande, les orangistes furent, jusqu'à aujourd'hui, les plus grands défenseurs de cette union avec la Grande-Bretagne. Ils ne cessèrent d'appuyer les protestants du nord-est de l'île[3] dans leur lutte contre l'autonomie de l'Irlande. Ils n'hésitèrent jamais à s'opposer aux différentes mesures autonomistes (*Home Rule*, Dominion ou indépendance pure et simple) ayant pour objectif de redonner un parlement à l'Irlande.

L'Ordre d'Orange emprunta son nom à William d'Orange, l'homme qui avait réussi à battre le roi catholique James II durant la bataille de la rivière Boyne, en Irlande, le 12 juillet 1690. Comme l'association orangiste québécoise le notera en 1926, dans son livre de règlements : « [*The Orangemen*] *associate also in honor of King William III, Prince of Orange, whose name they perpetually bear, as supporters of his glorious memory and the true religion by law established in the United Kingdom. This is exclusively a Protestant Association* »[4]. Lors de la fondation de l'association, les membres de l'Ordre d'Orange prêtèrent un serment, secret, d'allégeance à l'association et au protestantisme[5]. Cette procédure ne concerna toutefois pas seulement que l'Irlande. Le 1er janvier 1830, immédiatement après la fondation de l'Ordre d'Orange canadien, les membres tiendront aussi à prêter un serment d'allégeance secret.

Dès ses débuts (et jusqu'aux alentours de 1940), l'Ordre canadien jouera un rôle très important dans la vie politique et religieuse. Plusieurs premiers ministres canadiens, en commençant par John A. Macdonald, entretiendront des liens étroits avec les orangistes[6]. Mais, il faut le dire, en Irlande comme ici, les épisodes de violence et d'intolérance religieuse accompagnèrent souvent les activités et célébrations orangistes. Le texte qui suit fera grandement état des controverses et des luttes (physiques ou politiques) que menèrent les Irlandais catholiques et les Canadiens français aux orangistes québécois, à partir de la fondation de la *Grand Orange Lodge of Eastern Canada* en 1849.

Il est néanmoins certain que l'histoire de l'Ordre d'Orange ne devrait pas que retenir les événements moins glorieux de l'association. C'est ce que les historiographies irlandaise et canadienne ont tenu à dire récemment, en soulignant l'esprit d'entraide et de solidarité des orangistes. Pendant un peu plus d'un siècle, les orangistes canadiens érigeront une institution veillant au bien-être et à la sécurité financière de ses membres à une époque où les gouvernements n'intervenaient pas dans l'économie et n'offraient pas d'assistance sociale[7]. Des fonds d'assurance comme « *The Orange Mutual Benefit Fund* », rendront un grand service à plusieurs membres[8].

La parution récente d'un ouvrage collectif consacré à l'Ordre d'Orange canadien a également permis de souligner le fait que les orangistes canadiens, à la fin du XIXᵉ siècle, seront devenus plus puissants et plus nombreux que leurs confrères d'Irlande. Comme le souligne David Wilson, la fête annuelle du 12 juillet à Toronto, célébrant le protestantisme et William d'Orange, « *[w]as the central event in a city* [Toronto] *so orange in complexion that it was known as the "Belfast of Canada"* »[9]. L'hétérogénéité de l'association a aussi été relevée par l'historiographie. Les historiens-géographes Cecil Houston et William Smyth notent que l'Ordre d'Orange du Canada, jusqu'à aujourd'hui, accueillera non seulement des Irlandais protestants, mais aussi des Amérindiens et des Canadiens d'origine allemande, anglaise et écossaise[10]. La force de l'Ordre canadien résidera en la diversité culturelle de ses membres.

Au Québec, cependant, l'Ordre d'Orange n'atteindra jamais la puissance de sa contrepartie canadienne-anglaise. Point de doute que la majorité catholique fera souvent barrage à l'Ordre québécois. En 1869, vingt ans ans après la fondation officielle de la *Grand Orange Lodge* provinciale, le chef de l'institution ne pourra d'ailleurs que souligner ce qui était perceptible depuis longtemps: «*I fear I cannot congratulate you on the great increase of our Order in the Province of Quebec, so far as Lodges are concerned; but I do think that that is not much a matter of regret, as it is better to have a few Lodges, well worked, and with many members, than many Lodges, badly worked, with few members*»[11]:

Il importe de dire que ce ne sont pas tous les protestants québécois qui étaient membres de l'Ordre[12]. Le nombre maximal de membres québécois fut atteint dans les deux premières décennies du xxe siècle, oscillant autour de 2000 hommes[13]. En notant le nombre total de protestants québécois recensés en 1911, c'est-à-dire environ 230 000 personnes (en grande majorité des gens d'origine irlandaise, écossaise et anglaise), on peut considérer que seulement 1 homme protestant sur 40 était orangiste au plus fort du mouvement au Québec[14]. C'est beaucoup moins que l'estimation donnée par l'historien David Wilson pour le Canada anglais, évaluée à 1 orangiste pour 3 protestants[15]. Il aurait pourtant été facile d'imaginer une vigueur orangiste au Québec, là où Irlandais catholiques et Canadiens français offraient beaucoup d'opposition à l'Ordre protestant. Pourquoi les protestants du Québec ont-ils été moins enclins que leurs coreligionnaires des autres provinces à devenir membres de l'Ordre? Pourquoi la plupart d'entre eux ont-ils tenu à se dissocier de l'association orangiste? Je tenterai de fournir quelques pistes de réponse en conclusion de cet article.

Par ailleurs, si la faiblesse des orangistes québécois était évidente de 1849 à 1930, cela ne veut pas dire que ceux-ci furent totalement absents de la scène socio-politique québécoise. D'ailleurs, l'autre objectif de cet article consistera à illustrer la présence, fragile mais néanmoins concrète, des orangistes dans la province. La vive opposition des orangistes québécois à l'anti-impérialisme canadien-français ainsi qu'au projet de *Home Rule* en Irlande, entre 1885 et 1921, sera ainsi soulignée. Il sera difficile de ne pas mentionner également l'objection des catholiques face à ces prises de position orangistes. L'analyse des archives officielles de la *Grand Orange Lodge of the Province of Quebec*, conservées à Belfast (et non au Québec ou au Canada!), permettra de retracer l'histoire de l'association et d'identifier les politiques souvent controversées soutenues par l'Ordre d'Orange québécois au cours de son existence.

L'Ordre d'Orange au Québec: une situation difficile depuis 1849

Au cours du xixe siècle, l'expansion de l'Empire britannique permettra le déploiement du mouvement orangiste. C'est d'ailleurs en 1830 que sera fondée la *Grand Orange Lodge of British America* par le premier leader (appelé *Grand Master*) de l'association, un immigrant irlando-protestant nommé Ogle Robert Gowan[16]. Assez vite, l'Ordre canadien gagnera en puissance grâce à la multitude de loges dites primaires, fondées sur tout le territoire « nord-américain britannique ». En effet, la *Grand Orange Lodge of British America* ne pourra fonctionner adéquatement sans la création des *Grand Provincial Lodges* et surtout sans le travail des loges primaires disséminées dans les villes et villages du pays.

Chaque loge primaire rassemblera un minimum de 15 personnes et un maximum de 50. Le nombre de loges primaires pourra différer grandement d'une province à l'autre. À titre d'exemple, en 1920, ce sont près de 100 000 membres qui garantissent la pérennité des quelque 2000 loges primaires présentes au Canada. La même année pourtant, seulement 60 loges primaires et environ 2000 membres s'activent au Québec. D'ailleurs, l'Ordre d'Orange québécois, durant toute son existence, ne pourra jamais compter plus que 5 % de tous les effectifs canadiens.

C'est en 1860 que le plus grand nombre de loges est répertorié au Québec ; 76 loges parsèment alors le territoire du Canada-Est. Les plus grands centres orangistes sont situés dans les régions de Québec, du nord et du sud de Montréal et surtout du Pontiac et de l'Outaouais. D'ailleurs, les loges de l'Outaouais seront parmi les plus résistantes. Lorsque la région de Québec perd toutes ses loges, dès les années 1890, ce sont l'Outaouais et le Pontiac qui gardent le fort orangiste québécois. Les loges orangistes abondent dans les villes de Hull et d'Aylmer ainsi que dans certains villages comme Thurso, Buckingham, Wakefield, Grenville, Masham, Ladysmith, Templeton, Clarendon, Gore. En somme, des loges orangistes sont créées aux endroits où la population protestante est suffisamment nombreuse. La couronne de Montréal, avec des villes comme Huntingdon, Hemmingford, Lachute, permet également un certain progrès orangiste.

Cette constatation pourrait sembler quelque peu surprenante. Il serait effectivement possible d'émettre l'hypothèse suivante : plus il existe une opposition catholique puissante sur un territoire donné, plus la population protestante de ce même territoire aura tendance, par acte de défense, à établir des loges orangistes. En fait, les spécialistes de l'Ordre d'Orange canadien, Cecil Houston et William Smyth, ont démontré le contraire en signalant « [that o]rangeism was strong where the protestant Irish were strong and that strength was not dependent upon the presence of a local catholic community comparable in size »[17].

En ce sens, l'exemple québécois paraît confirmer les dires de Houston et Smyth. Ce n'est certes pas dans les campagnes catholiques ou dans la ville de Québec que les loges orangistes prendront racine. La campagne québécoise, par sa majorité catholique, française mais aussi irlandaise, ne sera pas le meilleur endroit pour célébrer la victoire du roi William d'Orange. D'ailleurs, en 1901, même la *Grand Orange Lodge of British America* le concède. Dans son rapport annuel, les dirigeants ne manquent pas de noter les problèmes auxquels doivent faire face les orangistes du Québec:

> *In no part of the Dominion of Canada have the members of the Orange Association a harder lot than in Quebec, owing to the Protestant population being so much in the minority, and the presence in that Province of the best equipped section of the Romish Church, and the disadvantages under which the Protestant minority labor owing to the civil laws, make it difficult for them to propagate the principles of the Loyal Orange Association [...] Take the city of Quebec. In 1857 there were two or three lodges in operation. Now there is none*[18].

Les affirmations rapportées dans les bilans annuels de l'Ordre canadien auront certainement quelque chose à voir avec la consternation affichée par les chefs orangistes québécois. En 1892, le leader William Galbraith, qui sera maire de Westmount et adversaire des politiques antiimpérialistes « à la Henri Bourassa »[19], essaiera tant bien que mal d'encourager ses collègues orangistes en leur disant: « *There may have been periods in its history* [de la *Grand Lodge of Quebec*] *when it was numerically stronger, but I repeat it, there never was a period when its membership was composed of truer, better material than in this year of grace 1892, and after all it is quality we want, not quantity* »[20]. Il est impossible de connaître le nombre de personnes présentes lors de ce discours annuel du « frère » Galbraith aux locaux du 246 St.-James Street, Montréal. Cependant, il est aisé, grâce à cette dernière description, d'imaginer une foule très peu nombreuse.

Ce genre de lamentation sera chose habituelle lors des rassemblements orangistes annuels. Et de 1849 à 1905, presque tous les *Grand Masters* du Québec déplorent l'impuissance de l'organisation et son manque d'influence dans la province[21]. Les principaux leaders comme Thomas Gilday, William Galbraith et George Smith rappellent souvent le défi que doivent affronter les protestants dans cette « *Popish Province* ». Signe supplémentaire de la faiblesse de l'institution, le *Grand Master* de la province, George Smith, membre d'une loge « dormante », doit même quitter son poste en 1874. Presqu'aussi inacceptable que de marier une catholique (comme le fait un membre d'une loge montréalaise en 1888)[22], il était condamnable, aux yeux de l'institution, de laisser une loge inactive pendant plus de six mois consécutifs: « *[i]n consequence of Lodge 304 being declared dormant, Brother George Smith, the then Grand Master, a member of that lodge, had to vacate his office, in accordance to the Constitution* [...] »[23]. Une institution en santé n'aurait probablement pas permis que cette loge, qualifiée d'ailleurs de « *weak link in the chain* »[24] par le successeur de Smith, puisse accuser une aussi piètre performance.

Dans pareille situation, le rassemblement de grandes foules, lors de la fête annuelle du 12 juillet, sera très rare. Si les célébrations torontoises pourront parfois attirer autour de 8500 participants et 20 000 badauds, celles du Québec, quand elles avaient lieu, ne pourront espérer réunir que quelques centaines de participants seulement[25]. Les parades les plus fréquentes auront lieu dans le Pontiac et en Outaouais. Des petits défilés affichant bannières et photos du roi d'Orange, aussi surnommé « King Billy », seront surtout visibles dans les localités situées au sud-ouest du Québec, notamment à Ladysmith, à Shawville ou à Huntingdon[26].

Il y aura parfois de plus grandes fêtes d'organisées, comme celle de Hull le 12 juillet 1911 ; mais il faut y voir là l'exception qui confirme la règle. Du reste, le défilé de Hull va attirer une foule d'environ 1000 personnes, comptant parmi les participants de nombreux orangistes venus d'Ottawa[27]. Le comité régional invitera les voisins ontariens et du Pontiac à venir célébrer « *the first Orange Demonstration ever held in the City of Hull, on July 12th, 1911* »[28]. Par ailleurs, cette parade pourra suffisamment enrager certains Hullois comme le prouve cette lettre adressée au premier ministre canadien Wilfrid Laurier :

> [...] *what had Frenchmen to do with the Battle of the Boyne? Now we would like to make it clear that we as Catholics have no objection to Protestant societies such as St. Georges or St. Andrews to Parade in Hull at any time. They are welcome. Because those men do not come with bravado such as Orange men do* [...][29].

Comme l'indique le *Montreal Weekly Witness* du 18 juillet 1911, certains participants auront beaucoup de difficulté à parader. C'est que, même avant l'arrivée des fanfares aux accents du « *God Save the King* », se présenteront des opposants déterminés :

> *Twenty people* [...] *got into a melee just before the parade arrived. J. Carr, a Protestant, and J. Kidder, a Roman Catholic, began with words, and then came to blows in which other joined. The police, with the assistance of specials, restored order and arrested the two principals, both of whom were badly cut and bruised around the face*[30].

Les dernières citations soulignent le fait que le mouvement orangiste, quoique peu vigoureux au Québec, sera malgré tout capable de soulever la colère de certains catholiques. Ces références à la parade de Hull en conviennent. Il faut toutefois mentionner que les catholiques québécois, Irlandais et Canadiens français, avaient pris l'habitude de maudire les célébrations du 12 juillet, et ce, bien avant 1911. En fait, c'est au cours de la deuxième moitié du XIXe siècle que les plus importantes altercations, entre orangistes et catholiques, vont avoir lieu au Québec et au Canada.

Les querelles religio-politiques du XIXe siècle

Au pays, les affrontements religieux étaient si sérieux dans les années 1850 que les autorités politiques en appelèrent à la suspension des défilés patriotiques. À preuve, en 1858, après une fête de la *St. Patrick* particulièrement violente à Toronto, les autorités politiques, dont certaines élites irlando-catholiques connues comme Thomas D'Arcy McGee, décident d'annuler la parade du 17 mars. Il faut dire que la Grande Famine irlandaise des années 1840 avait quelque peu changé la donne démographique canadienne, en conduisant au Canada, et dans des villes protestantes comme Toronto, de plus en plus d'Irlando-catholiques. C'est donc pendant les années 1850 et 1860 que l'orangisme va connaître un élan certain au Canada-Ouest, en réaction à deux phénomènes : au républicanisme irlandais avancé par les *fenians* et aux demandes des immigrants irlando-catholiques réclamant l'accès à des écoles séparées[31].

Après 1858, de nombreux défilés torontois du *St. Patrick's Day* doivent être annulés à la demande de l'évêque catholique John Joseph Lynch[32]. Les autorités civiles et religieuses craignent alors que les Irlandais catholiques, surtout ceux provenant des classes ouvrières, soient infiltrés par le *Fenian Brotherhood*, ces républicains irlando-américains qui parlent d'une éventuelle attaque contre le Canada dans le but avoué de déstabiliser le gouvernement britannique[33]. La reprise de la parade du *St. Patrick's Day* torontois, dans les années 1860, ne change pas la donne, même elle attise davantage les tensions. Comme le note l'historien Gregory Kealey : « [p]arades, then, were at the centre of violence in Toronto »[34].

La présence des *fenians* était évidente dans les années précédant la confédération. À preuve, le tracé des défilés de 1863 et 1864, décidé intentionnellement par des activistes irlando-catholiques qui ne tenaient pas à suivre les conseils de l'archevêché, « [...] *took the marchers and their Fenian banners past many of Toronto's Orange Lodges* »[35]. Ces marches seront interprétées, par les protestants orangistes, comme une provocation éhontée. Les travaux récents au sujet des parades, processions, défilés ou pageants, ont bien démontré l'intérêt qu'avaient (et qu'ont encore aujourd'hui) les organisateurs de ce genre de fêtes à passer par tel ou tel quartier. Les lieux de commémoration ou les parcours des défilés patriotiques et religieux, comme ceux qui auront lieu lors du *St. Patrick's Day* ou du *Twelfth of July*, possédaient une portée hautement significative pour les organisateurs de ces divers événements[36].

D'autres incidents auront lieu à Toronto au cours des années 1870. Par exemple, en 1875, les catholiques qui paradent dans les rues de ville, saluant le jubilé catholique proclamé par le pape Pie IX, ont toutes les difficultés à terminer la procession tant les opposants ne cessent de les malmener[37]. Pour Kealey, ces « Jubilee Riots of 1875 were undoubtedly the bloodiest sectarian struggles in Toronto's history »[38]. Trois ans plus tard, l'édifice du *St. Patrick's Hall* de Toronto est vandalisé par une foule de protestants en colère[39]. L'invitation faite à Jeremiah O'Donovan Rossa, le grand leader républicain d'Irlande, pour qu'il vienne discourir de la lutte nationaliste irlandaise, ne plaît aucunement aux amoureux de la Couronne britannique. Le jour venu, au moins 4000 opposants se rendent près du *St. Patrick's Hall*, lancent des pierres sur la bâtisse, attaquent les spectateurs et chantent de célèbres airs orangistes. Selon Brian Clarke, ces deux épisodes marqueront profondément la communauté torontoise : « *Because of their large size and unusual violence, these riots shocked many Torontonians, Protestant and Catholic alike* »[40].

Ces violences et autres actes de vandalisme auront à voir avec des événements se produisant au même moment à Montréal. C'est qu'au début des années 1870, avec la dépénalisation des marches orangistes en Irlande[41], l'Ordre d'Orange du Canada soutient qu'il est redevenu légitime de parader dans les rues des principales villes canadiennes. Cette opinion n'est pas partagée par leurs rivaux. Le 12 juillet 1876, si personne n'est blessé lors du défilé montréalais, les marcheurs doivent néanmoins affronter les invectives des catholiques[42]. L'année suivante, les chefs orangistes, face à de fortes pressions de la part des autorités municipales (et même des élites politiques et commerciales protestantes), consentent à annuler leur marche. La motion votée en février 1877, à la réunion annuelle de la *Grand Orange Lodge of Quebec*, note ceci :

> That while claiming the right to perfect liberty, as British subjects, to hold an Orange or any other Protestant procession in this Province, we deem it inconsistent with our [...] constitution, enjoining charity and good will [...] to provoke disturbance out of which no good could result to our Association, or to the Protestant community at large; we therefore condemn the attempt to promote a procession on the 12th of July in Montreal[43].

Si les orangistes abandonnent leur marche du 12 juillet, un nouveau groupe d'Irlandais catholiques, l'*Irish Catholic Union of Montreal*, formé de jeunes voyant à la défense des droits des catholiques, n'entendra pas en rester là. Pour eux, toute manifestation orangiste (défilé, réunion, piquenique) devait être prohibée. Le 12 juillet 1877, même si aucune parade orangiste n'a lieu, de violents affrontements éclatent. À la sortie de l'église presbytérienne Knox, où une messe spéciale est chantée en l'honneur de William d'Orange, un jeune orangiste du nom de Thomas Hackett est assassiné lors d'un échange de coups de feu. Mort un pistolet à la main, Hackett devient instantanément un martyr au sein de la communauté orangiste[44].

Cinq jours après sa mort, le 16 juillet 1877, l'on enterre le malheureux : « *Hackett's funeral was transformed into a demonstration of Protestant strength as approximately 1200 Orangemen from Ottawa, Kingston, and Cornwall des-*

cended upon Montreal »[45]. Ironiquement, les orangistes auront finalement ce qu'ils avaient souhaité pour le *Twelfth of July* de 1877 : une véritable procession orangiste, uniformes, chevaux et tambours en prime, dans les rues de la métropole canadienne.

Quelques jours après les funérailles, le gouvernement provincial interdit formellement toute procession religieuse visant à commémorer un quelconque anniversaire politique ; cependant, un amendement à cette loi autorise l'organisation de certaines processions religieuses, menées par des autorités cléricales dûment reconnues[46]. Ainsi, le défilé de la *St. Patrick*, les 17 mars de chaque année et célébrant le saint patron d'Irlande, sera toléré. En 1878, la frustration est évidente chez les orangistes québécois. Ce n'est probablement pas avec joie qu'ils doivent abandonner leur parade. En fait, leur position minoritaire ainsi que les appuis trop distants des élites anglo-écossaises de Montréal ne leur permettent pas d'exercer une grande influence au sein de la société québécoise. C'est ainsi que le *Grand Secretary* de l'Ordre québécois s'exclame, le 20 février 1878 :

> *The persecuting spirit of Romanism has been exceedingly active during the past year. The brutal and barbarous murder of our late Brother Hackett, and ill-treatment of others on the 12th July last [1877], in the city of Montreal, has shown to the world over, that if Romanism had but the power she certainly has the will to exterminate not only Orangemen but everything pertaining to Protestantism. But it is satisfactory to know (although we lost a much respected Brother on last July 12th), that it was not a total loss to Orangeism and Protestantism in this Province (The Rome of America)*[47].

De la violence physique aux débats idéologiques

Les années 1880 marquent, tant à Toronto qu'à Montréal, la fin des violences physiques entre catholiques et orangistes. Des lois plus serrées, interdisant certains types de parades politiques, et la nouvelle union des forces ouvrières, peuvent expliquer ce changement de mentalités[48]. Bien sûr, la disparition progressive d'actes de violence durant les fêtes du 17 mars ou du 12 juillet ne devrait pas amener à conclure trop vite à la disparition soudaine de toute opposition entre catholiques et protestants canadiens et québécois.

En fait, si les violences deviennent moins fréquentes au Québec, les deux grands adversaires de l'Ordre, les Irlando-catholiques et les Canadiens français, continuent néanmoins de combattre les idées orangistes ; notamment au temps de la mort du métis Louis Riel, pendu en 1885.

The Sentinel, le journal officiel des orangistes canadiens (et que les membres de l'Ordre québécois prennent soin de populariser au maximum), est aussi reconnu comme l'ennemi par excellence des journalistes canadiens-français[49]. Fondé en 1875, le journal connaît ses heures de gloire au début du xx⁰ siècle alors que ses attaques contre Henri Bourassa ainsi que ses commentaires cinglants sur les « *"Romish" activities*» du Québec attirent un lectorat important[50]. Les allégations anti-nationalistes irlandaises contenues dans les éditions du *Sentinel*, de 1885 jusqu'au temps de la guerre d'indépendance irlandaise en 1921, prouvent aussi le grand intérêt qu'entretiennent alors les orangistes pour les affaires politiques d'Irlande.

Opposés à toute forme d'auto-détermination irlandaise, les orangistes canadiens s'attirent ainsi les foudres de deux grands groupes autonomistes de la province : les anti-impérialistes canadiens-français et les nationalistes irlando-catholiques.

À la fin du xixe et au début du xxe siècle, les Irlando-catholiques forment un groupe important au sein de la société québécoise. En 1881, plus de 123 000 personnes d'origine irlandaise (dont on peut présumer que les deux tiers sont catholiques)[51] vivent au Québec. C'est davantage que la population d'origine écossaise (54 923) et même d'origine anglaise (81 513). Évidemment, les citoyens d'origine française constituent alors la majorité des habitants de la province. Trente ans plus tard, le nombre de Québécois d'origine irlandaise aura diminué à 103 147, laissant le groupe d'origine anglaise (153 295 citoyens) devenir le deuxième plus grand groupe ethnique du Québec, toujours après celui d'origine française qui formera environ 80 % de la population totale[52]. Ce changement démographique s'explique, entre autres, par la grande immigration anglaise qui aura cours au tout début du xxe siècle.

Ceci dit, de 1885 à 1921, au temps où les bouleversements politiques d'Irlande font régulièrement les manchettes des journaux britanniques et canadiens, un grand nombre d'Irlando-catholiques de la province appuient les ambitions autonomistes des deux grands partis nationalistes d'Irlande, l'*Irish Parliamentary Party* et le *Sinn Féin*. En effet, tous les leaders nationalistes irlandais (ou presque)[53] viennent à Montréal et à Québec, surtout à partir de 1900, pour faire la promotion du *Home Rule* ou du républicanisme. À chaque occasion, les Irlando-catholiques de la province collectent de l'argent, aidant à remplir les caisses des principaux partis nationalistes d'Irlande[54]. Le *Home Rule* était ce projet de loi déposé à Westminster en 1886, 1893 et 1912 et qui s'engageait à révoquer l'Acte d'Union de 1801, garantissant ainsi l'établissement d'un gouvernement autonome à Dublin, dirigé par la majorité catholique[55].

Il ne fait pas de doute que les appels orangistes, en faveur du maintien de l'Acte d'Union voté en 1801 par Westminster et contre le *Home Rule*, ne seront donc pas accueillis favorablement au Québec. L'éditorial du 11 juin 1898 du *True Witness and Catholic Chronicle* de Montréal, un journal irlandais catholique, résume bien la situation en pestant contre le *Grand Master* canadien, Nathaniel Clarke Wallace. Alors que ce dernier affirme, à Ottawa, que l'Acte d'Union entre la Grande-Bretagne et l'Irlande fut une bonne chose, le *True Witness* répond : «*Can Clarke Wallace truthfully assert that the Union had resulted in prosperity and happiness for Ireland? [...] If Ireland was so happy and prosperous, why did so many people come to America, where there are now as many Irishmen as there are in Ireland. Are Irishmen so peculiarly minded that they turn their backs on prosperity? »*[56]

Sans aucun doute, les orangistes canadiens et québécois suivront la lutte pour le *Home Rule* irlandais avec grand intérêt. Après 1900, les orangistes collectent de l'argent qu'ils envoient à Edward Carson, chef loyaliste d'Ulster et digne représentant des opposants au *Home Rule*[57]. Pour les loyalistes d'Ulster, appelés les unionistes, l'Irlande se devait de conserver tous les liens politiques avec la Grande-Bretagne et les députés irlandais devaient continuer de siéger à Westminster. L'avenir de l'Empire britannique en dépendait. Les orangistes du Canada ne pourront être davantage en accord :

> *Irish Canadian Orangemen and their 'non-Irish' supporters viewed the home rule issue as part of a general threat to the British imperial world, and connected this threat to 'crises' closer to home. Support for Protestant Ulster was not seen simply in terms of protecting the 'homeland', but as something that had long-term consequences for the empire and Canada's place within it*[58].

Robert Sellar, journaliste écossais-québécois et fondateur du *Canadian Gleaner* en 1863 (rebaptisé *The Huntingdon Gleaner* en 1912), épousera aussi la cause anti-*Home Rule*. En 1912, une brochure publiée à Belfast et intitulée *Ulster and Home Rule, A Canadian Parallel*, évoquera les pensées de Sellar sur le sujet: « *When Quebec was granted Home Rule* [en 1867, selon Sellar] *it ceased to be British, it became Papal – give Ireland Home Rule and the like result will follow* »[59]. Robert Sellar, sans devenir membre de l'Ordre québécois, verra des leçons pour l'Ulster dans l'évolution historique du Québec. Lui qui n'avait jamais digéré l'immigration franco-catholique, implantée dans les Cantons-de-l'Est durant la deuxième moitié du XIXᵉ siècle, ne pourra être qu'admiratif devant l'œuvre des unionistes d'Ulster et de leur chef Edward Carson.

Pour Sellar et les orangistes favorables à l'unionisme, le lien entre les luttes anti-impérialistes irlandaise et canadienne était facile à établir. Comme le note David Wilson :

> *[t]he argument ran along the following lines: Like Irish Catholics, French Canadians were disloyal; Henri Bourassa's opposition to Canadian soldiers serving in the Boer War was only the most conspicuous example of a general French-Canadian hostility to the empire. Like Irish Catholics, French Canadians were mired in priest-ridden society, and culturally incapable of embracing entrepreneurial values*[60].

Ainsi, les bouleversements politiques en Irlande donneront la chance aux orangistes canadiens, ainsi qu'à des protestants inquiets comme Robert Sellar, d'attaquer les idées anti-impérialistes véhiculées par les élites canadiennes-françaises. Il ne sera donc pas surprenant de voir les Canadiens français réagir à ces propos.

Après 1900, tous les journaux canadiens-français, tous sans exception, rejettent l'argumentaire proposé par les unionistes d'Ulster et par leurs partisans canadiens. Même des journaux de tendance impérialiste, comme *L'Événement* ou *La Vie Canadienne*, quoique refusant de reconnaître l'idée de républicanisme irlandais, accordent leur appui à la solution modérée que représente alors le *Home Rule*. D'ailleurs, l'octroi d'un parlement à Dublin, selon eux, pourrait non pas affaiblir, mais plutôt consolider le lien impérial. Pour ce qui est de *La Presse*, du *Devoir* ou du *Soleil*, pour ne nommer que ceux-là, ils s'entendent tous pour fustiger les orangistes et les efforts d'Edward Carson[61].

Outre la question de l'autonomie de l'Irlande, d'autres projets politiques (mais cette fois propres au Canada) révéleront des divergences supplémentaires entre élites canadiennes-françaises et orangistes canadiens. Par exemple, la grande question de l'éducation et des écoles séparées est amplement débattue au début du XXe siècle. Les rapports annuels de l'Ordre d'Orange québécois sont catégoriques sur le sujet : catholicisme et éducation ne vont pas ensemble. En 1905, Thomas Gilday, le *Grand Master* québécois, le souligne : « *History tells us in the past and present that wherever the Roman Catholic system of education is in vogue it has proved disastrous to the country and nation. It seems to have a tendency to darken the mind of the individual, and as the individual, so is the country and nation* »[62]. Et en 1926, l'Ordre québécois continue de marquer son désaccord au concept des écoles séparées[63].

Évidemment, cette prise de position n'enchante aucunement la majorité franco-catholique du Québec, ainsi que les minorités françaises des autres provinces canadiennes. D'ailleurs, la grande lutte des Canadiens français (entre 1912 et 1927) contre le fameux Règlement XVII restreignant l'usage du français dans les écoles ontariennes réprouve cette rhétorique favorable à une éducation publique et laïque[64]. Le clergé canadien-français, à l'heure où l'ultramontanisme reste l'idéologie dominante, ne veut pas laisser l'éducation des jeunes canadiens-français entre les mains d'administrateurs laïcs. Orangistes protestants et Franco-catholiques s'opposent donc radicalement ici. Toutefois, ce sera l'une des dernières fois où les deux groupes s'affronteront. Dès les années 1930, l'Ordre d'Orange québécois amorce un déclin inexorable. L'action religieuse et politique des orangistes, moins vigoureuse qu'au Canada anglais, devient presque inexistante après 1940 au Québec.

Conclusion

Bien sûr, le déclin de l'Ordre d'Orange ne se limitera pas qu'au Québec ; partout au Canada, le nombre de membres et de loges primaires commence une chute apparemment inévitable après 1930. S'il existe 1108 loges primaires en Ontario en 1930, trente ans plus tard, ce nombre aura baissé à 748. En 2000, quelque 134 loges primaires s'activeront toujours en Ontario. Au Québec, le nombre de loges passera de 71 en 1930 à 14 en 2000[65]. Les raisons de ce déclin sont multiples. Comme le disent Houston et Smyth, la maturation politique du Canada vis-à-vis du Royaume-Uni ainsi que la séparation progressive entre l'État et la religion expliquent l'affaiblissement de l'Ordre canadien. La fin de l'immigration britannique et irlandaise, l'apparition de l'État-providence et la politique du multiculturalisme, après la Deuxième Guerre mondiale, doivent aussi être retenues dans l'explication de ce déclin orangiste. L'Ordre d'Orange perdra ainsi de son influence politique, mais il fut certainement un temps, surtout au Canada anglais, où sa force communautaire fit de lui un des grands groupes de pression auprès des gouvernants. Pendant plus d'un siècle, son influence, en Ontario, façonnera les politiques gouvernementales, en dépit de l'opposition vigoureuse des catholiques.

Ce que l'on sait moins, c'est que les protestants québécois qui n'étaient pas membres de l'Ordre ont souvent contredit les ambitions des orangistes canadiens. Probablement davantage que les protestants des autres provinces canadiennes, ceux du Québec (d'origine anglaise, écossaise et irlandaise) ont été beaucoup moins favorables à l'Ordre d'Orange ainsi qu'aux opinions « anti-écoles séparées » et « anti-*Home Rule* » professées par les orangistes québécois. Cette hésitation à joindre les rangs orangistes avait bien sûr à voir avec la supériorité évidente des Franco-catholiques, au niveau démographique. Mais elle était aussi due à la prospérité de la communauté anglo-protestante. En effet, jusqu'en 1930, comment les protestants anglophones de la province, encore très puissants et sur-représentés dans les domaines de la finance et du commerce[66], pourront-ils prétendre que l'octroi d'une autonomie à la *Home Rule* au Québec, en 1867, leur avait fait du tort ? En fait, des protestants québécois vont même réfuter les théories avancées par Sellar à l'effet que le Québec était contrôlé par « Rome » et dirigé par des politiciens intolérants[67].

Le Québec constituait la preuve que les protestants pouvaient prospérer économiquement même en étant minoritaires au sein d'une législature provinciale. Ainsi, les demandes irlandaises pour obtenir un parlement à Dublin n'avaient que peu de chance d'être contestées par une majorité de protestants québécois. D'ailleurs, même les journaux impérialistes comme *The Quebec Chronicle* et *The Montreal Star* seront pro-*Home Rule* et « anti-Ulster » au début du xxᵉ siècle.[68]

En ce qui concerne les écoles séparées, nul doute que le fait de pouvoir compter sur des commissions scolaires protestantes réjouira beaucoup d'anglophones du Québec[69]. Encore là, les opinions orangistes en faveur de l'abolition des écoles séparées ne seront pas très intéressantes pour ceux qui voulaient voir leurs enfants éduqués en accord avec les traditions protestantes. Ainsi, il était très difficile pour les protestants québécois, minoritaires dans la province, de s'opposer au principe des écoles séparées. À l'inverse, il était beaucoup plus facile pour les protestants des provinces anglophones, largement majoritaires au plan démographique, de s'opposer au principe des écoles séparées. Aussi bien qu'il était plus facile pour eux d'appuyer Edward Carson dans sa quête pour garder l'Irlande, sinon seulement la province de l'Ulster, rattachée à la Grande-Bretagne.

Notes et références

1. Cecil Houston et William Smyth, « The faded sash : the decline of the Orange Order in Canada, 1920-2005 », dans David Wilson (dir.), *The Orange Order in Canada*, Dublin, Four Court Press, 2007, p. 170.
2. Gearóid Ó Tuathaigh, *Ireland before the Famine, 1798-1848*, Dublin, Gill et Macmillan, 1972, p. 34.
3. L'île irlandaise compte au total 32 comtés, groupés dans 4 différentes provinces : Leinster, Connaught, Munster et Ulster. Les six comtés les plus protestants de la province d'Ulster (Antrim, Armagh, Derry, Down, Fermanagh et Tyrone) ont formé l'Irlande du Nord, après le vote d'une loi britannique, en décembre 1920.
4. The Provincial Grand Lodge of Quebec, *The Orange Association. Its Principles and What It Is Doing*, Québec, 1926, p. 5.
5. « *The oath also committed the initiate to uphold the Empire, to fight for justice for all brother Orangemen, to hold sacred the name of William, to celebrate William's victory every July 12, to refrain from becoming a papist, never to disclose or reveal the secret work of the Order, and lastly, to support and maintain the Loyal Orange Institution* », Gregory Kealey, « The Orange Order in Toronto : Religious Riot and the Working Class », dans Robert O'Driscoll (dir.), *The Untold Story : The Irish in Canada*, Toronto, Celtic Arts of Canada, 1988, p. 833.
6. À titre d'exemple, le premier ministre John A. Macdonald sera membre de plusieurs loges orangistes de l'Ontario et Mackenzie Bowell sera à la fois premier ministre du Canada et *Grand Master* de la *Grand Orange Lodge of British America* à la fin du XIXe siècle. Pas moins de quatre premiers ministres ontariens seront aussi membres de l'association. Dans les années 1950-1960, John Diefenbaker, aussi premier ministre conservateur, participera à plusieurs activités organisées par l'Ordre d'Orange. Eric Kaufmann, « The Orange Order in Ontario, Newfoundland, Scotland and Northern Ireland : a macro-social analysis », dans Wilson (dir.), *The Orange Order in Canada, op. cit.*, p. 62.
7. Cecil Houston & William Smyth, « The faded sash : the decline of the Orange Order in Canada, 1920-2005 », *op. cit.*, p. 188.
8. Grand Orange Lodge of Ireland (GOLI), Belfast, Schomberg House, *Report of proceedings of the annual meeting of the Grand Orange Lodge of the Province of Quebec*, 1905, p. 8.
9. David Wilson, « Introduction », dans Wilson (dir.), *The Orange Order in Canada, op. cit.*, p. 10.

10. Cecil Houston et William Smyth, *The Sash Canada Wore: A Historical Geography of the Orange Order in Canada*, Toronto, University of Toronto Press, 1980, p. vii.

11. GOLI, Belfast, Schomberg House, *Report of proceedings of the annual meeting of the Grand Orange Lodge of the Province of Quebec*, 1869, p. 10.

12. Dorothy Suzanne Cross, *The Irish in Montreal, 1867-1896*, mémoire de maîtrise en histoire, Université McGill, 1969, p. 111-112.

13. Il y avait 2042 membres au Québec en 1905. Grand Orange Lodge of Canada (GOLBA), Toronto, Report of proceedings of the Meeting of the Grand Orange Lodge of British America, 1905-1906, p. 25. En 1918, il y en avait 2 281. Voir GOLBA, Toronto, *Statement Showing Collection and Alowances Made in Respect of Arrears of Grand Lodge Dues*, 17 janvier 1922.

14. Selon les chiffres du recensement canadien de 1911, sur une population québécoise de 2 003 232 habitants, 1 724 683 étaient catholiques romains, 102 684 étaient protestants anglicans, 64 125 étaient protestants presbytériens, 42 444 étaient protestants méthodistes, 9255 étaient protestants baptistes, 8634 étaient protestants, 2618 étaient protestants luthériens et 30 268 étaient juifs. En somme, près de 230 000 citoyens étaient protestants. En soustrayant un nombre égal de femmes de ce nombre (puisqu'elles ne pouvaient pas être membres des loges dirigées par les hommes), il restait ainsi quelque chose comme 115 000 hommes protestants. Il faudrait soustraire aussi le nombre d'enfants, ce qui est beaucoup plus difficile à faire. Mais tout compte fait, il serait possible d'évaluer un ratio « orangiste vs protestant » à au moins 1 pour 40. Pour les statistiques détaillées, voir *Cinquième recensement du Canada, 1911*, C. H. Parmelee, Ottawa, vol. II, 1913, p. 2-3.

15. « *At its peak, one in three of Canada's Protestant adult male population was a member. Englishmen and Scotsmen were bonded with Irishmen in an institution [Orange Order] whose cultural and political tenets had been largely determined in Ireland* », David Wilson, *The Irish in Canada*, Ottawa, Canadian Historical Association, 1989, p. 16.

16. Cecil Houston & William Smyth, *The Sash Canada Wore: A Historical Geography of the Orange Order in Canada, op. cit.*, p. 22-23.

17. *Ibid.*, p. 40.

18. GOLBA, Toronto, *Report of proceedings of the meeting of the Grand Orange Lodge of British America*, 1901-1902, p. 28.

19. GOLI, Belfast, Schomberg House, *Report of proceedings of the annual meeting of the Grand Orange Lodge of the Province of Quebec*, 1892, p. 10.

20. *Idem*, p. 12.

21. « In the District of Quebec, the various Lodges which had been feeble, and some hardly working, have now amalgamated, preferring a few strong and healthy Lodges to a greater number of weak ones », GOLI, Belfast, Schomberg House, *Report of proceedings of the annual meeting of the Grand Orange Lodge of the Province of Quebec*, 1865, p. 4; voir aussi: « I fear I cannot congratulate you on the great increase of our Order in the Province of Quebec, so far as membership is concerned », GOLI, Belfast, Schomberg House, Report of proceedings of the annual meeting of the Grand Orange Lodge of the Province of Quebec, 1872, p. 10.

22. GOLI, Belfast, Schomberg House, *Report of proceedings of the annual meeting of the Grand Orange Lodge of the Province of Quebec*, 1888, p. 18.

23. GOLI, Belfast, Schomberg House, *Report of proceedings of the annual meeting of the Grand Orange Lodge of the Province of Quebec*, 1874, p. 10.

24. *Idem*.

25. David Wilson, « Introduction », p. 10.

26. Bibliothèque et Archives nationales du Québec (BANQ), Gatineau, Fonds P14,S1,P84, Parade des Orangistes à Ladysmith vers 1918.

27. Voir *La Patrie* du 13 juillet 1911, p. 5, qui parle de quelque 1000 personnes dont 428 participants à la marche; voir aussi Bibliothèque et Archives Canada (BAC), Ottawa, Fonds Sir Wilfrid Laurier, MG26-G, Hull, 13 juillet 1911, microfilm C-905, p. 187532-187535.

28. BANQ, Gatineau, Fonds Loyal Orange Lodge no 66, *Correspondence with the officers and members*, 1885-1988.

29. BAC, Ottawa, Fonds Sir Wilfrid Laurier, MG26-G, Hull, 13 juillet 1911, microfilm C-905, p. 187532-187535.

30. *The Montreal Weekly Witness*, 18 juillet 1911, p. 4.

31. Michael Cottrell, « Irish Catholic Politics in Ontario », dans O'Driscoll (dir.), *op. cit.*, p. 792. Voir aussi Rosalyn Trigger, « Irish Politics on Parade : The Clergy, National Societies, and St. Patrick's Day Processions in Nineteenth-century Montreal and Toronto », *Histoire sociale/Social History*, vol. XXXVII, n° 74, p. 183-193.

32. Rosalyn Trigger, « Irish Politics on Parade : The Clergy, National Societies, and St. Patrick's Day Processions in Nineteenth-century Montreal and Toronto », p. 185-186.

33. Pour en savoir plus sur les contacts entre *Fenians* américains et canadiens entre 1858 et 1870, voir Peter Toner, « The "Green Ghost" : Canada's Fenians and the Raids », *Éire-Ireland*, vol. 16, n° 4, 1981, p. 27-47.

34. Gregory Kealey, *op. cit.*, p. 842.

35. Rosalyn Trigger, « Irish Politics on Parade : The Clergy, National Societies, and St. Patrick's Day Processions in Nineteenth-century Montreal and Toronto », *op. cit.*, p. 186.

36. Pierre Nora, « Between Memory and History : Les Lieux de Mémoire », *Representations*, n° 26, 1989, p. 7-16; voir aussi Susan Davis, *Parades and Power, Street Theatre in Nineteenth-Century Philadelphia*, Philadelphia, 1986, p. 3-5.

37. Brian Clarke, « Orange Young Britons, parades & public life in Victorian Toronto », dans Wilson (dir.), *The Orange Order in Canada, op. cit.*, p. 116-117.

38. Gregory Kealey, *op. cit.*, p. 845.

39. David Wilson, « Introduction », *op. cit.*, p. 18.

40. Brian Clarke, *op. cit.*, p. 114.

41. Rosalyn Trigger, « Irish Politics on Parade : The Clergy, National Societies, and St. Patrick's Day Processions in Nineteenth-century Montreal and Toronto », *op. cit.*, p. 189.

42. *Ibid.*, p. 191.

43. GOLI, Belfast, Schomberg House, *Report of proceedings of the annual meeting of the Grand Orange Lodge of the Province of Quebec*, 1877, p. 12.

44. Cross, *op. cit.*, p. 171-2. Voir aussi *The Daily Witness*, 16 juillet 1877, p. 1, pour une interprétation pro-orangiste des événements entourant la mort de Hackett.

45. Trigger, « Irish Politics on Parade: The Clergy, National Societies, and St. Patrick's Day Processions in Nineteenth-century Montreal and Toronto », *op. cit.*, p. 190. Voir aussi GOLI, Belfast, Schomberg House, *Report of proceedings of the annual meeting of the Grand Orange Lodge of the Province of Quebec*, 1878, p. 8.

46. Trigger, « Irish Politics on Parade: The Clergy, National Societies, and St. Patrick's Day Processions in Nineteenth-century Montreal and Toronto », *op. cit.*, p. 190; voir aussi Cross, *op. cit.*, p. 165-166.

47. GOLI, Belfast, Schomberg House, *Report of proceedings of the annual meeting of the Grand Orange Lodge of the Province of Quebec*, 1878, p. 9.

48. Gregory Kealey, *op. cit.*, p. 848.

49. *Le Franc-Parleur*, 28 août 1915, p. 2-3.

50. William Jenkins, « Views from "the Hub of the Empire": Loyal Orange Lodges in early twentieth-century Toronto », dans Wilson (dir.), *The Orange Order in Canada, op. cit.*, p. 138.

51. « *Quebec reveals a different pattern* [que l'Ontario]. *There Catholics were 60.5 per cent of the ancestral-Irish and 65.3 per cent of the Irish-born respectively* [en 1871] ». Alan O'Day, « Revising the Diaspora », dans David George Boyce et Alan O'Day (dir.), *The Making of Modern Irish History, Revisionism and the Revisionist Controversy*, London, Routledge, 1996, p. 194. Voir aussi Robert Grace, *The Irish in Quebec: An Introduction to the Historiography*, Montréal, IQRC, 1993, p. 53.

52. Ronald Rudin, *The Forgotten Quebecers, A History of English-Speaking Quebec, 1759-1980*, Québec, IQRC, 1985, p. 155.

53. Seul Éamon de Valera, chef du *Sinn Féin*, ne peut venir au Québec. Évadé d'une prison anglaise, il s'était réfugié aux États-Unis en 1919-1920, amassant des millions de dollars pour promouvoir la cause républicaine irlandaise. Néanmoins, des délégations québécoises et montréalaises iront le rencontrer à au moins quatre reprises à Plattsburgh, Ogdensburg et New York (toutes des villes de l'état de New York). Voir Simon Jolivet, *Les deux questions irlandaises du Québec, 1898-1921: des considérations canadiennes-françaises et irlando-catholiques*, thèse de doctorat en histoire, Université Concordia, 2008, p. 325-30.

54. Simon Jolivet, « French Canadians and the Irish Question, 1900-1921 », dans Robert Blyth & Keith Jeffery (dir.), *The British Empire and its Contested Pasts*, Dublin, Irish Academic Press, 2009, p. 217-234.

55. S. J. Connolly, *The Oxford Companion to Irish History*, Oxford, Oxford University Press, 1998, p. 245-246.

56. *The True Witness and Catholic Chronicle*, 11 juin 1897, p. 5.

57. Voir William Jenkins, p. 140; Voir aussi GOLI, Belfast, Schomberg House, *Report of proceedings of the annual meeting of the Grand Orange Lodge of the Province of Quebec*, 1893, p. 19: « *Resolved: 1st That this Provincial Grand Orange Lodge views with distrust and alarm the action of the Gladstonian Government in pandering to the disloyal factions in Ireland by the introduction of a Home Rule measure,*

which, if carried, would place the Protestant minority there at the mercy of an intole-rant majority, whose traditional hatred of Protestantism is only equalled by their ha-tred of Great Britain. 2nd That we pledge our moral and material support to our co-religionists, the Protestant minority in Ireland, to maintain the integrity of the Empire [...] ».

58. William Jenkins, *op. cit.*, p. 139.

59. Robert Sellar, *Ulster and Home Rule, A Canadian Parallel*, Belfast, 1912, p. 19.

60. David Wilson, « Introduction », *op. cit.*, p. 19.

61. Simon Jolivet, *Les deux questions irlandaises du Québec, 1898-1921 : des considéra-tions canadiennes-françaises et irlando-catholiques*, chapitres IV à VII.

62. GOLI, Belfast, Schomberg House, *Report of proceedings of the annual meeting of the Grand Orange Lodge of the Province of Quebec*, 1905, p. 16-17.

63. The Provincial Grand Lodge of Quebec, *The Orange Association. Its Principles and What It Is Doing*, Québec, 1926, p. 13.

64. Donald Dennie, « La politique ontarienne et les Franco-Ontariens (1900-1995) », dans Joseph Yvon Thériault (dir.), *Francophonies minoritaires au Canada*, Moncton, Éditions d'Acadie, 1999, p. 372-373.

65. Cecil Houston et William Smyth, « The faded sash : the decline of the Orange Order in Canada, 1920-2005 », *op. cit.*, p. 177.

66. Après la confédération, comme le dit A.I. Silver « *The Lower Canadian minority had two particular sources of strength : the support of other Anglo-Protestants, who formed the majority in Confederation as a whole, and hence, in the federal Parliament ; and the economic influence which they wielded within Quebec itself* », A. I. Silver, *The French Canadian Idea of Confederation, 1864-1900*, Toronto, University of Toronto Press, 1982, p. 62.

67. Voir la lettre rédigée par un écossais-protestant québécois, Donald M. Rowat, dans *Le Devoir*, 21 janvier 1915, p. 2.

68. *The Quebec Chronicle*, 18 January 1913, p. 2 ; Voir aussi *The Montreal Star*, 21 September 1914, p. 8 ; voir enfin *The Montreal Star*, 21 juillet 1916, p. 10.

69. Les écoles séparées, déjà établies avant 1867, étaient protégées par l'Acte de l'Amérique du nord britannique et constituaient certes une victoire pour les protestants québécois et pour son représentant Alexander Tilloch Galt. Voir Paul-André Linteau, René Durocher et Jean-Claude Robert, *Histoire du Québec contemporain. De la Confédération à la crise (1867-1929)*, Montréal, Boréal, 1989, tome 1, p. 268-269.

La crise des scandales sexuels du clergé en Irlande a-t-elle fait fondre le plomb de la chape?[1]

ISABELLE MATTE
Doctorante en anthropologie
Université Laval

> Nous avons séparé l'Église et l'État […] nous avons semé les graines qui ont détruit l'autorité de l'Église catholique, quoique, remarquez, ils se sont eux-mêmes autodétruits avec leurs scandales sexuels.

Cette citation de Nell McCafferty, journaliste féministe et militante républicaine de Derry, reflète l'idée autour de laquelle tourne cet article: bien que le déclin de l'Église catholique en Irlande soit un processus multifactoriel dont l'analyse est complexe, les «scandales sexuels» auxquels elle réfère ont marqué sa chute d'une façon indélébile en précipitant l'Église dans un tourbillon médiatique et judiciaire qui a conduit l'État à mener d'importantes enquêtes publiques sur la situation. Il y a de bonnes raisons de penser que de telles enquêtes auraient été difficilement faisables il y a vingt, voire même dix ans. Chose certaine, les enquêtes ont démontré que les abus en question avaient été perpétrés depuis au moins quarante ans, et aucune action judiciaire n'avait jamais été entreprise.

Dans le large cadre de la réflexion sur les processus de sécularisation, cette contribution propose de penser le cas irlandais à la lumière de la crise engendrée par ces scandales qui ont profondément affecté les liens des Irlandais avec ce qui a été leur religion nationale. Pendant des siècles, et particulièrement depuis le XIXᵉ, le catholicisme a été le cadre par lequel s'est érigée une vision du monde qui englobait tous les aspects de la vie irlandaise. Contrairement aux voisins européens, une prégnance réelle de la religion s'est prolongée jusqu'à l'aube de ce millénaire. Toutefois, lorsque la République d'Irlande a connu une croissance économique sans précédent entre 1995 et 2005, que l'on a appelé *Celtic Tiger*, les choses se sont précipitées. Ayant moi-même habité en Irlande en 1992-1993, avant l'explosion de l'économie, pour n'y retourner qu'en 2005, j'ai vécu le contraste entre les deux contextes comme un véritable « choc culturel ». Ce terme est utilisé traditionnellement par les anthropologues de terrain pour décrire l'expérience de la perte de ses propres repères culturels lorsque fraîchement débarqué en milieu « exotique ». Aussi, il qualifie tout à fait la distance culturelle que j'ai perçue entre l'Irlande de 1992 et celle de 2005. La particularité réside toutefois dans le fait que j'ai vécu ce « choc culturel » à l'intérieur de la même société, en fréquentant les mêmes milieux, douze ans plus tard. Une religieuse québécoise m'a déjà raconté une expérience similaire lorsque, de retour au pays en 1968 après plusieurs années passées en Afrique, elle eu le même choc, celui de perdre ses repères dans une société qu'elle ne reconnaissait plus.

Aussi, bien que le déclin de la pratique religieuse ait été amorcé dans les années 1970 et 1980 en Irlande, c'est avec le *Celtic Tiger* que les gens ont massivement abandonné le principal rituel catholique, la messe dominicale[2]. C'est dans ce contexte socio-économique effervescent, au cœur de profondes transformations sociales et culturelles portées par une génération ayant de nouvelles possibilités et un niveau de vie soudainement supérieur à celui des précédentes, que la perte de pouvoir de l'Église catholique s'est jouée. D'ailleurs, il est intéressant de constater que les scandales sexuels de l'Église, faits de situations et d'incidents sordides qui ont cours depuis des décennies en Irlande, ont été mis au jour à ce moment précis du *Celtic Tiger*. Comme si l'arrivée d'une ère nouvelle en permettait le dévoilement.

Les scandales sexuels associés à l'Église catholique dont il est question ici font référence à d'innombrables cas d'abus physiques et psychologiques perpétrés sur des mineurs par des membres du clergé. De nombreuses allégations qui ont soulevé la grogne populaire ont été mises au jour au cours des années 1990 et 2000, dont quelques cas très médiatisés. Mais un documentaire en particulier a profondément choqué le pays.

Le 19 mars 2002, la télévision de la *BBC* a présenté le documentaire *Suing the Pope*, dans lequel on dévoile la brutalité, la duplicité et la manipulation de Sean Fortune, un prêtre du diocèse de Ferns, dans le comté de Wexford, qui a pendant plusieurs années sordidement profité de sa position pour molester et violer des enfants et des adolescents qu'il avait sous sa responsabilité. *Suing the Pope* présente une série de témoignages d'hommes qui ont été abusés par le père Fortune, mais il met aussi en lumière l'incompétence de l'évêque du diocèse de Ferns, Brendan Comiskey, qui était responsable de diriger les activités de Fortune. On y apprend que, mis au courant des actes répréhensibles du prêtre dès son entrée en fonction au diocèse, Comiskey a, au mieux, démontré une grossière incompétence et, au pire, agi comme un dissimulateur d'actes criminels visant des enfants vulnérables[3].

Quelques semaines après la diffusion, le ministre irlandais de la santé et de l'enfance a ordonné une vaste enquête sur les abus sexuels liés au clergé dans le diocèse de Ferns. Ceci a abouti au rapport accablant du même nom, rendu public le 25 octobre 2005. Plus d'une centaine de cas d'abus sexuels perpétrés entre 1962 et 2002, impliquant 21 prêtres du diocèse, y sont révélés et, si l'on se fie aux témoignages non officiels de ceux qui n'ont pas voulu participer à l'enquête, les actes révélés dans le rapport ne seraient que la pointe de l'iceberg. Dans la foulée de ces divulgations, d'autres cas ont été mis au jour un peu partout en Irlande, et d'autres enquêtes publiques ont été effectuées depuis. Le *Ryan Report*, le second de ces rapports d'état, a été publié en mai 2009, plongeant encore une fois le pays dans un véritable drame national.

Le rôle des médias a été considérable dans le dévoilement de la réalité des abus du clergé en Irlande. Lorsque l'on observe le cours des événements, on peut même avancer que c'est l'impact de la diffusion de *Suing the Pope* qui a mené aux enquêtes publiques. Trois semaines après sa transmission sur *BBC*, le documentaire fut diffusé sur le réseau national irlandais *RTÉ* suite à des pressions populaires. L'émission enregistre alors des cotes d'écoute massives. La diffusion en Irlande est précédée d'une discussion réunissant divers intervenants : des victimes de prêtres pédophiles, des gens qui travaillent avec des personnes abusées sexuellement et, pour la première fois, un représentant de l'Église, l'évêque Colm O'Reilly, qui commente le film :

> *I have to say that woeful mistakes were made for certain and that from now on things need to be done very differently. And that the starting point is that acknowledgment and finding out exactly what the full picture is. So I long for, as much as anybody else obviously, for the day to come when both for the Church and for the people who have been victims, that a point is reached where reconciliation and healing is possible for everybody*[4].

L'un des invités répète alors que cette résolution n'est possible que si la vérité est pleinement établie de façon indépendante. Il dit que l'Église catholique se doit de prendre pleine responsabilité pour ses propres erreurs et ne pas mettre l'accent exclusivement sur les crimes individuels des prêtres : « *We are talking about the responsibility of a Church that failed to act in these cases, that failed to prevent abuse, that failed to acknowledge it when it happened and that facilitated it and allowed it to continue* »[5]. Cet invité, c'est Colm O'Gorman, première victime du père Fortune à l'avoir dénoncé à la police. C'est lui qui est à l'origine de *Suing the Pope*.

Une victime devenue guerrier : Colm O'Gorman

Tout ce processus politique, juridique et médiatique, a impliqué des centaines, voire des milliers de personnes. Colm O'Gorman a toutefois joué un rôle primordial dans le dévoilement de ces abus d'enfants. Ses mémoires, publiées en 2009 sous le titre *Beyond Belief*, raconte sa vie comme enfant abusé, le processus par lequel il s'en est sorti, et les actions judiciaires et médiatiques qu'il a entreprises et qui l'ont mené à l'activisme. Toutefois, bien avant cette publication, son expérience malheureuse a servi de point de départ au documentaire qui enclenche le processus judiciaire menant à l'enquête et au *Ferns Report*. Dans cette bataille toujours en cours entre l'Église catholique et les groupes de victimes rassemblés autour de l'activiste qu'il est devenu, les médias ont toujours constitué le principal allié.

En effet, *Suing the Pope* stimule la campagne pour une enquête en profondeur. O'Gorman écrit au ministère de la santé et à tous les politiciens de Wexford afin qu'ils commentent le cas[6]. Il souligne l'échec de l'État à intervenir de façon proactive et demande au ministre de faire une enquête publique à propos des plaintes déposées contre des prêtres du diocèse de Ferns. Une telle enquête serait une grosse affaire en Irlande, où les lignes de démarcation entre l'Église et l'État restaient très floues. En effet, l'Église est toujours en partie responsable de l'éducation nationale[7], et les ordres religieux restent les propriétaires des infrastructures (écoles, terrains, installations sportives). Elle joue aussi un rôle central dans la gestion des services de santé irlandais[8]. Jusqu'à tout récemment, elle était une force politique toujours en puissance influençant l'ensemble des politiciens, particulièrement concernant les questions morales[9]. Nous verrons un peu plus loin comment s'est déployé ce pouvoir. Quoi qu'il en soit, peu de politiciens étaient préparés à défier l'autorité de l'Église au moment où celle-ci se retrouve sous les feux de la rampe, accusée de grave négligence. Certains politiciens appuient toutefois une enquête publique.

Mais bien avant que n'éclate toute cette agitation, les scandales décrits dans les journaux ne sont pas faits que de papier. O'Gorman avait 14 ans quand il a rencontré le père Fortune en 1981. Il faisait alors partie d'un groupe de jeunes catholiques, comme il y en avait dans toutes les paroisses irlandaises, qui se rassemblaient chaque semaine sous les auspices de bonnes sœurs qui les accueillaient dans leurs locaux. Sean Fortune accompagnait ce soir-là le groupe d'une paroisse voisine, où il était curé, qui rendait visite au groupe paroissial où évoluait O'Gorman. Celui-ci rapporte comment Fortune a fait sa connaissance, d'une manière assez anodine et familière, en lui posant quelques questions banales sur son âge et l'école qu'il fréquentait[10]. Deux semaines plus tard, Fortune est arrivé chez lui sans s'annoncer. Cela n'était pas en soi déplacé ou étonnant : les curés, à cette époque en Irlande et surtout en milieu rural, continuaient à jouer un rôle central et l'autorité qu'ils détenaient leur permettait d'arriver n'importe où avec l'assurance d'être accueilli avec déférence.

Le curé rencontra donc la famille de Colm O'Gorman ce soir-là, prit le thé avec eux et, flattant le jeune homme avec divers compliments sur ses capacités, l'invita à l'aider avec le groupe-jeunesse de sa paroisse. Il revint donc le chercher le week-end suivant et l'amena dans la maison qu'il habitait seul à côté de l'Église. Ce soir-là, prétextant que les autres chambres n'étaient pas encore meublées, il le fit dormir dans son lit et abusa de lui pour la première d'une longue et pénible série d'épisodes cauchemardesques. Ce fut le commencement d'une descente aux enfers pour l'adolescent qui, se sentant complètement coincé entre la vérité odieuse de ce qu'il vivait et aussi l'impossibilité symbolique de ce qui se passait, quitta un jour sa petite ville pour atterrir dans les rues de Dublin, seul, désespéré et sans le sou.

Avec une justesse et une honnêteté de ton qui, sans rien cacher de la souffrance vécue, ne se complait jamais dans une victimisation simpliste, l'auteur de *Beyond Belief* raconte les abus sexuels qu'il a subis aux mains du prêtre de 1981 à 1983 tels qu'il les a vécus. Mais il le fait aussi à la lorgnette de sa subséquente formation en psychologie thérapeutique. O'Gorman a donc les outils conceptuels nécessaires pour parler de la manipulation psychologique perverse qu'utilisait Sean Fortune avec lui, mais aussi avec plusieurs autres, comme il le sera démontré dans les enquêtes qui suivront.

La stratégie de Fortune consistait à se rapprocher des familles de ses victimes, en faisant d'elles des alliées implicites de ses abus. En effet, comment suspecter un ami de la famille qui, de par sa position sociale comme prêtre, est au-dessus de tout soupçon et, qui plus est, nous fait l'honneur de s'intéresser à soi? Comme il a été démontré plus tard, le prêtre choisissait souvent des foyers où les couples connaissaient certaines difficultés. Il se rapprochait de la mère et, en se mettant souvent le père à dos, il réduisait ceux-ci au silence en s'accaparant, en quelque sorte, l'autorité paternelle, ce qui n'est pas du tout anodin et procède d'une dynamique sociale associée au pouvoir même de l'Église en Irlande[11].

Fortune réduit donc O'Gorman au silence en le faisant subtilement chanter. Il le menace en fait de révéler à son père ce qui se passe. Le stratagème est simple: il n'a qu'à activer en lui toute la culpabilité associée au corps, qu'il a déjà complètement intégrée depuis son plus jeune âge (comme à peu près tous les enfants irlandais à cette époque), et la retourner contre lui. Dans ces circonstances, les actes commis deviennent les siens et une honte immense envahit la victime qui croit que les abus sont de sa propre faute. C'est donc cette honte qui paralyse O'Gorman et qui, par peur d'être rejeté par son père, l'empêche de parler, de dire, de dénoncer.

Au début de 1995, à 29 ans, Colm O'Gorman revient à Wexford pour faire une déposition à la police contre le père Sean Fortune. Après des années d'errance, puis de reconstruction, après avoir renoué avec sa famille et senti son appui, il décide donc d'entreprendre une démarche judiciaire contre le pédophile. Comme il le découvre quelques semaines plus tard, il n'est pas le seul dans sa situation : l'enquêteur trouve d'autres hommes qui ont été abusés par Fortune et six d'entre eux sont prêts à faire une déposition aussi. L'enquête prend donc une dimension collective. Cependant, une fois la déposition faite, les victimes présumées doivent laisser le processus judiciaire suivre son cours. Ils deviennent alors les simples témoins d'une poursuite pénale conduite contre Fortune.

De leur côté, les avocats du prêtre font tout leur possible pour éviter un procès et, lorsque celui-ci apparaît inévitable, ils font ce qu'ils peuvent pour le repousser. Aussi, au fur et à mesure qu'avance l'enquête, on se rend compte que l'évêque du diocèse de Ferns, Brendan Comiskey, est très peu disposé à collaborer et que, tout comme son prédécesseur, il en saurait plus sur les actes du père Fortune que ce qu'il a d'abord laissé entendre. En fait, aucune des plaintes adressées à l'évêque au fil du temps n'a débouché sur des mesures concrètes afin d'arrêter le prêtre pédophile. Ce constat révolte O'Gorman qui, à l'automne 1998, consulte un avocat et décide de poursuivre au civil le diocèse de Ferns et l'Église catholique d'Irlande pour négligence et complicité. L'étendue du camouflage qu'ils découvrent le sidère : « As I look back to that day in Simon's [son avocat] office all I see is the betrayal of the boy I was, of my family, my community and even of my faith. The depth of that betrayal left me breathless »[12]. Ils ajoutent le Vatican à la poursuite. Comme les évêques ont à faire un rapport de ce qui se passe dans leur diocèse tou les cinq ans, les hautes instances à Rome étaient probablement au courant des agissements de Fortune et des plaintes le concernant. Son avocat lui fait bien comprendre qu'il s'apprête à poursuivre la plus vieille et l'une des plus puissantes organisations au monde, et que celle-ci utilisera tous ses considérables moyens pour défaire son adversaire. O'Gorman est donc engagé, à partir de ce moment, dans deux poursuites : l'une, collective, contre Sean Fortune, l'autre, à sa charge personnelle, contre le diocèse de Ferns, l'Église catholique romaine en Irlande, et le Vatican.

Le suicide de Sean Fortune le 13 mars 1999 met un terme abrupt à la première poursuite. Sa femme de ménage le retrouve allongé sur son lit, habillé en vêtements cléricaux avec un chapelet aux mains, quelques jours après l'ajournement du procès. Celui-ci n'avait en fait jamais vraiment commencé. D'abord, les avocats de Fortune offrent de plaider coupable si la charge de sodomie est abandonnée pour la remplacer par tentative de sodomie. O'Gorman refuse catégoriquement : même si un procès lui pèse, comme il pèse sur les autres victimes, il s'oppose à ce que l'on abandonne une des charges. Il veut que Sean Fortune réponde de ses actes. De tous ses actes. Lorsqu'arrive enfin le jour du procès, le 5 mars, Fortune, après avoir répondu non coupable à chacune des 29 charges dont on l'accuse, se met à agir bizarrement. Ses avocats plaident alors la confusion et demandent l'ajournement du procès afin que leur client puisse se faire traiter. Le juge accorde le droit de former un autre jury afin de décider si Fortune est apte à subir son procès. En attendant, Fortune est envoyé à l'hôpital psychiatrique sous les recommandations du juge, mais il obtient une libération conditionnelle quelques jours plus tard lorsqu'il a son congé de l'hôpital.

Avant la nouvelle de sa mort, les médias ont traité du cas de Fortune avec les précautions dues au procès. Son suicide est évidemment une bombe médiatique et O'Gorman reçoit des dizaines de demande d'entrevues. Afin de démentir les spéculations et les rumeurs, il en accepte une seule, avec la journaliste Alison O'Connor du *Irish Times*, et refuse toutes les autres demandes sur le conseil de son avocat. Ce sera le début d'une longue relation entre Colm O'Gorman et le monde des médias.

La seconde poursuite, celle contre le diocèse, l'Église catholique et le Vatican, connaît son terme beaucoup plus tard, en avril 2003. Il semble alors clair que l'Église veut en venir à une fin avec cette poursuite, espérant peut-être qu'une fois son cas personnel réglé, O'Gorman se calmera un peu sur la place publique. C'est qu'entre-temps, il est devenu activiste : engagé dans une lutte politique pour la reconnaissance par l'Église des erreurs commises dans les cas d'abus du clergé, engagé également pour la mise en place de mesures pour la protection des enfants, O'Gorman a aussi fondé l'organisme *One in 4*[13], un centre d'aide pour les victimes d'abus sexuels, en plus d'avoir participé à quelques documentaires sur ces crimes.

Mais, contrairement à ce qu'espèrent les hautes instances catholiques, il est impatient d'en finir avec son propre cas pour se concentrer exclusivement sur le problème plus large. Aussi, après cinq ans d'intimidations juridiques diverses (lettres menaçantes, questions indiscrètes et questionnaires inappropriés sur sa vie intime) par les avocats de l'Église et une lutte constante pour les réfuter, il obtient un règlement de 300 000 livres. Plus important pour la suite des choses, un texte reconnaissant la négligence de l'évêque du diocèse de Ferns et s'excusant sans réserve à Colm O'Gorman pour le tort causé par ces erreurs est lu en cour. N'eût été de cette requête fondamentale à ses yeux, le règlement monétaire aurait été beaucoup plus rapide. Mais le fait pour le diocèse d'admettre sa faute ouvre sur une vérité que les Irlandais n'ignorent pas, mais dont la réalité est maintenant incontournable : il ne s'agit pas seulement ici d'actes hautement répréhensibles commis par des individus, mais aussi d'une institution qui a ignoré et caché ces actes, donc qui en a été complice. Le Vatican, de son côté, par le biais de son nonce papal à Dublin, sorte d'ambassade qui le représente en Irlande, comme dans tous les pays où le catholicisme est présent, réclame l'immunité diplomatique.

L'Église catholique en Irlande : sexualité et pouvoir

Une question brûle l'observateur suite à cette saga : comment cela a-t-il été possible ? Comment des abus aussi massivement répandus ont-ils pu se dérouler pendant si longtemps? L'élément qui saute aux yeux dans ce récit longtemps tenu secret, c'est justement la loi du silence. Chose certaine, le silence entourant ces situations n'est pas spécifique à l'Irlande. Au Canada, par exemple, les statistiques établissent à 90% les cas d'agressions sexuelles qui ne sont jamais rapportées. Toutefois, le fait que ces abus aient été perpétrés par des représentants d'une institution qui se présente comme autorité suprême et divine en fait un cas particulier.

Aussi, la différence entre ce qui se passe en Irlande et les cas de scandales sexuels reliés au clergé dans d'autres pays ne tient pas à la nature de ces cas, qui restent somme toute assez similaires, tant dans les dynamiques et les scénarios, que dans la manière de régler ou d'étouffer les crises. Cette différence se situe plutôt dans la perception de ces scandales en Irlande, perception teintée par le fait que la société irlandaise en est une pratiquement homogène sur le plan religieux, avec une proportion de près de 95% de catholiques dans la République. Cette quasi-homogénéité n'est pas unique à l'Irlande. L'Espagne ou l'Italie sont aussi des pays à forte majorité catholique. Mais pour toutes sortes de raisons culturelles et historiques, l'Église catholique n'y a pas joué le même rôle. Dans ces pays, le pouvoir de l'Église a parfois été défié et différents courants d'oppositions ont existé au cours du xxe siècle, que l'on pense aux mouvements communistes en Italie ou aux Républicains contre Franco. Ce n'a pas été le cas en Irlande, où les forces politiques se sont vites rassemblées autour de l'Église comme principal vecteur identitaire et moral. De l'époque des *Penal Laws,* aux xviie et xviiie siècles, en passant par la lutte pour le *Home Rule* avec Parnell au xixe, jusqu'à l'accession à l'indépendance et la fondation de la République au xxe, la lutte politique en Irlande s'est fusionnée avec la conquête des droits religieux et avec l'identité catholique. Même les conflits subséquents entre l'armée républicaine irlandaise (*I.R.A.*) et les groupes paramilitaires unionistes suite à la partition de l'Irlande du Nord ont été stigmatisés comme une guerre de religion entre catholiques et protestants.

L'Irlande moderne s'est donc construite sur un rapport d'opposition avec l'Empire britannique, et cette opposition s'est crispée autour de l'identité religieuse. Ainsi, être Irlandais a longtemps été synonyme d'être catholique et, même si cette vision des choses est en train de changer, cette conception est toujours profondément ancrée dans la psyché nationale. Le catholicisme est donc un élément central dans la constitution de l'imaginaire irlandais. Mais le rôle de l'Église catholique n'en a pas été qu'un d'identité et de symbole de résistance. Il a aussi été fondamental au plan politique à l'intérieur même de la République. L'Église y a en effet détenu un pouvoir particulièrement prégnant et ce, jusqu'à très récemment. L'argument que je développe dans cet article concernant la spécificité du cas irlandais dans la crise des scandales sexuels de l'Église se situe justement sur le plan des conséquences conséquences de cet amalgame des pouvoirs religieux et politique.

Bien que l'Église et l'État aient officiellement chacun leur sphère de compétences, le pouvoir de l'Église catholique en Irlande ne se résume pas à la sphère religieuse et dépasse largement les activités reliées au culte et aux rituels. Ce pouvoir englobe la société dans son ensemble. Il en résulte une vision du monde totalisante, un univers holiste où la communauté prend le pas sur l'individu et qui a beaucoup plus à voir avec la tradition qu'avec la modernité.

Tom Inglis, sociologue à *University College Dublin*, est probablement le chercheur qui a le plus grandement contribué à démontrer comment le contexte irlandais était, jusqu'à tout récemment, forgé par les préceptes de l'Église catholique. Dans *Moral Monopoly, The Rise and Fall of the Catholic Church in Modern Ireland*[14], son ouvrage majeur, il décortique comment cette religion y a forgé les comportements, les mœurs, les mentalités. Avec une approche d'inspiration foucaldienne, Inglis analyse comment, surtout depuis le XIXe siècle, l'Église a pu se constituer en véritable force civilisatrice à l'intérieur de la société irlandaise et comment le pouvoir de cette institution s'est fait encore plus englobant à partir de la mise en place de la République. Il démontre aussi comment l'ordre social était intimement relié aux images, aux idéaux et aux diktats de l'Église catholique. Il utilise pour ce faire le concept bourdieusien de *habitus*, qui réfère au corps socialement informé comme principe générant et unifiant toutes les pratiques[15] et qui lie structure et agencéité. Appris et incorporé (*embodied*) à l'école, à l'église et à la maison, l'habitus catholique irlandais produit des manières spécifiques d'être. C'est à travers ces pratiques que les gens peuvent gagner du capital religieux et éthique qui fait d'eux une bonne personne[16]. Ce capital symbolique peut éventuellement servir à avancer dans la société, à avoir un bon emploi, à faire de la politique, etc.

Dans cette société où prévaut un habitus catholique profondément ancré, les croyances et les pratiques religieuses ne sont pas rationnellement différenciées des activités politiques et économiques. Cela peut l'être parfois au niveau de la pratique, mais ce qui est fait économiquement et politiquement est fait à l'intérieur de l'ethos et de la rhétorique de la bonne vie catholique. Aussi, c'est à travers une demande continuelle de capitulation de soi à la famille, à la communauté et, par le fait même, à l'Église, que se réalise un bon catholique. Tout cela représente, au fond, ce qui caractérise la modalité existentielle «traditionnelle», qui continue d'exister même dans une société européenne qui fait partie de l'histoire moderne depuis le XVIe siècle.

Mais cet habitus n'est pas tombé du ciel : c'est l'Église catholique, avec toute la puissance qu'elle a gagnée et déployée à partir du XIXe siècle, qui a contribué à le forger. Selon Inglis, c'est tout un processus de contrôle aux stratégies souvent incitatives, parfois coercitives, qui s'est mis en place en Irlande à ce moment-là. Ce mécanisme s'inscrit dans la continuité de ce que Foucault et Élias ont décrit comme un processus civilisationnel propre à l'émergence de l'État. Dans le cas de l'Irlande, ce processus a été mis en place d'une manière particulièrement forte lorsque l'Église catholique prit le relais de l'Empire britannique dans cette tâche. Après des tentatives répétées mais sans succès de «protestantiser» l'île, c'est à l'Église catholique, interdite et réprimée pendant des siècles, que le gouvernement britannique confie la tâche de civiliser et de contrôler les Irlandais[17].

En effet, une nouvelle discipline teintée par la morale de l'Église est devenue prédominante. Pour comprendre ce changement, il faut se centrer sur le niveau macro de l'analyse structurelle entre le triangle Rome, Église catholique en Irlande et État britannique[18]. Il est possible de percevoir l'accroissement du pouvoir de l'Église en Irlande dans les tentatives avortées de l'État britannique de dominer les Irlandais à travers la législation (Penal Laws), la religion (le prosélytisme protestant) et l'éducation (les écoles dirigées par l'État). L'acceptation graduelle, puis la capitulation face à l'Église comme agent civilisateur est un moindre mal du point de vue de Londres[19].

La mise en place de nouvelles structures par l'Église en Irlande au cours du XIXe siècle fait aussi partie de l'extension du contrôle bureaucratique de Rome[20]. Un rigoureux système de discipline hiérarchique soutenu par une réorganisation physique et bureaucratique, par des organisations laïques et par un système d'éducation et de santé religieux, est implanté. Aussi, comme le dit Inglis, les « fonctionnaires » des différents appareils de cette administration sont très différents de ceux de l'État : ils y sont engagés personnellement et pour la vie, et dédiés à leur organisation à travers leurs vœux de célibat, de pauvreté et d'obéissance. Ces vœux, ainsi que leurs habits, les rendent très distincts, et cette distinction, combinée avec leur statut supérieur, a été le centre de leur pouvoir[21].

Mais revenons à l'habitus des Irlandais catholiques. Après l'avoir brièvement décrit comme ce qui relie structure et agencéité, comme quelque chose qui s'érige comme une vision du monde holiste, pour ensuite en montrer l'origine bien réelle dans les structures du pouvoir hiérarchique de l'Église, reste à comprendre comment s'arriment ces phénomènes ; comment, en d'autres termes, cet habitus a-t-il été inculqué dans les cœurs, les corps et les esprits. Inglis démontre que c'est une puissante alliance entre l'Église et les mères irlandaises qui a joué ce rôle.

Ce pouvoir de la mère irlandaise en est un moral, dérivé de l'Église et maintenu en collaboration avec l'Église. Aussi, l'inhibition et la honte du corps sont au cœur de ce processus de socialisation des mères envers leurs enfants. Les raisons de cette mentalité[22] sont complexes et plusieurs remontent aux Moyen-Âge. Mais parmi les plus importantes, disons qu'un accent sur le célibat et la virginité est central afin de recruter un grand nombre de religieux. Cette idée fait des gens mariés des citoyens de seconde classe qui poursuivent une vie ordinaire parce qu'ils n'ont pas eu d'«appel divin»[23]. Il y a aussi des raisons associées étroitement à la situation économique de l'Irlande à cette époque : le manque de terres (particulièrement avant la famine de 1847 qui décime un tiers de la population) et la volonté d'améliorer son niveau de vie. Cela conduit les Irlandais à adopter le système de la famille-souche (*stem family*)[24], qui consiste à ne faire hériter qu'un seul enfant, généralement un fils cadet, afin de ne pas scinder la terre. En concentrant ainsi les ressources terriennes, on maintient un niveau de vie acceptable pour les parents qui resteront dans la même maison que le nouveau ménage. L'émigration, les ordres ou le célibat, tardif ou permanent, sont souvent les autres options pour le reste des enfants. L'acceptation du mariage reporté et du célibat permanent, dépendant de la surveillance des corps et de l'intériorisation de la honte et la culpabilité au sujet du sexe, permet donc de comprendre comment le contrôle et le maintien de la moralité sexuelle deviennent, dans ces circonstances, une question majeure.

La sexualité et tout ce qui touche au corps de près ou de loin, sont enveloppés dans un voile de silence. Quand on en parle ou qu'on écrit à ce propos, c'est dans un langage formel vague et abstrait qui finit par empêcher les laïques de développer toutes formes de compétences communicatives à ce propos[25]. Comme le dit Inglis : «Cela ne revient pas à dire que le sexe n'était pas discuté. En fait, il y avait une expansion énorme du discours sexuel pendant le XIXe siècle. Ce qui en a émergé est une science du sexe qui est devenue un domaine de compétence exclusif à l'Église. Contrôler la sexualité, comme pratique et discours, est devenu l'une des principales stratégies par laquelle l'Église catholique a maintenu son pouvoir ».[26] Autrement dit, dans le lourd silence qui l'entoure, le sexe est, en fait, omniprésent. Avec la pratique de la confession, c'est toute une culture du secret qui se développe, et le confessionnal devient le lieu de contrôle des corps par excellence. Le péché de luxure est une véritable obsession et prend souvent une place disproportionnée dans les sermons et autres prêches par rapport aux six autres péchés capitaux. Les prêtres inculquent donc aux mères cette honte silencieuse du corps, qui est retransmise aux enfants.

Un modèle de vertu et d'humilité est donc mis en place, dont la mère devient l'incarnation et le vecteur. Ce modèle trouve un terreau fertile dans les dévotions à Notre-Dame[27], dont la popularité au XIXe siècle va en s'accroissant avec les prières et les activités qui lui sont consacrées (le chapelet, les neuvaines, les dévotions de mai et d'octobre, les pèlerinages et les processions en son honneur). Cette image d'une mère vierge est, à mon avis, le concept par excellence qui synthétise tout cet habitus catholique irlandais à ce moment de son histoire.

Silence, dévoilement et repentir : le retournement de la réalité

Les cas d'abus sexuels de la part du clergé en Irlande et les scandales qui suivirent ont été vécus comme une crise nationale. Cela tient au fait que le catholicisme, religion majoritaire, a été omniprésent, en plus d'avoir détenu jusqu'à tout récemment un pouvoir peu commun sur l'ensemble de la société. Ce qui ne veut pas dire que la foi des fidèles n'était pas sincère et que la peur en était le seul moteur. Mais même en prenant en compte la liberté et l'agencéité des Irlandais, force est de constater le dôme de silence qui voilait cette situation, dont les enquêtes ont démontré qu'elle était souvent connue dans les communautés. La difficile vérité, c'est que ce silence a été nécessaire pour le maintien de ce qui était plus qu'une religion, mais tout un système social, politique et culturel, un mode de vie, une vision du monde englobante.

Dans ce contexte, dénoncer le prêtre, représentant de la moralité, ciment de cette culture, pour l'accuser d'actes hautement immoraux, équivaut à renverser l'ordre établi. Il semble donc dans l'ordre des choses qu'un processus de prise de parole comme celui qui s'est fait dernièrement face aux abus du clergé marque un tournant et reflète une nouveauté : celle de la primauté de l'individu face à la communauté, modalité existentielle tout à fait « moderne », s'il en est. Aussi, étant donné la nature englobante, holiste du catholicisme en Irlande et l'importance de l'Église comme institution de pouvoir au cœur de toutes les autres, le processus de sécularisation peut difficilement se faire en douceur. Dans ces situations, les choses se passent plutôt en accéléré et cette désaffectation soudaine est vécue comme une libération et une propulsion vers une modernité plus probante.

Ces observations se rattachent à une réflexion plus large amorcée il y a quelques années dans le cadre de mes études doctorales en anthropologie. Ma thèse porte sur une comparaison entre le déclin rapide du catholicisme dans l'Irlande du *Celtic Tiger* et celui qui a eu lieu dans le Québec de la Révolution tranquille. Mes recherches tendent à démontrer que ces deux contextes de réelle effervescence politique, économique, sociale et culturelle ont constitué un passage fondamental dans l'imaginaire collectif de ces deux sociétés, et que la perte d'autorité de l'Église catholique lors de ces périodes est constitutive de ce passage. Il en a résulté des sociétés profondément transformées au plan symbolique, c'est-à-dire au cœur même du sens.

Je m'inscris donc d'une certaine manière en porte-à-faux avec tout un courant historiographique récent qui tente justement de relativiser, dans le cas québécois, le mythe de la « grande noirceur ». Mon entreprise est toutefois d'une nature différente, car elle s'intéresse justement à ce mythe fondateur de l'imaginaire du Québec moderne et l'analyse en lui-même, comme un phénomène profond et révélateur. Dans ce « mythe » ou, plus exactement, ce récit fondateur, le catholicisme est un dôme duquel on s'est libéré collectivement et individuellement. Cette idée est aussi très présente dans le discours des Irlandais des jeunes générations. Le *Celtic Tiger*, malgré sa fin abrupte avec la récente crise économique, s'est aussi constitué comme une libération du dôme catholique dans l'imaginaire irlandais. Mais ces perceptions ne relèvent pas que du mythe : elles sont ancrées dans les expériences réelles des gens. En d'autres termes, même si les subtilités de recherches historiques particulières enrichissent la compréhension de ces périodes et nuancent la réduction simpliste du catholicisme à une chape de plomb qui n'a fait que paralyser ces sociétés, ce serait faire preuve de mauvaise foi que de ne pas admettre le pouvoir énorme et parfois étouffant que cette institution a eu sur l'évolution et le cours des choses au Québec et en Irlande.

En juin 2009, j'ai assisté à un colloque appelé *Catholicism and Public Culture* à Dun Laoghaire, en banlieue de Dublin. C'était quelques semaines après la parution du *Ryan Report*, le second rapport de l'État sur les abus d'enfants dans les institutions catholiques. Comme ce fut le cas en octobre 2005 lors de la parution du *Ferns Report*, alors qu'à tout hasard j'étais arrivée la veille pour débuter mon enquête de terrain, une aura de tristesse ou de colère bien sentie imprégnait les conversations que j'avais ou que je captais un peu partout en ville : tant à Galway,[28] en 2005, suite au *Ferns Report*, qu'à Dublin, en 2009, suite au *Ryan Report*, l'heure était grave.

Les jours, les semaines et même les mois qui suivirent la parution de chacun des rapports, les bulletins de nouvelles, les journaux et les lignes ouvertes furent pris d'assaut par le sujet de l'institutionnalisation des abus d'enfants en Irlande. Des intellectuels publièrent des articles aux titres percutants : *How we became an international disgrace*[29] ou encore *Roots of a warped view of sexuality*.[30] La plupart des congressistes à Dun Laoghaire étaient Irlandais. Aussi, il n'est pas une session plénière, un panel ou une communication auxquels j'ai assisté au cours des trois jours qui n'ait pas fait référence aux scandales de l'Église. Les conférenciers avaient modifié leurs interventions et les questions de l'auditoire concernaient souvent ces problèmes. Bref, il s'agissait d'un *brainstorming* collectif dans lequel on ne parlait pas à la troisième personne du pluriel lorsque l'on désignait ceux qui étaient responsables de ces actes et de ces camouflages : on ne disait pas « ils ont été odieux », ou « les autorités cléricales devraient avoir honte ». On traitait plutôt la chose comme étant une responsabilité collective, voire une faute dont tous les Irlandais auraient été coupables, avec des phrases comme « nous sommes tous fautifs » ou « en tant qu'Irlandais, nous devrions avoir honte ». Ce n'était pas des AUTRES, mais bien d'EUX-MÊMES, dont les gens parlaient. Une sorte de *mea culpa* généralisé dominait l'attitude et le discours. Le même phénomène prévalait lors de mon séjour suivant le dépôt du *Ferns Report* en 2005 : le pays entier était devenu un immense confessionnal où, au lieu de se confier honteusement au prêtre dans le carcan étroit d'un isoloir, les Irlandais se dévoilaient à eux-mêmes ce péché d'un silence destructeur.

Peu après le depôt du *Ferns Report*, Liz O'Donnell, ministre aux affaires étrangères, déclara :

> *The mighty Church has fallen from grace because of its failure to protect children. The first response of the State must be to unequivocally state that the special relationship is no more and to take steps to demonstrate that disconnect between State and Church. From now on, with that veil of defence removed, the State can deal with the Church authorities in the same way as it would any other voluntary or state agency that provides services for children and families. This means no longer accepting the good offices of an admittedly remorseful hierarchy, after the event. The track record is such that we cannot accept that the Church will be truthful or capable of self-regulation[31].*

Aussi, une consigne avait été donnée par les évêques irlandais à tous les prêtres de présenter des excuses officielles au nom de l'Église lors du sermon le dimanche suivant le dépôt du *Ferns report*. À ce titre, ces rapports, qui ont rendu audible la parole de ceux qui n'avaient pas de voix, ont poussé la puissante institution à se retrancher derrière le repentir et, pour la première fois, à faire en sorte que les rôles s'inversent dans cette confession publique. Dans une société dont une large majorité des citoyens sont catholiques, on ne sort pas facilement, ni sans conséquences, d'une telle crise. Cette situation historico-culturelle particulière, qui a été brièvement décrite ici, et dans laquelle on baigne depuis des générations en Irlande, fait en sorte que la manière dont ces scandales ont été vécus secoue les fondations mêmes de tout un système social, de tout un imaginaire national.

Déprendre l'Église de l'État n'est pas simple. Mais il semble que se déprendre de l'état de catholique soit un processus tout aussi complexe, comme je l'ai compris en entendant mes collègues irlandais, en juin dernier, retourner sur eux-mêmes des fautes commises par d'autres.

NOTES ET RÉFÉRENCES

1. Je remercie l'Ireland Canada University Fondation pour la bourse du Fonds Elaine et Craig Dobbin, qui m'a permis de séjourner en Irlande durant l'été 2009.
2. Le taux de fréquentation à la messe du dimanche est passé d'environ 80 % au début des années 1990 à 48 % en 2006 selon le *Central Statistical Office Ireland*.
3. Catriona Crow, « The Ferns Report : Vindicating the Abused Child », *Éire-Ireland*, vol. 43, n° 1/2, Earrach/Samhradh, printemps/été 2008, p. 50.
4. Colm O'Gorman, *Beyond Belief*, Londres, Holder et Stoughton, 2009, p. 246.
5. *Idem*.
6. *Ibid.*, p. 241.

7. Voir Tom Inglis, *Moral Monopoly, the Rise and Fall of the Catholic Church In Modern Ireland*, Dublin, University College Dublin Press, 1987, p. 2-3, 8, 57-61, 107, 128, 169, 247 et 255-256.
8. *Ibid.*, p. 52, 61-63, 120 et 258.
9. *Ibid.*, p. 80-81.
10. O'Gorman, *op. cit.*, p. 43.
11. Inglis, Tom, *Moral Monpoly, op. cit.*, p. 193. Inglis traite de ce phénomène dans un chapitre consacré à la mère irlandaise (8: *The Irish Mother)*, dont l'analyse se situe exactement dans la veine de celle que fait Daniel Dagenais dans son texte intitulé *La famille de la société canadienne-française*, dans Sociétés, « Le chaînon manquant », n° 20/21, UQAM, 1999.
12. O'Gorman, *op. cit.*, p. 176.
13. Le nom de l'organisme est inspiré d'une statistique du gouvernement britannique qui établit à 25 % les adultes qui ont été victimes d'abus sexuels dans leur jeunesse.
14. Tom Inglis, « Moral Monopoly, the Rise and Fall of the Catholic Church », dans *Modern Ireland*, Dublin, University College Dublin Press, 1987.
15. *Ibid.*, p. 11.
16. *Idem.*
17. « Moral Monopoly... », p. 103.
18. Inglis, *op. cit.*, p. 98.
19. Cette lecture de l'histoire ressemble à celle que fait Claude Bariteau pour le cas du Québec, avec l'application de l'Indirect Rule : lorsqu'il devient évident que la conversion au Protestantisme en Nouvelle-France est irréaliste, Londres redonne ses droits à l'Église catholique (Traité de Paris) et on s'en fait une alliée dans la mise en place du système colonial britannique. Dans cette optique, l'Église sert principalement à contenir ses ouailles dans les bonnes grâces de Sa majesté et à contenir de possibles révoltes.
20. Inglis, *op. cit.*, p. 39.
21. *Ibid.*, p. 42.
22. Une discussion plus approfondie à ce sujet pourrait montrer que le Puritanisme a aussi contribué à socialiser les Protestants dans cette honte du corps. Aussi, je crois qu'il serait possible de soutenir que l'Église catholique, avec cette mission civilisatrice concédée par l'Empire britannique, a rendu double l'encadrement des Irlandais catholique, car ce cadre procède à la fois des normes catholiques romaines et du puritanisme victorien.
23. Inglis, *op. cit.*, p. 129.
24. *Ibid.*, p. 177.
25. *Ibid.*, p. 139.
26. *Ibid.*, p. 156-157, ma traduction.
27. *Ibid.*, p. 194.
28. Galway est une ville d'environ 100 000 habitants sur la côte ouest irlandaise où j'ai fait mon travail de recherche en 2005.
29. Par Tom Inglis, *Irish Times*, 30 mai 2009.
30. Par Patsy McGarry, *Irish Times*, 20 juin 2009. Cet article fit beaucoup réagir. Une vive discussion eut lieu entre autres parmi des membres d'une communauté internationale d'internautes chercheurs et universitaires s'intéressant à

la diaspora et aux études irlandaises (*Irish Diaspora List*). McGarry prétend que l'Irlande constitue un cas unique dans le dossier des abus d'enfants du fait d'une culture qui a complètement réprimé le sexe pendant des décennies. Un de ses arguments est qu'une majorité des prêtres inculpés dans d'autres pays catholiques anglophones (États-Unis, Australie, Canada) ont des noms irlandais. Il avoue qu'il a eu du mal à publier cet article puisqu'il pourrait être perçu comme essentialiste ou encore qu'il pourrait donner des munitions à un certain anticatholicisme toujours plus ou moins présent en Grande-Bretagne.

31. O'Gorman, *op. cit.*, p. 293.

Une charte de la langue irlandaise en Irlande du Nord

JANET MULLER
Membre de POBAL
Irlande du Nord

Depuis les années 1920, les histoires du Québec et du nord de l'Irlande ont été marquées par les questions d'autodétermination, des droits linguistiques et de lutte pour l'égalité des chances. Évoluant dans des contextes géopolitiques différents, ces questions occupèrent, au sein de ces deux régions, une place importante dans le développement social. La remarque de René Lévesque, selon laquelle le Canada était davantage formé de « deux hostilités » que de « deux solitudes » semble décrire tout autant le rapport existant entre les nationalistes/catholiques et les unionistes/protestants du nord de l'Irlande que celui qui existait entre les communautés anglophone et francophone du Canada.

Évidemment, alors que la violence interconfessionnelle, aussi bien à l'intérieur qu'en dehors de ce petit État du nord de l'Irlande (formé de six comtés et issu de la partition de l'Irlande) a constitué un élément fondamental de l'histoire contemporaine de l'Irlande, celle-ci a été, dans une large mesure, absente de l'expérience québécoise. Néanmoins, ces contrées auront ceci en commun: toutes deux, par leurs destins politiques, ont grandement intéressé les chercheurs au-delà de leurs propres frontières et toutes deux ont subi, à certains moments de leur histoire, les interventions du gouvernement britannique. Que ce soit au Québec ou dans le nord de l'Irlande, l'élément britannique a souvent exercé une influence déterminante, quoique souvent nuisible.

En ce qui concerne la situation de la langue française au Québec, le poids numérique des francophones ainsi que la place centrale accordée à l'aspect linguistique depuis les années 1970 dans le cadre des questions d'égalité, de droits et de progrès social, permirent l'élaboration d'une société mettant la protection et la promotion de la langue au cœur même de son existence. L'accent mis sur la langue, mené de manière stratégique, active et permanente, permit de contrer les éventuelles retombées négatives qu'un tel choix aurait pu générer.

La société du nord de l'Irlande, quant à elle, n'a pas encore placé la langue irlandaise au cœur de ses actions. En dépit d'une régénération relativement importante de la langue irlandaise en milieu urbain, les dommages infligés par le colonialisme ont fait de la langue irlandaise une langue minoritaire dans son unique pays d'origine. Au cours de cet article, je souhaite démontrer que la démarche entreprise par le gouvernement britannique en 2006-2007 (concernant la loi sur la langue irlandaise) a sérieusement compromis les progrès obtenus au cours des dix années précédentes pour renforcer le statut de cette langue. De plus, tout en apportant leur soutien théorique à cette langue, les partis politiques nationalistes du nord de l'Irlande n'ont pas su faire de sa protection l'une de leurs grandes priorités politiques.

Le climat historique

J'ai mentionné précédemment l'existence d'un lien étroit entre la question de l'autodétermination et celle de la langue dans le contexte politique général. Au Québec, certains affirmeront pourtant que la souveraineté et la langue pouvaient être traitées de façon distincte. Ainsi, en 2006, Gérard Paquette de l'Office québécois de la langue française remarquait :

> Il y a une grande différence [entre les deux concepts]. La francisation satisfait à la fois les fédéralistes et les séparatistes. Pour les fédéralistes, si la Charte réussit, elle permettra aux francophones d'accepter le fait qu'ils peuvent vivre au Canada et être souverains culturellement. Les souverainistes pensent, eux, que si la Charte réussit, elle francisera tellement le Québec qu'à long terme la population choisira la souveraineté[1].

De façon tout aussi importante, il déclarait :

> Pour autant, la question de la langue ne peut être séparée du tissu politique canadien. Elle revient encore et toujours. Tout homme politique qui tente de rester indifférent par rapport à cela sera vite rappelé à l'ordre. Elle fait partie de la fibre politique, surtout au Québec.

En Irlande, une île qui a été envahie au XIIe siècle, colonisée pendant plus de 800 ans et divisée en 1920, certains porteront un regard bien différent sur le lien entre les questions linguistiques et politiques. Bien que l'on ait récemment constaté un regain d'intérêt pour la langue irlandaise chez les jeunes, il demeure que l'image de l'Irlande, à l'étranger, est celle d'un pays dont l'impact culturel considérable se mesure par la musique, la danse, la cohésion sociale de la diaspora, mais rarement par la langue irlandaise. Ainsi, il est tout à fait concevable, en Irlande, de discuter de politique, de problèmes de société et de culture sans faire aucune référence à la langue. Il est facile d'imaginer la difficulté d'entreprendre une telle chose au Québec.

Il existe aujourd'hui, dans le nord de l'Irlande, 80 écoles d'immersion irlandaise, accueillant plus de 4000 élèves. Le recensement de 2001 montrait aussi que 167 000 personnes déclaraient avoir une certaine connaissance de la langue irlandaise. Parmi elles, 75 000 disaient savoir lire, écrire, parler et comprendre l'irlandais[2]. Dans le nord de l'Irlande, c'est grâce à la démarche d'entraide et à la volonté résolument indépendante dont fit preuve un petit groupe d'individus que la langue a pu connaître un nouvel élan. Tout comme ce qui se produisit chez les Québécois, il est fort possible que la situation d'aliénation des Nord-Irlandais, face à leur propre État, puisse expliquer, de façon paradoxale, la grande détermination démontrée par les défenseurs de la langue. Dans le cas du Québec, en 2006 Jean Dorion, président de la Société Saint-Jean-Baptiste de Montréal, décrivait ainsi l'obligation morale et l'urgence d'agir qui animaient le Mouvement pour la protection de la langue française, suscitant alors « un sentiment de grande pureté, qui nous donnait beaucoup de force »[3].

Encore aujourd'hui, les autorités du nord de l'Irlande font preuve d'une hostilité marquée non seulement envers la langue irlandaise, mais aussi pour toute manifestation d'irlandicité. Ruane a décrit les processus historiques qui contribuèrent à la colonisation de l'Irlande comme formant un « système de rapports » noués par l'intégration forcée de l'Irlande dans l'État britannique[4]. Il a identifié trois éléments qui font partie intégrante de ce système : premièrement, les « divergences superposées et idéologiques qui existent en Irlande » au niveau de la religion, des origines ethniques et des stéréotypes culturels ; deuxièmement, « une structure de dominance, de dépendance et d'inégalité » à travers laquelle l'État britannique a maintenu son emprise sur l'Irlande en s'appuyant sur une minorité protestante « dont la loyauté était garantie à condition que le gouvernement britannique garantisse sa domination sur les catholiques » ; et troisièmement, la polarisation des communautés résultant des tensions en matière de religion, de culture et d'ethnicité. Ruane conclut que ce système avait eu pour effet de « faire de l'État britannique le principal détenteur du pouvoir en Irlande et de faire des catholiques et protestants irlandais deux communautés culturellement distinctes, dont les intérêts et les identités sont en nette opposition. Une fois mis en place, le système a fait preuve d'une résistance remarquable »[5].

L'Accord du Vendredi Saint

L'Accord du Vendredi Saint, signé en 1998, fit amplement référence à l'importance de la diversité linguistique et incluait des engagements spécifiques quant à la langue irlandaise. Pourtant, la seule protection légale de la langue irlandaise dans le nord de l'Irlande fut énoncée dans un seul article de la loi sur l'éducation en Irlande du Nord, adoptée un peu plus tard la même année[6]. À ce jour, la Charte européenne des langues régionales ou minoritaires, signée par le gouvernement britannique en 2000 et ratifiée en 2001, constitue la seule autre source de protection légale de la langue irlandaise dans le nord de l'Irlande. Cependant, il convient de noter que le texte de la charte n'a pas été transposé dans la législation nationale britannique, ce qui signifie que ses dispositions ne peuvent être appliquées par les tribunaux du Royaume-Uni et du nord de l'Irlande. Au sein du territoire britannique, seul l'irlandais dans le nord de l'Irlande ne bénéficie pas d'une protection légale locale.

Vers une loi sur la langue irlandaise

Compte tenu de cette situation, il n'est donc pas surprenant que les irlandophones souhaitent l'adoption d'une loi locale plus efficace qui améliorerait la position de la langue irlandaise en contexte hostile. Mais, comme nous le montre l'expérience québécoise, lutter via la législation est une entreprise ardue et qui n'amène pas toujours des résultats immédiats. Gisèle Delage, du Secrétariat de la politique française à l'Office québécois de la langue française, remarquait: «Il y a toute une stratégie qui précède une loi [...] la Charte n'est pas arrivée toute de suite, il y avait tout un travail qui renforçait le besoin qu'on avait»[7].

En parallèle aux travaux de veille concernant la Charte européenne des langues régionales ou minoritaires, POBAL[8] mena pendant deux ans un processus d'éducation, d'information et de concertation auprès de la population au sujet d'une future législation sur la langue irlandaise. En février 2006, cette ONG publia un document intitulé, *Acht na Gaeilge TÉ/La loi sur la langue irlandaise en Irlande du Nord*, rédigé avec l'aide et les conseils de Robert Dunbar (Université d'Aberdeen), Wilson McLeod (Université d'Edimbourg), Fernand de Varennes (Université Murdock, Australie) et Colin Williams (Université de Cardiff).

Le lancement du document fut suivi d'une période de lobbying intense de la part des organismes de défense de la langue irlandaise et des droits de l'homme rassemblés par POBAL. En avril 2006, Dónall Ó Riagáin, conseiller spécial au ministère nord-irlandais de la culture, des arts et des loisirs, fit l'analyse des propositions de POBAL et conclut qu'elles étaient conformes aux bonnes pratiques mises en œuvre au Royaume-Uni et dans le reste de l'Europe. Il déclara que l'adoption par le gouvernement britannique d'une législation locale devrait, en toute logique, constituer l'étape suivante.

L'Accord de St. Andrews et le plan d'une loi sur la langue irlandaise

Toutefois, dans le domaine des droits linguistiques, un long et grand travail de coordination, de lobbying et de réflexions stratégiques doit souvent être mené, et ce, même pour obtenir ce qui est logique. Ceci dit, à Montréal, lorsque les actions qui ont mené à l'adoption d'une législation locale ont été décidées, l'on a vite aperçu son effet. Guy Bouthillier, ancien président de la Société Saint-Jean-Baptiste de Montréal a déjà remarqué ceci : « Ce qui a effectué aussi rapidement un changement tellement frappant, c'était la volonté politique, notre projet politique ici à Québec, et une vision d'un unilinguisme français »[9].

En Irlande du Nord, c'est précisément cette même volonté politique qui paraît manquer. Les travaux initiaux menés par POBAL, en rapport à la loi sur la langue irlandaise, se sont déroulés de 2002 à 2007, pendant la suspension, particulièrement longue, de l'Assemblée d'Irlande du Nord. Au cours de cette période de suspension, une polarisation accrue de l'électorat et un renversement politique de situation sans équivoque furent mis au jour. Ceci profita, d'une part, au *Democratic Unionist Party* (*DUP*) sous la direction d'Ian Paisley et, d'autre part, au *Sinn Féin*[10], sous la direction du nationaliste Gerry Adams.

En octobre 2006, dans un climat tendu, une série de longs pourparlers politiques devaient tenter de trouver le moyen de restaurer les institutions décentralisées (*devolved institutions*). Ces discussions résultèrent en la publication, par les gouvernements britannique et irlandais, d'un document nommé l'Accord de St. Andrews. Selon les termes de cet accord, le gouvernement britannique prenait l'engagement suivant : « Le gouvernement proposera un texte de loi relatif à la langue irlandaise prenant en compte l'expérience galloise et irlandaise et collaborera avec le gouvernement local (*the Executive*) entrant en fonction en vue de favoriser et de protéger l'épanouissement de la langue irlandaise »[11].

Cet engagement fut très bien accueilli par les organismes de défense de l'irlandais et des droits de l'homme, mais provoqua la fureur des unionistes qui promirent à maintes reprises de contrer cette loi[12]. Le 13 décembre 2006, le ministère nord-irlandais de la culture, des arts et des loisirs (*Department of Culture, Arts and Leisure*, nommé *DCAL* dans cet article) publia un document de concertation au sujet du projet de loi sur la langue irlandaise. Le préambule faisait état de l'engagement pris par le gouvernement britannique et proposait, dans les plus brefs délais, une législation tenant compte des résultats de la concertation. Au même moment, Peter Hain, secrétaire d'État pour l'Irlande du Nord, souligna, au parlement de Westminster, la position du gouvernement britannique pendant la période de questions des députés ministériels sur l'Irlande du Nord (*Northern Ireland Question Time*). Il déclara que si l'Assemblée d'Irlande du Nord devait être rétablie avant que la législation sur la langue irlandaise ne soit adoptée par le parlement de Westminster, il incomberait à cette Assemblée d'adopter la législation en question[13]. Cette déclaration est d'une extrême importance si l'on considère l'objectif déclaré des unionistes visant à bloquer cette législation.

Le document de concertation du *DCAL* du 13 décembre 2006

Au terme d'une concertation de douze semaines, qui s'acheva le 2 mars 2007, le *DCAL* annonça avoir reçu 668 réponses ainsi que des pétitions rassemblant 5 000 signatures, exprimant leur soutien à une législation fondée sur les propositions faites par *POBAL*. Le ministère releva que plus de 93 % des réponses reçues étaient en faveur de la législation. Une faible minorité (7 %) s'y opposait, invoquant le coût de l'établissement d'une telle politique et le fait que, selon eux, cette législation aurait un effet de division au plan politique[14].

Malgré des réactions largement positives, le gouvernement britannique n'a pas promulgué la législation promise. Au lieu de cela, le 13 mars 2007, il annonça une nouvelle période de concertation de douze semaines dont les résultats ne seraient pas connus avant la date butoir du rétablissement de l'Assemblée. En avril 2007, le secrétaire d'État pour l'Irlande du Nord, Peter Hain, déclara aux dirigeants du *DUP* et du *Sinn Féin* que s'ils n'acceptaient pas la date butoir du 26 mars pour le rétablissement de l'Assemblée, « l'Assemblée sera fermée, les salaires ne seront plus versés et les indemnités de fonctions ne seront plus versées […] ». En plus, affirma-t-il, « la législation sur la langue irlandaise sera proposée devant le parlement de Westminster »[15].

Nelson McCausland, porte-parole du *DUP* à la culture[16], et un opposant acharné à la législation sur la langue irlandaise, déclara : « Le message est le suivant : si les unionistes acceptent de faire partie d'un gouvernement exécutif et que l'Assemblée est opérationnelle, la question de la législation sur la langue irlandaise relèvera du pouvoir décentralisé et les unionistes pourront opposer leur véto. Une fois encore, Downing Street et le *Northern Ireland Office* ont politisé la langue irlandaise »[17]. Lorsqu'ultérieurement, une date fut convenue pour le rétablissement de la nouvelle Assemblée, Ian Paisley, chef du *DUP* et qui venait d'être nommé premier ministre d'Irlande du Nord, déclara : « l'hypothèse avancée selon laquelle la législation sur la langue irlandaise nous sera imposée est désormais écartée à jamais […] aucune assemblée à majorité *DUP* ne votera une telle loi »[18].

Le lundi 2 avril 2007, les chefs des quatre grands partis politiques de l'éventuelle « nouvelle » Assemblée donnaient la liste des nouveaux portefeuilles ministériels devant entrer en fonction officielle le 8 mai suivant. Selon le mode de fonctionnement du système D'Hondt, les deux partis recueillant le plus grand nombre de voix étaient le premier et le second à choisir les postes ministériels qu'ils souhaitaient occuper. Les irlandophones observèrent avec attention la nomination du ministre de la culture, des arts et des loisirs, chargé des principales responsabilités dans le domaine linguistique. Comme parti politique majoritaire, le *DUP* fut le premier à choisir et choisit le ministère des finances et du personnel, laissant la voie libre au *Sinn Féin* pour choisir le portefeuille de la culture, des arts et des loisirs, s'il le souhaitait. Ce dernier choisit l'éducation. Cinquième parti à choisir un poste ministériel, l'autre parti nationaliste, le *Social Democratic and Labour Party* (*SDLP*) laissa lui aussi de côté le portefeuille de la culture pour choisir le développement social comme leur seul poste ministériel. Ayant deux postes supplémentaires à choisir, le *Sinn Féin* opta pour le développement régional et l'agriculture. Le ministère de la culture, des arts et des loisirs fut l'un des derniers ministères à être attribué et fut finalement réclamé par le parti unioniste *DUP*.

La période qui suivit le rétablissement de l'Assemblée fut le théâtre d'attaques sans précédent des élus unionistes contre l'irlandais dans le domaine de l'enseignement en langue irlandaise (18 septembre 2007, 13 novembre 2007) ; contre l'usage de l'irlandais écrit et parlé au sein de l'Assemblée (9 octobre 2007) ; et en faveur de l'annulation (1er octobre 2007) de la politique favorable, mais limitée, de promotion de l'irlandais et de sensibilisation du public à la langue irlandaise mise en œuvre en 2000 par le ministère de la santé, des services sociaux et de la sécurité publique.

Le 16 octobre 2007, Edwin Poots, ministre de la culture, des arts et des loisirs et député du *DUP*, publia les résultats du deuxième processus de concertation sur la législation proposée. Ces résultats indiquaient que sur les 11 629 réponses reçues, 7 500 (soit 68 %) appuyaient la législation sur la langue irlandaise[19]. Ce document remarquait aussi que, parmi les réponses exprimées en faveur de la législation, la majorité des organismes de défense de la langue irlandaise préféraient une approche fondée sur le droit. De même, il soulignait que le gouvernement et les organismes publics étaient plutôt en faveur d'un programme linguistique, ce qui indique clairement qu'aucun de ces organismes ne s'opposait en principe à la législation proposée[20].

Le résumé présenté par le *DCAL* fait état des données suivantes concernant chacune des deux concertations :

Nombre de réponses obtenues au cours de la première concertation (décembre 2006 - mars 2007)			Nombre de réponses obtenues au cours de la deuxième concertation (mars - juin 2007)		
Nombre total de réponses	668		Nombre total de réponses	11 000	
Pétitions, cartes-réponses et annonces publicitaires	4566		Pétitions	629	
Total révisé	5234		Total révisé	11 629	
Pour la législation	5187	99 %	Pour la législation	7500	65 %
Contre la législation	47	1 %	Contre la législation	4129	35 %

Source : DCAL, Résumé des réponses à la deuxième concertation, octobre 2007

Donc, si l'on additionne les résultats des concertations, on obtient les résultats suivants :

Nombre total de réponses (1re et 2e concertations)	16863	
Pour la législation	12 687	75 %
Contre la législation	4176	25 %

Source : DCAL, Résumé des réponses à la deuxième concertation, octobre 2007

Conclusion

Même si le ministre affirma que, avant de prendre une décision, il présenterait les résultats au sous-comité de l'Assemblée chargé des questions concernant la culture, les arts et les loisirs, celui-ci dit aussi qu'il « n'était pas convaincu qu'il soit impératif de déposer un projet de loi relatif à la langue irlandaise »[21]. Cette déclaration, annoncée bien à l'avance par le ministre, provoqua une vive réaction de la part des partis nationalistes, mais leur réponse sur le plan politique fut plutôt mitigée. Tandis que le *SDLP* accusait le ministre de « connaître le prix de tout et la valeur de rien »[22], Gerry Adams, président du *Sinn Féin* déclarait : « Je voudrais [...] ajouter quelque chose dont j'ai la certitude : nous aurons une loi sur la langue irlandaise. Je ne sais pas quand, mais nous en aurons une »[23].

Ces commentaires étaient vagues et pour le moins étonnants, ce que même les journalistes ont bien remarqué[24]. D'une part, le *Sinn Féin* était l'un des deux partis majoritaires de l'Assemblée et d'autre part, si le *Sinn Féin* n'avait pas l'intention d'insister pour que l'engagement du gouvernement britannique soit respecté, qui donc aurait la volonté politique de le faire ? Adams continua en disant que la communauté irlandophone avait déjà réussi, grâce à ses propres efforts, à établir certains projets notables, et ceci même sans une loi sur la langue irlandaise. D'une certaine façon, l'idée était que la communauté irlandophone n'avait pas besoin du moindre soutien officiel pour améliorer la situation de la langue. Il suffisait de continuer à travailler dur, comme avant[25].

Quelle que soit l'intention, ces propos donnent l'impression que pour le *Sinn Féin*, parti nationaliste le plus important et le plus puissant au sein de l'Assemblée nord-irlandaise, la loi sur la langue irlandaise et les droits des irlandophones n'avaient pas suffisamment d'importance pour risquer une confrontation avec le *DUP*.

Les conséquences politiques de la protection des droits linguistiques sont fort bien comprises au Québec. Gisèle Delage s'exprimait ainsi sur l'importance de la loi 101 pour le Québec : « On avait besoin de cette loi-là. On veut tellement la préserver que l'on cherche toujours la paix linguistique pour protéger la loi »[26]. Dans le nord de l'Irlande, la paix linguistique n'est pas encore une réalité et il est difficile de savoir comment elle pourrait être réalisée sans obtenir un engagement préalable et une stratégie politique nationaliste visant à obtenir une loi sur la langue irlandaise.

De telles difficultés, associées aux inquiétudes partisanes des partis et à la mise en marche arrière d'un ordre du jour radical dans le domaine social et linguistique, sont probablement courantes au Québec. À l'avenir, les irlandophones vont devoir beaucoup apprendre de l'expérience et de l'expertise québécoises. En somme, il faut reprendre les propos de Manon Perron du Conseil central du Montréal métropolitain qui affirmait que les communautés et les partenaires sociaux doivent continuer de faire entendre leurs revendications s'ils désirent voir les choses progresser : « Surtout, il faut éviter le repli sur soi »[27].

Notes et références

1. Propos de Gérald Paquette recueillis au cours de l'entrevue accordée à la chercheuse à Montréal, 14 juillet 2006
2. Source : *Northern Ireland Statistics website*
3. Propos de Jean Dorion recueillis au cours d'une entrevue réalisée par la chercheuse, à Montréal, 5 juillet 2006
4. J. Ruane, « The End of (Irish) History ? Three readings of the current conjecture », dans J. Ruane et J. Todd (dir.), *After the Good Friday Agreement : Analysing Political Change in Northern Ireland*, Dublin, 1999, p. 148.

5. *Idem.*
6. *Education Order* (*Northern Ireland*), 1998.
7. Propos de Gisèle Delage, recueillis au cours de l'entrevue accordée à la chercheuse au Québec, 11 juillet 2006.
8. Le nom de l'organisme *POBAL* signifie «Communauté» en langue irlandaise.
9. Propos recueillis au cours de l'entrevue accordée par Guy Bouthillier à la chercheuse le 12 juin 2006.
10. Le *Sinn Féin*, dirigé par Gerry Adams, soutient la réunification de l'Irlande. Ce parti a soutenu l'Accord du Vendredi Saint de 1998. Au cours des élections législatives de 2007, le *Sinn Féin* a remporté 26,2% des voix et 28 sièges, soit 4 sièges de plus qu'aux élections précédentes.
11. «Déclaration émanant des gouvernements britannique et irlandais», 13 octobre 2006.
12. Roy Garland, «Changing Times Signals the End for the Rhetoric», *The Irish News*, 24 octobre 2006; «Scepticism over Government Offer on Ulster Scots», *News Letter*, 14 novembre 2006; «Irish Language Act in Assembly's Hands», *News Letter*, 14 mars 2007; Lettre de David McNarry, Whip en chef du *Ulster Unionist Party* et président adjoint du comité parlementaire sur la culture, les arts et les loisirs, «Unite Against Language Act», *News Letter*, 4 juin 2007.
13. Hansard 100588, colonne 531.
14. *RCEF/DCAL* Document de concertation du 13 mars 2007, Introduction, p. 6. «Ceci reflète le fort intérêt suscité par les questions que soulève ce document. Parmi ceux qui ont répondu, une très large majorité (93%) s'est prononcée en faveur de l'adoption de la législation sur la langue irlandaise tandis qu'une faible majorité des réponses a exprimé une forte opposition à cette proposition. Ceux qui se sont prononcés en faveur de l'adoption de la législation préféraient une démarche fondée sur le droit. Ceux qui étaient contre (7%) invoquèrent la question du coût de revient d'une telle loi et la perception selon laquelle cette législation aurait un effet de division sur le plan politique». Version anglaise officielle du DCAL. N. B.: Les versions dans les deux langues diffèrent. En effet, la version anglaise comprend deux phrases qui n'apparaissent pas dans la version en irlandais. Les deux phrases en question sont: «Ceci reflète le fort intérêt suscité par les questions que soulève ce document» et «ceux qui se sont prononcés en faveur de l'adoption de la législation préféraient une démarche fondée sur le droit».
15. Communiqué de presse du bureau de Peter Hain, secrétaire d'état, 20 mars 2007
16. Nelson McCausland a été nommé ministre de la culture en Irlande du Nord en 2009.
17. *The Irish News, Minister Strangles Irish Language Act*, 14 mars 2007.
18. *The News Letter*, Ian Paisley, chef du *DUP* et premier ministre, 2 avril 2007.
19. *DCAL*, Résumé de la deuxième concertation, octobre 2007, p. 5, point n° 2.
20. *DCAL*, Résumé de la deuxième concertation, octobre 2007, p. 7, point n° 14.
21. Poots, 16 octobre 2007, p. 5, Communiqué du ministre.
22. Propos de Dominic Ó Brolacháin, député nord-irlandais, membre du *SDLP* et porte-parole à la culture, prononcés au cours du débat de l'assemblée sur la loi sur la langue irlandaise, tenu le 16 octobre 2007.

23. Propos de Gerry Adams cités dans «Ceiliúradh na Gaeilge i gCnoc an Anfa», *Lá Nua*, 10 décembre 2007.

24. Martina Purdey, *BBC Newsline*, remarquait que le président du *Sinn Féin* n'avait pas l'air de s'inquiéter après la déclaration de Poots, 16 octobre 2007.

25. Propos de Gerry Adams cités dans «Ceiliúradh na Gaeilge i gCnoc an Anf», *Lá Nua*, 10 décembre 2007: «Je voudrais [...] ajouter quelque chose dont j'ai la certitude: nous aurons une Loi sur la langue irlandaise. Je ne sais pas quand, mais nous en aurons une. Mais le Shaw's Road *Gaeltacht*, le *Gaeláras et le An Droichead* ou bien encore the Cultúrlann n'ont pas eu besoin de loi sur la langue irlandaise pour être créés. Nous n'avons pas eu besoin d'une loi pour créer la *Meánscoil* ou bien obtenir l'agrément de *Lá Nua* ou du projet *Gaeltacht Quarter*. Il fallait le faire et les individus ont simplement réagi et abouti». Traduction de la chercheuse.

26. Propos de Gisèle Delage recueillis au cours de l'entrevue accordée à la chercheuse au Québec, 11 juillet 2006

27. Propos de Manon Perron recueillis au cours de l'entrevue accordée à la chercheuse à Montréal, 20 juin 2006.

Second dossier

La nécessaire histoire du politique

Jean-Marie Fecteau
Professeur
Département d'histoire
UQAM

Le 19 novembre 2008, la Chaire Hector-Fabre, avant sa fermeture, a organisé un colloque intitulé : *Quelle histoire politique pour le Québec ?*[1]. Il s'agissait de provoquer la réflexion sur l'état des lieux en histoire politique, prenant prétexte de la parution récente d'une imposante synthèse sur l'histoire de la ville de Québec, synthèse portant de façon importante sur l'histoire politique[2]. Nous avons demandé à quatre spécialistes de se prononcer sur le type d'histoire politique à l'œuvre dans cette synthèse et de partir de cette critique pour réfléchir sur l'état des lieux en histoire politique. Chacun de ces spécialistes a travaillé sur des périodes différentes de l'histoire du Québec et a donc pu apporter son expertise propre pour chacune. Nous publions ici leur contribution respective sur l'histoire politique de la Nouvelle-France (Catherine Desbarats), du régime anglais (Louis-Georges Harvey), de la période confédérative (Yvan Lamonde) et de la Révolution tranquille (Michel Sarra-Bournet). Avant de faire place à ces analyses, on me permettra deux remarques introductives.

Premièrement, à la lecture de ces quatre contributions, on ne peut qu'être frappé de l'*extension* donnée au concept d'« histoire politique », et cela, sur deux plans. D'abord sur celui de l'*espace*. Comme le fait remarquer Catherine Desbarats, les approches récentes, notamment la « New Imperial History » remettent en question une histoire coloniale trop enfermée dans les limites assignées à chaque colonie et promeut un élargissement des perspectives, en lien avec les exigences d'une histoire ouverte au défi du mondial. Cela est vrai autant pour la période ayant précédé les mouvements nationalitaires que pour celle ayant présidé à l'hégémonie de l'État contemporain.

Ensuite sur le plan des *thématiques* et des *approches*. La remise en question d'une histoire «nationale» est maintenant bien connue (nous y reviendrons), mais il est certain que les tendances récentes de l'historiographie influent fortement sur le traitement du politique. Ce n'est donc pas un hasard si deux des auteurs (Louis-Georges Harvey et Yvan Lamonde) insistent, par exemple, sur la dimension *culturelle* du politique et sa nécessaire analyse historique. Il en est de même de ces «angles-morts» (Desbarats) de la recherche qui mettent de façon renouvelée en évidence des clivages socio-politiques souvent sous-estimés (par exemple, l'esclavage en Nouvelle-France, le rôle des anglophones progressistes dans le discours républicain des années 1830).

L'histoire politique n'est donc pas à l'abri – bien au contraire et c'est tant mieux! – de ces brassages d'idées et de ces approches souvent rebelles qui la remettent en question. Ce qui nous amène à notre deuxième remarque. Michel Sarra-Bournet insiste, avec raison croyons-nous, sur l'importance de cette «dimension particulière de la réalité» que serait le politique. Ce n'est pas ici le lieu d'en dire davantage sur cette remarque. Comment, cependant, ne pas être frappé par le flou relatif des enjeux sous-jacents à cette notion d'«histoire politique», un flou que les débats lors du colloque de novembre (et que les textes publiés ici) n'ont pas dissipé. La volonté de développer l'histoire politique[3] ne peut être ramenée cyniquement à la construction de «champs» satisfaisant le désir de se démarquer d'intellectuels en mal de reconnaissance. Il ne s'agissait pas non plus de promouvoir le retour aux formes anciennes de traitement du politique, formes dénoncées (et d'ailleurs grossièrement caricaturées) par l'école des *Annales*. Cette volonté ne relevait nullement, enfin, de la volonté d'implanter, dans l'espace de la pratique historienne, une logique de territorialisation exclusiviste ou de cloisonnement du savoir permettant l'apparition de «sous-disciplines» avec leurs méthodes et leurs hypothèses propres.

Dans ce contexte, je considère que l'histoire politique ne constitue pas un «champ» de recherche, si on entend par là une aire de pratique strictement délimitée par des frontières rigides et imperméables. Il ne s'est jamais agi de revendiquer une quelconque «autonomie», au sens d'une relative exclusivité dans les méthodes d'approche ou dans la détermination des objets de recherche de cet espace clos. C'est pourquoi, à ce niveau, le désir de développer l'histoire politique n'avait rien à voir ou si peu, en ce qui me concerne, avec la «question nationale»[4]. L'espace national n'est, en effet, tous les historiens sérieux du politique le reconnaissent depuis longtemps, sans avoir attendu pour cela la révélation post-colonialiste, qu'*une* des multiples formes historiques de cristallisation du politique, dont la validité heuristique ne peut prétendre couvrir les périodes précédant l'histoire contemporaine. La téléologie est ici, comme toujours, bien mauvaise conseillère, comme le montre éloquemment Desbarats dans son texte.

La promotion d'une histoire politique allait bien au-delà de ces faux débats. Il s'agissait, fondamentalement, de mener une interrogation, sur le mode diachronique, sur une dimension (ou un niveau, si on préfère) du mode d'exister de l'humanité, soit *le politique*. Le fait qu'un «être ensemble» génère, tout à la fois, des relations de pouvoir spécifiques, diverses formes d'institutionnalisation des pratiques sociales et un rapport tout particulier à la *décision* collective, rapport impliquant à la fois des types ciblés de contraintes et une prise particulière sur l'avenir, ce fait constitue un phénomène fondamental au cœur des formations sociales depuis que la division du travail est venue particulariser le rapport au monde des hommes et des femmes. Ce phénomène, ou plutôt cet ensemble de phénomènes autour d'une question fondamentale a été jugé, par des générations de chercheurs en sciences humaines, comme assez important pour fonder une discipline tout entière vouée à le comprendre, soit la science politique. En ce sens, l'histoire politique n'est que la poursuite, avec les armes de la pratique historienne, de cet enjeu de savoir porté en diachronie.

Il ne s'agit donc nullement de savoir à quel «champ» peut bien appartenir tel questionnement, et encore moins de postuler que ce questionnement est rendu caduc par son «élargissement» ou sa «complexification»[5]. Il s'agit bien plutôt de savoir comment les multiples façons d'interroger l'histoire nous font avancer dans la compréhension des destins collectifs que l'humanité se donne depuis la nuit des temps, dans la saisie du politique comme forme fondamentale de l'existence et de l'agir collectifs.

Le postulat fondamental à l'œuvre ici, il faut bien le dire, est qu'il est légitime et immensément important d'organiser une production de savoir, une interrogation scientifique, autour d'un questionnement préalable jugé comme étant *a priori* fondamental, et qu'il existe, dans les sciences sociales, un nombre pour l'instant limité de ces questions : comment les femmes et les hommes produisent-ils et distribuent-ils les conditions matérielles de leur existence ? Comment organisent-ils dans un tout à la fois cohérent et transformateur leurs représentations et leurs pratiques symboliques ? Comment organisent-ils leur espace et s'adaptent-ils à celui qu'ils habitent ? Par quels mécanismes cognitifs s'opère la perception humaine du réel ? Comment se construit l'image de soi dans l'espace des relations sociales comme dans le temps de son vécu personnel ? Comment se structure, dans un espace socio-politique donné, le foisonnement labile des rapports sociaux ? C'est autour de ces questionnements de base que se sont structurés l'économie, les sciences de la culture, la géographie, les sciences cognitives, la psychologie et la sociologie, notamment. Bien sûr, l'interdisciplinarité, les questionnements croisés novateurs transcendant les « frontières » disciplinaires, sont venus interroger ces mêmes frontières et bouleverser profondément les problématiques et les hypothèses de départ, mais sans jamais ébranler ou remettre en question, je crois, la pertinence fondamentale de ces questions pour l'avenir de l'humanité.

Le propre de l'histoire, son défi et sa malédiction, est de poser *toutes* ces questions en mode diachronique. D'où son éclatement structurel, d'où le flou constant de ses catégories analytiques, terreau fertile de tous les relativismes et à toutes les « déconstructions ». D'où, par là même, l'exigence, tant éthique que scientifique, de rétablir dans leur intégrité essentielle l'importance de ces questionnements fondamentaux dans la pratique historienne.

C'est avec cet objectif en vue que s'impose à nous, encore et toujours, la nécessité de l'histoire politique.

Notes et références

1. Je tiens à remercier mon collègue Robert Comeau pour l'aide apportée à l'organisation de ce colloque et pour avoir permis la publication des actes dans ce numéro du BHP. Merci aussi à Mourad Djebabla, coordonnateur de la Chaire, pour son soutien organisationnel.
2. Christian Blais, Gilles Gallichan, Frédérick Lemieux et Jocelyn Saint-Pierre, *Québec : Quatre siècles d'une capitale*, Québec, Les publications du Québec, 2008.
3. Volonté aux origines de la création du présent *Bulletin*, que j'ai essayé, avec d'autres, d'expliciter dans une série de textes programmatiques. Voir : « Manifeste », *Bulletin de l'Association québécoise d'histoire politique*, vol. 1, n° 1, 1992, p. 4-5 ; « Le retour du refoulé : l'histoire et le politique », *Bulletin de l'Association québécoise d'histoire politique*, vol. 2, n° 3, hiver 1994, p. 5-10 ; « Notre histoire politique », *Bulletin d'histoire politique*, vol. 7, n° 1, automne 1998, p. 6-9.
4. Il y aurait beaucoup à dire sur cette confusion entre l'histoire politique et l'histoire nationale, entretenue par une certaine mode « déconstructionniste » et qui assimile toute volonté de mettre en valeur la dimension politique de l'histoire à une entreprise idéologique de type « nationaliste ». Pour un bel exemple de cette confusion intellectuelle érigée en posture pseudo-progressiste d'« ouverture au monde », voir Michèle Dagenais et Christian Laville, « Le naufrage du projet de programme d'histoire "nationale". Retour sur une occasion manquée accompagné de considérations sur l'éducation historique », *Revue d'histoire de l'Amérique française*, vol. 60, n° 4, printemps 2007, p. 517-550.
5. La complexité et la diversité, naguère instrument d'approfondissement du savoir, sont devenues, dans l'environnement « post-moderne », arguments pour justifier refus de penser le réel, dans sa profondeur propre, autrement que sur le mode de la construction contingente, du processus ciblé ou de l'agir pragmatique.

Deux pas vers une histoire du politique décolonisée : les problèmes de la souveraineté et de l'esclavage amérindien en Nouvelle-France

CATHERINE DESBARATS
Université McGill

Dans cette courte intervention, j'aimerais signaler deux directions prometteuses pour l'avenir de l'histoire du politique en Nouvelle-France : le problème de la souveraineté, et la question de l'esclavage amérindien. Je ne prétends surtout pas être exhaustive ou systématique, « le » champ n'étant limité que par l'imagination des historiens. Mais en gros, je choisis ces deux avenues parce qu'elles ont ceci de fructueux et de primordial : elles font partie des pistes qui ont le potentiel de décoloniser toujours plus profondément notre vision des XVIe, XVIIe et XVIIIe siècles en Amérique du Nord. Elles illustrent aussi le pouvoir révélateur d'un regard analytique peu pratiqué dans l'historiographie de la Nouvelle-France : celui qui englobe simultanément les deux côtés de l'Atlantique, ainsi que des frontières transculturelles – l'étendue des sites, en somme, où les enjeux politiques se sont constitués mutuellement tout au long du régime français. Pour l'instant, c'est surtout par le biais de triangulations avec d'autres corpus historiographiques que je peux tenter le début d'une réflexion sur la souveraineté. Pour ce qui est de l'esclavage, il s'agira plutôt d'attirer le regard des lecteurs vers des recherches stimulantes en cours.

Un mot préalable sur l'état du corpus existant, assez défraîchi dans l'ensemble[1]. On n'a peut-être pas assez noté les angles morts occasionnés par la primauté des *télos*, intimement liés depuis le XIXe siècle, que sont la nation et l'État. Certains sont assez génériques, ressemblant à ceux de l'histoire occidentale dans son ensemble, qui partout a baigné, et dans une certaine mesure baigne encore, presqu'autant dans le discours « de » l'État ou « d' » une identité, que dans l'analyse critique et diachronique de ces discours[2]. L'histoire politique européenne a été particulièrement insensible aux réverbérations domestiques de l'expansion impériale[3]. Et comme dans tous les sites de cette expansion, notamment dans les Amériques, la vénérable tradition d'envisager l'histoire coloniale avant tout comme le premier chapitre d'une histoire nationale ultérieure a éclipsé bien des enjeux, des conflits et des acteurs. Dans le cas de la Nouvelle-France, on a surtout longtemps naturalisé la présence d'une élite de gouverneurs, d'intendants, d'officiers civils et militaires, gommant du même coup le temps et l'espace «non-canadiens» de leurs activités. Surtout, on posait des variantes de la question suivante : ces hommes ont-ils avancé ou non le «progrès» de la colonie ? (Les religieuses sont quasiment les seules femmes dont il a été question...) On célébrait les bâtisseurs, on brossait jusque dans le moindre détail le portrait de leurs «œuvres», on déplorait ceux dont les intérêts personnels ou les tempéraments nuisaient au projet colonial français, comme on recensait, enfin, et non sans frustration, les obstacles «extérieurs», que ce soient les ennemis anglo-américains ou amérindiens, ou même le climat ingrat. Mes deux exemples, j'espère, donneront la saveur de ce que de telles préoccupations ont pu nous laisser oublier.

Signalons au départ aussi que si elle n'a pas cessé de naturaliser l'implantation coloniale française, l'histoire sociale des années 1970 et 1980, dévoilait néanmoins déjà certaines des hiérarchies et des inégalités, et donc des sites possibles de l'exercice du pouvoir, qui avaient été enterrées sous des conceptions homogénéisantes de la nation en devenir. En Nouvelle-France, ces clivages, c'est-à-dire ceux traversant la population issue d'immigrants européens, sont beaucoup plus profonds que ne laissait soupçonner le lieu-commun essentiel de l'histoire coloniale nord-américaine préindustrielle : l'accès quasi illimité à la terre aux XVIIe et XVIIIe siècles... L'histoire amérindienne vient brouiller, ou du moins a le potentiel de brouiller, irrévocablement ce point de départ, tout en illuminant un oubli plus capital : cette société coloniale ne s'est jamais constituée sur une table rase, ou en vase clos. Le continent est habité, et les sujets du royaume de France ne sont ni les seuls, ni même les premiers Européens, à vouloir s'y installer. Aussi étonnant que cela puisse sembler, nous avons à peine commencé à tracer les corollaires de ces constats. C'est le cas non moins pour les questions politiques étroitement associées aux institutions formelles de l'État que pour celles qui surviennent dans des espaces moins visibles ou intimes.

Le problème historique de la «souveraineté»

La décolonisation de l'histoire politique de la Nouvelle-France exigerait sans doute que l'on revisite la «souveraineté» comme problème historique. Ceci marquerait un net virage interprétatif. L'ethnohistoire nous a certainement mis la puce à l'oreille, les anthropologues et les historiens du droit aussi. Ne «réifions» pas les doctrines des colonisateurs, ne confondons pas leurs prétentions, aussi formellement articulées qu'elles puissent être, avec les pratiques de pouvoir et de possession, ni des Européens, ni des Amérindiens...[4] Or depuis la commission royale de Verrazano sous le règne de François I, en passant par les croix de Jacques Cartier, puis les plaques de plomb ensevelies dans la vallée de l'Ohio à la veille de la Guerre de Sept Ans par Céloron de Blainville, jusqu'à la cession de la Nouvelle-France par le traité de Paris, la « souveraineté française » en Nouvelle-France se raconte le plus souvent en une sorte de généalogie qui naturalise et légitime des fragments de discours volontaristes. « La France » a certainement cédé bien plus qu'un fantasme territorial ou juridictionnel en 1763, mais qu'a-t-elle cédé, au juste ? Au nom de qui ? En fonction de quelles connaissances, géographiques ou autres ? Comment « imagine »-t-on les frontières d'une communauté politique au xvie, au xviie, au xviiie siècles » ? Comment se construisent-elles ? Il faudrait, avec les historiens de l'Europe et de la colonisation comparée, commencer à décortiquer un ensemble plus dense de pratiques (parmi lesquelles les traités de ce genre) qui varient à travers le temps, qui ne sont pas toutes territoriales, mais qui ont aussi leur géographie variable, et surtout, qui n'aboutissent jamais à une finalité indisputable ou homogène dans tous ses aspects. Et ne faut-il pas, effectivement, se rappeler de nouveau que la « souveraineté » n'est pas non plus une question réglée une fois pour toutes en Europe, qui se serait transplantée en vrac outre-Atlantique ? Il faut alors s'attarder à un processus historique de négociation, de relations, et donc aussi à la présence presque continue d'acteurs qui voient les choses autrement jusqu'à la toute fin du régime français, qu'ils (ou elles...), soient Amérindiens ou Européens, et qu'ils se situent d'un côté de l'Atlantique que de l'autre, ou qu'ils naviguent sur l'océan même...

Si l'on procédait ainsi, bien des « faits » déjà connus de l'histoire de la Nouvelle-France sauteraient à nos yeux truffés de nouvelles significations, nous appelant à une dérive fertile. Je vais évoquer un exemple rapide. Il n'est peut-être pas inutile d'indiquer qu'il m'est venu à l'esprit suite à la lecture d'un livre remarquable sur l'histoire de Terre- Neuve, et non sur la Nouvelle-France[5]. Tout au long, *Fish into Wine* jette un regard nouveau sur des acteurs et des processus qui m'étaient pseudo-familiers. Et au gré de cette lecture, il m'a semblé notamment que la prise de Québec par les frères Kirke en juillet 1629 figure parmi ce que j'appellerai les « non-événements » symptomatiques de l'histoire politique actuelle de la Nouvelle-France[6]. J'entends par là les interruptions, les détours que les manuels, et même les monographies plus spécialisées, signalent parfois en passant, sans grand besoin d'explication, ou d'interprétation. Ils passent inaperçus, ou presque... Comme tant d'autres cheveux sur la soupe, les frères Kirke flottent momentanément dans le flux « français » de l'histoire de la vallée du Saint-Laurent, avant d'être évacués, comme il se doit. Ne s'agit-il pas simplement d'un intermède sans suite, parmi tant d'autres dans la longue histoire de l'antipathie «naturelle et nécessaire» entre l'Angleterre et la France?[7] Depuis le XVIᵉ siècle cette rivalité s'exprime désormais dans les Amériques. Que faut-il dire de plus? À la limite, comme la flotte «anglaise» de Phips en 1690, ou celle de Walker de 1711, ces interlopes jouent peut-être un rôle dramatique important: ils annoncent la césure plus fatidique et durable qui suivra l'arrivée de James Wolfe et compagnie en 1759[8].

Pourtant, la présence des frères Kirke pourrait nous interpeller tout autrement. Comme maints épisodes avant ou après, elle pourrait, par exemple, alimenter cette réflexion renouvelée sur la souveraineté en tant que site du politique, déjà amorcée par des historiens de l'Europe et du droit colonial comparatif[9]. Rappelons, dans cette veine, d'abord quelques aspects saillants de l'affaire Kirke. C'est en tant que membres de la «Company of Adventurers to Canada», fondée en 1627 par le père du clan, Gervaise, et son partenaire William Barkeley, que trois des cinq frères Kirke traversent l'océan. Gervaise fut marchand à Dieppe, où il demeurait sur la rue des Écossais dans une enclave de marchands de la même origine, époux d'une (naturalisée?) française, Elizabeth Goudon. Nés à Dieppe, les fils ne seront naturalisés anglais qu'en 1639[10]. Comme leurs parents, ils sont au départ et avant tout des marchands de vins. Ils s'approvisionnent surtout à Bordeaux et à Cognac, et ils débitent leur «sack» à Londres. En plein fléchissement de ce marché, ils cherchent à se diversifier. Ancrés dans plusieurs ports atlantiques de l'Europe, ils sont admirablement bien placés pour récolter des nouvelles quant à la fourrure et à la morue outre-Atlantique. Ils n'ignorent sans doute pas que la nouvelle Compagnie des Cent-Associés s'apprête à envoyer, depuis Dieppe, une flotte sans convoi militaire. Profitant de la guerre entre la France et l'Angleterre, ils obtiennent des lettres de marque de Charles I qui leur permettront d'armer leur escadre et de saisir des vaisseaux ennemis, ce qu'ils feront au large de Tadoussac. Se rendre ainsi à bon port au lieu consacré «Québec» sur les cartes françaises depuis 1601, et contraindre ses habitants Européens à la capitulation, ne va pas de soi. En effet, c'est en partie grâce à un pilote huguenot, Jacques Michel, qui connaît déjà les côtes de l'Amérique du Nord, que l'expédition Kirke connaît autant de succès[11]. Certains Montagnais seront aussi une source locale d'appuis importants. Les Kirke rentrent en Europe avec quelque 6 000 pelleteries et 6 000£ en vaisseaux et butins saisis. Même après la rétrocession de Québec à la France, et l'injonction de repayer une partie de gains jugés illégaux dans un tribunal de l'Amirauté, ils continueront pour un temps de faire la traite dans le Saint-Laurent. À la longue, ils investiront dans les pêcheries de Terre-Neuve, puis, dans la traite de fourrure de la Baie d'Hudson[12]. Vers la fin des années 1630, ils s'approvisionneront de vin en Espagne plutôt qu'en France, et y débiteront la morue salée. Ils seront impliqués dans des litiges découlant des saisies de 1629-1632 pendant un bon demi-siècle[13].

Qu'apprenons-nous sur les «pratiques» de souveraineté au XVIIᵉ siècle? Jetons au moins quelques balises préliminaires. Il faut peut-être avant tout voir un ensemble d'actes stratégiques plutôt que des expressions transparentes de pouvoirs réels ou légitimes. La seule présence amérindienne exige constamment cet ajustement d'optique. Mais l'exemple des Kirke nous rappelle aussi que ces pratiques sont aussi multiples, qu'elles n'émanent pas toutes directement d'un «souverain» lointain, et qu'initialement, elles se négocient autant, sinon davantage, sur le fleuve Saint-Laurent que sur ses rives, avec plus ou moins de violence, et qu'elles impliquent l'apprentissage des cours d'eaux et des littoraux. Parmi les enjeux principaux figurent l'autorité des capitaines sur leurs propres vaisseaux, dont les équipages ont des origines fort diverses, et l'accès au commerce, et aux espaces et aux Amérindiens riverains qui le rendent possible, bien avant l'accès à des territoires intérieurs presqu'inconnus[14]. Souvent à la remorque des projets de commerçants, les monarques européens improvisent de nouveaux instruments de patronage à coup de privilèges et de commissions. Les récipiendaires de telles grâces, dont les traces s'inscrivent dans les archives de l'État, clament plus fortement pour la postérité la légitimité de leur présence, et l'illégalité de celle de leurs rivaux, qui sont pourtant présents, et parfois aussi tolérés, étant source de nouvelles ou d'approvisionnements précieux, et de savoirs géographiques qui ne figurent pas nécessairement sur des cartes, qu'elles aient survécu ou non. Et surtout, quiconque risque des capitaux dans une aventure outre-Atlantique, s'arme d'un discours légal. Comme le discours royal lui-même, celui-ci peut être mis aux épreuves de la bonne volonté amérindienne, de canons, ou d'instances judiciaires ou diplomatiques métropolitaines[15]. Les Kirke, comme tant d'autres moins visibles et moins bien armés, rentrent ainsi dans un corridor qui est encore fort cosmopolite, ayant fait leur propre calcul préalable de risques et de profits. Ils misent entre autres sur le caractère pluriel et plastique de leurs propres identités, sur le caractère incertain et localisé des savoirs géographiques en Amérique du Nord, sur leur capacité, justement, de débouter l'accusation qu'ils sont des «interlopes».

L'exemple de l'esclavage amérindien

Passons à l'esclavage amérindien, un autre site nouvellement visible du politique en Nouvelle-France. Une historiographie axée sur l'émergence d'une société coloniale française a longtemps occulté les Amérindiens soumis au travail forcé. Même l'ethnohistoire les a éclipsés. Louise Dechêne les voyait dans les sources notariales de l'Île de Montréal avant

1715, mais ne pouvait encore y trouver un sens, ne pouvait les intégrer à la trame de son histoire[16]. Le fait qu'on n'en dénommait que «quelques milliers», pas plus de 5% de la population, et qu'on ne voyait pas de grandes plantations, semblait justifier l'inattention des historiens. Pour Marcel Trudel, qui en avait pourtant fait un décompte, le constat de leur présence suffisait. Après tout, l'esclavage existait dans les autres colonies. Pourquoi la Nouvelle-France en aurait-elle été épargnée?[17] Depuis, ce portrait d'insignifiance s'est effondré, grâce surtout aux travaux de Brett Rushforth. L'on ne peut plus ignorer, par exemple, le fait que la moitié des propriétaires d'immeubles dans le secteur commercial de Montréal (la rue Saint-Paul et la place du marché) sont aussi propriétaires d'Amérindiens[18]. Ces derniers font partie intégrante du paysage urbain du XVIIIᵉ siècle. De nombreux procès, d'actes notariés et paroissiaux témoignent des conditions difficiles de leurs courtes vies. Aussi devient-il de plus en plus difficile d'adhérer au consensus romantique que la Nouvelle-France constituait une zone de colonialisme à la douce[19]. À la place, s'esquisse une image plus sombre, et certainement plus complexe, de la géographie, et de la nature du pouvoir colonial français. Les rencontres franco-amérindiennes ne se limitent pas à de lointains «pays d'en haut», ou à l'échange anodin, entre alliés, de pelleteries, d'articles de métal ou de textiles. Depuis le haut Mississippi, jusqu'au cœur des centres de population coloniale, des rencontres combien plus violentes, coercitives et intimes font partie du quotidien.

En Nouvelle-France, non moins qu'ailleurs, le colonialisme crée ce que certains appellent des régimes de différence, ou d'exception[20]. Dans ce cas précis, ce qui sera interdit de façon ambiguë et contestée en France sera non seulement toléré, mais inscrit dans la législation coloniale à partir de 1709[21]. Cette année, une ordonnance de l'intendant Raudot propose de reconnaître la légitimité et la sécurité d'achats d'Amérindiens ou d'Africains (de «panis» ou de «nègres» dans le langage de l'ordonnance). Le texte est on ne peut plus pragmatique, discret, même, passant sous silence le travail forcé, assimilant la pratique à une forme parmi d'autres «d'engagement», qui a déjà fait la preuve de son «utilité» dans les Antilles. Au Canada, l'acquisition d'Amérindiens se fait depuis un certain temps, en dépit des prohibitions qui existent dans d'autres secteurs de l'empire colonial français, et en dépit de réticences initiales au Canada. La pratique puise effectivement ses sources dans des conditions particulières à cette colonie, et à son vaste réseau d'alliances. À l'origine, ceux qui seront vendus et achetés par des colons sont souvent des captifs saisis dans un premier temps par des Algonquiens et des Sioux. Offerts comme «présents» dans le cadre des rituels du commerce ou des alliances, ils deviendront des biens meubles d'officiers et de marchands. Pendant les guerres contre les Renards, la grande majorité des nouveaux esclaves entrant dans la colonie seront de jeunes garçons de cette nation. La protection des intérêts matériaux de leurs propriétaires sera lourde de conséquences. Si la guerre avec les Renards dure aussi longtemps, et est si meurtrière pour cette nation, c'est que les colons, commençant avec le Gouverneur général, tergiversent autour d'une condition de paix sans cesse articulée : les Renards veulent rapatrier leurs jeunes. Philippe de Rigaud de Vaudreuil n'admet jamais dans la correspondance officielle qu'il possède des jeunes de cette nation. Faut-il s'étonner alors de voir la complicité des notaires, qui dissimulent dans les actes l'appartenance à la nation des Renards, substituant l'ethnonyme plus vague et plus lointain de « Panis » ? On inscrira dans les actes ayant force de loi les origines ethniques qui menacent moins les investissements coloniaux. Loin d'être des relais neutres, les notaires sont aussi imbriqués dans des réseaux politiques. Et enfin, faut-il s'étonner que la même année que l'Intendant sanctionne officiellement l'achat et la vente de « Panis », le Gouverneur général Vaudreuil déplore les unions transculturelles, qui polluent le « bon » sang avec le « mauvais » ?[22]. Ainsi mitige-t-on des scrupules incommodes, et crée-t-on des catégories de personnes que l'on peut priver de liberté.

* * *

J'ai tiré légèrement sur deux petits fils à peine visibles dans le passé du politique en Nouvelle-France. J'aurai même pu les lier ensemble : les maisons de la rue Saint-Paul à Montréal, où l'on trouve tant de propriétaires d'Amérindiens soumis au travail forcé, sont apparemment des zones intimes de souveraineté coloniale forte. Mais dans les deux exemples, ce qui importe, je crois, c'est le rappel suivant : il est rarement justifié de perdre de vue le fait que la Nouvelle-France constituait une formation impériale. Les enjeux politiques à dimension transculturelle, ou impliquant des identités sociales complexes sont loin d'être des anomalies. Au contraire. Elles sont au cœur de cette histoire.

Notes et références

1. Pour un survol critique de l'histoire politique portant sur les structures formelles de l'État, voir Catherine Desbarats, « La question de l'État en Nouvelle-France », Philippe Joutard et Thomas Wien (dir.), *Mémoires de la Nouvelle-France. De France en Nouvelle-France*, Rennes, Presses universitaires de Rennes, 2005, p. 187-198.
2. Voir Alain Guéry sur la tendance des historiens de l'État en France à faire du discours *de* l'État. Alain Guéry, « L'historien, la crise et l'État », *Annales : Histoire, Sciences Sociales*, 1997, n° 2, p. 233–56. Sur les modes discursifs identitaires, voir Frederick Cooper et Rogers Brubaker dans l'article désormais classique, « Beyond Identity » paru d'abord dans *Theory and Society*, 2000, n° 29,

p. 1-47, puis repris dans Frederick Cooper, *Colonialism in Question. Theory, Knowledge, History*, Berkeley, University of California Press, 2005, p. 59-90.

3. C'est ce que révèlent de plus en plus profondément les travaux sur l'esclavage et plus particulièrement sur la révolution haïtienne. Pour une réflexion soutenue sur cette question, voir Susan Buck-Morss, *Hegel, Haiti and Universal History*, Pittsburgh, University of Pittsburgh Press, 2009.

4. Il y a déjà un demi-siècle, Quentin Skinner évoquait le danger de telles réifications dans son «Meaning and Understanding in the History of Ideas», repris dans le volume de James Tully (dir.), *Quentin Skinner and His Critics*, Oxford, Polity Press, 1988, p. 29-67. La critique est reprise avec profit, et dans le contexte de la souveraineté qui nous concerne ici dans James J. Sheehan, «Presidential Address: The Problem of Sovereignty in European History», *The American Historical Review*, n° 111, 2006.

5. Peter Pope, *Fish into Wine. The Newfoundland Plantation in the Seventeenth Century*, Chapel Hill, University of North Carolina Press, 2004.

6. *Fogelson* (Raymond), «The Ethnohistory of Events and Non-events», *Ethnohistory*, vol. 36, n° 2, p. 133-47 contient une discussion pionnière de la notion de non-événement.

7. Sur les origines de l'expression voir Jeremy Black, *Natural and Necessary Enemies: Anglo-French Relations in the Eighteenth Century*, London, Duckworth, 1986.

8. C'est l'optique explicite de Henry Kirke, *The first English Conquest of Canada: with Some Account of the Earlier Settlements in Nova Scotia and Newfoundland*, 2ème édition, Londres, S. Low, Marston, 1908.

9. L'article de James Sheehan, cité dans la note 4, marque le début d'une reconsidération d'envergure pour l'Europe, qui par contre, ne semble pas pallier le problème de la césure entre les approches métropolitaines et coloniales. En revanche, les travaux stimulants de Lauren Benton s'y attaquent de front. Lauren Benton, *A Search for Sovereignty: Law and Geography in European Empires, 1400-1900*, Cambridge, Cambridge University Press, à paraître. C'est aussi le cas de ceux d'Ann Stoler. Ann Stoler, «On Degrees of Imperial Sovereignty», *Public Culture*, vol. 18, n° 1, 2006, p. 125-146, et plus généralement, Ann Stoler et Frederick Cooper, «Between Metropolis and Colony. Rethinking a Research Agenda», dans leur collectif *Tensions of Empire. Colonial Empires in a Bourgeois World*, Berkeley, University of California Press, 1997, p. 1-58, qui touche toutefois presqu'exclusivement à une période ultérieure à celle qui nous concerne.

10. Sur les deux voyages des frères Kirke, voir Maurice Duteurtre, «Jarvis Kirke et ses cinq fils», dans Raymonde Litalien et Pierre Ickowics (dir.), *Dieppe-Canada, cinq cents ans d'histoire commune*, Dieppe, Magellan et Cie, 2004, p. 44-46, et Pope, *op. cit.* chapitre 3. Le récit le plus récent est celui de David Hackett Fischer, *Champlain's Dream. The Visionary Adventurer who Made a New World in Canada*, Toronto, Knopf, 2008, chapitre 20.

11. Selon Bruce Trigger, *Natives and Newcomers*, Montréal et Kingston, McGill-Queen's University Press, 1985, p. 202, citant Lucien Campeau, *Monumenta Novæ Franciæ*, II, *Établissement à Québec, 1616-1634*, Québec, Les Presses de l'Université Laval, Québec, 1979, p. 809, Michel était auparavant un employé de la compagnie détenant le monopole français de la traite des fourrures.

12. Pierre Esprit Radisson épousera le fils de John Kirke, et sera partenaire dans les aventures de la Baie d'Hudson.
13. Peter Pope, *Fish into Wine. The Newfoundland Plantation in the Seventeenth Century*, Chapel Hill, University of North Carolina Press, 2004, p. 79-98, sur les Kirke, et plus généralement sur les liens indissociables entre le commerce de la morue et celle du vin.
14. Voir Lauren Benton, «Spatial Histories of Empire», *Itinerario*, 2006, XXX, p. 19-33. Ses travaux en cours soulignent l'importance des procès de trahison dans la construction de la souveraineté outre-mer. Elle évoque même l'exemple du procès de Jean Duval, en 1608. Lauren Benton, «Treacherous Places: Atlantic Riverine Regions and the Law of Treason», manuscrit, Shelby Cullom Davis Center for Historical Studies, Princeton University, avril 2006.
15. Sur le discours légal chez les «pirates» voir Lauren Benton, «Legal Spaces of Empire: Piracy and the Origins of Ocean Regionalism», *Comparative Studies in Society and History*, vol. 47, n° 4, 2005, p. 700-724.
16. Louise Dechêne, *Habitants et marchands de Montréal*, Paris, Plon, 1974.
17. Je reprends ici l'observation de Brett Rusforth dans son «*A Little Flesh We Offer You*: The Origins of Indian Slavery in New France», *The William and Mary Quarterly*, vol. 60, n° 4, 2003. Voir aussi son compte-rendu de Marcel Trudel, «Deux siècles d'esclavage au Québec» dans *The Canadian Historical Review* , vol. 86, n° 3, 2005, p. 373-375
18. *Ibid.*, par. 2.
19. Pour un énoncé clair du consensus international à ce sujet, voir par exemple, la synthèse comparative du géographe D. W. Meinig, *The Shaping of America: A Geographical Perspective on 500 Years of History. Vol I: Atlantic America, 1492-1800*, New Haven, Yale University Press, 1986: il distingue «l'articulation bénigne de deux peuples autour d'un point d'échange, chaque groupe étant majoritairement situé au sein de territoires séparés, mais rassemblés ensemble dans un même système économique», de ce qu'il voit en Virginie et au Mexique, respectivement, soit «l'expulsion de la population autochtone de la zone colonisée, avec une frontière rigide séparant les deux peuples», ou la «stratification au sein d'une seule société complexe, manifestant divers degrés de métissage ethnique ou culturel». p. 71-72.
20. Voir entre autres, Stoler, «On Degrees of Imperial Sovereignty», p. 135 et suiv.
21. Sur la législation et les débats entourant l'esclavage sur le sol français, voir Sue Peabody, *"There Are No Slaves in France". The Political Culture of Race and Slavery in the Ancien Regime*, New York, Oxford University Press, 1996. Le paragraphe suit Brett Rushforth, «Slavery, the Fox Wars, and the Limits of Alliance», *The William and Mary Quarterly*, vol. 63, n° 1, 2006, p. 63.
22. Guillaume Aubert, «"The Blood of France": Race and Purity of Blood in the French Atlantic World», *The William and Mary Quarterly*, vol. 61, n° 3, 2004.

L'histoire politique au Québec : le régime britannique

LOUIS-GEORGES HARVEY
Université Bishop

La publication de *Québec : quatre siècles d'une capitale,* une histoire politique *de* Québec, démontre que l'historiographie récente consacrée au politique peut se prêter à la confection d'un ouvrage de synthèse qui permet de conceptualiser le vécu politique québécois sur la longue durée[1]. À ce titre, cette remarquable synthèse part d'un constat qui devrait être une évidence : l'histoire politique de la nation québécoise ne se limite pas à celle de l'État provincial créé en 1867 ou encore à l'épopée de ce « Canada français » qui prit forme au milieu du XIXe siècle. Les chapitres signés par Gilles Gallichan sur la période s'étendant de 1760 à 1867 témoignent aussi du renouveau de l'histoire politique au Québec.

La Capitale coloniale

L'histoire politique du Québec après la Conquête doit être abordée dans le contexte d'une politique impériale qui visait à resserrer le contrôle sur les colonies afin de mieux implanter les fondements institutionnels et culturels d'une domination politique durable. Dans les colonies anglo-américaines, dans les territoires de l'Ouest et en Inde, les fonctionnaires impériaux mirent en œuvre des stratégies qui visaient à regrouper des populations hétérogènes sous des gouvernements coloniaux dotés d'un exécutif fort[2]. À ces nouvelles pratiques administratives se greffa un discours identitaire qui reconnaissait plus concrètement l'altérité coloniale tout en proposant une identité commune axée sur la monarchie, la tradition politique britannique et la grande épopée de l'Empire[3].

L'attention portée au rôle de l'exécutif colonial dans le récit de Gallichan permet de bien situer Québec dans cette logique de gouvernance impériale. Puisant souvent dans les articles du *Dictionnaire biographique du Canada*, l'auteur relève les antécédents administratifs de ces fonctionnaires impériaux appelés à la barre de la colonie laurentienne. Or à la lumière de la récente historiographie consacrée à l'Empire, il parait clair qu'une meilleure appréciation du rôle des gouverneurs et des fonctionnaires liés au pouvoir impérial permettrait de mieux saisir la forme québécoise d'une stratégie de domination impériale axée sur le renforcement de l'exécutif et la création d'une hiérarchie ethnique des communautés culturelles regroupées dans les colonies britanniques. Au Québec, comme le démontre Gallichan, la création de cette structure de subordination ethnique s'appuya sur la collaboration active des évêques catholiques et sur la caution qu'elle apporta à un discours de la loyauté basé sur la soumission aux monarques britanniques[4]. Il y a là un thème longtemps négligé qui mériterait un nouvel éclairage.

Le pouvoir de la Couronne s'exprime aussi dans les pratiques et les rites judiciaires et ceux qui sont reliés à la répression et au châtiment. Dans ce domaine, Gallichan intègre bien les perspectives nouvelles apportées dans les nombreux travaux des historiens qui se sont penchés sur l'évolution du système judiciaire et tout l'appareil de régulation de l'ancien régime. S'inspirant des travaux de Donald Fyson, il note les principaux remaniements et réformes du système judiciaire sur la période. Évidemment, puisque le sujet est la ville de Québec, le contexte local des relations entre les sujets canadiens et les diverses instances judiciaires en région demeure sous-développé en rapport à la place qu'elles occupent dans l'historiographie. Quant à la capitale, quelques paragraphes traitent du rôle de la police. Cela dit, cet ouvrage de synthèse permet de constater le rôle important des institutions judiciaires au sein de l'appareil politique monarchique imposé lors des premières décennies du régime britannique[5].

Au-delà de ses formes institutionnelles, l'empreinte du pouvoir colonial britannique sur le Québec se vérifie dans ses nombreuses manifestations culturelles. Il y a là un vaste chantier orienté vers la dimension culturelle du politique qui demeure relativement sous-développée dans l'historiographie québécoise consacrée à la période coloniale[6]. À titre d'exemple, l'appropriation visuelle et cartographique du territoire québécois après la conquête contribue à l'intégration de la colonie dans le discours visuel et géographique de l'Empire britannique tout en préparant l'inscription matérielle de la culture politique britannique dans la colonie. Par l'aménagement des places publiques, ainsi que par la forme de l'architecture publique et militaire, le pouvoir colonial inscrit une symbolique liée à la Couronne dans le paysage des villes québécoises. Dans d'autres contextes coloniaux, des études consacrées à l'architecture publique et aux plans de réaménagement des espaces urbains ont révélé un discours relativement riche dans son expression de la culture politique britannique qui a aussi servi à définir la place et le rôle des colonies au sein de l'empire[7].

L'histoire de la commémoration et celle des monuments renvoient aussi à une imposante littérature sur la symbolique politique et la mémoire qui n'a pas son pendant québécois dans l'historiographe sur la politique à l'époque coloniale. Dans le cas québécois évoqué par Gallichan, l'obélisque érigé à la mémoire de Wolfe et Montcalm sous le patronage du controversé lord Dalhousie en 1828 devait aussi servir de borne signalant aux voyageurs le site du plus grand événement de l'aventure impériale en Amérique. Pour ceux qui ne se rendraient jamais dans la province de Québec, le monument fut représenté dans les dessins de James Pattison Cockburn qui seraient imprimés et diffusés, inscrivant ainsi un discours visuel soulignant l'importance de Québec dans la conscience impériale. Ainsi, l'initiative de Dalhousie enrichissait l'iconographie impériale, mais elle inscrivait aussi sur le paysage québécois un symbole important de la domination britannique et du pouvoir colonial qui a autant marqué le paysage urbain que les fameuses croix des chemins ont marqué le paysage rural[8].

La capitale parlementaire

Alors que le pouvoir royal se met en scène sur les rues de Québec, celui du peuple, ou du moins de son Assemblée législative, se définit davantage par la création d'un espace public qui relève de l'imprimé. En abordant cette dimension de l'histoire de la capitale, Gilles Gallichan puise dans l'importante production historique consacrée à l'histoire de l'imprimé, essentielle à la mise en contexte des idées et du discours politique de l'époque, pour donner un aperçu du commerce du livre, des bibliothèques, et de la production des journaux et des périodiques. La place importante accordée à cette historiographie dans le récit nous rappelle que l'histoire de l'imprimé a préparé le retour du politique dans la production historique consacrée à l'époque coloniale. Dans les ouvrages phares de Jean-Pierre Wallot, de John Hare et de Claude Galarneau, le souci de documenter la présence des imprimés dans la colonie visait à contrer le vieux mythe de l'ignorance des élites canadiennes[9]. Bien que cette interprétation refasse parfois surface dans les travaux de certains historiens, l'essor de l'histoire culturelle au Québec a permis de discréditer le vieux mythe qui présentait le Bas-Canada comme une colonie refermée sur elle-même dont l'élite politique n'était pas à l'affût des grandes tendances idéologiques de son époque[10].

Les perspectives nouvelles issues de l'historiographie récente permettent de mieux apprécier la richesse et la complexité du discours politique colonial. À la subordination ethnique qui était à la base de la domination impériale, les mouvements réformistes bas-canadiens opposèrent un discours qui reposait sur l'idée de l'égalité politique partagée des citoyens du

Bas-Canada. Quelles que fussent leurs opinions sur l'avenir de la colonie, les réformistes, tant francophones qu'anglophones, s'entendaient sur la nécessité de mettre fin au favoritisme et aux privilèges accordés à une certaine caste proche du pouvoir. Capitale parlementaire depuis 1791, Québec se situait au cœur d'une représentation de la collectivité bas-canadienne dans sa dimension civique et territoriale.

Gallichan reprend les principales interprétations de l'historiographie récente consacrée aux idéologies, aux discours et à la culture politique du Bas-Canada afin de tracer les caractéristiques des grands projets identitaires qui s'affrontent au Bas-Canada[11]. À l'instar de plusieurs auteurs récents, Gallichan exagère la portée d'une définition identitaire purement culturelle qu'il associe à Étienne Parent dans le débat des années 1830 et qu'il oppose à un projet identitaire dominant associé à Papineau[12]. Or même si l'attention démesurée portée à Parent peut se justifier par le sujet de l'ouvrage, cette comparaison forcée pour les années avant les insurrections laisse dans l'ombre John Neilson, le véritable chef de la faction québécoise qui mène une campagne contre le projet de société avancée par les patriotes après 1831. Le rôle politique effacé de ce grand publiciste dans le récit de Gallichan renvoie à la relative absence des anglophones dans les études consacrées à l'histoire politique de la période[13]. Yvan Lamonde a souligné le rôle des institutions anglophones dans la diffusion d'une culture politique britannique au Bas-Canada, mais l'analyse du discours politique anglophone avant la Confédération reste à faire. La relative incompréhension de la dimension anglophone du débat politique a permis que de vieux mythes sur le caractère exclusivement réactionnaire de cette communauté continuent d'être propagés, et ce, dans des travaux qui se réclament d'un regard révisionniste quant au caractère ethnique des divisions politiques dans la colonie. Or une des caractéristiques les plus significatives de l'histoire politique du Québec avant 1840 demeure la participation importante des anglophones au sein des mouvements anticoloniaux[14].

L'avènement du gouvernement représentatif en 1791 et les nouvelles définitions de l'identité bas-canadienne qui en découlent apportent un enrichissement indéniable de la culture politique québécoise. Sur le plan de l'architecture, la construction d'un nouveau parlement et les travaux de fortification de la ville au cours des années 1830 reflètent les deux pôles de la vie politique bas-canadienne. Ici, encore, les manifestations matérielles des cultures politiques notées par Gallichan mériteraient un traitement plus approfondi de la part des historiens pour mettre à jour leur portée symbolique et leurs liens aux grands projets identitaires véhiculés dans le discours politique. Pour ce qui est des monuments et de la commémoration, l'auteur nous indique une piste de recherche particulièrement riche à exploiter sur la signification et la symbolique des divers projets commémoratifs et leur relation aux constructions identitaires associées au pouvoir colonial, ou aux projets de sociétés véhiculés par le parti canadien et le parti patriote[15].

Les constructions identitaires observées dans le discours se manifestent aussi dans les expressions culturelles et symboliques du politique. Les rites politiques observés au Bas-Canada reflètent les contradictions du régime colonial ainsi que le choc des idées monarchiques et démocratiques que produit le régime parlementaire. La culture politique monarchique associée au pouvoir colonial s'étale dans une série de manifestations publiques qui se déroulent avec éclat sur les rues et les places publiques de la capitale. Des études plus approfondies inspirées d'une approche anthropologique permettraient de mieux apprécier la signification de ces rites associés au pouvoir dominant. Les auteurs de *Québec : quatre siècles d'une capitale* nous convient à cette tache par leur énumération des instances où ils se déploient ; entre autres lors des arrivées et départs des gouverneurs, à l'occasion des faits d'armes britanniques et au moment de la mort du souverain[16]. Simultanément, les rites associés au pouvoir du peuple émergent autour du parti patriote et de ses chefs lors des manifestations à caractère patriotiques et lors des élections. À titre d'exemple, les banquets patriotiques avec leurs toasts au peuple ou à leurs chefs, à la liberté ou encore à l'éducation, deviennent un phénomène important qui marque la culture politique bas-canadienne[17]. Or ces rites associés au pouvoir populaire s'inspirent de traditions britanniques et d'emprunts aux traditions républicaines françaises et états-uniennes. On peut être loin des festivals révolutionnaires étudiés par Mona Ozouf, mais ces manifestations publiques demeurent des occasions de définir la citoyenneté et d'inculquer des notions de vertus civiques. Sur ce plan, les grands rassemblements politiques qui ont lieu à l'échelle de la province entre 1834 et 1837 méritent un regard nouveau. En effet, même les grandes assemblées populaires de l'été 1837 ont été plus souvent associées à la culture traditionnelle de la paysannerie qu'à l'expression culturelle d'un mouvement politique[18].

Au moment des Rébellions, la ville de Québec vit plutôt à l'enseigne de la répression que celle de la révolution et Gallichan trace habilement le portrait d'une capitale sous la férule du régime répressif imposé à la colonie. Le regard porté exclusivement sur la ville de Québec au moment des Rébellions procure une perspective particulière sur les événements de 1837-1838. Ainsi, le moment insurrectionnel assume une place bien moins imposante dans cet ouvrage de synthèse qu'il ne le fait dans l'historiographie. Les multiples dimensions des Rébellions et leurs énormes répercussions politiques et culturelles en font un point de rupture non négligeable de notre histoire. Par contre, la place démesurée des Rébellions dans l'historiographie crée des apories temporelles qui souvent portent les historiens à poser un regard anachronique sur les années 1820 et 1830.

Sur le plan de l'histoire politique, l'attention démesurée portée aux années 1834 à 1840 a laissé dans l'ombre les premières décennies du parlementarisme québécois. Les ouvrages de synthèse, comme celui de Gilles Gallichan, adoptent une forme plus narrative qui, sans pour autant verser dans un récit purement événementiel, permet de restaurer une temporalité plus fine[19].

La capitale culturelle

Dans *Québec : quatre siècles d'une capitale* il est brièvement question de Lord Durham et du travail de ses commissions, mais Gallichan ne s'attarde pas sur le rôle de cet émissaire métropolitain qui finira par redéfinir les rapports de force dans la colonie et rétablir les mécanismes de domination qui assureraient la pérennité du projet impérial. La synthèse se montre ici moins sensible à l'historiographie récente qui assimile la venue de Durham aux premiers balbutiements des régimes culturels et politiques associés à l'avènement de l'État libéral au Canada[20]. Pourtant, l'incertitude même du statut de la vieille capitale coloniale appelle à une analyse plus poussée des transformations dans les modes de régulation sociale et des instruments de domination et d'encadrement de la vie politique qui apparaissent dans la période de l'union et qui ne sont pas sans importance tant pour la ville que pour la société québécoise[21]. L'annexion de 1840 ne tarde pas à susciter des projets identitaires qui consacrent les nouveaux rapports de domination en vidant la collectivité québécoise de sa signification politique au profit d'une construction culturelle canadienne-française. Or cette transition n'a jamais été étudiée dans une véritable perspective postcoloniale ; elle fut plutôt édulcorée dans des interprétations qui, misant sur des concepts flous tels la prétendue ambiguïté du peuple québécois ou le dualisme canadien, s'inspiraient des formules mêmes qui ont conforté la subordination nationale essentielle à la promotion du nouveau régime et qui se sont perpétuées à la faveur de l'État fédéral mis sur pied en 1867[22].

Pour Gallichan, le principal intérêt des années du régime de l'Union se situe dans l'évolution de Québec comme capitale culturelle du Canada français. Pourtant, lors de cette période, la symbolique reliée à l'identité politique britannique s'imprima encore davantage sur le paysage commémoratif de la capitale qui s'enrichit de nouveaux monuments marquant la Conquête. Le repli culturel des années de l'Union a sans doute conditionné la thématique abordée dans le livre, mais cette préoccupation masque des traits importants de l'histoire de la capitale qui modifièrent sensiblement son visage politique et culturel. Curieusement, les milliers d'immigrants irlandais arrivés dans la ville sont passés complètement sous silence. Les travaux de Robert Grace montrent bien que les immigrants irlandais s'intègrent mieux dans la vielle capitale qu'ils ne le firent ailleurs au Canada et aux États-Unis. L'absence des Irlandais dans cette histoire de Québec souligne que la dimension urbaine de la politique et le rôle des diverses communautés culturelles demeurent des sujets relativement peu exploités[23].

Conclusion

Quelques pages ne suffisent pas à résumer la production historique consacrée au politique durant la période de la domination coloniale britannique. Les réflexions inspirées par la synthèse de Gallichan permettent toutefois de noter tant les progrès importants que les limites de l'historiographie vouée au politique au cours des dernières années. Au-delà de l'histoire institutionnelle et de celle des discours politiques, la production historique québécoise n'a pas toujours su définir la culture politique dans un sens plus large qui permettrait d'apprécier la signification de ses manifestations matérielles et symboliques. L'inscription de l'expérience québécoise dans le cadre de l'identité britannique en construction dans l'Empire demeure aussi à clarifier, et il faudrait mieux comprendre le développement et l'implantation de cette même identité au Bas-Canada. La complexité des enjeux identitaires au Bas-Canada révélés dans l'historiographie appelle à une meilleure compréhension de la culture politique des anglophones qui fut beaucoup plus complexe que le laissent entendre les stéréotypes encore véhiculés sur son caractère exclusivement tory et loyaliste. Il est tout à l'honneur des auteurs de *Québec : quatre siècles d'une capitale* qu'ils aient su lancer quelques hypothèses sur ces thèmes et indiquer des pistes de recherche vouées à enrichir notre compréhension de l'histoire politique du Québec.

NOTES ET RÉFÉRENCES

1. Christian Blais, Gilles Gallichan, Frédérick Lemieux, Jocelyn Saint-Pierre *Québec : Quatre siècles d'une capitale*, Québec, Les publications du Québec, 2008.
2. Elizabeth Mancke, « Another British America : A Canadian Model for the Early Modern British Empire », *The Journal of Imperial and Commonwealth History*, vol. 25, no 1, 1997, p. 1-36 ; Mancke, « Modern Imperial Governance and the Origins of Canadian Political Culture », *Canadian Journal of Political Science/Revue canadienne de science politique*, vol. 32, n° 1, mars 1999), p. 3-20 ; P. J. Marshall, *The Making and Unmaking of Empires : Britain, India and America c. 1750-1783*, Oxford, Oxford University Press, 2005 ; Elija H. Gould, *The Persistence of Empire : British Political Culture in the Age of the American Revolution*, Chapel Hill N.C., University of North Carolina Press 2000 ; Gould, « A Virtual Nation : Greater Britain and the imperial legacy of the American Revolution », *American Historical Review* , vol. 104, n° 2, avril 1999, p. 476- 489.

3. Catherine Hall, *Civilizing Subjects: Colony and Metropole in the English imagination, 1830-1867*, Chicago, University of Chicago Press, 2002; Kathleen Wilson, *Island Race: Englishness Empire and Gender in the Eighteenth Century*, London, Routledge, 2003; Wilson, « Introduction, Histories, Empires, Modernities » dans *A New Imperial History: Culture, Identity, and Modernity in Britain and the Empire, 1660-1840* , Cambridge, Cambridge University Press, 2004.

4. *Québec: quatre siècles d'une capitale*, p. 162.

5. Donald Fyson, *Magistrates, Police, and People. Everyday Criminal Justice in Quebec and Lower Canada, 1764-1837*, Toronto, University of Toronto Press, 2006; Frank Murray Greenwood, Barry Wright (dir.), *Canadian State Trials, Volume 1 Law, Politics and Security Measures, 1608-1837, Volume 2, Rebellion and Invasion in the Canadas, 1837-1839*, Toronto, University of Toronto Press, 1996, 2002; Jean-Marie Fecteau, *Un nouvel ordre des choses: la pauvreté, le crime, l'État au Québec, de la fin du XVIIIe siècle à 1840*, Montréal, VLB éditeur, 1989.

6. Sur l'apport de l'histoire culturelle à l'histoire politique dans le contexte français voir Sudhir Hazareesingh, « L'histoire politique face à l'histoire culturelle : état des lieux et perspectives », *Revue historique*, n° 642, 2007, p. 355-368.

7. L'appropriation visuelle du paysage québécois est abordée dans John E. Crowley, « Taken on the Spot: The Visual Appropriation of New France for the Global British Landscape », *Canadian Historical Review (CHR)*, vol. 86, n° 1, mars 2005, p. 1-28. Sur le rôle de la cartographie, voir l'exemple de Halifax dans Jeffers Lennox, « An Empire on Paper: The Founding of Halifax and Conceptions of Imperial Space, 1744–55 », *CHR*, vol. 88, n° 3, septembre 2007, p. 373-412. Le lien entre la conception des espaces et des édifices publics et l'inscription des colonies dans une logique de gouvernance impériale est exploré pour l'Australie dans Michael Rosenthal, « London versus Sydney, 1815-1823 : the politics of colonial architecture », *Journal of Historical Geography*, n° 34, 2008, p. 191-219.

8. *Québec: quatre siècles d'une capitale*, p. 231-233; Alain Parent, *Entre empire et nation: les représentations de la ville de Québec et de ses environs, 1760-1833* , Québec, Presses de l'Université Laval, 2005, p. 225-233.

9. John Hare et Jean-Pierre Wallot, *Les imprimés dans le Bas-Canada, 1801-1840: bibliographie analytique, vol. 1 1801-1810*, Montréal, Presses de l'Université de Montréal, 1967; Wallot, « Frontière ou fragment du système Atlantique : des idées étrangères dans l'identité bas-canadienne au début du XIXe siècle », *Historical Papers/Communications historiques*, 1983, p. 1-29; Claude Galarneau, *La France devant l'opinion canadienne*, Québec, PUL, 1970; Galarneau, « Les métiers du livre à Québec, 1764-1754 », *Cahiers de dix*, n° 43, 1983, p. 143-165; Galarneau et Maurice Lemire (dir.), *Livre et lecture au Québec, 1800-1850*, Québec, IQRC, 1988.

10. Gilles Gallichan, *Livre et Politique au Bas-Canada, 1791-1849*, Québec, Septentrion, 1991, a montré la richesse du corpus d'œuvres politiques à la disposition des législateurs bas-canadiens. Sur cette question, voir aussi Yvan Lamonde, *Histoire sociale des idées au Québec, 1760-1896*, Montréal, Fides, 2000.

11. Sur le discours politique comme projet identitaire, voir Jean-Marie Fecteau, « Écrire l'histoire de l'État », *Bulletin d'histoire politique*, vol. 15, n° 3, 2007, p. 109-115.

12. *Québec: quatre siècles d'une capitale*, p. 224-226, p. 235-236 et p. 238. Voir aussi Lamonde, *Histoire sociale des idées*, ch. III, IV, VI. On retrouve également cette opposition entre Papineau et Parent dans des ouvrages plus anciens tels Mason Wade, *The French Canadians, 1760-1945*, Toronto, Macmillan, 1955.

13. Papineau et les patriotes identifient Neilson comme un adversaire de taille à partir de 1831 et, paradoxalement, Étienne Parent répond aux attaques de la *Gazette* de Neilson au nom du parti. Voir Louis-Georges Harvey, *Le printemps de l'Amérique française. Américanité, anticolonialisme et républicanisme dans le discours politique québécois, 1805-1837*, Montréal, Boréal, 2005, ch. IV.

14. Yvan Lamonde, *Histoire sociale des idées*, ch. II et V; J. I. Little, *Loyalties in Conflict. A Canadian Borderland in War and Rebellion 1812-1840*, Toronto, University of Toronto Press, 2008, remet en question le mythe du torysme des anglophones des Townships.

15. *Québec: quatre siècles d'une capitale*, p. 233-234.

16. *Idem.*, p. 182, 190-191, 205 et 214-215.

17. Les toasts étaient à ce point identifiés au mouvement patriote que Durham abandonna la tradition. Voir Bruce Curtis, « The "Most Splendid Pageant Ever Seen" : Grandeur, the Domestic, and Condescension in Lord Durham's Political Theatre », *CHR*, vol. 89, n° 1, mars 2008, p. 55-88.

18. Mona Ozouf, *La fête révolutionnaire*, Paris, Gallimard, 1976; Allan Greer, *The Patriots and the People. The Rebellion of 1837 in Rural Lower Canada*, Toronto, University of Toronto Press, 1993.

19. *Québec: quatre siècles d'une capitale*, p. 238-240 et 250-255; sur la temporalité voir Martin Paquet, « Histoire sociale et histoire politique au Québec: esquisse d'une anthropologie du savoir historien », *Bulletin d'histoire politique*, vol. 15, n° 3, 2007, p. 83-101.

20. Sur Durham et son entourage, voir Curtis, *op. cit*; « Irish Schools for Canada : Arthur Buller to the Bishop of Quebec, 1838 », *Historical Studies in Education* vol. 13, n° 1, 2001, p. 39-50; « The Buller Education Commission; or, The London Statistical Society Comes to Canada, 1838–42 », dans . J.-P. Beaud and J.-G. Prévost (dir.), *The Age of Numbers/L'ère du chiffre*, Québec, Presses de l'Université du Québec, 2000, p. 278–97; Janet Ajzenstat, *The Political Thought of Lord Durham*, Montreal, McGill-Queens University Press, 1988.

21. Jean-Marie Fecteau, *La liberté du pauvre. Crime et Pauvreté au XIXe siècle québécois*, Montréal, VLB éditeur, 2004, situe l'avènement de la culture politique libérale dans le contexte d'un grand mouvement à l'échelle de l'Occident.

22. Voir par exemple Jocelyn Létourneau, *Passer à l'avenir. Histoire, mémoire et identité dans le Québec d'aujourd'hui*, Montréal, Boréal, 2000, et *Le Québec, les Québécois: un parcours historique*, Québec, Musée de la Civilisation/Fides, 2004.

23. Robert Grace, « A Demographic and Social Profile of Quebec City's Irish Populations, 1842-1861 », *Journal of American Ethnic History*, vol. 23, n° 1, automne 2003, p. 55-84 et « Irish Immigration and Settlement in a Catholic City : Quebec 1842-61 », *Canadian Historical Review*, vol. 84, n° 2, juin 2003, p. 217-251.

Le politique en histoire des idées

Yvan Lamonde
Département de langue et littérature françaises
Université McGill

Ceux qui évaluent aujourd'hui l'évolution de l'histoire politique partent d'un moment historiographique où l'histoire européenne et états-unienne réglait leur compte à l'histoire militaire et à l'histoire politique, celle des grands hommes et des partis, celle des vieux pouvoirs qui, depuis le XIXe siècle, scandaient et périodisaient le temps et l'historiographie. Mais il convient de partir de notre propre historiographie, ne serait-ce que parce que l'histoire militaire, par exemple, n'a jamais eu au Canada français de réelle importance avant les années 1970. Il ne faut donc pas importer aujourd'hui des débats qui n'ont pas eu lieu ou qui ont pris d'autres formes. Il faut aussi pondérer l'histoire politique au Québec sur un fond historique où la politique a joué et a dû jouer un rôle premier et soutenu. Les « luttes constitutionnelles » traversent quasi par nécessité l'histoire du Québec. On pourrait presque suggérer que la politique tout autant que la religion furent « l'opium du peuple ». En ce sens, toute discussion sur l'histoire politique n'y prend-elle pas une signification fort différente qu'un débat sur l'historiographie de l'histoire économique ?

La « vieille » histoire politique

J'imagine qu'au Québec, le bouc émissaire de l'histoire politique fut d'abord et avant tout Robert Rumilly pour son œuvre essentiellement d'histoire politique, pour le conservatisme qui y prévaut, pour un type de récit – l'auteur est le narrateur omniscient – et pour son côté non-universitaire – la fameuse absence de sources. Fait-on une place à Thomas Chapais – qui l'a lu ? – à un historien bien informé mais dont le récit est marqué ?

Cette histoire politique dont il fallait s'éloigner inclut-elle le constitutionnaliste Jean-Charles Bonenfant, Marc La Terreur, décédé prématurément, et Marcel Hamelin qui essayaient, chacun à sa façon, de donner un nouveau style à l'histoire politique? Bref, de quel « repoussoir » parle-t-on vraiment? Y a-t-il vraiment eu au Québec un impérialisme historiographique de l'histoire politique, une domination « savante » ou plutôt une production historique enrobée de l'esprit du temps, celui qui prévalait en 1947 au moment de la fondation des départements d'Histoire à l'Université Laval et à l'Université de Montréal? De quoi parle-t-on au juste: d'un poids dont il fallut se délester ou d'un refus symbolique, prétexte à l'affirmation d'un autre soi historiographique? La question du domaine historiographique cache-t-elle celle des générations?

L'École des *Annales* et le marxisme

L'influence de l'École des *Annales* et du marxisme a simultanément délité une certaine histoire politique de son cours; la première en proposant d'autres instances (économie, société [variété de pouvoirs], civilisation) de pouvoir, la seconde en suggérant que tout pouvoir est idéologique et déborde singulièrement LA politique, en particulier la politique capitaliste. Ces deux courants consolidaient la primauté de l'économique et du social et on ne voyait plus comment on pouvait faire de l'histoire politique ou de l'histoire culturelle (dans mon cas) sans les insérer dans l'englobant social. Mais, faut-il ajouter, sans jamais oublier qu'il y a toujours quelque part du pouvoir en cause; si le pouvoir politique s'estompait dans la diversité des instances, il ne disparaissait pas pour autant. Habitué à le voir mener le cortège, on l'imaginait mal à la traîne. Et puis les anciens monopoles devaient bien expier, au moins au purgatoire!

Symptomatiquement, l'éclatement de l'histoire politique coïncida avec celui de la politique traditionnelle. Le contexte politique même du Québec faisait la preuve de l'éclatement du bipartisme traditionnel – Parti Républicain de Marcel Chaput, Crédit social de Camille Samson, Rassemblement pour l'indépendance nationale, Mouvement souveraineté-association, Parti Québécois. Les vieilles figures (Duplessis, Barrette) disparaissaient au profit d'une « équipe du tonnerre ». Le syndicalisme devenu plus militant gagnait les associations de professeurs d'universités. Les instances de pouvoir se diversifiaient en se nommant.

De multiples façons, l'histoire était, déjà avant 1960, partie prenante du débat public depuis au moins l'époque de fondation des départements d'histoire; Jean Lamarre a bien documenté cette période historiographique. Au moment où il fonde l'Institut d'histoire de l'Amérique française et se met à la pratique historienne plus systématiquement, plus scientifiquement, l'abbé Lionel Groulx avait connu ses grandes heures avant et au moment de l'élection de Maurice Duplessis en 1936 et du

Deuxième Congrès de la langue française en 1937. Guy Frégault avait été un non-conformiste dans la seconde moitié de la décennie 1930, et en 1950 *Cité libre* amorçait un débat politique et idéologique qui ne laissera indifférents ni Maurice Séguin ni Michel Brunet ni, plus tard, Jean-Paul Bernard. Le Mouvement laïc de langue française (1961) attire Marcel Trudel, qui a commencé sa carrière avec une histoire de l'influence voltairienne au Canada (1950), et Fernand Ouellet, qui écrit sur la laïcisation du système scolaire au XIXe siècle. Mon propos est de rappeler que, au-delà de la transformation de la politique classique, identifiée au fameux « esprit de parti » que les milieux nationalistes dénoncent depuis le début du XXe siècle et qu'au moment de la reconstruction, difficile, du Parti libéral du Québec, un débat public engageant se tient et que l'idéologique peut y croître naturellement, tout comme les idées et l'histoire des idées. Ne serait-ce que dans les contestations variées de Groulx, du groulxisme et de « notre maître, le passé », l'histoire était traversée par le politique et l'idéologique. Ce qui n'a rien de surprenant, on en conviendra plutôt facilement.

C'est dans ce contexte civique et historiographique qu'on s'est mis à faire de l'histoire sociale. F. Ouellet, Jean Hamelin, Yves Roby, Alfred Dubuc explorèrent le domaine de l'histoire économique et du capital, mais assez rapidement la dimension du travail l'emporta sur celle du capital et la recherche sur l'histoire de l'organisation syndicale et du monde ouvrier occupa rapidement le devant de la scène au moment des grandes contestations étudiantes, ouvrant à l'histoire sociale l'une de ses principales avenues. C'est dans ce contexte que se sont constituées une histoire intellectuelle et une histoire culturelle dont j'explorerai quelques parcours en essayant d'y montrer la présence du politique.

L'histoire des idées (aussi politiques)

Philippe Sylvain, Jean-Paul Bernard, Jean-Pierre Wallot, John Hare, Nadia Fahmy-Eid ont donné le branle à une histoire qu'on ne qualifia guère alors, sinon par ses objets spécifiques : le libéralisme, l'ultramontanisme, la révolution atlantique, le lexique constitutionnel et politique. Leurs recherches étaient amorcées au moment où Fernand Dumont, Jean Hamelin et Jean-Paul Montminy lançaient leur séminaire annuel en sociologie et en histoire sur « les idéologies au Canada français ». À la croisée du marxisme et de la sociologie, le mot-phare était bien celui-là : « idéologies ». Du coup, l'identification de deux courants d'idées majeurs qui avaient marqué la vie et les institutions politiques, le libéralisme et l'ultramontanisme, illustrait la reconduction du politique sur un autre mode, la focalisation se faisant dorénavant sur les idées politiques qui menaient les partis, le clergé, la presse, objets et sources d'enquêtes. Une décennie d'analyse des idéologies et de publication des recherches des séminaires fit voir et la richesse et les limites de l'approche : la «grille d'analyse» devenait répétitive et faisait voir ses trous noirs et ses angles morts.

L'étude du libéralisme et de l'ultramontanisme avait mis en évidence des canaux d'expression et de diffusion de ces courants d'idées, ne serait-ce que parce qu'il fallait bien trouver des sources documentaires. La presse – *L'avenir, Le Pays, Le Nouveau Monde* –, les associations – l'Institut canadien de Montréal, l'Union catholique de Saint-Hyacinthe –, les imprimés – brochures, pamphlets –, contribuaient à préciser les contours d'un milieu culturel et civique où le débat idéologique et politique paraissait de plus en plus intense. De fait, la transformation globale qui s'opéra alors correspondait essentiellement au passage de la politique au politique. Réduite aux partis, aux hommes politiques, aux élections et aux cabinets gouvernementaux, LA politique ne scandait plus la vie, surtout avec l'industrialisation et après la perte de crédibilité qu'avait connue une certaine forme de vie politique au moment de la Crise. En retrouvant dans la presse et dans le phénomène associatif l'activité plus quotidienne de la sociabilité et de la société civile, le politique reprenait des droits, autrement, lesté de social.

Société civile et débat civique

Je ne pense pas avoir fait de l'histoire politique en publiant les deux premiers tomes de mon histoire sociale des idées de 1760 à 1896 et de 1896 à 1929. J'ai déjà assez de distance par rapport à cette aventure pour voir que ce que j'y ai fait d'essentiel, c'est une histoire de la démocratie et du combat pour les libertés au Québec, sur une période de deux cents ans. C'est la rédaction du troisième tome (1929-1965) qui me rend évidents ces objectifs[1]. Sans être dans la politique, on y est constamment dans la société civile et dans le débat civique. L'apport de la synthèse de 1760 à 1965 est surtout de fournir une totalité de référence de façon à ce que chaque citoyen puisse y tester sa conscience historique civique et intellectuelle. De la même façon, la prise en compte de la diversité des héritages politico-intellectuels EXTÉRIEURS du Québec – la France, la Grande-Bretagne, les États-Unis et l'Amérique et le Vatican – induit une représentation de soi civique, globale, et invite à constamment situer l'expérience québécoise dans ses trames internationales. Le même souci présidait à la prise en compte des mouvements d'émancipation nationale dans mon analyse des Rébellions, tout comme mes recherches ont ouvert l'insertion du Québec dans une francophonie historique qui inclut tout autant la Belgique et la Suisse que la France. Je ne faisais pas de l'histoire politique et je ne faisais pas que de l'histoire intellectuelle. Le temps des domaines autonomes était fini.

Autre exemple pour montrer qu'on s'intéresse à la vie publique ou politique en ne faisant pas de l'histoire politique : l'étude de la sociabilité. L'analyse des formes – lieux, moments – que se donnent des groupes sociaux pour échanger argent, idées et solidarité parle de la vie commune.

Imprimés et expérience politique

J'essaie donc de multiplier les cas de figure où l'histoire intellectuelle et culturelle a pris le politique comme objet. Cette approche ne propose pas pour autant un programme nouveau à une nouvelle histoire politique, mais chaque fois est confortée l'idée d'une pollinisation des domaines historiographiques. Les études publiées dans les trois tomes de *Histoire du livre et de l'imprimé au Canada* (PUM), et en particulier celles portant sur la période couvrant les XVIIIᵉ et XIXᵉ siècles, ont bien fait voir comment l'opinion publique naît à la jonction de l'apparition et de la vie parlementaire et de l'imprimerie. La vie de la cité est fonction de celle du public, de la publication comme l'ont montré les travaux de Gilles Gallichan et de Patricia Fleming, par exemple. La censure civile de l'opinion, celle de Joseph Howe en Nouvelle-Écosse ou de Daniel Tracey et Ludger Duvernay au Bas-Canada, la censure du *Canadien* et de la gazette de William Lyon MacKenzie à York rappelle comment l'expression des idées dont l'imprimé assure la trace participe d'un même lexique du public.

L'histoire des intellectuels

La définition même que Pascal Ory et Jean-François Sirinelli ont donnée de l'intellectuel – l'homme du culturel mis en situation du politique – indique la proximité naturelle entre histoire intellectuelle et histoire politique. L'arborescence des courants d'idées au Québec que j'ai publiée en annexe à mon ouvrage *Historien et citoyen* donne une idée concrète de la sphère dans laquelle se meuvent les formulateurs et les diffuseurs des idées. On y observe tout autant la société politique que la société civile, indice que depuis un moment on est sorti de la politique.

Ce sont de tels exemples, tirés ici de l'histoire intellectuelle, qui pourraient nourrir une conceptualisation nouvelle de l'histoire politique, d'une histoire politique dégagée de ses réductions anciennes et engagée librement et autrement dans des objets à identifier.

Notes et références

1. La conférence au Musée des Civilisations, *Trajectoires de l'histoire du Québec*, Montréal, Fides, 2001, en formula une première conscience sur laquelle je suis revenu dans *Historien et citoyen. Navigations au long cours*, Montréal, Fides, 2009.

La Révolution tranquille et ses suites :
l'histoire politique en question

Michel Sarra-Bournet
Chargé de cours
UQAM et Université de Montréal

Il m'incombe de commenter, plus que de critiquer, la partie contemporaine de l'imposant ouvrage de mes collègues de Québec. Merci à la Chaire Hector-Fabre d'histoire du Québec d'avoir imaginé cet événement qui me rappelle à bien des égards la table ronde que l'Association québécoise d'histoire politique avait organisée le 7 février 1995 autour de l'article de Ronald Rudin sur le « révisionnisme » en histoire du Québec[1]. Tout comme le texte à l'étude, la table ronde fut un événement qui permit à plusieurs historiens de se pencher sur la production historienne des décennies précédentes et de prendre la mesure des tendances historiographiques. Aujourd'hui, l'occasion est belle de répéter l'expérience à partir d'un ouvrage d'une facture qui se fait rare : cette fois-ci, c'est d'une synthèse d'histoire politique qu'il s'agit.

Ce texte sera divisé en deux parties. Tout d'abord, on y trouvera une appréciation du livre sur le plan de la méthode. Ensuite, la discussion s'élargira pour traiter de l'évolution récente du champ de l'histoire politique et de ses perspectives d'avenir.

Qu'est-ce que l'histoire politique ? Autrefois, cette expression renvoyait à l'histoire des grands personnages, généraux ou présidents, et des grands événements, guerres ou révolutions. Elle s'est développée pour englober l'action de l'État, souvent dans ses dimensions électorales et parlementaires. L'histoire politique a longtemps été la forme par excellence du récit historique : elle en dictait la trame. Maintenant que l'histoire sociale est dominante, l'histoire politique n'en constitue plus qu'une facette parmi d'autres. L'histoire politique s'intéresse maintenant à toutes les relations de pouvoir, pas seulement ses manifestations dans le cadre de l'État-nation.

En quoi cet ouvrage serait-il de l'histoire politique ? Il traite de l'histoire d'une grande ville, mais d'un type particulier : Québec est une capitale. En effet, c'est d'abord et avant tout le développement de Québec en tant que capitale qui en fournit le principal fil conducteur. On ne s'en surprendra guère, puisque le principal commanditaire du projet est l'Assemblée nationale. Cela se reflète notamment dans la périodisation : les grandes parties du texte sont séparées par les années 1608, 1759, 1838, 1867 et 1960.

On m'a demandé de m'intéresser plus particulièrement à la cinquième partie du livre, celle qui porte sur la Révolution tranquille et ses suites. Les années 1960 et 1970, en particulier, ont été témoins d'une intense politisation de la société québécoise et furent une période de modernisation accélérée des institutions politiques. Sans surprise, la croissance de l'État québécois se fit sentir d'une manière particulièrement visible à Québec. Mais la Révolution tranquille fut aussi une révolution sociale, culturelle, intellectuelle et morale. La section du livre intitulée «Québec : capitale du Québec moderne» propose donc un traitement classique de cette période, en ce qu'elle met l'accent sur la modernisation des institutions politiques.

L'historiographie de la Révolution tranquille englobe un certain nombre de perspectives qui sont souvent influencées par le contexte de production intellectuelle. Les premiers à se pencher sur cette période n'avaient pas le détachement nécessaire pour analyser sans passion les phénomènes qui se déroulaient sous leurs yeux et dont ils étaient souvent les acteurs en plus d'en être témoins. La génération qui a fait la Révolution tranquille est la même qui a combattu le conservatisme de Duplessis. Elle avait tendance à accentuer le contraste entre la «Grande Noirceur» et la «Révolution tranquille»[2].

L'incorporation des méthodes des sciences sociales dans le travail d'une nouvelle génération d'historiens a donné lieu à un virage important : dès lors l'année 1960 n'apparaît plus comme le début d'une «révolution», mais d'un rattrapage plus apparent que réel, la modernisation du Québec s'étant amorcée au XIXe siècle[3]. Cette approche «révisionniste» fut à son tour battue en brèche par des chercheurs critiques de certains aspects de la modernisation du Québec ou de l'apparence d'unanimité qu'elle aurait suscitée[4].

Tant pour la Révolution tranquille que pour l'ensemble des époques qu'elle couvre, la synthèse que nous avons entre les mains évite de tomber dans l'un ou l'autre de ces pièges. Elle est écrite avec un sain détachement du sujet, à l'aide d'une méthode historique éprouvée. En effet, les auteurs ont tiré parti des sources nouvellement disponibles, comme le Fonds Jean-Lesage qui a été traité récemment. Il s'agit de la première étude qui couvre l'ensemble de la période contemporaine qui ne soit pas écrite par des politologues ou des journalistes.

À la lecture d'un ouvrage d'une telle qualité et d'une telle envergure, on ne peut éviter de se poser la question : où est passée l'histoire politique, celle qui raconte l'histoire nationale en suivant l'évolution des grands récits collectifs à travers le débat démocratique ? Trois tendances lourdes qui ont influencé tant la recherche historique que l'enseignement de l'histoire depuis quatre décennies l'ont fait aux dépens de l'histoire politique : l'histoire sociale, l'histoire-monde et l'histoire culturelle.

La première de ces tendances est la montée en force, sous l'influence des sciences sociales, de «l'histoire sociale»[5]. Traditionnellement, l'histoire était enseignée sur un mode chronologique, et faisant une large place aux événements politiques et aux grands personnages. Cette approche a été critiquée. On a jugé cette histoire «événementielle» superficielle et élitiste[6]. Les critiques de l'histoire politique traditionnelle ont allégué qu'elle s'intéressait trop à des épiphénomènes et excluait les grandes tendances qui ont balayé l'Occident au cours des deux derniers siècles. Première conséquence, le virage «histoire sociale» banalise les particularités de l'histoire du Québec en faisant ressortir son adhésion à un modèle général de développement économique et social. Cette approche pose également l'individu et tout le champ du politique comme déterminé, et réduit par conséquent l'importance du volontarisme (*human agency*).

L'effacement du politique en histoire est également lié la montée de «l'histoire-monde». Dans une communication présentée au congrès de l'Institut d'histoire de l'Amérique française l'historienne Michèle Dagenais de l'Université de Montréal a observé qu'à l'heure de la mondialisation, le cadre national est partout remis en question. Depuis 1867, le cadre historique est ou bien canadien ou bien québécois, contribuant ainsi à la légitimation de l'État. Depuis lors, le rapport avec le monde a été relégué aux relations internationales. Or au lieu de perpétuer par automatisme ce *methodological nationalism* qui confond l'État-nation et la société, il faudrait plutôt, selon elle, examiner les dynamiques transnationales, car toutes les dynamiques territoriales n'agissent pas au même échelon. Parce qu'il postule un tout homogène et distinct et une approche linéaire et qu'il nie ainsi les multiples expériences particulières de groupes en marge de la majorité, le cadre historique québécois devait être problématisé au lieu d'être essentialisé. Ainsi, conclut-elle, faudrait-il séparer histoire et nation[7]. L'histoire-monde est désormais en vogue dans la communauté des historiens. L'histoire nationale succomberait donc à l'effacement d'un phénomène éphémère, l'État-nation. La mondialisation serait, en effet, la cause première de la dissolution du national. Selon le sociologue Gilles Bourque, à l'ère de «l'érosion des pouvoirs de l'État-nation, il est non seulement nécessaire mais urgent de s'interroger sur l'histoire nationale (…) Je crois donc dans la nécessité d'une histoire supranationale»[8].

Enfin, une dernière tendance affaiblit le politique, mais par le bas cette fois-ci, au contraire de l'histoire sociale et de l'histoire monde : c'est «l'histoire culturelle». Comme en France où, parallèlement à l'impulsion donnée à l'histoire sociale par l'école des Annales, s'est développée l'histoire des mentalités[9], le Québec a découvert une forme d'histoire culturelle qui accorde une place centrale à la subjectivité de l'individu, dans la foulée de l'éclatement des identités[10]. L'individualisme et le relativisme caractéristiques de notre époque militeraient non seulement contre le récit collectif nationalitaire, mais aussi contre certaines formes d'explications structuralistes héritées de la sociologie et qui ont longtemps été en vogue en histoire sociale, comme l'histoire des travailleurs, des femmes et des immigrants vus comme des catégories sociales déterminées.

La conjonction de ces phénomènes a affaibli l'histoire politique et a contribué à accentuer certains phénomènes connexes observés dans le champ intellectuel québécois : la disparition du Québec comme objet d'étude dans les cégeps, le manque d'intérêt pour la politique canadienne dans les universités du Canada et la marginalisation de l'histoire politique dans les universités du Québec[11].

Il y seulement quelques années, l'histoire politique était hégémonique. Ce qui n'apparaissait pas sur l'écran radar du politique n'avait pas d'importance. Le politique était déterminant. Aujourd'hui, l'équation s'est renversée : tout est déterminé par le social, y compris le politique, qui, dès lors, n'est plus qu'une dimension particulière de la réalité, et certainement pas la plus importante : au mieux est-il l'écho au sein de chaque nation des tendances sociales qui la dépassent et, au pire, le lieu d'épiphénomènes sans intérêt.

Mais pourquoi ferait-on ainsi l'économie du politique et du national ? Le politique, parce qu'il appréhende les rapports de pouvoirs qui sont à la fois le résultat et la source de phénomènes sociaux, ne possède-t-il pas une grande capacité explicative ? De son côté, le national ne demeure-t-il pas, comme l'écrivait Jean-Marie Fecteau, le lieu privilégié des rapports sociaux ?[12].

L'historiographie nous enseigne que les historiens ne font jamais table rase et que le balancier revient toujours au sein des dyades singulier-universel, structure-volontarisme, national-mondial, politique-social, etc. En cela comme en toute chose, l'équilibre tend à s'établir. Mais si on ne souhaite pas la disparition de l'histoire politique, il ne faut pas non plus la réifier en faisant d'elle un élément fédérateur univoque, le seul capable d'intégrer tous les niveaux de la réalité dans une entreprise de synthèse. Chaque niveau d'analyse – chaque sujet, même – a le potentiel d'être un prisme de la réalité sociale. Il faudra peut-être réinventer notre manière d'appréhender l'histoire politique, mais au nom de quoi aurait-elle perdu cette faculté ?

Québec : quatre siècles d'une capitale est un ouvrage d'histoire politique classique qui met l'accent sur les aspects du développement de la ville de Québec reliés à sa fonction de capitale : développement de l'administration et des institutions publiques, expansion urbaine, etc. On lui reprochera peut-être de l'avoir fait aux détriments d'autres aspects de l'histoire de la ville. Cependant, d'avoir privilégié le politique comme «angle d'entrée» me semble un choix judicieux, non seulement parce que Québec est une capitale, mais aussi parce que le politique demeure un niveau de la réalité sociale qui permet de rendre compte d'une grande partie de l'expérience humaine.

NOTES ET RÉFÉRENCES

1. Voir le numéro thématique «Y a-t-il une nouvelle histoire du Québec?», *Bulletin d'histoire politique*, vol. 4, n° 2, hiver 1996, p. 7-74.
2. Parmi les exemples les plus évidents, voir Gérard Bergeron, *Du duplessisme à Trudeau et Bourassa: 1956-1971*, Montréal, Parti pris, 1971, 631 p. et Léon Dion, *Quebec, 1945-2000*. Tome II: *Les intellectuels et le temps de Duplessis*, Sainte-Foy, Presses de l'Université Laval, 1993, 452 p.
3. Pour des points de vue opposés sur cette question, voir Robert Comeau, «La Révolution tranquille: une invention?» et Paul-André Linteau., «Un débat historiographique: l'entrée du Québec dans la modernité et la signification de la Révolution tranquille», dans Y. Bélanger, R. Comeau et C. Métivier, *La Révolution tranquille: 40 ans plus tard, un bilan*, Montréal, VLB éditeur, 2000, p.11-20 et p. 21-41.
4. Voir Gilles Paquet, *Oublier la Révolution tranquille: pour une nouvelle socialité*, Montréal, Liber, 1999, 159 p. et Xavier Gélinas, *La droite intellectuelle québécoise et la Révolution tranquille*, Québec, Presses de l'Université Laval, 2007, 486 p.
5. Voir Michel Sarra-Bournet, «Concilier sociologie et histoire: le débat sur la sociologie historique», *Cahiers d'histoire*, Université de Montréal, vol. 10, n° 2, automne 1989, p. 69-85.
6. Voir à ce sujet, Mark F. Proudman, «Why Canadian History is Boring. The fault lies in the content, not in the writing», *Literary Review of Canada*, juillet/août 2007, p.14-15.
7. Voir Michel Sarra-Bournet, «Présences de passé. Le 61e congrès de l'IHAF», *Traces*, vol. 46, n° 4, novembre-décembre 2008, p. 28-30.
8. Gilles Bourque, «La nation, l'histoire et la communauté politique», dans Robert Comeau et Bernard Dionne (dir.), *À propos d'histoire nationale*, Sillery, Septentrion, 1998, p. 37 et 42.
9. Voir Philippe Poirier, *Les enjeux de l'histoire culturelle*, Paris, Seuil, 2004, 441 p.
10. Voir Thierry Nootens, «Un individu "éclaté" à la dérive sur une mer de "sens"? Une critique du concept d'identité», communication présentée au 46e congrès annuel de la Société des professeurs d'histoire du Québec, Trois-Rivières, le 18 octobre 2008.
11. Gilles Laporte, «La disparition des études québécoises au cégep», *Bulletin d'histoire politique*, vol. 16, n° 3, printemps-été 2008, p. 8 et 9, Affaires universitaires; Robert Comeau et Jacques Rouillard, «La marginalisation de l'histoire politique dans les universités francophones», *Le Devoir*, 13-14 janvier 2008, p. B5.
12. Voir Jean-Marie Fecteau, «Deux ou trois choses que je sais d'elle... une "autre" histoire du Québec?», *Canadian Issues/Thèmes canadiens*, automne 2008, p. 16-19.

Numéro régulier

Éditorial

Les orientations insoutenables de Québec solidaire

Louis Gill
Économiste
Professeur retraité de l'UQAM

Dès la parution du rapport Bouchard-Taylor au printemps 2008, Québec solidaire avait donné un appui sans réserves à ses 37 recommandations et salué « la modernité et la sagesse » des commissaires. Dans un article intitulé « Une déplorable erreur », paru dans *Le Devoir* du 5 juin, j'ai exprimé un désaccord complet avec cet appui. J'ai développé cette position dans une contribution soumise à Québec solidaire en septembre 2008[1] en vue des débats préparatoires à son congrès de novembre 2009. Au lendemain de ce congrès, j'ai exprimé ma déception à l'égard des orientations adoptées sur les questions de l'indépendance, de la laïcité et de la défense de la langue française[2]. Je reprends ici sous une forme synthétique le contenu de ces textes.

Indépendance

« Assez de défaitisme et de petits pas. Remobilisons les Québécoises et les Québécois autour de l'indépendance ! », pouvait-on lire sur le site Internet de Québec solidaire au terme de son congrès de novembre 2009. Cela a toutes les apparences d'un radical changement de ton de la part d'un parti qui jusqu'ici a plutôt eu la question nationale honteuse. En réalité, il n'y a de changement qu'en apparence. Au fil des ans, lit-on dans le même communiqué, « le discours sur l'indépendance a été vidé de son sens par certains souverainistes qui ont voulu faire du Québec un pays sans projet. Qu'on se le dise : l'indépendance sans sens n'a aucun sens ». Voilà bien où le bât blesse. Même si je suis un chaud partisan de profondes transformations sociales, j'estime que Québec solidaire se trompe en posant des conditions à la réalisation de l'indépendance.

La souveraineté politique est une question démocratique de libération nationale, qui se situe sur le même pied que les autres aspirations démocratiques et sociales. L'indépendance est un objectif en soi, comme les revendications d'égalité entre les hommes et les femmes et d'amélioration des conditions de vie et de travail, parce qu'elle est la clé de la libération nationale du peuple québécois. Il va sans dire que l'indépendance doit aussi être le moyen de réaliser le projet de société que nous voulons. Mais elle ne saurait être vue comme un simple outil de cette réalisation. Elle est un objectif en soi qui doit être défendu inconditionnellement. Avec la position adoptée à son congrès de novembre, comment Québec solidaire appellerait-il à voter dans l'éventualité d'un nouveau référendum sur la souveraineté ?

Laïcité

L'autre grande question sur laquelle Québec solidaire affirme avoir adopté une position claire est celle de la laïcité. On lit dans le même communiqué, que ses membres, « ont affirmé haut et fort leur volonté de vivre dans un Québec laïque, mais ouvert aux différences », et que « l'État et les institutions publiques doivent être résolument laïques tout en respectant – avec des balises claires – les croyances religieuses ». Plutôt qu'un engagement en faveur d'une authentique laïcité et une défense intégrale de l'égalité entre les hommes et les femmes, cette déclaration est au contraire une réaffirmation des positions rendues publiques lors de la publication du rapport Bouchard-Taylor en faveur de la « laïcité ouverte » proposée par les deux commissaires, désormais renommée « laïcité interculturelle » par Québec solidaire, ainsi que du port du voile islamique et d'autres signes religieux dans le domaine public.

Le concept de « laïcité ouverte » est celui d'une laïcité vidée de son sens par les portes qu'elle ouvre aux intrusions religieuses de tout type dans le domaine public. Au nom de cette « laïcité ouverte », je le rappelle, le rapport Bouchard-Taylor recommandait en particulier d'autoriser le port de signes religieux par les enseignants, les professionnels de la santé et les fonctionnaires, l'aménagement de lieux de prière dans les établissements publics et l'installation d'*érouvs* privatisant une portion de la propriété municipale publique aux fins des pratiques religieuses de la communauté juive. Il prônait également « une promotion vigoureuse » du cours d'éthique et de culture religieuse, qui fait reposer la morale sur les seuls fondements religieux, et la publication annuelle par l'État « laïque » d'un calendrier multiconfessionnel indiquant les dates des diverses fêtes religieuses.

Québec solidaire avait alors donné un appui explicite au port de signes religieux par les employés de l'État, une recommandation du rapport qui a immédiatement soulevé l'expression de profonds désaccords de la part des organisations syndicales et des organismes voués à la défense de la laïcité. Il ne s'est pas démarqué, au printemps 2009, de la position de la Fédération des femmes du Québec en appui au port de signes religieux dans la fonction publique, alors que le Conseil du statut de la femme et les individus et organismes attachés à la laïcité et à la neutralité de l'État menaient un énergique combat contre cette perspective. Même s'il n'avait pas appuyé explicitement les autres recommandations du rapport Bouchard-Taylor qui viennent d'être rappelées, il est regrettable qu'il les ait cautionnées implicitement par son appui inconditionnel à l'ensemble du rapport et qu'il ne s'en soit pas dissocié par la suite.

Égalité entre les hommes et les femmes

Tous conviendront que le port du voile est une manifestation flagrante d'inégalité entre les hommes et les femmes, même si des femmes musulmanes affirment y consentir de leur plein gré. Sur cette question, Françoise David avait déclaré en conférence de presse, le 26 mai : « Qui suis-je, moi, comme féministe, pour dire à mes sœurs : tu dois ou non porter le voile ? Est-ce que je vais aussi interdire à une religieuse de porter une croix ? ». Ces propos sont plus qu'étonnants. Notre responsabilité collective, dont celle des féministes, tant à l'égard de la défense de l'égalité des sexes que de la nécessaire neutralité des institutions publiques, ne nous commande-t-elle pas plutôt d'exprimer franchement que le voile est une manifestation d'infériorisation des femmes et de particularisme religieux diviseur, et qu'il doit être banni des institutions publiques comme tous les autres signes religieux, dont la croix des religieuses ?

Aux yeux de Québec solidaire, interdire le port du voile dans le domaine public serait « contre-productif ». Le permettre dans certains secteurs comme l'enseignement, les services sociaux et la fonction publique favoriserait l'intégration des femmes musulmanes à la société québécoise, stimulerait leur émancipation et serait un gage de leur abandon volontaire futur du voile.

Il est difficile de souscrire à cet optimisme naïf et à cette vision des choses qui passe à côté du problème principal, celui de la nécessaire séparation de l'Église et de l'État dans une société laïque. Ce principe ne peut faire l'objet d'une reconnaissance partielle au sein d'un espace public qu'on déciderait de compartimenter en champs divers, où les signes religieux seraient acceptables ici et non acceptables là. L'espace public est l'espace public, qu'il s'agisse des tribunaux, de l'exercice des fonctions policières, de la fonction publique ou des établissements d'enseignement, de santé et de services sociaux. Comme l'a exprimé le Syndicat de la fonction publique du Québec au lendemain de la parution du rapport Bouchard-Taylor, les fonctionnaires, qui sont tenus de respecter un strict devoir de réserve, notamment pour ce qui est de leurs opinions politiques, devraient être tenus aux mêmes obligations pour ce qui est de leurs opinions religieuses. Ils incarnent autant l'État qu'un policier ou un juge.

Aborder le problème du point de vue de la personne qui porte le voile et qu'on voudrait arriver à convaincre de sa signification réelle en tant que symbole d'infériorisation des femmes et l'inciter à le quitter, est à mon avis poser le problème à l'envers et négliger l'ensemble de la population qui est en droit d'exiger la laïcité de l'État. La question n'est pas de savoir si l'interdiction du voile dans le domaine public serait « contre-productif » du point de vue de la conscientisation des femmes qui le portent et de leur inclusion dans la société, mais de garantir, en le faisant, la laïcité de l'espace public que tous et toutes sont en droit de revendiquer.

Par ailleurs, il est illusoire de croire que l'ouverture au voile serait une manière douce d'en arriver ultimement à amener les femmes musulmanes à l'abandonner. C'est un argument du même type qui avait été invoqué par l'administration de l'UQAM en 1999 quand elle s'est engagée dans cette initiative injustifiable d'un partenariat avec le *Torah and Vocational Institute of Montreal* en vertu duquel des cours étaient dispensés sur une base de discrimination religieuse, linguistique et sexuelle à la communauté juive hassidique. La rectrice de l'époque et sa vice-rectrice soutenaient que c'était là le moyen (celui de la ghettoïsation !) d'arriver à permettre aux femmes hassidiques de sortir de l'infériorité et de la réclusion auxquelles les condamne leur religion.

Le seul fondement valide d'une position politique sur cette question est que le voile fait outrage aux femmes et que, comme tous les autres signes religieux ostentatoires, il viole la neutralité de l'espace public. Québec solidaire avait la responsabilité politique de ne laisser aucun doute à cet égard. Il a tourné le dos à cette responsabilité lors de son dernier congrès.

Question identitaire

En donnant un accord sans réserves au Rapport Bouchard-Taylor, Québec solidaire avait aussi repris à son compte la caractérisation, faite par les commissaires, de l'origine de la crise des accommodements raisonnables comme étant le « malaise identitaire » ou l'insécurité collective ressentie par la majorité francophone du Québec, fragilisée par son statut de minorité en Amérique du Nord. Il en aurait résulté un mouvement de braquage, qui se serait exprimé par un rejet des pratiques d'harmonisation. Ainsi, loin d'être le pôle de rassemblement de la diversité, la majorité francophone en serait plutôt une entrave. Il s'agit là d'une injuste culpabilisation d'une majorité historique qui, pour reprendre les termes du sociologue Jacques Beauchemin, poursuit légitimement un projet d'affirmation culturelle et politique dont elle aspire à demeurer le cœur tout en ne demandant qu'à s'enrichir de l'apport des autres. C'est pourquoi on ne peut souscrire à cette version québécoise du multiculturalisme canadien appuyée par Québec solidaire qu'est l'« interculturalisme », défini comme une simple rencontre de cultures diverses, sans prééminence de la majorité historique qui se trouverait réduite à une culture parmi d'autres.

Il est par ailleurs regrettable que Québec solidaire écarte la perspective (à laquelle adhère une majorité de Québécois) de doter le Québec d'une constitution dans les meilleurs délais, et s'en tienne à sa proposition d'une assemblée constituante que le parti s'engage à convoquer après avoir été porté au pouvoir. Comme cette éventualité ne semble pas être à portée de main, doit-on s'abstenir entre-temps de toute action destinée à définir les conditions du vivre-ensemble ? Il serait au contraire fort souhaitable que le Québec se dote d'une loi définissant ses valeurs fondamentales communes (primauté de la langue française, laïcité des institutions, égalité entre les hommes et les femmes, affirmation du patrimoine historique et culturel, etc.), ainsi que d'une charte de la laïcité, qui contribueraient à favoriser l'intégration harmonieuse des immigrants. Bien sûr, l'objectif est d'en arriver à engager la population dans le processus démocratique d'une assemblée constituante, à convoquer dès la prise du pouvoir comme le propose le programme de Québec solidaire. Mais s'en tenir à cette proposition dans le contexte du faible appui populaire dont il dispose équivaudrait à reporter aux calendes grecques l'adoption de règles minimales définissant les conditions du vivre-ensemble au Québec.

Qui est québécois ?

« Un Québécois, c'est quelqu'un qui veut l'être, quelqu'un qui assume le passé, le présent et l'avenir du Québec », a répondu Amir Khadir au début de l'été 2008 en citant Pierre Bourgault qu'il considère, avec Gilles Vigneault, comme un modèle à la hauteur duquel il invite ses compatriotes indépendantistes à se hisser en précisant toutefois qu'il les incite à se méfier « de la tentation du repli et de la crispation identitaire ». Il a raison de se réclamer de cette définition de Bourgault, mais pour rendre pleinement compte des opinions sur la question identitaire de ce chaud partisan qu'il fut du « nous inclusif » avant la lettre, il faut rappeler :

qu'il était d'une intransigeance totale sur la langue, ce qui a été une des causes de ses affrontements permanents avec René Lévesque qui était l'apôtre de la compromission à cet égard ; s'il n'y avait eu que Lévesque, il n'y aurait jamais eu de Loi 101, une loi qui doit par ailleurs aujourd'hui impérativement être renforcée ;

qu'il a organisé une multitude de manifestations et d'occupations de lieux commerciaux qui pratiquaient l'unilinguisme anglais ;

qu'il a été pendant toute sa vie un défenseur inconditionnel de la laï-cité authentique, et non de ce travestissement qu'est la « laïcité ouverte », ce qui lui a valu le prix Condorcet en 2001, décerné par le Mouvement laïque québécois ;

qu'il n'a pas hésité, à la veille du référendum de 1995, à caractériser comme raciste et xénophobe un éventuel vote massif et unilatéral de la communauté anglophone en faveur du *statu quo* et contre la souve-raineté du Québec.

Il faut regretter que des accusations de xénophobie soient plutôt diri-gées aujourd'hui par certains contre la population francophone québécoise d'origine. Je pense pour ma part que, même si nous avons été témoins de certains écarts regrettables de son infime minorité, la population franco-phone d'origine, « la moins raciste du monde », disait Normand Brathwaite à la fête nationale du 24 juin 2008, accueille avec chaleur les nouveaux ar-rivants et leur dit de tout cœur comme le poète Gilles Vigneault : « ma maison est votre maison ». Et il n'est que normal qu'elle ait à cœur de voir ses valeurs communes respectées et protégées.

Le français menacé ?

Mentionnons en terminant que selon Québec solidaire, le français ne serait pas actuellement menacé par la progression envahissante de l'anglais au Québec et principalement à Montréal. Sa présidente Françoise David en a donné pour « preuve » sur les ondes de Radio-Canada que des amis à elle en visite à Montréal ont pu récemment acheter en français sans difficulté des bagels sur la rue Fairmount ! Le seul domaine où il faudrait mieux veiller au respect de la loi 101 serait celui des grandes entreprises où le processus de francisation exigé par la loi est en régression. S'il est indénia-ble que la situation s'est détériorée à ce niveau, il faut vraiment vivre sur une autre planète pour ne pas constater que, partout à Montréal et de ma-nière générale dans l'ensemble du Québec, le français est en régression et qu'il faut à tout prix renforcer la loi 101 pour endiguer cette régression.

NOTES ET RÉFÉRENCES

1. «Laïcité, égalité des sexes, identité, question nationale», 30 septembre 2008, disponible sur le site des Classiques des sciences sociales.
2. «Indépendance, laïcité, défense du français», 23 novembre 2009, diffusé sur le site de *l'Aut'journal*.

Masculinité et conscription

YVES TREMBLAY
Historien
Ministère de la Défense nationale, Ottawa

Depuis 1994, les historiens québécois intéressés au militaire se rencontrent annuellement. Ce fut souvent sous l'égide de l'UQAM ou de l'un des collèges militaires, mais à l'automne 2009, c'était au tour de l'Université McGill d'accueillir les conférenciers. Le thème choisi avait quelque chose d'inquiétant : « Des guerres et des hommes : la masculinité à l'épreuve du feu ». Inquiétant, car le public apeuré a boudé l'événement.

Des communications stimulantes

Une crainte que l'objet ne fût saisi que pour être défiguré, c'est-à-dire que des préoccupations toutes contemporaines poussent à triturer les sources sans se soucier des contextes d'époque, était-elle en cause ? Pas vraiment. Tous ceux qui ont eu la mauvaise idée de négliger ce colloque devront s'en mordre les doigts. Plusieurs orateurs ont fait un effort méritoire, mais je me permettrai d'être injuste en évoquant les travaux de deux chercheurs qui m'ont tout simplement ébahi.

Helga Bories-Sawala, professeure à l'Université de Brême, présentait les résultats d'une recherche qui a demandé une rare ténacité. Depuis plus de dix ans, elle enquête sur les comportements sexuels des prisonniers de guerre et des STO en 1939-1945, ceux que les Allemands ont employés à divers travaux dans leurs campagnes, leurs villes et leurs usines pour compenser la mobilisation massive des hommes dans les forces armées nazies. Nous savions depuis longtemps que ces infortunés, étrangers des pays conquis employés en Allemagne comme main-d'œuvre, souvent traités en esclaves, restaient des hommes ayant des désirs à assouvir. Côté allemand, on peut penser que plusieurs jeunes mariées, veuves (nombreuses) ou célibataires avaient aussi besoin de compagnie. Que les deux se rencontrent étaient inévitables, malgré les empêchements légaux et les préjugés raciaux. Le fruit étant défendu, la discrétion était de mise, discrétion renforcée du fait que les témoins étaient issus d'une génération où le sexe était peu discuté, et qu'il s'agissait là de relations avec l'ennemi. D'où un problème de sources après cinquante ou soixante ans.

Alors, comment procéder ? La chance de madame Bories-Sawala était que la Ville de Brême, lieu d'emploi et de transit de milliers de prisonniers de guerre et de conscrits civils du Service du travail obligatoire, possédait dans ces archives des listes de noms et des adresses, tant pour la région de Brême que pour les pays d'où provenaient les travailleurs. On imagine la suite : contacter les survivants et survivantes et réussir à convaincre quelques-uns de témoigner. Ce ne fut pas facile, mais plusieurs hommes finirent par accepter l'interview. Malheureusement, les femmes STO étaient moins nombreuses et, malgré que quelques-unes furent retracées, aucune n'a accepté de parler.

Reste un corpus absolument incomparable dont l'on peut tirer au moins deux observations importantes : primo, que la résilience humaine est si grande qu'un semblant de «normalité sexuelle» se construit malgré tout ; secundo, que les femmes employeurs de STO étaient en danger, car on fraternise avec un ennemi racialement inférieur à ses propres risques. Ceci dit, l'on comprend ainsi que la propagande nazie, acceptée par une large majorité d'Allemands, n'a pas empêché la nature humaine de se manifester dans toute sa vigueur. Remarquons que ces amours interdites ont eu des conséquences sous la forme d'enfants et qu'un résultat inattendu de la recherche a été la réunification d'enfants et de pères que l'on croyait perdus.

Par son originalité, cette communication détonnait. Du reste, l'organisateur du colloque posait plutôt le problème d'une masculinité contestée par la guerre, au contraire du préjugé commun qui veut que la guerre soit l'occasion d'exploits virils. Le dernier conférencier à parler, Jason Crouthamel, de Grand Valley State University, a proposé justement une exploration détaillée de l'ambiguïté de l'identité sexuelle. Ses points de départ sont connus. D'abord, comme chez madame Bories-Sawala, le besoin d'affection et le besoin sexuel, qui s'expriment ici sous une forme que la société rejette. Du fait de l'absence de femmes dans l'armée et plus généralement dans les zones des armées derrière la ligne de front, les sentiments homophiles et certaines formes d'homo-érotisme trouvaient pourtant l'occasion de fleurir. Cela aussi est connu et j'ai d'ailleurs évoqué dans une chronique antérieure quelques cas du genre. On savait aussi que l'Allemagne de Weimar avait été relativement tolérante aux groupes d'homosexuels, et que le mouvement nazi, malgré l'interdit proclamé de l'homo-sexualité, hébergeait des homosexuels notoires jusque dans sa haute di-rection. Dernier point de départ, la notion de camaraderie entre hommes, qui est souvent utilisée par les historiens militaires des deux guerres mondiales, qui n'ont rien à voir avec l'histoire des gais, aux fins d'expli-quer soit l'absence d'effondrement du moral (surtout pour 14-18), soit l'efficacité des petites unités (pour 39-45 en particulier).

L'originalité de Crouthamel est d'avoir si bien et tant lu qu'il connais-sait les hypothèses des historiens militaires. Il a donc utilisé la camarade-rie militaire pour explorer quelque chose de vraiment surprenant, à savoir le ralliement des principales organisations de défense des gais des der-niers temps du régime de Guillaume II à l'effort de guerre allemand, parce que ces organisations y trouvaient un milieu propice à la camaraderie masculine. Cela serait banal s'il n'y avait une rhétorique complexe et pu-blique qui l'accompagnait, car il ne faut pas oublier que l'objectif des orga-nisations en question était la défense de droits et, en particulier, l'abolition des articles du code pénal visant la sodomie.

Dans une communication où l'intensité scientifique chargeait l'atmos-phère, exploit dans une salle presque vide, le professeur Crouthamel a montré un grand savoir-faire. Le paragraphe d'introduction est un bijou de concision. Le voici dans ma traduction :

> Le mouvement pour les droits des homosexuels dans l'Allemagne impériale et de Weimar était à l'avant-garde du monde par son activisme, ses revues scientifiques et ses développements culturels. Néanmoins, ce mouvement était divisé sur certains choix fondamentaux conditionnant l'identité homosexuelle : les homosexuels sont-ils des êtres efféminés ou sont-ils bien des hommes physiquement et psychologiquement ? Quelle est la meilleure manière de convaincre les acteurs de l'Allemagne culturelle offi-cielle de laisser tomber leurs préjugés et d'accorder l'émancipation sociale et politique ? En dépit des divisions internes, le grand traumatisme national que fut 1914-1918 a pro-curé l'occasion d'une expérience unifiée donnant de la cohésion durant la période plu-tôt agitée de Weimar qui a suivie. Je défends ici l'idée que la Première Guerre mondiale a été un tournant décisif pour le mouvement homosexuel allemand, parce que la guerre a mis de l'avant l'idéal de la camaraderie, qui est devenu un symbole d'émancipation, rassemblant les organisations disparates de défense des gais. Une rhétorique militaire intense ponctuait le discours de ces organisations dans les années 1920 et, en dépit des divergences, ces groupes concurrents avaient une vision semblable de l'homme gai autant au plan politique que spirituel, jusqu'à utiliser l'entraînement militaire et l'expé-rience du front pour combattre l'oppression culturelle et les préjudices[1].

Crouthamel poursuit en analysant les organes de presse des organisa-tions qu'il étudie, et parfois des correspondances privées quand elles sont disponibles. Le résultat est que la rhétorique développée, nationaliste et militariste, a bien servi l'objectif de normalisation de la place des homo-sexuels dans la société de Weimar. J'ajoute que la tolérance propre à cette époque pré-nazie étant un pendant indispensable. Malheureusement, si ce discours a été compris, c'est que les Allemands de toute tendance y étaient réceptifs, à gauche et à droite. Le même genre de rhétorique fut évidemment approprié et porté à son paroxysme par le parti nazi, avec les résultats que l'on sait.

* * *

Cette dernière communication nous rappelle que la représentation de soi du mâle, peu importe l'orientation sexuelle, n'est probablement jamais autant en crise qu'à l'occasion d'un conflit sanglant. Les gestes que les mâles posent à l'approche ou pendant une guerre sont certainement influencés par la bonne ou la mauvaise image qu'ils ont d'eux-mêmes, et ce qu'ils perçoivent être la norme, que la norme soit portée par l'entourage immédiat (famille, amis, collègues) ou imposée par l'environnement (État, église). Les deux meilleurs ouvrages québécois sur ce sujet sont des fictions. En effet, le roman de Gabrielle Roy *Bonheur d'occasion* et la pièce de Marcel Dubé *Un simple soldat* peuvent être lus dans une perspective d'hommes confrontés à leur condition d'homme, atomes d'une société dans laquelle ils ne se sont pas à l'aise. La tension augmente lorsque le choix ne peut être différé, à l'occasion de la conscription notamment : faut-il se conformer à la loi ou suivre une norme sociale qui suggère de la défier ? On relira Roy et Dubé dans cette perspective avec beaucoup de profit[2].

Mais y a-t-il encore des choses à dire sur les conscriptions ? Tout n'a-t-il pas été ressassé jusqu'à l'infini ?

Faut-il ce souvenir du plébiscite de 1942 ?
Pour une histoire des conscrits québécois

À peu près au moment où cet article était sous presse, l'anniversaire du plébiscite du 27 avril 1942 approchait. Aurait-il fallu le souligner ? Une actualité en panne aurait pu justifier un dossier anniversaire, mais il y a un envers : les Québécois ne célèbrent pas les défaites, comme l'a établi l'affaire des Plaines d'Abraham l'an dernier.

Il y a aussi que 1942 est une année sanglante comme une autre dans la Seconde Guerre mondiale et que sur la longue route que fut le processus de conscription au Canada, le plébiscite n'était qu'une étape. En plus, un moment décisif avait déjà été franchi à l'été 1940, car c'est la loi de 1940 qui change vraiment la vie de quelque 100 000 ou 150 000 jeunes québécois. À compter de l'été 1940 en effet, l'inscription des jeunes hommes devient obligatoire, suivie d'une période d'entraînement, puis le versement dans une unité de réserve mobilisable pour service au Canada à tout moment.

Au fond, ce que l'on sait des conscriptions est plutôt mince. Bien que l'histoire politique des conscriptions de 1917-1918 et 1940-1945 soit assez bien connue, il demeure des points obscurs : l'étrange printemps-été 1917, lorsque Borden décide de la conscription, provoque l'éclatement du parti libéral, mais dans les familles également le débat devait être déchirant. Or, depuis le temps où Jean Provencher se penchait sur la crise[3], beaucoup de mémoires, souvenirs et lettres sont apparus. Pour 1940-1945, il est évident que l'ignorance est encore grande[4], car il y a grande confusion sur la chronologie même : on distingue mal les étapes (loi de 1940, plébiscite de 1942 – seul pan vraiment bien étudié au Québec –, loi de 1942 amendant la loi de 1940 et finalement crise ministérielle de l'automne 1944 et décret de novembre 1944). Bref, l'histoire politique des deux conscriptions du XXe siècle pourrait être dépoussiérée, d'une part, et enrichie de l'étude des réactions individuelles des soldats, d'autre part.

Il y a aussi que l'historiographie traite essentiellement des deux conscriptions du XXe siècle. Or, une chose m'a frappé l'an dernier, pendant le débat houleux sur la reconstitution des batailles de Québec de 1759 et 1760 : c'est que la plus importante conscription de notre histoire est passée inaperçue. Plus généralement, les appels à la milice, l'expression du temps, même s'ils ne se sont pas toujours réalisés, pourraient faire l'objet d'une grande étude, de façon à constituer une longue série de situations de conscription. Une telle étude permettra d'élargir l'explication des attitudes anti-conscription, un peu trop fixées sur la haine de « l'Anglais » et le ressort national.

Série, car lorsqu'on se met à chercher, on trouve plus de deux conscriptions. Si l'on suit Louise Dechêne, les milices canadiennes avant et pendant la Guerre de Sept Ans étaient peu ou pas entraînées, peu motivées en dehors d'un petit noyau à l'esprit offensif et prenant plaisirs aux raids chez l'ennemi. En 1759, elles sont composées de miliciens démoralisés et déserteurs[5]. Elles seront toutefois reprises en main pendant l'hiver 1759-1760 et plusieurs miliciens combattront efficacement dans les unités de ligne ou aux côtés de celles-ci à Sainte-Foy en avril 1760. Mais globalement, le bilan des milices tracé par Dechêne est décourageant. Il faut ajouter que les milices provinciales des colonies anglaises étaient aussi médiocres sinon pires, et ils en allaient de même en France (et le reste de l'Europe). Ainsi, malgré plusieurs tentatives sous Louis XIV, Louis XV et Louis XVI, à aucun moment les milices ne furent des réserves de l'armée de métier, comme l'avaient souhaité plusieurs maréchaux et ministres, dont Choiseul.

Très tôt après la Conquête, la conscription menace à nouveau, car des nuages s'amoncellent avant même que la signature du Traité de Paris ne soit connue en Canada : c'est que la rébellion de Pontiac inquiète les autorités britanniques qui ne disposent plus des moyens militaires mis en œuvre quelques années plus tôt.

Un historien a déjà posé en ces termes la crise de 1763-1766 : Charles-Marie Boissonnault. De manière caractéristique mais un peu fausse, il intitule la première partie de son histoire militaire des Canadiens français « 1763 : première conscription des Canadiens » : « [L]e 21 février 1764, le nouveau général en chef [Thomas Gage] transmet au gouverneur de Québec, Jacques Murray, l'ordre de former un bataillon de trois cents Canadiens, soit cinq compagnies de soixante soldats chacune[6]. » Mais l'exécution requiert du doigté, car Murray craint de susciter l'animosité des Canadiens qui, selon lui, escomptaient « d'être au moins exemptés de l'intolérable poids du service militaire sous lequel ils gémissaient[7] » du temps de la Nouvelle-France, comme si la défaite était compensée par la fin du recours à la milice. Aussi Murray ne recrute finalement que des volontaires. Mais pourquoi insister pour que des Canadiens participent à l'expédition ? Gage a un objectif avoué : les « Indiens » comprendront, écrit-il à Murray, qu'ils n'obtiendront aucun ravitaillement des Français et constateront que la conquête du Canada a permis à la Grande-Bretagne de dominer le continent[8]. Nul doute que la participation de Canadiens à l'expédition serve aussi à les compromettre, et partant à les lier ne serait-ce qu'un petit peu à la couronne britannique.

La colonne commandée par le colonel John Bradstreet aurait compris quelque 300 Canadiens dont la seule présence a rendu, toujours selon Boissonnault, les « Indiens » circonspects[9]. Dès le 7 septembre 1764, une première paix est signée, mais il faudra encore deux ans pour pacifier les Grands Lacs et l'Ohio. Les Canadiens, traités avec égards jusque-là, font le long voyage de retour sans avoir combattu. Ils sont congédiés brusquement à leur arrivée au Québec, ce qui laissera, notera le gouverneur Carleton dix ans plus tard, à la veille d'une autre crise militaire, un souvenir plutôt mauvais : « le renvoi subit du régiment canadien organisé en 1764, sans gratuité ni récompense pour les officiers, est encore présent[10] ».

La description de Boissonnault est dépassée au moment de sa publication en 1967 et pour le moins trompeuse sur le rôle des Canadiens, plutôt des voyageurs que des soldats selon le compte rendu de l'historien américain Fred Anderson. Le rôle tenu par les Canadiens dans le récit de Boissonnault est dévolu à 500 Amérindiens alliés des Anglais dans celui d'Anderson. Et plutôt que la poudre, c'est l'habile diplomatie de William Johnson qui fait éclater l'alliance de Pontiac selon Anderson. L'historien américain note aussi que les Français, qui dominaient encore la traite dans les régions affectées par le soulèvement amérindien, et qui fournissaient depuis longtemps poudre et balles, manquaient maintenant de munitions et préféraient garder celles-ci pour eux-mêmes[11].

L'historien officiel C. P. Stacey s'est référé en son temps à Boissonnault, faute de mieux. En réduisant l'enflure du Québécois à l'aune d'un style plus flegmatique, Stacey écrit que dès « l'année 1764, les autorités britanniques lèvent un bataillon de Canadiens [c'est-à-dire de Québécois] pour combattre dans la guerre de Pontiac. Bien qu'il soit réuni sous la menace voilée d'une conscription générale, ce bataillon est entièrement composé de volontaires ; il est commandé par un ancien officier des réguliers coloniaux français. Le bataillon ne combat pas, mais il rend de grands services[12] ». L'historien officiel s'arrête là, mais comme l'explique un peu Boissonnault et encore mieux Anderson, c'est surtout l'épuisement consécutif à l'infériorité logistique des Amérindiens, la conviction grandissante que les Français ne reviendront pas, la nécessité économique du commerce avec les Européens et l'importante démonstration de force britannique, avec des colonnes en provenance du nord-est, de l'est et du sud, qui mènent finalement les chefs amérindiens à la table des négociations.

L'intéressant dans Boissonnault est que l'on y trouve des clés thématiques qui ont cours encore aujourd'hui : le recours aux volontaires comme alternative à une conscription dont on ne veut pas, la faible participation aux opérations, qui sont minorées dans les récits écrits en français, et au contraire un désir de monter en épingle une contribution logistique, une gêne donc ; finalement, le recours aux mauvais procédés des Anglais pour justifier a posteriori une attitude d'opposition.

On a déjà compris que la tentative du gouverneur Carleton de séduire les anciens miliciens à la veille de la Révolution américaine fit long feu, tant et si bien que Carleton approuva en mars 1777 la première ordonnance réglant le service de la milice dans la Province de Québec, onze articles rendant le service obligatoire pour tous les hommes de 16 à 60 ans, chaque localité, paroisse, quartier de ville ou seigneurie ayant un officier en charge doté d'une commission signée par le gouverneur. C'était rétablir la milice française d'avant 1763, milice dite sédentaire[13]. De celle-ci sera tirée une milice dite active (des demis-conscrits ?), que Roch Legault estime à entre 1000 et 2000 hommes pendant la Guerre d'Indépendance américaine. Ici aussi les Canadiens servent d'auxiliaires non combattants : bateliers, conducteurs, sapeurs[14].

L'indifférence militaire des Canadiens aux soubresauts américains a eu une conséquence désagréable. Carleton avait à loger des renforts formés en grande partie de mercenaires allemands. Il n'y avait pas assez de casernes, aussi fallut-il recourir à la vieille pratique du logement chez l'habitant, connue en Canada au temps de la Nouvelle-France, et rarement acceptée avec gaieté de cœur avant comme après la Conquête. Jean-Pierre Wilhelmy a expliqué que Carleton ne s'est pas gêné pour imposer cette mesure impopulaire. Ainsi, lorsque des plaintes vinrent des habitants que les Allemands se comportaient grossièrement, pillaient, volaient et saccageaient la propriété, Carleton put-il opposer aux Canadiens que leur attitude passive avait un prix : les habitants ne devaient pas s'imaginer « d'être traités du même ménagement que s'ils avaient témoigné le zèle et le devoir qui est dû à leur roi » et « logements et corvées en seront leur croix, étant tout juste que ces inconvénients tombent principalement sur les lâches qui, n'ayant pas voulu défendre leur pays, les rendent à présent indispensables[15] ».

En 1812-1814, les gouverneurs britanniques réussissent à recruter des volontaires en nombre suffisant pour soutenir les Réguliers et on peut dire que ce sont ces derniers qui, avec la Royal Navy, bloquent l'invasion et contre-attaquent. Quant à conscrire les Canadiens, le gouverneur Georges Prévost, d'origine suisse et francophone, y a recours au Bas-Canada dès 1812, avant que la déclaration de guerre ne parvienne à Québec : la chambre d'assemblée, qui était très hostile au gouvernement du temps du prédécesseur de Prévost, accepte maintenant l'incorporation de 2000 célibataires de 18 à 25 ans pour un entraînement de 90 jours, avec extension du service à un an en cas d'invasion, à la seule restriction que les enrôlés, techniquement des conscrits, ne soient pas incorporés dans une unité régulière britannique[16]. Ces conscrits tirés de la milice sédentaire, augmentés à n'en pas douter de vrais volontaires, permettront de former sept bataillons de « milice d'élite » d'environ 300 hommes chacun, dont un bataillon dit de chasseurs à Montréal, qui compte plusieurs hommes de loi, dont le jeune Louis-Joseph Papineau[17]. Mais à nouveau, dans la mesure où des Canadiens combattent en 1812-1814, ce sont des volontaires comme ceux qui suivirent Charles-Marie de Salaberry à Châteauguay.

Un épisode plus significatif pour les Québécois, à cause du poids mémoriel qui y est attaché, est celui des Rébellions de 1837-1838. Évidemment, le gouverneur et les officiers britanniques en charge ne pouvaient compter sur les conscrits vu la nature du conflit, tant au Haut qu'au Bas-Canada. Toutefois, il n'en allait pas de même pour les Rebelles, car l'on sait que plusieurs tentatives locales d'enrôler plus ou moins de force des hommes pour le compte du mouvement révolutionnaire ont eu lieu. Elles connurent peu de succès, parce que les mécanismes par lesquels une conscription moderne est menée – issus des expériences prussiennes, de la Révolution française et des années Bonaparte – faisaient totalement défaut aux insurgés bas-canadiens. Le pacifiste québécois Serge Mongeau remarque à ce sujet qu'à « l'appel de Papineau et d'autres membres de la petite bourgeoisie, les "Patriotes" se révoltent en 1837. Les foyers d'insurrection restent cependant localisés. Le gros de la population n'embarque pas. Les quelques affrontements qui auront lieu se solderont presque tous par des défaites des patriotes mal préparés, mal armés et mal dirigés[18] ».

Pour enrôler, le seul atout des chefs patriotes était la connaissance personnelle qu'il pouvait avoir des hommes à recruter. Dans la mesure où ceux-ci firent défauts, les insurgés eurent peu de moyens de contrainte, sauf à recourir à des menaces contre les personnes ou la propriété, rarement sinon jamais mises à exécution. On trouve de nombreuses traces de ces tentatives dans les « examens volontaires » conduits par les autorités britanniques après l'arrestation des rebelles et présumés rebelles. Ainsi,

Charles Dupuis de Saint-Valentin, cultivateur marié de 35 ans et père de quatre enfants, déclare qu'il fut fait «prisonnier par des volontaires chez moi dans la maison. [...] J'étais au village de Napierville une fois mais j'ai déserté tout de suite et je n'ai rien vu là». Barthélémy Dupuis de Saint-Constant, un célibataire de 39 ans, déclare, lui, que «le samedi, jour des troubles, 3 de novembre [1838] dans la nuit, on est venu en brigade chez moi pour me forcer à marcher; j'avais peur des menaces que l'on me faisait et j'ai marché à peu près une trentaine d'arpents quand j'ai trouvé l'occasion de déserter, et je n'ai point grouillé de chez moi après cela. Je n'ai pas prêté de serment secret ni été aux assemblées, et je ne sais pas signer[19]».

Presque tous les Dupuis de Saint-Constant, Saint-Valentin, et aussi ceux de Saint-Philippe et Châteauguay, débitent une histoire semblable, tellement qu'il faut se demander s'ils sont concertés. Évidemment, il y avait là un désir d'éviter la justice britannique. Mais je risque une infé-rence, car il me semble que puisque ces hommes déclarèrent avoir été «pressés» par les insurgés, le moins qu'on puisse dire c'est qu'ils s'en trouvaient peu, chez les Dupuis en tout cas, pour justifier moins igno-minieusement d'avoir été pris les armes à la main ou en compagnie de rebelles, de sorte qu'il faut bien admettre que plusieurs manifestèrent peu d'enthousiasme à l'égard de leurs compatriotes plus évolués. L'important ici n'est pas de rapetisser les Rébellions, mais de noter que le manque d'enthousiasme à porter les armes est finalement assez prévisible et plutôt universel chez les populations paysannes peu politisées. La mobilisation politique était faible et la résistance des Canadiens à une conscription pour la bonne cause en 1837-1838 est similaire à celle dont faisait état L. Dechêne pour 1759. Il n'y a donc pas encore de «conflit de races[20]».

En réalité, les attitudes des Canadiens français/Québécois envers la conscription, au temps de la monarchie française, au début du régime bri-tannique, et même lors des insurrections de 1837-1838, présentent des si-militudes avec des attitudes semblables chez les conscrits européens des mêmes époques. C'est par la suite seulement que s'ajoute une motivation anti-impériale puis nationaliste québécoise. Mais il me semble, et ce sera à vérifier, que le vieux fonds séculaire d'anti-conscription persiste, et il est probablement encore très présent lorsque la conscription de 1917 est vo-tée. Celle-ci ne peut donc être uniquement interprétée en termes d'un geste politique de défi au pouvoir anglais.

Comme l'a montré R. Legault, l'exclusion du premier cercle du pou-voir militaire et le peu de confiance de la plupart des officiers britanniques en la loyauté des Canadiens ont fini par aliéner l'élite canadienne de la chose militaire quelque part dans les quarante années suivant la Conquête[21]. Mais cela provoque un autre effet, celui-ci non souhaité. En excluant par peur qu'une compétence militaire minimale soit conservée par les Canadiens, les Britanniques et après eux les Canadiens anglais, favorisent l'éclosion d'une situation dangereuse: dans la mesure où il n'est jamais facile de mobiliser, l'exclusion politique d'une partie de la population, la francophone, allait finir par constituer un motif non seulement d'opposition à l'autorité, dont on a vu qu'elle était courante et normale, mais un facteur de rassemblement national, parce que la différence de «race» s'aggrave avec le temps. Les élites québécoises, du moins une partie, finiront par agiter le flambeau national et lorsque les moyens de diffusion de masse (presse à grand tirage, trains, etc.) seront disponibles, le message sera transmis efficacement. En 1917, les conditions pour qu'une crise politique se superpose au refus séculaire de la conscription sont réunies au Québec, alors que dans les foyers de résistance du reste du Canada, nombreux[22], le refus garde son caractère séculaire, moins politique.

À ce propos, il est intéressant de noter que l'opposition à la conscription était importante aux États-Unis et en Angleterre, et en Australie encore plus. L'armée, dans la mesure où les effectifs sont importants, a toujours été suspecte en Grande-Bretagne[23] et aux États-Unis, et il faudra les guerres mondiales du xxe siècle pour dissiper, pour quelque temps seulement, les soupçons dans lesquels étaient tenus les soldats. Les Australiens aussi n'étaient pas chauds pour une armée de conscrits, mais eux avaient surtout en mémoire leur passé de colonisés, si près, alors que l'armée et d'autres forces paramilitaires avaient été un facteur important dans une émigration souvent forcée.

La situation pour 1940-1945 est sans doute un peu différente, l'agitation moins grande[24] et moins inquiétante même si le discours nationaliste est de mieux en mieux argumenté. C'est probablement que la culture politique québécoise a maintenant acquis une plus grande complexité; dès lors, les attitudes de la population correspondent un peu moins à l'interprétation que préfère une élite, qui perd son monopole sur l'opinion. Aussi le volontariat sera-t-il plus important en 1939-1945 qu'en 1914-1918. L'étapisme du gouvernement King en matière de conscription rend aussi plus digestible la mesure[25]. Cela fait que de jeunes Québécois sont forcés de goûter à la vie militaire dès la fin de l'été 1940, lorsque l'entraînement obligatoire est institué. Plusieurs apprécient, de sorte que l'on peut dire que le réservoir de volontaires s'élargit à cause de la conscription[26]. La durée de la guerre, sans trop de pertes de vies canadiennes jusqu'à 1944[27], même à considérer l'affaire de Dieppe, a également favorisé l'acculturation des Québécois à la guerre et à l'armée[28].

* * *

Le Québec est plus comparable aux contrées anglo-saxonnes dans son rapport difficile au processus de conscription qu'à la France post-1789. On le constate dans un livre récent d'Annie Crépin, la grande spécialiste de la conscription « à la française ». Elle fait remonter la conscription moderne à des débats théoriques tenus dans les cercles politico-militaires depuis le règne de Louis XIV, durant lequel la taille de l'armée française avait atteint des sommets sans précédent. Évidemment, c'est la crise de 1792 et ensuite les ambitions de Napoléon qui conduisent à la réalisation d'une conscription au sens où nous l'entendons aujourd'hui, c'est-à-dire l'enregistrement de tous les jeunes hommes, suivi de l'appel sous les drapeaux. Le système n'atteint toutefois sa forme totale de service militaire obligatoire personnel pour tous qu'à la fin du XIXe siècle, sous la IIIe République, car des exemptions ont longtemps été consenties à qui pouvait payer un remplaçant. Sous sa forme achevée, l'armée de conscrits abolit en quelque sorte les distances sociales en devenant un lieu de passage obligatoire pour tous les jeunes de sexe masculin. Gauche et droite appuyaient le système, un appui qui ne commencera à se déliter qu'après 1945, pendant la guerre d'Algérie, avec la télédiffusion de la guerre du Vietnam et suite aux controverses entourant la spécialisation toujours plus grande des métiers militaires, notamment ceux liés à l'arme nucléaire[29].

La conscription à la française démontre que le consensus nécessaire à l'incorporation militaire forcée par la loi demande un agencement particulier des forces sociales, couplé à une menace extérieure, agencement et menace absents du débat canadien.

* * *

Reste une dernière précision. Le sentiment anti-conscription anticipe le mouvement pacifiste, mais il en diffère. L'épanouissement du pacifisme intégral inspiré par Tolstoï est très récent. Les pacifistes restent rares et dans la société en général, c'est le refus de servir dans une force armée qui est répandu, dont l'attitude anti-conscription décrite ici. Le pacifisme n'explique donc certainement pas l'opposition aux conscriptions des Québécois lors des deux guerres mondiales. Sa résurgence récente à propos de la campagne d'Afghanistan ne saurait constituer un argument d'autant que, comme l'a fait remarquer George Orwell, « les militants antiguerre qui refusent tout compromis, qui refusent toute forme de service national et qui sont prêts à affronter les persécutions du fait de leur croyance, sont souvent [...] des opposants au gouvernement qui se trouve être en train de faire la guerre[30] ». Du reste, le pacifisme canadien-anglais est antérieur et a longtemps été plus vigoureux que celui des Québécois.

Au final, on sait peu de chose du pacifisme québécois, mais il m'apparaît qu'en inférant d'une impopularité des armées aujourd'hui un pacifisme remontant à 1917 ou même à la Conquête comme le font certains[31], on dénature l'histoire. L'opposition aux conscriptions ne relève pas d'un sentiment pacifiste ou si peu.

* * *

Si le pacifisme n'est pas en cause et que le nationalisme n'est qu'une partie de l'explication, que faut-il penser? Avant de répondre, il faudra entreprendre une vaste enquête en évitant l'écueil des projections politiques contemporaines. Pour cela il faut remonter loin, en premier lieu en critiquant les observations de Louise Dechêne[32], ensuite en multipliant les comparaisons diachroniques, c'est-à-dire en visant toutes les occasions où la milice fut convoquée ou sur le point de l'être jusqu'aux grandes conscriptions du xxᵉ siècle, et finalement en n'oubliant pas de tempérer le tout grâce à un exercice d'histoire comparée où les termes des comparaisons seront la France, la Grande-Bretagne, les États-Unis, l'Australie et le Canada anglais, et peut-être d'autres pays ou régions où une question nationale est un enjeu, Irlande, Catalogne, Écosse…

Malgré les situations très différentes, la méthode employée par madame Crépin est tout à fait applicable au Québec: rechercher dans la longue durée, car ce sont d'abord des mentalités qu'on vise à exposer, objet impossible à saisir avec des instantanés comme Pâques 1918 ou avril 1942; un retour aux sources publiées *et* aux sources primaires pour dépasser les écueils historiographiques nombreux sur un sujet comme celui-ci; une histoire des lois et une histoire des idées militaires qui se répondent, les unes découlant en partie des autres, afin d'éviter de cantonner l'étude à la politique étroitement comprise (celle des ministres, des orateurs de toutes sortes et de la presse); une finesse géographique et sociologique pour distinguer les foyers de résistance et d'appui, là où on les attend comme là où on ne les attend pas; et un souci constant de comparer, ce qui permettra de pondérer les jugements[33]. Cela contribuera à tourner l'attention vers les conscrits plutôt que de continuer à la fixer sur ceux qui ont débattu[34].

NOTES ET RÉFÉRENCES

1. Jason Crouthamel, «Redefining the "authentic" man: the warrior ideal and the homosexual movement in World War I and Weimar Germany», communication présentée au colloque «Des guerres et des hommes: la masculinité à l'épreuve du feu / War and men: masculinity under fire», Montréal, Université McGill, 11 novembre 2009. Je remercie l'auteur de m'avoir permis de citer son texte et l'organisateur de la journée, Mourad Djebabla, de me l'avoir communiqué.

2. Marcel Dubé, *Un simple soldat*, Montréal, Éditions Typo, 2004 (création en 1957), surtout l'acte II, scène VI. Dans *Bonheur d'occasion* (éd. orig. 1945), lire la scène de recrutement jusqu'à la fin (Montréal, Les Éditions du Boréal, 2002,

p. 325-329). Ceux qui doutent de mon interprétation de Roy feraient bien de consulter la relecture qu'elle fait de son roman en 1947 : « Retour à Saint-Henri. Discours de réception à la Société royale du Canada », repris dans Gabrielle Roy, *Fragiles lumières de la terre : écrits divers 1942-1970*, nouv. éd., Montréal, Les Éditions du Boréal, 2004, p. 197-217.

3. Jean Provencher, *Québec sous la loi des mesures de guerre 1918*, Montréal, Boréal Express, 1971, 146 p. ; et la pièce qui en a été tirée : Jean Provencher et Gilles Lachance, *Québec, printemps 1918*, Montréal, L'Aurore, 1974, 155 p.

4. Malgré l'effort méritoire de Jean-Pierre Gagnon, *Le 22ᵉ Bataillon (canadien-français) 1914-1919 : étude socio-militaire*, Québec, Les Presses de l'Université Laval, 1986, p. 206-225.

5. Louise Dechêne, *Le peuple, l'État et la guerre au Canada sous le Régime français*, Montréal, Les Éditions du Boréal, 2008, chap. 10 et 11, p. 349-428.

6. Charles-Marie Boissonnault, *Histoire politico-militaire des Canadiens-français*, Trois-Rivières, Éditions du Bien Public, 1967, p. 19.

7. Lettre de Murray à Gage du 5 mars 1764 citée par Ch.-M. Boissonnault, *op. cit.*, p. 20.

8. Ordre de Gage à Murray du 21 février 1764, *ibid.*, p. 19. Cela est aussi reflété dans l'interprétation donnée par Roch Legault, *Une élite en déroute : les militaires canadiens après la Conquête*, Montréal, Athéna éditions, 2002, p. 23-25.

9. Ch.-M. Boissonnault, *op. cit.*, p. 22.

10. *Ibid.*, p. 23.

11. Fred Anderson, *Crucible of war : the Seven Years' War and the fate of empire in British North America, 1754-1766*, New York, Vintage Books, 2001 (2000), p. 617-637.

12. Charles P. Stacey, *Introduction à l'étude de l'histoire militaire à l'intention des étudiants canadiens*, 6ᵉ éd., 4ᵉ rév., Ottawa, Quartier général des Forces canadiennes, [197?], p. 6.

13. Luc Lépine, *Les officiers de milice du Bas-Canada, 1812-1815 / Lower Canada's militia officers, 1812-1815*, Montréal, Société généalogique canadienne-française, 1996, p. 9 ; Roch Legault, *op. cit.*, p. 35-40 et 63-64.

14. R. Legault, *op. cit.*, p. 63-64.

15. Cité par Jean-Pierre Wilhelmy, *Les mercenaires allemands au Québec, 1776-1783*, nouv. éd., Québec, Les éditions du Septentrion, 2009, p. 69.

16. Je suis ici George Stanley, *La guerre de 1812 : les opérations terrestres*, Montréal, Éditions du Trécarré, 1984, p. 57-58.

17. Luc Lépine, *op. cit.*, p. 10-16.

18. Serge Mongeau, dir., *Pour un pays sans armée, ou comment assurer la sécurité nationale sans armée*, Les Éditions Écosociété, 1993, p. 83.

19. Les textes des deux comparutions se trouvent à la suite, mais dans l'ordre inverse, dans Georges Aubin et Nicole Martin-Verenka, *Insurrection : examens volontaires, tome II, 1838-1839*, Montréal, Lux Éditeur, 2007, p. 156. Le tome I, édité par les mêmes compilateurs chez le même éditeur en 2004, donnent les « examens » pour la rébellion de l'année précédente, des témoignages similaires à ceux cités ici.

20. Comme l'écrira plus tard Ferdinand Roy, *L'appel aux armes et la réponse canadienne-française : étude sur le conflit de races*, 3ᵉ éd. (!), Québec, J.-P. Garneau libraire-éditeur, 1917, 85 p. La préface est datée des 10-16 juillet 1917, au début de la

campagne menant à l'élection référendaire sur la conscription du 17 décembre 1917.

21. R. Legault, *op. cit.*, surtout les p. 158, 162 et 164-165.

22. On en aura une bonne idée en lisant J.L. Granatstein et J.M. Histsman, *Broken promises: a history of conscription in Canada*, Toronto, Oxford University Press, 1977, p. 83-96.

23. Par exemple, David French, *Raising Churchill's army: the British Army and the war against Germany 1919-1945*, Oxford, Oxford University Press, 2001 (2000), p. 49.

24. Que note S. Mongeau dans son historique de la tradition antimilitariste québécoise (*Pour un pays sans armée, op. cit.*, p. 87).

25. J.L. Granatstein, *Conscription in the Second World War 1939-1945 : a study in political management*, Toronto, McGraw-Hill Ryerson, 1969, x-85 p.; John MacFarlane, « Mr. Lapointe, Mr. King, Quebec & conscription », *The Beaver*, avril-mai 1995 : 26-31.

26. Phénomène difficile à cerner, qui embarrasse les statisticiens comme on le constate dans les travaux de C.P. Stacey (*Histoire officielle de la participation de l'Armée canadienne à la Seconde Guerre mondiale, volume I : Six années de guerre. L'Armée au Canada, en Grande-Bretagne et dans le Pacifique*, Ottawa, Imprimeur de la reine, 1966 (1957), p. 544 ; *Armes, hommes et gouvernement : les politiques de guerre du Canada 1939-1945*, Ottawa, ministère de la Défense nationale, 1970, p. 642-646). Voir également mon *Volontaires : des Québécois en guerre (1939-1945)*, Montréal, Athéna éditions, 2006, p. 14-37.

27. Tant et si bien que le plus grave acte d'insoumission est la mutinerie de Terrace (C.-B.) des 26-29 novembre 1944, trois jours après l'annonce de la conscription pour service outre-mer. Voir là-dessus Reginald H. Roy, « From the darker side of Canadian military history : the Terrace incident », 6, 2 (automne 1976) : 42-55. Les mutins appartenaient à deux bataillons anglophones et un bataillon québécois.

28. Cela aussi peut se sentir dans *Bonheur d'occasion*.

29. Annie Crépin, *Histoire de la conscription*, Paris, Éditions Gallimard, 2009, 528 p.

30. George Orwell, « Pacifisme et progrès », paru originellement le 14 février 1946 et repris dans *Écrits politiques (1928-1949)*, Marseille, Agone, 2009, p. 265-266.

31. S. Mongeau, « La tradition antimilitariste au Québec », dans S. Mongeau, dir., *Pour un pays sans armée, op. cit.*, p. 81-89.

32. Voir Serge Bernier, « Le travail de Louise Dechêne intitulé *Le peuple, l'État et la guerre au Canada sous le Régime français*, dans *Bulletin d'histoire politique*, 18,1 (automne 2009) : 137-142.

33. Dans cet ordre d'idées, Carl Pépin soulignait récemment l'incompréhension de nombreux leaders d'opinion français devant l'attitude des Québécois en 1917-1918 dans « Du Military Service Act aux émeutes de Québec : l'effort de guerre canadien-français vus de France (1914-1918) », *Bulletin d'histoire politique*, 17, 2 (hiver 2009) : 89-110.

34. Il y aura également des bénéfices indirects, car les dossiers militaires contiennent de l'information utilisable pour des études sur la santé physique et mentale, l'alphabétisation, les qualifications professionnelles, etc. Comme l'a écrit récemment Richard Overy, « [i]t is important to see the armed services as simply a slice of ordinary society » (*Literary Review*, n° 370, octobre 2009, p. 16).

Un lieu de rassemblement, de partage et de diffusion d'un pan de l'histoire militaire spécifiquement québécoise : le site internet *Le Québec et la Seconde Guerre mondiale*

Sébastien Vincent
Enseignant et historien
Responsable du site
sebastienvincentilsontecritlaguerre.blogspot.com

Entre sa création à l'automne 2003 et la cessation de ses activités en décembre 2008, la Chaire Hector-Fabre d'histoire du Québec (UQAM) a, entre autres, proposé un axe de recherches portant sur les Canadiens français/ Québécois face aux guerres. Cette initiative a contribué à l'institutionnalisation, certes fragile, de l'hitoire militaire au Québec.

Depuis sa disparition, on compte malheureusement un lieu de rassemblement de moins pour les chercheurs de tous horizons, qu'ils soient universitaires ou évoluant en périphérie. C'est aussi un espace de moins pour l'échange, la diffusion et le partage d'informations sur l'historiographie militaire écrite au Québec, par des Québécois. Certes demeure la Direction Histoire et patrimoine de la Défense du Canada avec ses historiens tels Serge Bernier et Yves Tremblay. Ce dernier tient depuis longtemps une chronique régulière d'histoire militaire dans le *Bulletin d'histoire politique*. Cette chronique continue, en dépit de la fin des activités de la Chaire Hector-Fabre, de faire état de l'historiographie et des différentes activités scientifiques en lien avec l'histoire militaire canadienne.

Il incombe de poursuivre les avancées réalisées au cours des quinze dernières années par les différents intervenants concernés par la question. Dans une perspective de continuité, j'ai créé ce site qui se veut un complément aux différentes instances et initiatives déjà en place.

Mandat du site

Le mandat du site, tel que je le conçois, consiste notamment à :

- promouvoir, dans une perspective pluridisciplinaire, l'histoire sociale, culturelle, politique et militaire du Québec pendant la Seconde Guerre mondiale auprès du grand public, des étudiants, des milieux d'enseignement et de recherche ;
- contribuer aux échanges entre étudiants, chercheurs et intervenants de tous les horizons dans un cadre de collaboration et d'ouverture ;
- permettre à des étudiants et des diplômés de 2e et de 3e cycle de bénéficier d'un espace pour faire connaître leurs travaux ;
- continuer la mise en valeur de la participation militaire des Canadiens français au conflit, en Asie, en Italie ou en Europe de l'Ouest, considérant que la participation de plus de 130 000 volontaires ayant combattu outre-mer dans l'armée de terre (infanterie et artillerie), l'aviation et la marine doit demeurer un objet d'étude ;
- favoriser la diffusion de l'historiographie en accordant une place importante aux ouvrages publiés par des maisons québécoises ;
- permettre la diffusion d'archives militaires (correspondances, mémoires, etc.) que des anciens combattants québécois ou d'ailleurs au Canada français, leurs descendants ou des orphelins de guerre, ces grands oubliés, accepteront de partager. Ce type de documents est fort rare au Québec, comparativement à la France et au monde anglo-saxon ;
- promouvoir, sur une base non partisane, des activités publiques en lien avec la thématique du site.

Le site ambitionne d'emprunter de nombreuses voies dont :

- l'histoire sociale, culturelle, politique et militaire du Québec durant le conflit, au front comme à l'arrière ;
- l'histoire de la participation militaire des Canadiens français, au Canada et sur les différents théâtres d'opérations ;
- l'histoire régimentaire d'unités francophones ;
- la rédaction de biographies de militaires canadiens-français s'étant illustrés ;
- la mise en ligne de témoignages ;
- la muséologie militaire en sol québécois ;
- la recension d'ouvrages qui font avancer l'historiographie.

Appel aux collaborateurs

Le site aspire à «servir de pôle de rassemblement à tous ceux qui, de près ou de loin, ajoutent leur petite pierre à l'édification de l'histoire militaire des Québécois francophones et pourquoi pas de toute la francophonie canadienne», écrit Pierre Vennat dans un éditorial. «Il est faux de dire, poursuit Vennat, que l'on n'a pas de passé militaire. Il est aussi faux de croire que ce passé n'a pas commencé pas â être fouillé, raconté. Mais il est vrai que trop souvent les chercheurs travaillent en parallèle».

La présente initiative couvre l'histoire d'une guerre. Il va sans dire qu'il serait possible d'en faire autant pour les autres conflits dans lesquels des Canadiens français/Québécois ont pris part. Là encore, le choix est vaste, les sources nombreuses, les intervenants aussi.

Pour mener à bien le mandat dans sa forme initiale et pour couvrir les nombreuses avenues proposées, je fais appel aux chercheurs intéressés à collaborer à son développement.

La collaboration peut prendre des formes variées, par exemple celle de courtes contributions telles :

- notes de recherches en lien, par exemple, avec un projet de recherche institutionnel ou individuel en cheminement, un mémoire ou une thèse en cours ou déjà déposé(e) ;
- notes de lecture sous forme de recensions ou de courts résumés critiques ;
- diffusion de bibliographies ;
- rédaction de courtes biographies de militaires ou de tout autre sujet en lien avec l'histoire sociale, culturelle politique et militaire du Québec durant la Seconde Guerre mondiale ;
- diffusion non partisane d'activités en lien avec la thématique du site (colloques, expositions, etc.).

Par ailleurs, il est possible d'héberger des photographies et des articles libres de droit ayant été diffusés dans des revues.

Les personnes intéressées à contribuer au site peuvent soumettre leurs textes en format Word (1000 mots maximum) en me contactant à l'adresse courriel suivante : svincent16@hotmail.com.

Adresse du site : sebastienvincentilsontecritlaguerre.blogspot.com

La visite énigmatique du président d'Haïti en 1943

ANDRÉ PATRY

Deux événements européens et leurs répercussions au Canada

En juin 1940, l'Italie déclare la guerre aux Puissances alliées et la France capitule. Ces deux événements aboutissent notamment à deux situations particulières : d'une part, ils isolent les milieux intellectuels du Canada français de leurs pôles d'attraction traditionnels, la France et l'Italie ; d'autre part, ils privent la France de la capacité de continuer à fournir à l'Église haïtienne les cadres épiscopaux qui la dirigent. Alors que les Canadiens français éprouvent le besoin de se tourner vers l'Amérique latine pour retrouver un climat intellectuel propice à leurs échanges avec l'étranger, le Saint-Siège se tourne vers le Canada pour assurer une certaine relève au sein de l'épiscopat haïtien.

Seul pays francophone du continent, Haïti devient l'une des cibles culturelles du Canada français. À Québec, on crée une société des amis d'Haïti et un salon d'accueil des Haïtiens. Au début de l'année 1943, le nouvel évêque des Cayes en Haïti, Mgr Collignon, qui est franco-américain, rend visite à Québec au cardinal Villeneuve et le saisit de la nécessité d'une présence de l'Église canadienne en Haïti au moment où l'épiscopat français, dirigé par Mgr Le Gouaze, archevêque de Port-au-Prince devient de plus en plus impopulaire au sein du clergé indigène.

Un rapport accablant

Vers le même moment, soit le 7 juin 1943, un prêtre polonais, l'abbé Kotowski, chargé par le *Wartime Informations Board* de préparer pour le gouvernement fédéral un rapport sur l'attitude des Canadiens français devant l'effort de guerre du Canada remet aux autorités canadiennes un document accablant sur le manque d'intérêt des Canadiens francophones à l'égard de l'engagement du Canada dans le conflit mondial. Le contenu de ce rapport finit par circuler et soulève un scandale. À la Chambre des Communes, on pose des questions au premier ministre, qui répond de façon évasive. Mais le mal est fait et Ottawa éprouve le besoin d'accroître sa propagande au Québec.

Une visite opportune

Persuadé par Mgr Collignon de la nécessité de convaincre le gouvernement haïtien de l'opportunité d'une relève du clergé français par le clergé canadien, le cardinal Villeneuve imagine qu'une visite officielle du président d'Haïti au Canada intéresserait aussi bien les Canadiens français que le gouvernement fédéral, tout en servant les objectifs de l'Église catholique en Haïti. Le cardinal Villeneuve avait déjà, au cours d'une cérémonie religieuse tenue en plein air, comparé Hitler à l'Antéchrist. Il était donc, a priori, un partisan de l'effort de guerre. Il se met en communication avec son ami personnel, le ministre Louis St-Laurent, et lui demande de proposer au premier ministre Mackenzie King d'envoyer une invitation officielle au président d'Haïti pour qu'il vienne au Canada et profite de ce séjour pour stimuler l'intérêt des Canadiens français pour l'effort de guerre. Le président accepte l'invitation et il arrive à Ottawa le 6 octobre 1943, à la tête d'une mission de neuf personnes. Il n'est accueilli ni par le gouverneur général ni par le premier ministre : ces deux personnalités se font représenter !

Le 7 octobre, le premier ministre se contente de « présider » un déjeuner offert au chef de l'État haïtien. Le lendemain, le président et sa suite arrivent à Québec où ils sont accueillis par le lieutenant-gouverneur, le Premier ministre et le maire de Québec. Contrairement aux usages protocolaires, le président Lescot se rend lui-même à l'archevêché pour présenter ses hommages au cardinal Villeneuve.

Le 8 octobre, l'Université Laval décerne un doctorat *honoris causa* au président d'Haïti. C'est là que ce dernier, répondant sans doute au vœu discret du gouvernement fédéral, s'en prend vigoureusement à « la bête immonde et apocalyptique » qui menace le monde entier, dénonce « les forces du mal » et déclare que « la gloire du Canada catholique et d'Haïti catholique, c'est de participer chacun selon ses moyens à l'hallali de la bête ».

Les retombées immédiates

À la suite de la visite présidentielle, le gouvernement du Québec envoie en Haïti, en décembre 1943, une mission économique dirigée par Oscar

Drouin, ministre du Commerce et de l'Industrie. Un agronome québécois, Jean-Charles Magnan, est invité à faire des cours à l'École d'agriculture d'Haïti, à Damiens.

De son côté, le gouvernement haïtien prend trois initiatives: il ouvre un consulat général à Ottawa; il nomme un ambassadeur itinérant auprès du Canada, Dantès Bellegarde, qui séjournera au Québec; il envoie un attaché culturel, Ghislain Gouraige, qui finira par s'installer au Québec et deviendra professeur à l'Université de Sherbrooke.

Enfin, l'UNESCO, chargée d'élaborer un plan de développement de la vallée de Marbial en Haïti, fera appel aux services d'un professeur de la Faculté des Sciences sociales de l'Université Laval, Eugène Bussières, de 1947 à 1949.

Par ailleurs, la visite du président Lescot, la première au Canada d'un chef d'État d'un pays d'Amérique latine, profitera également aux Haïtiens qui viendront, de plus en plus nombreux, s'inscrire dans les institutions québécoises, notamment les universités et les hôpitaux. Quelques-uns d'entre eux s'installeront de façon permanente au Québec. Lors de la visite du président à Québec, il n'y avait dans cette ville qu'un seul Haïtien, René Bellegarde, le neveu de l'ambassadeur itinérant.

Dans le rapport annuel du ministère des Affaires extérieures pour l'année 1943, nulle mention n'est faite de la visite officielle au Canada du président Élie Lescot. Cette omission insolite n'est peut-être pas étrangère au financement de cette opération à laquelle a sans doute participé substantiellement le diocèse de Québec avec l'accord présumé du Saint-Siège.

P. S.: À l'époque de la venue au Canada du président d'Haïti, l'auteur de cet article agissait comme attaché de presse auprès de la représentation consulaire haïtienne au Québec.

Québec, 1859 : la commémoration des événements de 1759

Jacques Bernier[1]
Département d'histoire
Université Laval

> Septembre 1859 était le jour de l'anniversaire de la centième année de la bataille des plaines d'Abraham, ce jour-là passa comme s'il n'eut pas rappelé une date mémorable pour nous Canadiens français dont les ancêtres avaient succombé sur ce champ de bataille arrosé du sang des généraux Montcalm et Wolfe[2].

Ce témoignage a attiré mon attention pour deux raisons. D'abord parce qu'il m'a semblé étonnant qu'on n'ait rien fait en septembre 1859 pour rappeler la mémoire de ce qui s'était passé à Québec à l'été 1759. Ensuite parce qu'Olivier Robitaille est alors, dans les années 1850, une personnalité très importante de la ville ; il s'intéresse à l'histoire et il fait partie du comité responsable de l'érection du monument aux Braves de 1760.

Robitaille avait 48 ans en 1859. C'était un médecin apprécié, il avait une nombreuse clientèle et fut entre autres, pendant dix ans, commissaire de l'hôpital de la Marine et des Émigrés. Dans les années 1850, il a été actif sur la scène politique locale, d'abord comme conseiller du quartier Saint-Jean, le quartier de son enfance, puis comme maire de la ville en 1856. C'était aussi un homme d'affaires. Il a participé activement à la fondation de la Caisse d'économie de Notre-Dame de Québec dont il fut le président de 1848 à 1892. Son nom figure aussi en 1858 au sein du groupe qui mit sur pied la Banque nationale ; d'ailleurs il siégea au conseil d'administration de celle-ci jusqu'en 1883. En 1842, il participa à la création de la Société Saint-Jean-Baptiste de Québec et assuma la vice-présidence de la section Saint-Jean pendant sept ans. Il fut aussi très impliqué dans la commémoration de la bataille de Sainte-Foy. En septembre 1852, il fut désigné avec

F.-X. Garneau et l'avocat Louis de Gonzague Baillargé pour identifier les restes humains trouvés sur le site du Moulin Dupont[3]. Il prit part à la préparation des activités entourant la translation des dépouilles mortelles le 5 juin 1854 ainsi qu'à l'érection du monument : pose de la première pierre le 18 juillet 1855 et inauguration de la colonne le 19 octobre 1863[4]. Rappelons aussi que depuis 1857 Robitaille était le gérant financier du *Courrier du Canada* et un de ses principaux actionnaires[5]. C'est donc cet ami de l'histoire et ce «patriote»[6] qui fut «le commissaire ordonnateur lors des grandes démonstrations organisées pour l'érection et l'inauguration du monument des Braves» de 1760 qui, le moment venu d'écrire ses mémoires, eut un regret au sujet de la façon dont on avait commémoré les événements de 1759 à Québec.

Cet été-là à Québec en 1759

Ce qui s'est passé à Québec à l'été 1759 n'est pourtant pas un fait mineur dans l'histoire de la ville[7]. Québec, à l'été 1759, c'est une petite ville où vont s'affronter deux grandes armées. Celle des Anglais qui comprend environ 29 000 hommes, dont la majorité est constituée de marins et de soldats expérimentés ; les quelque 166 navires qui les transportent étant arrivés devant Québec le 26 juin[8]. Celle des Français est constituée d'environ 20 000 hommes, et regroupe en gros 4000 soldats de métier, 12 000 miliciens, 1800 Amérindiens et 2000 marins[9].

Québec, à l'été 1759, c'est l'histoire d'une ville où sont demeurés environ 4000 civils et quelque 2200 soldats et miliciens. Cette ville a été bombardée pendant deux mois, à partir du 12 juillet. Plus de 200 maisons ont été incendiées par des pots de feu (bombes incendiaires) et les autres ont été abîmées ou détruites par les boulets de canon[10]. Au bout de deux mois la ville «n'est plus que cendres, gravats et maisons éventrées»[11]. C'est une ville rationnée, où sévit la disette et où les habitants, au mois d'août, sont réduits au «quarteron de pain»[12]. C'est une ville au cœur d'une région où environ 2500 familles vivant en bordure du Saint-Laurent et à l'Île d'Orléans ont dû se réfugier dans les bois pendant la plus grande partie de l'été[13].

La région de Québec en 1759 c'est une région où une trentaine de villages ont été ravagés et 1400 maisons et fermes détruites, de Kamouraska à Sainte-Croix et de Baie Saint-Paul à Deschambault[14]. C'est une région qui a beaucoup souffert, comme celles de Montréal et de Trois-Rivières du reste, parce que les hommes (de 15 à 60 ans) sont nombreux à être appelés sous les armes. Ils doivent servir à tour de rôle dans la milice où ils constituent, de 1755 à 1759, au moins 60 % des effectifs des forces françaises[15] ; en fait cela dure pratiquement depuis les débuts de la guerre de Succession d'Autriche en 1744[16].

C'est donc dire que, depuis une quinzaine d'années, les terres ont été délaissées. Or ce sont précisément les récoltes de ces fermes qui servent, pour une grande part, au ravitaillement des troupes[17]. Mais elles ne produisent plus. La population est affamée ; « La paysannerie, écrit Louise Dechêne, est dépossédée et harassée »[18]. Ces milices, rappelons-le, doivent souvent aller combattre loin de leur région (Grands Lacs, Ohio, Lac Champlain, etc.), dans des conditions très difficiles, et cela gratuitement[19]. Pourtant, en général, les habitants répondent avec empressement à l'appel. En 1759, par exemple, il y avait, selon le recensement, 15 299 hommes en état de porter les armes or, de ce nombre, 10 000 à 11 000 participèrent aux campagnes de 1759 : « pour une population de 70 000 habitants au plus, affaiblie par plusieurs années de guerre et de disette, la contribution est impressionnante ». Durant la guerre de Sept-Ans les miliciens canadiens semblent avoir été sollicités comme dans aucune autre région d'Europe[20].

Québec à l'été 1759 c'est évidemment aussi la bataille des Plaines, la victoire de l'armée anglaise, et la prise de Québec[21].

Cent ans plus tard, en 1859, d'après Robitaille, il semble qu'on ait très peu parlé de ces événements. Pourtant, dans les années 1850, la Société Saint-Jean-Baptiste est en train de préparer l'exhumation des restes des soldats, français et britanniques, décédés le 28 avril 1760 ; et, à l'une de ses réunions de mai 1854, elle a adopté entre autres la résolution suivante : « Que les braves qui ont fait à la patrie le généreux sacrifice de leur vie on [sic] droit aux hommages et à la reconnaissance des peuples et que les plus grands des honneurs doivent être réunis à leurs dépouilles »[22]. Il semble y avoir là un paradoxe. Pourquoi ceux de 1760 et non ceux de 1759 ?

Québec en 1859

Au milieu du XIXe siècle, Québec est une ville en perte de vitesse comparativement à Montréal, et cela, sur le plan économique, démographique, et comme centre de la vie politique.

Dans le domaine économique, cela a commencé avec la fin des tarifs préférentiels sur le bois et les céréales. Puis, à partir de 1854, le Grand Tronc, qui relie Lévis, Montréal et Portland, est venu prendre une partie du transport qui se faisait jusqu'alors en bateaux à partir de Québec. La construction navale, elle-aussi, commence à connaître certaines difficultés et le tonnage des grands voiliers construits dans la région commence à plafonner. Enfin, grâce au chenal qu'on commence à creuser entre Québec et Montréal, à partir de 1850, certains navires océaniques peuvent se rendre jusqu'à Montréal sans s'arrêter à Québec. Sa population aussi commence à stagner. En 1861, la ville compte environ 63 000 personnes alors que celle de Montréal en fera bientôt 100 000. Québec a aussi fait le plein de sa population britannique (près de 40 %) de sorte que le poids relatif de ce groupe ira en diminuant[23].

Une autre question qui préoccupe beaucoup les habitants de Québec, c'est celle de son avenir comme capitale du Canada. Sous l'Union, en effet, la capitale du Canada se déplace. Elle fut d'abord à Kingston (de 1841 à 1843), puis à Montréal (1843-1849), Toronto (1850-1852), Québec (1852-1855), Toronto (1855-1859), puis de nouveau Québec (1859-1865). Mais une capitale ne peut pas toujours se déplacer ainsi. En 1857, la ville envoya deux émissaires à Londres, Joseph Morrin et Ulric-Joseph Tessier, pour faire valoir le bien-fondé de garder Québec comme capitale du Canada-Uni[24]. Mais cela ne changea rien, de sorte que « ce sera Ottawa comme le souhaite le gouverneur Edmund W. Head »[25]. Québec fut une dernière fois la capitale du Canada de 1859 à 1865, le temps que soit terminée la construction du parlement d'Ottawa.

Cela dit, Québec connaît par contre, à cette époque, une vitalité sans précédent sur le plan culturel. Québec compte plusieurs journaux, des bibliothèques et une université depuis 1852. Il y a plusieurs associations culturelles comme la *Literary and Historical Society* (1824); l'Institut canadien (1848) et la Société Saint-Jean-Baptiste. À Québec, cette dernière a été fondée en 1842, donc huit ans après celle de Montréal. Olivier Robitaille en fut membre toute sa vie. Les gens de cette époque avaient d'ailleurs l'impression de vivre une période d'effervescence; L.-P. Turcotte parle « du grand mouvement littéraire » de ces années[26]. Et, de toutes les activités pratiquées dans ces sociétés, l'histoire est l'une des plus appréciées; « Plusieurs amis des lettres, remarque Turcotte, s'éprirent d'un grand amour pour notre histoire »[27]. L'histoire s'exprime, bien sûr, sous la forme de livres d'histoire et de romans historiques mais aussi d'articles dans les journaux[28] et de conférences. Les cours d'histoire que Ferland donne à l'Université Laval, de 1858 à 1862, connaissent eux aussi un grand succès[29].

Québec est donc une ville en transition mais qui bouge sur le plan culturel et une ville où l'histoire est manifestement un sujet de préoccupation. Cet intérêt pour l'histoire commence aussi à se manifester, à Montréal et à Québec, sous la forme de monuments commémoratifs. Dans les années 1850, il y eut au moins trois réalisations au Bas-Canada du côté canadien-français :

- Le monument de Ludger Duvernay, le fondateur de la Société Saint-Jean-Baptiste de Montréal (dressé en 1855)[30] au cimetière Notre-Dame-des-Neiges de Montréal ;
- La pose de la première pierre du monument aux Braves[31] (18 juillet 1855);
- Le monument en hommage aux Patriotes (inauguré en 1858) également au cimetière Notre-Dame-des-Neiges[32].

Cela dit, est-ce possible qu'on n'ait rien fait à Québec en 1859 au sujet de 1759?

La commémoration: les actes

Cette recherche vise donc à savoir comment, en 1859, on a abordé, à Québec, la question des événements qui se sont produits dans cette ville cent ans plus tôt. En d'autres mots, comment, à l'époque, s'est-on accommodé de cet événement historique majeur?

La démarche a été simple. Elle a consisté à lire les journaux de la ville de Québec du mois de septembre 1859 et à relever les textes portant sur la commémoration de 1759. Il s'agit, de trois journaux francophones et de trois journaux anglophones: *Le Canadien*, *Le Journal de Québec*, et *Le Courrier du Canada*; *The Quebec Gazette*, *The Quebec Mercury* and *The Quebec Chronicle*. Le numéro du mois de septembre 1859 du *Journal de l'instruction publique* et du *Journal of Education for Lower Canada* ont aussi été retenus, même s'ils sont imprimés à Montréal, car ils s'adressent tous les deux aux instituteurs du Bas-Canada et parce que le rédacteur en chef, P.-J.-O. Chauveau, qui est alors le surintendant de l'instruction publique, habite à Québec[33]. J'ai lu ces textes sous deux angles: ce qui a été fait comme actes de commémoration; ce qui a été dit ou écrit au sujet de 1759.

Le premier constat qui frappe, c'est que cette question n'occupe pas une place très importante dans les journaux. On trouve peu d'articles; il est vrai que certains sont longs mais, le plus souvent, ils ne figurent pas en première page[34]. Une autre, c'est que les gestes de commémoration ont été très peu nombreux et que les thèmes abordés sont très épurés. Enfin, il semble y avoir un écart important entre ce qui a été fait (les actes) et ce qu'on a pu penser; du moins, cela est très évident du côté britannique.

Rappelons que, en 1859, la ville de Québec comptait trois monuments commémoratifs sur les événements de 1759: l'obélisque que le gouverneur Dalhousie avait fait poser en 1828 à la mémoire de Wolfe et Montcalm[35]; la plaque de marbre en hommage à Montcalm que Lord Aylmer fit placer dans la chapelle des Ursulines, en 1831, à l'endroit où se trouvait alors la dépouille de Montcalm[36]; la colonne érigée en 1832 sur le lieu où Wolfe mourut[37]. En septembre 1859 les cérémonies se sont déroulées sur deux jours, le 13 et le 14 septembre.

Le 13 septembre 1859

Les journaux font mention de trois faits au cours de cette journée. Le plus important eut lieu au monument de Wolfe sur les Plaines. Celui-ci avait été décoré de couronnes de fleurs et de nombreuses personnes sont venues y défiler durant la journée. *Le Quebec Chronicle* décrit la scène ainsi:

« *The monument, erected to Wolfe on the Plains of Abraham, near the spot where he fell, was crowned with a wreath, and visited by numerous pilgrims during the day* »[38].

Certains journaux notent aussi que l'obélisque du Parc des gouverneurs avait lui aussi été décoré de fleurs, mais il ne semble pas y avoir eu de rassemblement ou de cérémonie à cet endroit. Le journaliste du *Courrier du Canada* rapporte ceci : « Hier au matin le monument élevé au jardin du fort, en honneur des deux illustres guerriers morts au champ d'honneur, Wolfe et Montcalm, était orné de huit couronnes d'immortelles que des mains pieuses y avaient déposées, dans la journée d'autres personnes sont venues entourrer [sic] de guirlandes de feuilles d'érables le socle du même monument »[39].

Enfin, comme troisième témoignage de commémoration, deux journaux rapportent que les cloches de l'église anglicane ont sonné en commémoration de la mort de Wolfe[40].

Il y eut donc peu de gestes de commémoration le 13 septembre et les descriptions qui en sont faites dans les journaux sont très brèves. Il ne semble pas non plus y avoir eu de prise de la parole sous la forme de discours ou de sermon. Cela dit, les journaux ne notent pas tous la même chose. Du côté britannique, seul le *Quebec Chronicle* rapporte ce qui s'est passé au monument de Wolfe sur les Plaines. Les autres n'en parlent pas, ni de ce qui a été fait comme décorations à l'obélisque de Wolfe et Montcalm, ni des cloches qu'on aurait fait sonner à la cathédrale anglicane. En fait, c'est par le biais de deux journaux francophones, *Le Canadien* et *Le Journal de l'instruction publique* qu'on apprend : a) que le monument élevé à Wolfe et Montcalm a été décoré ; b) « que le soir, on sonna, à l'église anglicane, les glas de Wolfe »[41].

Le 14 septembre 1859

Deux cérémonies eurent lieu le 14 septembre. Les deux eurent lieu à la chapelle des Ursulines et avaient comme but d'honorer la mémoire de Montcalm.

Pour l'occasion, la chapelle avait été décorée de draperies noires. Au milieu de la nef, on avait placé un catafalque recouvert d'un drap mortuaire parsemé de fleurs de lis d'argent sur lequel reposait la châsse contenant le crâne de Montcalm[42]. À la tête de ce catafalque se trouvait une toile du peintre Robert J. Bingham représentant les armes de Montcalm[43].

La première cérémonie eut lieu à 7h00 le matin. Elle consista en une messe basse qui fut dite sur la tombe de Montcalm, « pour le repos de son âme, par l'abbé Lemoine, le chapelain des Ursulines »[44]. Cette messe fut accompagnée par les voix des « filles de Sainte-Ursule ». On rapporte aussi que « pour se rendre à la pieuse demande de Madame la marquise de

Montcalm, les bons Frères de la Doctrine chrétienne de Québec et de Pointe Lévis assistaient en corps à cette messe, à laquelle s'étaient aussi rendues beaucoup de personnes de la ville »[45].

La deuxième cérémonie fut plus imposante. Elle débuta à deux heures de l'après-midi et regroupa « toute notre élite sociale »[46], « vêtue en habit de deuil »[47]. Elle consista d'abord dans l'oraison funèbre prononcée par le père Félix Martin, le supérieur de la résidence des jésuites de Québec, à l'occasion du centième anniversaire de la mort de Montcalm. Cette oraison coïncidait aussi avec l'inauguration du marbre que l'on venait de poser dans la chapelle en l'honneur de Montcalm. Pendant plus d'une heure, le père Martin fit l'éloge du militaire, du chrétien et du « défenseur de la patrie »[48]. Cette allocution fut suivie de la « cérémonie de l'absoute » faite par Mgr Baillargeon, l'administrateur de l'archidiocèse de Québec[49], qui avait revêtu ses vêtements pontificaux pour l'occasion[50]. À trois heures et demie, tout était terminé[51].

C'est Georges-Barthélémi Faribault, le président de la Société littéraire et historique de Québec en 1858-1859, qui s'était occupé de la préparation de la cérémonie[52]. C'est lui aussi qui avait organisé la souscription nécessaire à la préparation du marbre, lequel fut taillé à Québec[53].

Au sujet de cette inscription, le père Martin rappelle que, vers 1763, l'Académie des Inscriptions et des Belles-Lettres de France (dont Jean Pierre de Bougainville était alors le secrétaire) avait voulu envoyer une épitaphe au Canada afin qu'elle soit placée sur la tombe de Montcalm, mais on ne sait pas ce qu'il advint de ce projet[54]. On croit, écrit-il, que « ce marbre fut expédié au Canada, mais il ne reste aucune trace qu'il soit parvenu à sa destination[55] ».

En somme, ce centenaire a suscité peu d'événements et peu de choses ont été faites en commun (entre Britanniques et Canadiens). Il semble aussi que la population ait été peu sollicitée ; du moins, le 14, les deux cérémonies ont eu lieu à la chapelle des Ursulines, or cette chapelle compte très peu de sièges même aujourd'hui[56]. Ces cérémonies n'ont pas permis non plus de laisser transparaître les divers sentiments qui devaient probablement animer la population à cette occasion.

La commémoration : les mots

Il n'y eut pas de prise officielle de la parole par les autorités durant ces deux journées : ni le gouverneur Head (depuis Toronto), ni le maire Morrin, ni les évêques catholiques et anglicans, ni le président de la Société Saint-Jean-Baptiste, ni Faribault qui présidait alors la Société littéraire et historique de Québec. Le seul à avoir pris la parole lors de ces journées semble avoir été le père Félix Martin, un jésuite, lors de la cérémonie religieuse qui eut lieu le 14 après-midi à la chapelle des Ursulines. Nous n'avons pas retrouvé le texte de son homélie mais l'atmosphère et de larges extraits ·de la cérémonie ont été rapportés dans les journaux francophones[57]. Voici, à titre d'exemple, un extrait du texte paru dans *Le Canadien* du 16 septembre :

> La foule recueillie venait d'écouter un chant lugubre dont les derniers accents retentissaient encore dans les poitrines émues de chacun, quand le Rév. Père Martin, de la Compagnie de Jésus, traversa le chœur pour venir prononcer l'éloge funèbre du héros vaincu et du chrétien généreux qui s'appelle le Marquis de Montcalm dans notre histoire et un saint dans le martyrologe du Canada. Une plus belle mémoire ne pouvait pas exiger un plus beau talent ; et l'orateur sacré fut digne de son immortel sujet. Il fallait voir le digne prêtre au milieu de ce sanctuaire, entre Dieu et l'histoire, raconter à l'assemblée en effusion les vertus militaires et chrétiennes de l'immortel caractère (…). Pendant plus d'une heure, l'orateur sacré, d'une parole empreinte de ce je ne sais quoi dont la science animée par le sentiment religieux a le seul secret, nous rendit les péripéties de cette épopée dont Montcalm fut le héros sans évoquer un seul écho qui put troubler les mânes sacrés que le patriotisme et la religion venaient honorer à l'envie l'une de l'autre[58].

Cet éloge s'inscrit d'une part dans le contexte du dévoilement de la plaque sur laquelle on avait reproduit le texte de 1763 de l'Académie des Inscriptions et des Belles-Lettres et dont la réalisation avait été rendue possible grâce à la souscription organisée par Faribault. Mais, fait plus important encore, cette allocution vise surtout à réhabiliter la mémoire de Montcalm. Car Montcalm a été attaqué de son vivant et ensuite par des historiens, dont F-X. Garneau dans son *Histoire du Canada* dont la troisième édition a paru quelques semaines avant cet anniversaire[59]. Même s'il ne le dit pas ouvertement dans cette allocution, Martin n'est pas d'accord avec l'interprétation que fait Garneau du rôle de Montcalm pendant la Guerre de Sept-Ans et notamment à l'été 1759. Martin s'explique davantage sur cette question dans son livre *De Montcalm en Canada* qui parut en 1867, un an après la mort de Garneau[60] :

> … nous n'avons pas adopté quelques-uns des jugements de M. Garneau sur le Marquis de Montcalm. Le sentiment qui les a dictés nous a paru empreint d'un peu de partialité et même d'injustice. Pour faire peser sur un homme honorable des soupçons d'intensions basses, d'intrigues, d'ambition, ou de patriotisme équivoque, en présence d'une vie publique où se révèle à chaque jour une âme noble et élevée, un esprit droit et judicieux, et un cœur animé d'un héroïque dévouement ; il faut plus que des conjectures, et surtout il faut d'autres preuves que les accusations intéressées de quelques esprits prévenus ou pervers.

Toujours est-il que le père Martin semble avoir atteint son objectif, car *Le Canadien* écrit au sujet de cet éloge :

> … nous dirons que ce discours fut à la fois un triomphe et une réhabilitation – un triomphe pour l'homme qui avait accepté le saint rôle de la chaire – une réhabilitation pour

la mémoire de celui que la calomnie avait osé tenter de fléchir dans sa magnanimité. Le Père Martin vengea Montcalm des imputations qui s'étaient attachées à la pureté de sa valeur et de sa gloire et trouva encore une parole proportionnée à celle de son ennemi en plaçant un hommage mérité à l'adresse de Wolfe, digne de s'être mesuré avec Montcalm sur cette terre témoin de son héroïsme[61].

Qui est donc ce père Martin[62]? Il s'agit d'un père jésuite français qui a séjourné au Canada de 1844 à 1861 où il a exercé diverses fonctions comme enseignant, fondateur du collège Sainte-Marie de Montréal en 1848, puis supérieur de la résidence de Québec à partir de 1859. Martin s'intéressa beaucoup à l'histoire religieuse de la Nouvelle-France et contribua à la conservation des archives relatives à l'histoire du Canada. En 1859, il commença une étude biographique de Montcalm qui parut huit ans plus tard, en France, sous le titre *De Montcalm en Canada ou les dernières années de la colonie française (1752-1760) par un ancien missionnaire*[63].

Son homélie semble avoir été le seul discours qui fut prononcé dans le cadre de cet anniversaire du côté canadien-français.

Les journaux ne rapportent pas de prise publique de la parole du côté britannique. Par contre, les journaux anglophones contiennent de longs articles dans lesquels les auteurs font connaître leurs points de vue sur 1759 et sur la façon dont cette date aurait pu ou dû être évoquée. Certains de ces points de vue sont très tranchés.

Le 9 septembre 1859, *The Quebec Gazette publia* un long article sur cette question sous le titre « *The Memory of Wolfe* ». Le texte commence en faisant remarquer que rien ne semble avoir été prévu « *with regard to celebrating the capture of Quebec* » et afin de rendre hommage à Wolfe[64]. L'auteur est d'avis que ce serait une belle occasion, et même un devoir, de commémorer le fait que, voilà cent ans, « *all Canada was freed from despotic rule* ». D'ailleurs, à son avis, s'il y a un groupe de citoyens qui devrait particulièrement se réjouir en une telle circonstance, ce sont bien les Canadiens d'origine française, car leurs ancêtres ont dès lors été « *released from the burdens and extortions of French despotism* ». Depuis, ils ont reçu la protection de l'Angleterre et ont évité les drames de la Révolution française. L'auteur termine en faisant une proposition, celle que le 13 septembre soit déclaré « *public holiday* » et que la population, tant d'origine britannique que française, aille défiler ensemble ce jour-là devant la colonne de Wolfe sur les Plaines, pour se rendre ensuite à la chapelle des Ursulines rendre hommage à Montcalm[65].

De son côté, *The Quebec Mercury* a fait paraître, le 13 septembre, un texte intitulé « *The Centenary* »[66]. L'auteur y décrit la fierté des « *sons of England* » d'être les dépositaires de ce territoire. L'Angleterre, continue-t-il, est consciente des implications qui découlent de cette nouvelle réalité, notamment en ce qui concerne « *the trust and obligation imposed on her when she accepted the guardianship of Canada* ». Depuis, elle s'est bien acquittée de ce rôle ; elle a été « *a watchful but a kind mother* ». Bien sûr, il y a eu quelques « *little domestic ills* », mais ils sont légers et cet anniversaire devrait être l'occasion de rendre hommage « to that flag of old England under whose protection we have enjoyed all such blessings. God save the Queen ».

L'article du *Quebec Chronicle* sur cette question a paru le 14 septembre[67]. L'auteur commence en disant que le 13 septembre 1859 marque le centième anniversaire de la bataille des Plaines d'Abraham qui se solda par la mort des deux généraux ; la chute de Québec ; « *and the transfer of Canada from France to Great Britain* ». Ces souvenirs, continue-t-il, sont encore bien frais à la mémoire mais les Canadiens d'origine britannique se sont retenus de célébrer pour ne pas heurter les sentiments des Canadiens français :

> *Due deference was paid to the traditional associations of the earlier colonists of the country, in obtaining from any kind of demonstration that could hurt the feelings or offend the pride now-a-days of the descendants of the fifty or sixty thousand colonists, who in those times inhabited Canada*[68].

L'auteur mentionne ensuite que la direction du journal a reçu les trois volumes de la troisième édition de l'*Histoire du Canada* de F.-X. Garneau qui vient de paraître et qu'il trouve que c'est « *one of the most complete and interesting histories of Canada yet published* ». Mais il s'empresse d'ajouter que Garneau a malheureusement gardé son « *irresistible prejudice towards everything French* » et qu'il tient toujours à passer sous silence… « *the state of oppression to which the inhabitants of Canada were subjected under French domination* »[69].

Le *Journal of Education* est celui qui fait la plus longue description du siège de Québec et de la bataille du 13 septembre. C'est aussi celui qui développe le plus son point de vue sur la Nouvelle-France et sur les changements que cette région a connus sous le nouveau régime colonial :

> *A hundred years ago, Canada was a wilderness, peopled by savage tribes, and the theatre of a sanguinary warfare ; a hundred years have gone by, and it has become a rich and powerful colonial dependency of Great-Britain. Under the French rule it was seldom prosperous ; surrounded on all sides with enemies, abandoned by the mother country, and its frontiers the scene of ruthless border warfare. During that trying and heroical period the devotedness of the inhabitants to their King and to their country calls for involuntary admiration.* [...]
> *The history of New France, from the date of its settlement to that of its cession to Great-Britain, is a history of a series of struggles, of privations and poverty.* [...][70]

Mais il est vrai, rappelle-t-il, que cette victoire sur la Nouvelle-France n'a pas été une chose facile :

Whoever attentively considers that early period of our history cannot fail to express his surprise at the determined and unflinching bravery of the French colonists, who often carried desolation into the English colonies and for a long time resisted armies more numerous than the total population of New France. It required an English fleet, two English armies, to subdue a handful of men far distant from their fatherland and straitened even in their munitions of war.[71]

En fait, conclut-il, Montcalm n'a pas été vraiment vaincu, c'est la Providence qui en a décidé ainsi: «*Montcalm resigned to the will of the Providence who guideth all things and who disposeth everything for the best*». Depuis la paix, le Canada est devenu une colonie prospère et les immigrants y viennent de toutes les parties d'Europe[471].

Conclusion

Voilà donc comment les choses se sont passées le 13 et le 14 septembre 1859 et ce qu'on a dit au sujet de 1759. Pourquoi une commémoration aussi édulcorée? Pourquoi un tel silence, une telle retenue sur cette page importante de l'histoire de la ville et de la colonie de la part des Canadiens français? Pourquoi si peu de références au courage, à la détermination et à la souffrance des Canadiens durant la guerre de Sept-Ans et durant le siège de Québec? La réponse est certainement très complexe mais certains éléments importants me semblent reliés au contexte politique des années 1850.

L'élite politique, du côté canadien-français, a l'impression, depuis l'arrivée de Elgin en 1848, que les choses s'améliorent (responsabilité ministérielle, le français à la Chambre des députés, le «bill des indemnités» au sujet des troubles de 1837-1838, etc.[73]). Il semble donc y avoir un climat d'ouverture et de bonne entente qu'on ne veut pas gâcher[74]. Il y a même un premier consul français à Québec. D'ailleurs l'Angleterre et la France ne sont plus en guerre. Non seulement elles combattent ensemble en Crimée et, de dire Taché, elles «sont maintenant unies»[75], Ces rapprochements donnent lieu à beaucoup d'espoir, à beaucoup d'enthousiasme et à de grands sentiments comme on peut le lire, par exemple, dans le *Courrier du Canada* du 14 septembre 1859: «Les descendants de deux grandes nations, célèbrent ainsi au sein de l'harmonie leurs gloires respectives, oublieux de leurs anciennes luttes, s'honorent eux-même [sic] aux yeux du monde en donnant un bon exemple à leurs descendants». Dans les années 1850, n'oublions pas qu'il y a aussi dans l'air, comme il a été dit précédemment, cette question de l'avenir de Québec comme capitale du Canada.

Voilà donc un certain nombre de bonnes raisons politiques. Mais on peut s'interroger sur la signification et les implications de tout cela. Évidemment, dans ce contexte de recherche d'harmonie, l'élite canadienne-française essaie de ne pas heurter ceux avec qui elle veut composer.

Évidemment, il aurait été délicat, dans ce contexte, de commencer à évoquer la mémoire de toutes ces personnes qui, comme Montcalm ont donné leur vie pour défendre la patrie[76]. Dans un tel contexte, il aurait été difficile d'évoquer vraiment le passé sans soulever des passions ; il aurait été risqué d'oser vraiment se souvenir ou d'essayer de montrer la complexité des choses et de vouloir en discuter.

Dans ce contexte, il était beaucoup plus acceptable de dire que, oui, cette période a été difficile mais, comme le dit Robitaille, que ce fut « un mal pour un bien » :

> La Providence semble tout conduire ici d'une manière merveilleuse. Ce qui paraissait une calamité pour le petit peuple canadien, tourna à son plus grand avantage. En effet, c'était un événement providentiel, cette séparation forcée d'avec la mère patrie sauva nos pères des horreurs de la révolution française qui serait venue leur apporter ses pernicieuses idées de démocratisation[77].

Comme lui, et comme bien d'autres de son temps, Chauveau invoque lui aussi l'intervention de la Providence pour expliquer la conquête[78].

Donc, je pense qu'on peut dire qu'en 1859, les élites ont essayé d'accorder l'histoire avec la politique ; en d'autres mots, que l'histoire a plié le genou devant la politique. Cela dit, comment donner un sens à cette phrase que Robitaille a écrite en 1882 dans ses mémoires et qui semble exprimer un regret sur la façon dont les choses ont été faites en 1859 ? La réponse à cette question se trouve peut-être du côté du nouveau nationalisme qui commence à s'exprimer après la Confédération et dont l'une des grandes manifestations a été la Convention nationale des Canadiens français de l'Amérique du nord qui se tint à Québec les 24 et 25 juin 1880 à l'occasion de la Saint-Jean-Baptiste (alors que Robitaille était peut-être en train d'écrire ses mémoires). Cette convention fut un grand succès ; elle rassembla, par exemple, 40 000 personnes sur les Plaines, autour de l'autel le matin du 24 juin[79]. Le discours de circonstance lors de ces journées fut fait par Mgr Racine sous le thème « Souviens-toi des anciens jours »[80]. Peut-être était-ce sa manière d'exprimer le malaise qu'il ressentit lors de cette fête quant à la façon dont cet événement aurait pu ou dû alors être évoqué.

Notes et références

1. Jacques Bernier est professeur au Département d'histoire de l'Université Laval où il enseigne l'histoire du Régime britannique au Canada, l'histoire sociale de la médecine et l'histoire de la ville de Québec. Ses recherches ont porté surtout sur l'histoire de la profession médicale au Québec ; sur l'histoire des théories et pratiques relatives aux grandes maladies avant la bactériologie (notamment la tuberculose) ; sur l'histoire du livre médical ainsi que sur l'historiographie de la médecine au Québec. Je remercie messieurs Claude

Galarneau et Gilles Gallichan d'avoir lu ce texte et de m'avoir fait part de leurs remarques et suggestions.

2. Olivier Robitaille, *Mes mémoires*, texte dactylographié, p. 227. Ce texte est accessible en ligne sur le site de Bibliothèque et archives nationales du Québec, «Pistar» (p. 230 du texte en ligne). L'orthographe du texte a été respectée.

3. Il écrit: «J'étais un des vices-présidents de la section St. Jean de la société St. Jean Baptiste et je pense avoir été l'un des premiers à suggérer la pensée de faire l'exhumation de ces os...» [sic], *ibid.*, p. 539.

4. Sur l'histoire de ce monument, voir H.-J.-J.-B. Chouinard, *Fête nationale des Canadiens Français célébrée à Québec en 1880*, Québec, A. Côté et Cie, 1881, p. 50 à 93; et P. Groulx, «La commémoration de la bataille de Sainte-Foy, du discours de la loyauté à la fusion des races», *Revue d'histoire de l'Amérique française*, vol. 55, n° 1, 2001, p. 45-83.

5. J. Bernier, «Robitaille, Olivier», *Dictionnaire biographique du Canada*, vol. XII, Québec, Presses de l'Université Laval, 1990, p. 993-994; P. Sylvain, «Les débuts du Courrier du Canada», *Les cahiers des Dix*, n° 32, 1967, p. 267.

6. *L'électeur*, 3 novembre 1896.

7. Les ouvrages sur le siège de Québec de 1759 et la vie dans la région (durant ces trois mois) sont très nombreux. Notons, entre autres: C. P. Stacey, *Québec 1759. The siege and the battle*, Montreal, Robin Brass Studio, 2002; J. Lacoursière et H. Quimper, *Québec, ville assiégée 1759-1760, d'après les acteurs et témoins*, Québec, Septentrion, 2009; D. Peter MacLeod, *La vérité sur la bataille des plaines d'Abraham*, Montréal, Les Éditions de l'Homme, 2008; *Journal du siège de Québec du 10 mai au 18 septembre 1759*, annoté par A. Fauteux, présenté par B. Andrès et P. Willemin-Andrès, Québec, Les Presses de l'Université Laval, 2009; L. Dechêne, *Le Peuple, l'État et la Guerre au Canada sous le Régime français*, Montréal, Les Éditions du Boréal, 2008. Cette étude est de loin la plus complète sur le rôle et la condition des miliciens sous le Régime français.

8. C. P. Stacey, *op. cit.*, p. 228-237; A. Charbonneau, «Québec, ville assiégée», dans S. Bernier *et al.*, *Québec ville militaire 1608-2008*, Montréal, Art Global, 2008, 141 p.

9. Stacey, *op. cit.*, p. 251-254; Charbonneau, *op. cit.*, p. 140-141.

10. *Journal du siège de Québec en 1759*, par l'abbé Jean-Félix Récher, Québec, Société historique de Québec, 1959, p. 45.

11. Dechêne, *op. cit.*, p. 416; *Journal du siège de Québec en 1759*, annoté par A. Fauteux, *op. cit.*, p. 95-113.

12. Récher, *op. cit.*, p. 33 et 40.

13. Dechêne, *op. cit.*, p. 402-406.

14. G. Deschênes, *L'année des Anglais, la Côte-du-Sud à l'heure de la Conquête*, Québec, Septentrion, 1988, p. 62-87; Stacey, *op. cit.*, chap. 5; Dechêne, *op. cit.*, p. 414-416.

15. Dechêne, *op. cit.*, p. 114-115 et 410.

16. Charbonneau, *op. cit.*, p. 140-141; Stacey, *op. cit.*, p. 251-253.

17. A. Côté, *Joseph-Michel Cadet (1719-1781), munitionnaire du roi en Nouvelle-France*, Sillery et Paris, Septentrion/Éditions Christian, 1998.

18. Dechêne, *op. cit.*, p. 356.

19. Voir le chapitre 10 du livre de L. Dechêne, « Jean-Baptiste s'en va-t-en guerre », *ibid.*, p. 349-396. Contrairement aux soldats et aux volontaires, les miliciens ne reçoivent pas de salaire.

20. *Ibid.*, p. 423 et 377; et R. Chartrand, « L'apport des miliciens canadiens à la guerre de Sept-Ans en Nouvelle-France », *La guerre de Sept Ans en Nouvelle-France*, La guerre de Sept Ans en Amérique, colloque tenu à Québec le 15 septembre 2009.

21. Au sujet du rôle des miliciens le 13 septembre 1759 sur les Plaines, L. Dechêne écrit ceci : « Montcalm aurait eu environ 5000 hommes sous ses ordres. Les cinq bataillons, fort incomplets, comptent au plus 1900 soldats et les troupes de la marine, un maximum de 500. Ce qui signifie que 2100 miliciens au moins participent à ce combat, peut-être même 2500. Il n'est donc pas impossible que 500 à 600 d'entre eux aient été tués, blessés ou faits prisonniers au cours d'une action aussi violente », *Ibid.*, p. 391 et p. 386-395. Il est difficile d'établir le nombre de Canadiens ou de miliciens décédés durant la guerre de Sept-Ans et de ses suites (blessures, maladies, malnutrition) mais les démographes ont calculé que le taux de mortalité, qui avait toujours été inférieur à 30 décès pour 1000 personnes avant 1745, passa à 37,9 % entre 1756 et 1760. J. Henripin et Y. Peron, « La transition démographique de la province de Québec », *La population du Québec, études rétrospectives*, H. Charbonneau (dir.), Trois-Rivières, Boréal, 1973, p. 43. De son côté, Christopher Moore estime que 10 % de la population est décédée durant la guerre de Sept-Ans, cité dans Dechêne, *op. cit.*, p. 630, note 151.

22. Texte cité dans Robitaille, *op. cit.*, p. 542.

23. M. Vallières *et al.*, *Histoire de Québec et de sa région*, Québec, Presses de l'Université Laval, 2008, t. II, p. 709 à 749 et 855.

24. G. Blais *et al.*, *Québec, quatre siècles d'une capitale*, Québec, Les Publications du Québec, 2008, p.299.

25. G. Gallichan, « La ville de Québec et le défi de la Capitale (1841-1865) », *Les Cahiers des Dix*, n° 61, 2007, p. 29.

26. L.-P. Turcotte, *Le Canada sous l'Union 1841-1867*, Québec, L.-J. Demers, 1882, p. 284. Au nombre des écrivains de cette époque, on peut rappeler les noms de E. Parent, M. Bibaud, J.-B.-A. Ferland, F.-X. Garneau, P-J.-O. Chauveau, J.-C. Taché, O. Crémazie, A.-N. Morin, A. Gérin-Lajoie, P.-A. de Gaspé. Pour un aperçu de la vie culturelle à Québec durant ces années, voir les articles suivants de Claude Galarneau : « Société et associations volontaires à Québec 1770-1859 », *Les Cahiers des Dix*, n° 58, p. 171-212 ; « Les écoles privées à Québec (1760-1859) », *Les Cahiers des Dix*, n° 45, 1990, p.95-113 ; « Le spectacle à Québec », *Les Cahiers des Dix*, n° 49, 1994, p. 75-109 ; « La presse périodique au Québec de 1764 à 1859 », *Mémoires de la Société royale du Canada*, quatrième série, t. XXII, 1984, p. 143-166. Voir aussi *Livre et lecture au Québec, (1800-1850)*, sous la dir. de C. Galarneau et M. Lemire, Québec, Institut québécois de recherche sur la culture, 1988,

27. Turcotte, *ibid.*, p. 284.

28. Par exemple, le 13 septembre 1859, le *Journal de Québec* a reproduit, en page un, un extrait de l'*Histoire du Canada* de F.-X. Garneau qui avait pour titre « Les Montagnes Rocheuses ».

29. A. Gérin-Lajoie dit qu'il «sut attirer autour de sa chaire un auditoire nombreux et attentif»; cité dans M. Lemire et D. Saint-Jacques (dir.), *La vie littéraire au Québec*, Québec, Presses de l'Université Laval, t. III, p. 267.

30. P. Groulx, *op. cit.*, p. 59.

31. Chouinard, *op. cit.*, p. 39.

32. P. Groulx, *op. cit.* À Québec, cet hommage aux Patriotes de 1837-1838 avait été vu de façon très positive. Voici ce qu'on pouvait lire dans *Le Canadien*, le 3 août 1853: «À une assemblée de citoyens responsables et influents de Québec la proposition suivante a été adoptée: Que les Canadiens-Français de cette cité donnent leur approbation la plus explicite au projet émis par l'Institut canadien de Montréal d'élever sur la tombe des martyrs de 1837-1838, des monuments qui rappellent aux générations futures l'héroïque dévouement de ceux qui sont morts glorieusement au champ d'honneur pour la défense de nos libertés politiques».

33. L'assistant-rédacteur du *Journal de l'instruction publique* était alors Joseph Lenoir; James J. Phelan occupait cette fonction pour le *Journal of Education*. A. Beaulieu et J. Hamelin, *La presse québécoise des origines à nos jours*, Québec, Presses de l'Université Laval, 1973, t. I, p. 200-201. Chacun est indépendant en ce sens que les articles ne sont pas écrits par les mêmes personnes et ne traitent pas des mêmes questions. En septembre 1859, chacun a fait paraître un article sur les événements de 1759. Celui du *Journal de l'instruction publique* a pour seul titre «Petite revue mensuelle». Il débute en deuxième page, il fait environ 1800 mots et il n'est pas signé. L'auteur commence par rappeler que, le 13 septembre, les Britanniques de la ville de Québec ont rendu hommage à Wolfe mais qu'ils se sont abstenus de «toute idée de triomphe et de provocation» (p. 166). Il y décrit ensuite les cérémonies qui ont eu lieu à la chapelle des Ursulines, le 14, en l'honneur de Montcalm. La dernière partie du texte porte sur le développement des relations entre la France et le Canada dans le contexte de la visite de la Capricieuse, le premier vaisseau de guerre français à venir à Québec depuis 1759, et la nomination d'un consul français à Québec en 1858 (p. 166-167). Celui du *Journal of Education* a pour titre «A Hundred Years Ago». Il débute en première page, fait environ 4000 mots et des initiales y figurant à la fin (H. G. M.). Ce texte est le seul à faire une description du siège de Québec et des événements du 13 septembre. L'auteur commence par des réflexions sur les rapports entre histoire et mémoire et l'attitude qu'il faut avoir à l'égard des grands sentiments que peuvent parfois susciter certains grands événements historiques. Il y présente ensuite sa vision de la Nouvelle-France ainsi que des progrès économiques que cette région a connus depuis le changement de régime (p. 133-134). Suit une longue présentation des deux généraux «The English conqueror and the heroic defender» (p. 135). Les pages 135 et 136 portent sur le siège de la ville et la bataille. La dernière partie du texte (p. 136-137) est consacrée à une longue description des cérémonies qui ont eu lieu, le 14 septembre, à la chapelle des Ursulines; par contre, il ne dit rien de ce que les Britanniques ont fait, le 13, pour rendre hommage à Wolfe.

34. Aucun n'est signé mais on peut penser qu'ils expriment le point de vue de la direction du journal.

35. Ce monument se trouve dans le Jardin des Gouverneurs, près du Château Frontenac.
36. Félix Martin, *De Montcalm en Canada*, Tournai, H. Casterman, 1867, p. 212-213. On y lit cette inscription : « Honneur à Montcalm, le destin en le privant de la victoire, l'a récompensé par une mort glorieuse ». La dépouille de Montcalm repose maintenant au cimetière de l'Hôpital Général depuis 2001.
37. Cette colonne qui est située en face du Musée national des beaux-arts du Québec, a été érigée par Aylmer en 1832 sur le méridien qui existait déjà depuis 1790 pour représenter l'endroit où était mort Wolfe. En 1849, cette colonne fut restaurée, élevée et surmontée d'un casque et d'une épée.
38. *The Quebec Chronicle*, 14 septembre 1859, p. 2.
39. *Le Courrier du Canada*, 14 septembre 1859, p. 2 ; *Journal de l'instruction publique*, septembre 1859, p.166. Selon *Le Canadien*, l'érable « était l'arbre préféré de la colonie » et on le trouvait souvent autour des églises, 29 août 1859, p. 4.
40. « Les cloches de l'église anglaise sonnaient hier en commémoration de la mort glorieuse du héros dont l'Angleterre peut, à bon droit, être fière… », *Le Courrier du Canada*, 14 septembre 1859, p. 2 ; *Journal de l'instruction publique*, septembre 1859, p. 166.
41. *Le Courrier du Canada*, 14 septembre 1859, p. 2 ; *Journal de l'instruction publique*, septembre 1859, p. 166.
42. *Le Courrier du Canada*, 16 septembre 1859, p. 2 ; *Le Journal de Québec*, 16 septembre 1859, p. 2 ; *Le Canadien*, 16 septembre 1859, p. 4. De son côté, le père Félix Martin décrit l'endroit ainsi : la chapelle « était tendue de draperies noires aux larmes blanches, et au milieu de la nef s'élevait un modeste catafalque recouvert du drap mortuaire parsemé de fleurs-de-lis d'argent », Martin, *op. cit.*, p. 218.
43. *Le Canadien*, 16 septembre 1859, p. 4.
44. *Ibid.*, p. 4 ; *Le Courrier du Canada*, 16 septembre 1859, p. 2.
45. *Le Courrier du Canada*, 16 septembre 1859, p. 2.
46. *Le Canadien*, 16 septembre 1859, p. 4.
47. Martin, *op. cit.*, p. 219. Le père Martin présente l'assistance ainsi : « … l'élite Franco-Canadienne, à laquelle s'étaient joints tous les Français présents à Québec et plusieurs officiers de la garnison remplissaient l'étroite enceinte », Martin, *op. cit.*, p. 219. Cela dit, quelqu'un d'important ne fut pas présent du côté des Français, le consul Gauldrée-Boilleau. Parti présenter ses lettres d'accréditation au gouverneur général E. Head à Toronto, il ne revint à Québec que le 14 dans la soirée, donc quelques heures après la cérémonie, *Le Canadien*, 16 septembre 1859, p. 4. Il était arrivé à Québec le 29 août à bord de l'Indian, *Le Canadien*, 29 août 1859, p. 4.
48. *Le courrier du Canada*, 16 septembre 1859, p. 2.
49. L. Lemieux, « Baillargeon, Charles-François, *Dictionnaire biographique du Canada*, Québec, Presses de l'Université Laval, 1977, vol. IX, p. 20.
50. *Le Canadien*, 16 septembre 1859, p. 4.
51. *Le Journal de Québec*, 16 septembre 1859, p. 2.
52. Selon *Le Courrier du Canada*, « … c'est à l'initiative de ce pieux ami de notre histoire et de nos traditions que nous devons la belle fête qui a eu lieu », le 16 septembre 1859, p. 3. Sur Faribault, voir Yvan Lamonde, « Faribault, Georges-

Barthélémi », *Dictionnaire biographique du Canada*, Québec, Presses de l'Université Laval, 1977, vol. IX, p. 274-276.

53. Martin, *op. cit.*, p. 218. « Le marbre provenait d'une carrière américaine », *Le Canadien*, 5 septembre 1859, p. 4.

54. Jean Pierre de Bougainville était le frère de Louis Antoine de Bougainville, l'aide-de-camp de Montcalm. Montcalm envisageait de briguer un jour les suffrages de cette Académie. Martin, *op. cit.*, p. 216 et 214.

55. Martin, *op. cit.*, p. 214 à 218.

56. Aujourd'hui, la section de cette chapelle, ouverte au public, ne peut contenir que 130 personnes. Ainsi, si le nombre de sièges était le même, on peut estimer à environ 260 le nombre de personnes qui ont pu assister à l'une ou l'autre des deux cérémonies (sur une population de 60 200 personnes).

57. Un seul journal anglophone a fait une brève mention de la cérémonie, *The Quebec Chronicle*, 14 septembre 1859, p. 2, mais l'auteur n'a pas résumé les paroles de Martin.

58. *Le Canadien*, 16 septembre 1859, p. 4.

59. Bibaud et Ferland, quant à eux, passent pratiquement sous silence le rôle de Montcalm à l'été 1759. M. Bibaud, *Histoire du Canada, sous la domination française*, Montréal, J. Jones, 1837, 196 p.; J.-B.-A. Ferland, *Cours d'histoire du Canada*, 2e partie, Québec, Augustin Côté, 1865, p. 584-590.

60. Martin, *op. cit.*, p. VIII.

61. *Le Canadien*, 16 septembre 1859, p. 4.

62. Sur Félix Martin, voir la biographie de Georges-Émile Giguère dans le *Dictionnaire biographique du Canada*, Québec, Presses de l'Université Laval, vol. XI, 1982, p. 649-651.

63. Tournai, H. Casterman, 1867, 346 p.

64. *The Quebec Gazette*, 9 septembre 1859, p. 2.

65. *Ibid*. Le texte n'est pas signé mais il provient sans doute de la rédaction du journal.

66. *The Quebec Mercury*, 13 septembre 1859, p. 2.

67. *The Quebec Chronicle*, 14 septembre, p. 2.

68. *Ibid*. Même si le transfert de la Nouvelle-France à l'Angleterre ne se fit que lors du traité de Paris de 1763, plusieurs auteurs du XIXe siècle, et même plus récents, présentent la victoire de 1759 comme la date marquant la fin de la guerre en Amérique.

69. *Ibid*.

70. *Journal of Education*, p. 133.

71. *Ibid*.

72. *Ibid*., p. 134.

73. Sur ces années, voir entre autres : J. Monet, *La première révolution tranquille, le nationalisme canadien-français (1837-1850)*, Montréal, Fides, 1981 ; J. Lamarre, « Les représentations du devenir de la société canadienne-française dans *Le Canada sous l'Union, 1841-1867* de Louis-Philippe Turcotte », *Recherches sociographiques*, vol. XXXIV, n° 1, 1993, p. 69-88.

74. « Sauvegarder la bonne entente » disait Turcotte, cité dans Lamarre, *op. cit.*, p. 83.

75. E.-P. Taché, texte cité dans Chouinard, *Fête nationale, op. cit.*, p. 70.

76. «Montcalm, le noble et courageux défenseur de la patrie», *Le Courrier du Canada*, 16 septembre 1859, p. 2.
77. Robitaille, *op. cit.*, p. 226.
78. Voir M. Cambron, «P.-J.-O. Chauveau, lecteur de Garneau», dans *François-Xavier Garneau, figure nationale*, sous la dir. de G. Gallichan *et al.*, Québec, *Nota Bene*, 1998, p. 340-343. Dans l'article du *Journal de l'instruction publique*, l'auteur évoque d'ailleurs le rôle de la «providence» [sic], septembre 1859, p. 166. On peut penser, entre autres pour cette raison, que Chauveau est l'auteur de ce texte. Une première allusion à cette «théorie providentielle» de la conquête avait été formulée à l'automne 1789 par le juge William Smith dans une «exhortation» aux grands jurés de Québec. Claude Galarneau, *La France devant l'opinion canadienne (1760-1815)*, Québec, Les Presses de l'Université Laval, 1970, p. 336-339.
79. Chouinard, *op. cit.*, p. 161-188. Voir aussi la brochure *150 ans. Au service des Canadiens français depuis 150 ans, 1842-1992*, Québec, La Société Saint-Jean-Baptiste, c1992, p. 14.16.
80. Robitaille, *op. cit.*, p. 399 et 400. Plus tôt dans son texte (p. 226) Robitaille avait écrit ceci: «la cession de la nouvelle [sic] France à l'Angleterre en 1763, fut regardée par nos ancêtres comme un grand malheur».

Qu'est-ce que le Canada ? : la réponse des intellectuels albertains[1]

Frédéric Boily
Science politique/études canadiennes
Campus Saint-Jean
University of Alberta

La question de la nature du vivre-ensemble canadien – soit celle de savoir ce qui fait que le Canada est un ensemble politique qui, malgré tout, parvient à perdurer – en est une qui fascine les intellectuels et qui a donné lieu à de multiples réponses. Certains ont insisté sur l'idée d'une communauté essentiellement britannique, d'autres sur le fait que le Canada est un pays nordique alors que plusieurs vont défendre l'idée d'un pays binational, multinational ou d'une nation multiculturelle[2]. Par exemple, John Saul a avancé récemment l'idée d'une nation qui n'arrive pas à reconnaître ses origines autochtones[3].

Depuis les années 1960, cette question existentielle sur la nature du Canada a surtout passé, sur le plan politique, par une redéfinition de la place du Québec dans l'ensemble canadien. Toutefois, nous avons été moins attentifs aux réponses avancées par les intellectuels de l'Ouest, plus particulièrement celles de l'Alberta, et c'est précisément ce qu'il s'agit d'examiner dans ce texte. Nous allons notamment nous intéresser à la pensée d'un groupe d'intellectuels, réunis sous le vocable d'École de Calgary et qui sont décrits brièvement dans la première section. La pensée de cette École est d'autant plus importante que les intellectuels qui en font partie sont présumés avoir influencé l'actuel premier ministre Stephen Harper. Certes, leur influence a parfois été exagérée, mais il n'empêche qu'ils font bien partie de ceux qui ont contribué au renouveau conservateur canadien[4]. C'est dans ce contexte qu'il devient non seulement intéressant mais presque essentiel d'examiner la conception du Canada de ces intellectuels.

D'abord, nous brosserons brièvement les origines de cette pensée qui se développe dans un contexte marqué par une relation difficile et tendue avec le gouvernement central, en ce qui concerne la défense des intérêts de l'Ouest du pays. Par la suite, nous verrons que ces intellectuels, dans leurs différents écrits, ont voulu faire entendre une *dissonance* ou un profond désaccord par rapport à la vision des intellectuels et des politiciens du Canada central. En ce sens, ils ont exprimé un point de vue, celui de l'Alberta, qu'ils estiment ne pas avoir été assez pris en compte par le reste du pays. Simplement dit, ils ont développé une conception du Canada qui est celle d'un espace socio-politique davantage pensé sur un mode économique et que l'*accord* canadien ne tient pas à l'idée que le Canada a été fondé sur la base d'un pacte entre deux nations fondatrices ou des groupes ethniques. La création du Canada visait précisément, selon eux, à subsumer les différences nationales dans une conception égalitaire des provinces canadiennes. Cette conception fait en sorte que les intellectuels de Calgary sont réfractaires à l'égard du rôle culturel et social du gouvernement central. Enfin, nous terminerons en identifiant deux grandes tendances ou façons de concevoir le devenir de l'Alberta et de l'Ouest au sein du Canada et qui sont avancées par ces intellectuels.

Contexte politique : la méfiance de l'Ouest

Nous avons tendance, et avec de bonnes raisons, à percevoir l'histoire politique canadienne, des années 1960 à aujourd'hui, comme un affrontement presque exclusif entre le Québec et Ottawa. Sans conteste, la houleuse relation entre les deux gouvernements, spécialement (mais pas exclusivement) quand celui-ci était dirigé par le Parti québécois, a été centrale dans la définition des événements. Les demandes des gouvernements québécois ont donné lieu à une intense période de négociations entre les deux référendums sur l'avenir du Québec (1980 et 1995). Mais, cela nous fait parfois oublier que les provinces de l'Ouest, l'Alberta au premier chef, ont elles aussi eu leur lot de tensions et de différends avec le gouvernement central.

En effet, jusqu'aux années 1930, les gouvernements de l'Ouest du pays cherchaient à s'assurer du contrôle des ressources naturelles. Il s'agissait là de la question qui structurait les relations entre elles et le gouvernement fédéral. Toutefois, les négociations qui ont donné lieu à la ratification du *Natural Ressources Transfer Agreement* (NRTA) ont été plutôt difficiles. Cet accord est crucial dans l'histoire politique albertaine parce qu'il est venu confirmer que le contrôle des ressources naturelles, comme le pétrole et le gaz naturel, mamelles de l'économie albertaine d'aujourd'hui, relevait de la responsabilité des gouvernements des provinces de l'Ouest.

Or il faut se rappeler que la conclusion de cet accord a confirmé, aux yeux de plusieurs, que les intérêts de l'Ouest étaient trop souvent sacrifiés sur l'autel des intérêts des provinces du centre, l'Ontario et le Québec au premier chef. Car les difficiles négociations qui ont mené à la conclusion du NRTA vont laisser croire, non sans bonnes raisons par ailleurs, qu'il y a eu une certaine subordination des intérêts de l'Ouest, au moins pour un moment, à ceux du Québec[5]. Ernest Lapointe, alors lieutenant politique du premier ministre Mackenzie King au Québec, cherchait à obtenir des garanties pour les écoles catholiques de l'Ouest de façon à protéger leurs droits. Du côté des libéraux fédéraux, l'objectif était de désamorcer les objections de nationalistes québécois, comme Henri Bourassa, qui s'inquiétaient du sort des catholiques francophones hors-Québec[6]. Tout cela va créer de la méfiance chez les hommes politiques de l'Ouest, ceux-ci ayant l'impression que la négociation de l'accord a traîné en longueur parce qu'il fallait bien davantage satisfaire les intérêts du Parti libéral du Canada au Québec que ceux de l'Ouest.

Au début des années 1960, cette méfiance va se réactiver lorsque le premier ministre libéral Lester B. Pearson va mettre sur pied la commission royale d'enquête Laurendeau-Dunton. En effet, cette commission va de nouveau attiser l'idée voulant que la politique nationale soit guidée par les intérêts du centre du pays, car la vision du Canada qui était sous-tendue par la commission ne paraît pas conforme à la diversité socio-culturelle de l'Ouest. Cette méfiance à l'égard du gouvernement central s'est transformée en colère lorsque le gouvernement libéral de Pierre Elliot Trudeau va mettre en place, en 1979-1980, le fameux et maintenant honni en Alberta, Programme national d'énergie. Ce programme, qui visait une meilleure redistribution des ressources pétrolières dans l'ensemble du pays, est accusé d'avoir non seulement freiné le développement de cette industrie mais presque de l'avoir fait disparaître. La majorité des élites politiques albertaines ont gardé rancune à l'égard des Libéraux et l'épisode fait maintenant partie des épisodes fondateurs de la culture politique albertaine.

C'est dans ce contexte que le gouvernement libéral de Trudeau va être balayé dans l'Ouest du pays et que les conservateurs de Brian Mulroney vont prendre le pouvoir, en 1984. Mais, après le vent d'espoir suscité au sein de l'élite politique de l'Ouest par l'arrivée de Mulroney[7], c'est la déception qui s'installe, plus particulièrement lorsqu'à mi-chemin de son premier mandat, le gouvernement conservateur va se retrouver au cœur d'une dispute concernant l'octroi d'un contrat d'entretien d'avions de chasse (CF-18). La logique économique aurait voulu que le contrat revienne à Bristol Aerospace, une entreprise de Winnipeg, plutôt qu'à Canadair, une entreprise de Montréal. Toutefois, des motifs politiques font en sorte que le contrat va être accordé à l'entreprise de Montréal, ce qui va là encore susciter un très fort mécontentement dans l'Ouest du pays. Si bien que, quelques mois plus tard, soit au printemps 1987, se tenait l'Assemblée de Vancouver, l'une des deux premières réunions qui vont donner naissance au *Reform Party*, mené par Preston Manning.

Il faut cependant apporter une précision : certains commentateurs, spécialement ceux qui ont ou qui sont encore aujourd'hui des acteurs politiques (et qui écrivent abondamment, comme l'ancien chef du *Reform Party* de Preston Manning) ont tendance à exagérer le sentiment d'aliénation de l'Ouest puisque cela procure un surcroît de légitimité à leur propre entreprise politique. Par exemple, l'ancien premier ministre Ralph Klein aimait bien fouetter le cheval de la *Western Alienation* pour détourner l'attention des électeurs albertains. Or comme le rappelle avec à-propos le journaliste Mark Lisac, sous les draps de la *Western Alienation* se cachent de nombreux « fédéralistes cachés » (*secret federalists*) et bien plus qu'on ne le croit généralement[8]. Ce n'est pas l'ensemble de la population qui partage ce sentiment d'aliénation et de nombreux albertains sont à l'aise avec le rôle joué par le gouvernement fédéral.

Quoi qu'il en soit du sentiment exact de la population albertaine à l'égard d'Ottawa, tel est le contexte politique, esquissé dans ces grandes lignes, dans lequel les idées politiques des intellectuels albertains vont se développer. Plus précisément, quelles sont les idées de ces auteurs ? Comment voient-ils le Canada ?

Les intellectuels de Calgary à l'assaut du consensus canadien

Contre le consensus canadien

C'est au milieu des années 1990, lorsque le *Reform Party* était la formation politique dominante dans l'Ouest, que l'expression d'École de Calgary a commencé à être fréquemment employée. Composée de professeurs en sciences sociales issus principalement de l'Université de Calgary (essentiellement Tom Flanagan, Barry Cooper, Ted Morton, David Bercuson et Rainer Knopff), la « Calgary School » serait à l'actuel Parti conservateur ce qu'ont été les intellectuels néo-conservateurs américains à Georges W. Bush : une sorte de confrérie occulte qui, fortement idéologique, aurait imprimé une direction plus idéologique aux politiques conservatrices[9]. Toutefois, c'est surtout pendant et après la campagne électorale fédérale du printemps 2004 que l'existence de ce groupe a davantage retenu l'attention, notamment avec la parution d'un article, dans une revue de gauche canadienne dans lequel l'auteur tentait de montrer l'influence cachée de ce groupe sur celui qui cherchait à devenir premier ministre[10]. Lors de la campagne électorale fédérale de 2006, ce groupe a de nouveau souvent été évoqué[11].

Il n'est pas facile de prendre l'exacte mesure de leur influence, mais chose certaine, nous pouvons dire, en première approximation, que les intellectuels de Calgary sont unis par la lutte qu'ils mènent contre ce qu'ils perçoivent comme étant le consensus canadien. Pour eux, et cela se retrouve dans presque tous leurs écrits, la politique canadienne s'est intellectuellement enlisée dans des conceptions erronées du Canada et du rôle du gouvernement fédéral. L'idée court d'un auteur à l'autre que la réalité politique canadienne se trouve sous la domination «d'idoles» qu'il convient maintenant de jeter à terre. S'il est nécessaire de les détruire, c'est que celles-ci véhiculent, du point de vue des auteurs de l'Alberta, une fausse conception de la réalité canadienne.

Ainsi, dans plusieurs textes, le professeur de science politique de l'Université de Calgary et spécialiste de la pensée d'Eric Voegelin, Barry Cooper, s'oppose à l'idée qu'il soit possible d'en arriver à un accord avec le Québec. D'autres auteurs de cette école, comme Frederick (Ted) Morton et Rainer Knopff, vont critiquer inlassablement le caractère «révolutionnaire», ou idéologique selon eux, de la Charte canadienne des droits et libertés. À leurs yeux, la Charte accorde à la Cour suprême du Canada une place disproportionnée alors que le pouvoir législatif est relégué à un rôle subalterne. Quant à Tom Flanagan, qui lui aussi enseigne la science politique à la même institution, il va dénoncer avec vigueur, dans ses écrits, ce qu'il appelle l'orthodoxie autochtone. Influencé par l'économiste Friedrich Hayek, il croit que les politiques visant à aider les autochtones ne tiennent pas compte des leçons de l'économie classique voulant que nous ne pouvons pas planifier, au sens où Hayek définissait le «planisme» dans son ouvrage *La route de la servitude*[12], le développement socio-économique des communautés autochtones canadiennes[13].

De manière générale, les auteurs de l'Ouest font donc entendre une profonde *dissonance* quant à la conception qui prévaut ailleurs, tant par rapport à la vision d'un Canada compris comme un pacte fondateur entre nations que par rapport à celle plus centralisatrice d'un gouvernement canadien devant assurer l'unité nationale.

Contre l'État-providence canadien

Les intellectuels de l'Alberta se révèlent tout particulièrement critiques à l'égard de la politique économique qui a été mise sur pied pendant les années où Trudeau a gouverné, notamment les politiques de développement régional. Selon l'ensemble des penseurs de Calgary, les fondements économiques de ces politiques qui visent à favoriser le développement des régions reposent sur des sables mouvants tout comme d'ailleurs l'idée que le gouvernement puisse agir comme un correcteur des inégalités sociales.

Dans *Derailed*, un ouvrage publié aux débuts des années 1990, David J. Bercuson et Barry Cooper vont critiquer durement l'approche préconisée par l'ancien premier ministre libéral, notamment la notion de «société juste», laquelle fait de la lutte contre les inégalités un élément central de la politique gouvernementale. Slogan de la campagne électorale de 1968, cette notion a d'abord été amenée sur la scène politique, selon eux, par John Diefenbaker qui voulait que l'État canadien assure la redistribution de la richesse. Pourtant, les premiers ministres avaient compris, jusqu'à MacKenzie King, que le Canada constituait essentiellement un espace économique ; par conséquent, l'État avait un rôle secondaire à jouer en matière économique ou un rôle de correction, principalement en temps de crise. Mais, sous le règne de Diefenbaker, l'État va multiplier les programmes sociaux afin de faire du Canada un espace national et économique unifié sur le plan culturel et national. Sous l'égide du gouvernement libéral de Trudeau, l'État va poursuivre et accentuer cette œuvre de *nation-building* en devenant le promoteur de la justice sociale, la Charte constituant le parachèvement de cette façon de concevoir le Canada.

Or Bercuson et Cooper marquent leur profond désaccord avec cette conception de l'État canadien, notamment en faisant remarquer que l'idée de justice sociale se révèle fausse ne serait-ce que parce que les ressources économiques sont trop rares pour que l'on puisse espérer les distribuer justement. Et surtout, l'idée de justice sociale ne peut que conduire à la création d'une culture de la dépendance[14]. Ainsi, l'idée que l'État soit au service de la communauté, sa mission étant d'assurer une répartition plus équitable de la richesse, est rejetée avec vigueur par les auteurs de l'Ouest. Un tel objectif a tout simplement conduit le gouvernement à adopter des politiques publiques désastreuses pour l'économie canadienne. Cela serait surtout vrai pour les groupes autochtones, va dire Tom Flanagan[15].

Il faut mentionner ici que la conception que se font les intellectuels de Calgary du rôle de l'État et du libéralisme se révèle parfois étroite, leur conception faisant l'économie de plusieurs développements et réinterprétations survenus au sein même du camp libéral[16]. Elle fait notamment l'impasse sur des débats qui, à partir du milieu du XIXe siècle, ébranlent l'édifice libéral, ce qui a conduit à une redéfinition ou à une transformation du libéralisme, comme l'a montré Monique Canto-Sperber[17]. En ce sens, il est possible de reprocher aux intellectuels de Calgary une application quelque peu doctrinaire du libéralisme dont ils ne perçoivent pas les multiples facettes. Emportés par leur fougue libérale et trop désireux de critiquer la politique canadienne, ces intellectuels oublient que le libéralisme lui-même a su développer certains mécanismes institutionnels qui vont le rendre plus soucieux d'offrir une protection qui va assurer une certaine égalité économique et sociale aux citoyens, comme le gouvernement de Trudeau a voulu le faire. Mais les intellectuels de Calgary ne perçoivent pas le Canada comme un espace national que l'État central doit et viendrait unir grâce à des politiques économiques et culturelles : l'État fédéral est plutôt là pour garantir à chacune des régions la possibilité de s'épanouir comme elle l'entend. À cet égard, s'il y a une autre idée qui recueille l'assentiment général des intellectuels albertains, c'est bien celle qu'il faille briser avec la thèse voulant que le Canada soit le résultat d'un pacte entre deux peuples fondateurs.

Bien qu'il ne soit pas considéré comme faisant partie de l'École de Calgary, c'est l'ancien chef du *Reform Party* qui va le mieux traduire cette nouvelle conception, dans son ouvrage *The New Canada*, lorsqu'il explique que le pays ne peut plus reposer sur l'idée d'un pacte fondateur entre nations[18]. Par exemple, Preston Manning raconte que, lorsque son père, qui était alors le premier ministre de l'Alberta, a reçu le télégramme de Lester B. Pearson annonçant les grandes lignes de la commission Laurendeau-Dunton, ce dernier a été estomaqué de voir la conception du Canada qui était alors préconisée: celle d'un pacte entre peuples fondateurs[19]. Or l'idée que le Canada soit composé de peuples fondateurs n'apparaît plus conforme au «nouveau» Canada d'après-guerre, lequel a vu son identité ethno-culturelle se transformer, ce qui est plutôt juste dans le cas des provinces de l'Ouest. D'ailleurs, des critiques de la vision de Laurendeau-Dunton vont être exprimées au sein même de la commission par des commissaires en provenance du Manitoba.

Le contre-projet qui est alors proposé par les intellectuels de Calgary prend la forme d'un retour à une conception qui, dans sa version provincialiste, consiste à doter la province albertaine de davantage de pouvoirs et, dans sa version fédéraliste, à revenir à une conception dite classique du fédéralisme canadien.

Pour un Nouvel Ouest dans un Nouveau Canada

En ce qui concerne la direction qu'il faut donner au Canada, nous pouvons en effet dire que deux grandes tendances se sont manifestées au cours des vingt dernières années: une tendance qui cherche, depuis le milieu des années 1980, à redéfinir le Canada selon une problématique plus conservatrice ou néo-libérale; la seconde, provincialiste celle-là, veut que l'Alberta entreprenne, à la manière dont le Québec l'a fait dans les années 1960, une sorte de révolution tranquille.

La première, appelons-la la tentation fédéraliste, a été exprimée avec force par le *Reform Party* de Preston Manning. Le projet politique réformiste cherchait à refonder le Canada sur de nouvelles bases politiques. À un gouvernement canadien trop volontariste sur le plan des politiques publiques, les réformistes opposaient un État plus restreint en ce qui concerne ses responsabilités financières et fiscales. Cette vision impliquait également l'abandon de la vision du Canada compris comme un pacte entre nations pour une représentation de provinces égales entre elles où aucune n'est distincte ou ne dispose de pouvoirs qui lui sont particuliers. En ce sens, le *Reform Party* et, de manière générale, les intellectuels de

Calgary s'opposent à la thèse aujourd'hui désignée sous l'expression de fédéralisme multinational[20]. La fédération est plutôt comprise comme étant composée de provinces égales et d'un Canada des régions, ces dernières devant pouvoir s'exprimer au sein d'un Sénat dit «triple-E», soit égal, élu et efficace.

À quel point le présent gouvernement conservateur se veut l'héritier de cette vision est une difficile question. Chose certaine, il y a des éléments de continuité entre les deux partis dans la mesure où se retrouve aussi du côté du Parti conservateur cette vision qui insiste pour donner plus de marge de manœuvre aux provinces dans le respect de la lettre de la constitution. C'est ainsi que Stephen Harper va, pendant la campagne électorale de décembre 2005 et de janvier 2006, mettre de l'avant le concept de «fédéralisme d'ouverture (*open federalism*). Plus précisément, c'est lors d'un discours à Québec, le 19 décembre 2005, que le futur premier ministre va parler de ce fédéralisme qui, destiné à séduire les électeurs québécois, voudrait revenir à une conception du fédéralisme dite «classique» qui restreindrait le pouvoir fédéral de dépenser. Comme le dit Stephen Harper lui-même, le fédéralisme d'ouverture implique qu'«Ottawa fait ce que le gouvernement fédéral est supposé faire»[21]. Ce fédéralisme classique avance l'idée que la fédération n'est pas une union où les provinces sont subordonnées au gouvernement fédéral mais une union économique et politique où les provinces sont souveraines dans leur domaine de compétences. En ce sens, celui d'une continuité entre le projet réformiste et le projet conservateur, nous pouvons parler d'une tentative fédéraliste qui, dans l'Ouest, prend la forme d'un remodelage des institutions, surtout le Sénat, ainsi qu'une restriction des prérogatives du gouvernement central, notamment l'encadrement du pouvoir fédéral de dépenser. Cela dit, il y a eu peu de mesures concrètes pour définir ce fédéralisme d'ouverture.

En ce qui concerne la seconde tentation, disons-la provincialiste, celle-ci s'est révélée au grand jour dans un court texte *The Alberta Agenda*, appelé plus communément *Firewall Letter*, lequel résume bien l'impatience des intellectuels de l'Alberta. Fruit d'une collaboration entre divers intervenants, cette lettre a notamment été écrite par Stephen Harper, alors président de la *National Citizens Coalition*, ainsi que par Tom Flanagan et Ted Morton[22]. Rendue publique dans la foulée de l'élection fédérale de 2000 et publiée dans le *National Post* en janvier 2001, la lettre soutenait que le premier ministre Ralph Klein devait entamer un processus de «rapatriement» de certains pouvoirs au gouvernement albertain[23]. Les signataires de la lettre demandaient que certaines politiques soient mises en place afin de diminuer l'influence du gouvernement fédéral sur l'Alberta. Ils croyaient qu'il était nécessaire d'agir comme cela avait été fait au Québec, par exemple en remplaçant le Régime de pensions du Canada par un régime provincial ou encore en percevant des impôts provinciaux tout comme il était proposé de remplacer la Gendarmerie Royale du Canada par une force de police provinciale, de rétablir la juridiction exclusive en matière de santé, et, enfin, de forcer une réforme du Sénat.

L'un des signataires de cette lettre, le politologue Frederick L. Morton, va pousser plus loin l'idée en se demandant s'il ne faut tout simplement pas adopter une constitution propre à l'Alberta. Maintenant ministre au sein du gouvernement provincial d'Ed Stelmach, Morton déplorait que, contrairement à la grande majorité des autres fédérations, les provinces canadiennes ne possèdent pas de constitution. Au contraire, il estimait qu'aussi bien l'Alberta que le Québec devaient s'en doter d'une[24]. À ses yeux, l'adoption d'une constitution albertaine signifierait que l'Alberta prenne davantage sa place dans l'ensemble canadien : « It would manifest a self-confidence in Alberta's right and ability to be self-governing »[25]. Un document constitutionnel *made in Alberta* permettrait de s'assurer que certaines politiques propres à la province seraient ainsi à l'abri des changements de gouvernements. Et surtout que les lois albertaines seraient soustraites à l'autorité des juges de la Cour suprême, des juges nommés par le gouvernement fédéral pour interpréter une Constitution qui met trop l'accent, selon Morton, sur les droits des groupes et des minorités de toutes sortes. Ainsi, l'adoption d'une Constitution pour l'Alberta permettrait de pallier un des plus grands maux de la démocratie canadienne, soit celui de la judiciarisation du politique[26].

La perspective fédéraliste et la tentation provincialiste s'accordent sur l'idée que le Canada central a été trop peu sensible aux perspectives albertaines et que, par conséquent, il est nécessaire d'infléchir l'évolution politique pour que le gouvernement d'Ottawa ne prenne pas les décisions qu'en fonction des seuls intérêts du centre et du Québec. Les élites politiques et intellectuelles croient donc, au-delà de savoir s'il faut construire des ponts ou des murs, que rien ne pourra dorénavant se faire sans que l'Ouest n'ait son mot à dire dans l'évolution future du pays.

NOTES ET RÉFÉRENCES

1. Ce texte a fait l'objet d'une présentation au colloque de l'Association française d'études canadiennes qui s'est tenu à Grenoble : *Living in Canada : Accords et dissonances,* 11 & 12 juin 2009, Universités de Grenoble. Le titre en était : « La question du vouloir-vivre canadien : la réponse des intellectuels albertains ». F. Boily est professeur agrégé à l'Université d'Alberta en science politique et études canadiennes, campus Saint-Jean (NDLR).

2. Pour un résumé de ces diverses positions, voir Allan Smith, *Le Canada : une nation américaine ? Réflexions sur le continentalisme, l'identité et la mentalité canadienne,* Québec, PUL, 2005, p. 1-16.

3. John Saul, *A Fair Country. Telling Truths about Canada,* Toronto, Viking, 2008.

4. Pour plus de détails, voir le collectif suivant: Frédéric Boily (dir), *Stephen Harper. De l'École de Calgary au Parti conservateur: les nouveaux visages du conservatisme canadien*, Québec, Presses de l'Université Laval, 2007, 148 p.

5. Thomas Flanagan et Mark Milke, « Alberta's Real Constitution, The Natural Resources Transfer Agreement », *Forging Alberta's Constitutional Framework*, Richard Connors and John M. Law, editors, The University Alberta Press, 2005, p. 165.

6. *Ibid.*, p. 180.

7. Voir Trevor Harrison, *Of Passionate Intensity. Right-wing populism and the Reform Party of Canada*, Toronto, University of Toronto Press, p. 81-82.

8. Mark Lisac, *Alberta Politics Uncovered. Taking back our Province*, Edmonton, Newest Press, 2004, p. 88-89.

9. Pour plus de détails, je renvoie à Frédéric Boily, « Le néoconservatisme au Canada: faut-il craindre l'École de Calgary ? », *Stephen Harper. De l'École de Calgary au Parti conservateur: les nouveaux visages du conservatisme canadien*, sous la direction de Frédéric Boily, Québec, Presses de l'Université Laval, 2007, p. 27-54.

10. Marci MacDonald, « The Man behind Stephen Harper », *The Walrus*, October 2004.

11. Lawrence Martin, « Your attention, please: The East's great power rip-off is over », *The Globe and Mail*, 19 janvier 2006, p. A17.

12. Friedrich Hayek, *La route de la servitude*, Paris, PUF, [1946] 1985.

13. Pour en savoir plus sur la pensée de Flanagan, voir le texte de Nathalie Kermoal et Charles Bellerose, « Les influences voegeliniennes et hayékiennes dans les écrits de Thomas Flanagan », dans Frédéric Boily (dir.), *Stephen Harper. De l'École de Calgary au Parti conservateur: les nouveaux visages du conservatisme canadien*, Québec, Presses de l'Université Laval, 2007.

14. Bercuson, David Jay et Barry Cooper, *Derailed. The Betrayal of the National Dream*, Toronto, Key Porter-Books, 1994, p. 96-97.

15. Tom Flanagan, *First Nations? Second Thoughts*, Montréal, McGill-Queen's University Press, 2000.

16. Cette critique a été développée plus longuement dans Frédéric Boily et Natalie Boisvert, « L'École de Calgary : regard néolibéral sur la Charte des droits et libertés », *Le fédéralisme asymétrique et les minorités linguistiques et nationales*, sous la direction de Linda Cardinal, Sudbury, Prise de Parole, 2008, p. 361-389.

17. Monique Canto-Sperber, *Les règles de la liberté*, Paris, Plon, 2003, p. 41.

18. Preston Manning, *The New Canada*, Toronto, MacMillan Canada, 1992, p. 301-302.

19. « *My father's reaction to this was representative of the thinking of many Albertans and other western Canadians* », Preston Manning, « Federal-Provincial Tensions and the Evolution of a Province », *Forging Alberta's Constitutional Framework*, *op. cit.*, p. 328.

20. Par exemple, Alain G. Gagnon, *La raison du plus fort. Plaidoyer pour le fédéralisme multinational*, Montréal, Québec/Amérique, 2008.

21. Ian MacDonald, « The BNA Act and the Charter: two mints in one », *Policy options/Options politiques*, décembre 2007-janvier 2008, p. 95.

22. Les autres signataires étaient Andrew Crooks et Ken Boessenkool.
23. William Johnson, *Stephen Harper and the future of Canada*, Toronto, p. 284.
24. F. L. Morton, « Provincial Constitutions in Canada », *Conference on Federalism and Sub-national Constitutions: Design and Reform*, Center for the Study of State Constitutions, Rockfeller Center, Bellagio, Italy, Marc 22-26, 2004. Je remercie Natalie Boisvert d'avoir porté à ma connaissance l'existence de ce texte.
25. F. L. Morton, « Constituting Democracy in Alberta : A Centennial Proposal », *Fraser Forum*, novembre 2003, p. 15.
26. Voir Natalie Boisvert, « L'École de Calgary et le pouvoir judiciaire », dans Frédéric Boily (dir.), *Stephen Harper. De l'École de Calgary au Parti conservateur : les nouveaux visages du conservatisme canadien*, Québec, Presses de l'Université Laval, 2007.

Lionel Groulx et la Grande Guerre : ruses et paraboles d'un historien public

BÉATRICE RICHARD

Collège militaire royal de Saint-Jean

De son vivant comme après sa mort, Lionel Groulx a constamment alimenté la controverse. Et pour cause. Lui-même a toujours activement entretenu une certaine forme de vedettariat, ce qui l'obligea à vivre avec les conséquences, heureuses ou malheureuses, susceptibles d'en découler[1]. Ainsi, les accusations parfois très graves qui l'ont poursuivi outre-tombe[2], loin de l'enterrer, ont eu pour effet de raviver sa mémoire[3] et d'inspirer de nouvelles études[4]. Demeurerait toutefois entière la question d'un héritage nationaliste mal assumé par l'intelligentsia québécoise contemporaine[5]. Le prêtre historien semble ainsi être devenu un point de focalisation du « rapport trouble qu'entretient la pensée politique contemporaine avec les représentations collectives d'avant 1960 »[6]. Pouvait-il en aller autrement avec un intellectuel aussi engagé que Groulx ? D'autant que le militant a mal vieilli : la libération nationale qu'il invoquait, d'inspiration biblique[7], a été finalement supplantée par une révolution laïque[8]. Plus dérangeants ont été ses commentaires xénophobes ou antisémites qui, même s'ils restent périphériques dans son œuvre, le rendent difficilement fréquentable dans une société postmoderne[9].

L'aborder devient d'autant plus compliqué que cette part d'ombre a parfois servi à discréditer toute forme d'affirmation nationale au Québec[10]. Surtout, son œuvre historique a été disqualifiée et son professionnalisme en la matière récusé, depuis longtemps, les experts ne le considèrent plus comme une référence[11]. Et pourtant sa vision du passé semble avoir subsisté dans la mémoire collective, et ce nonobstant les avancées historiographiques de ces dernières décennies. Ainsi, il y a quelques années déjà, des élèves du niveau secondaire résumaient l'histoire du Québec à « une suite ininterrompue de luttes pour l'obtention d'une société reconnue » ou à « la lutte des Francos et des Anglos qui fit rage depuis toujours »[12]. Un tel enracinement de l'interprétation groulxienne dans le sens commun, pour folklorique qu'il puisse sembler, mérite mieux que des railleries, il appelle des explications. À mon avis, la clé se trouve dans la genèse d'une historiographie qui, à l'origine, se veut une arme de combat taillée sur mesure pour un peuple en guerre sur son propre territoire.

L'aurait-on oublié? Le récit national de Groulx se cristallise pendant la Première Guerre mondiale, période de désarroi intense pour le Canada français. C'est à ce moment précis, en effet, qu'il devient historien et constitue le corpus matriciel de son œuvre historiographique: *Nos luttes constitutionnelles*[13], *Les événements de 1837-1838*[14], *La Confédération canadienne*[15] et *La Naissance d'une race*[16], des cours d'histoire publics destinés à l'élite canadienne-française[17]. Alors que Groulx les professe, des questions explosives telles le règlement XVII, l'enrôlement militaire et la conscription divisent le Canada et suscitent la haine raciale. Or sous couvert de thèmes *a priori* déconnectés de l'actualité, cet enseignement fait écho aux débats de la cité. En posant les métropoles britanniques puis française comme les ennemies de ses ancêtres, Groulx dresse un réquisitoire accablant susceptible de mobiliser les siens contre l'appel à l'aide des deux puissances en guerre. Conséquemment, le sous-texte de sa rhétorique pourrait se résumer en une question: pourquoi porter secours à des puissances qui nous ont toujours ignorés ou opprimés? Serait-ce là l'œil aveugle de son histoire monumentale et traditionaliste?[18] La réponse à cette question nous laisse-t-elle entrevoir un rapport particulier de l'auteur aux relations internationales et aux questions militaires?[19] En a-t-il résulté une mythologie velléitaire?[20] Telle est le questionnaire que je propose d'explorer en revisitant les éditions originales des cours mentionnés plus haut.

D'aucuns se sont penchés sur la genèse de l'historiographie groulxienne, Serge Gagnon[21], Ronald Rudin[22], Pierre Trépanier et Stéphane Pigeon, Jean-Rémi Brault, Alain Lacombe et Stéphane Stapinsky[23] pour ne citer que quelques-uns, mais sans toutefois s'arrêter outre mesure aux résonances de la Grande Guerre sur cette œuvre. Et pour cause, on tient pour acquis que Groulx, à l'instar d'autres nationalistes, se serait peu exprimé sur le sujet. Avec raison, Gérard Bouchard s'étonne des «silences» et des «omissions» du chanoine au sujet des deux conflits mondiaux, lui reprochant notamment d'avoir «très peu commenté la crise de la conscription de 1917-1918» et d'avoir tu ses manifestations les plus dramatiques, même dans ses *Mémoires*[24]. À mon avis, une telle position appelle des nuances: ce n'est pas parce que Groulx évoque peu ces événements que ceux-là n'ont pas sollicité son récit. Seulement, il lui était presque impossible de l'admettre. Comme l'explique Suzanne Mann, les membres de l'Action française se considéraient comme l'émanation «de l'âme même du Canada français» et ne pouvaient accepter en conséquence d'être l'objet d'une influence extérieure[25]. Ensuite, sa conception des questions internationales et stratégiques s'inscrit dans le registre de la transcendance: l'échiquier mondial est le théâtre d'un combat manichéen entre Dieu et Satan, c'est-à-dire entre les nations catholiques et leurs ennemis. Logiquement, l'Angleterre et la France devenaient des rivales plutôt que des alliées des Canadiens français car, catholiques à l'origine, ces nations avaient sombré dans le paganisme, l'une en adoptant le protestantisme, l'autre en faisant triompher la Révolution française[26].

Une telle posture revenait à approuver la résistance à la conscription; mais Groulx ne pouvait s'exprimer ouvertement sur le sujet. Même si ses admirateurs le posent volontiers en homme «libre»[27], il faut tenir compte des contraintes qu'imposait l'Église catholique à l'expression du nationalisme chez ses pasteurs et du dilemme qui pouvait en résulter[28]. Ainsi, cette confidence du principal intéressé aurait-elle échappé à l'auteur des *Deux chanoines*? «Je n'ai jamais eu le goût de discuter les directives de mes chefs, écrit-il. J'avoue cependant ne jamais avoir compris, ni dans la guerre de 1914, ni dans celle de 1939, la ferveur belliqueuse des chefs religieux, ces bulletins par trop ressemblants à ceux des chefs d'armée, et ces dénonciations véhémentes de l'ennemi»[29]. Aussi, durant le Premier Conflit mondial, l'abbé a-t-il vécu un dilemme entre ses convictions et le soutien officiel du haut-clergé à l'effort de guerre, notamment celui de son protecteur, Mgr Bruchési. Mettre en sourdine sa dissidence s'avérait donc impérieux. Aurait-il compris que l'enseignement de l'histoire lui permettrait de la distiller plus discrètement, mais non moins efficacement, que les figures de proue nationalistes de l'époque? Ses cours publics le suggèrent fortement.

* * *

L'histoire est connue: Lionel Groulx entreprend sa carrière d'historien à l'Université Laval de Montréal au cours de l'automne 1915, sous l'invitation de l'archevêque de Montréal, Mgr Bruchési. L'homme de Dieu allègue dans ses *Mémoires* qu'à travers cette «terrible tâche» il ne fit que répondre à une demande sociale et fut, en quelque sorte, le jouet des circonstances mais admet du même souffle qu'il en a déjà parfaitement cerné les enjeux:

«Je sais l'attente du public, écrit-il. Le nationalisme naissant éprouve le besoin de s'abreuver aux sources vives de l'histoire. Il y cherche nourriture et appui. Contrairement à tous les éveils des nationalités, celui du Canada français s'était produit à la suite d'un conflit politique: participation ou non aux guerres de l'Empire britannique [souligné par nous]. Ce réveil n'était pas le fruit d'une fermentation d'intellectuels. Un homme l'avait suscité: Henri Bourassa. J'entrevois le rôle qui va m'incomber»[30].

En réalité, il répond activement à cette demande sociale depuis au moins 1904, date à laquelle il s'associe à l'abbé Émile Chartier pour fonder l'Association Canadienne des Jeunesses Catholiques. L'une des missions du regroupement consiste à éveiller le patriotisme des élites à travers l'étude de l'histoire nationale, alors parent-pauvre du cursus classique. Concrètement, cela donne lieu à la diffusion de manuels manuscrits dans plusieurs séminaires. Instigateur du mouvement, Lionel Groulx rédige à cet effet une série de leçons que recopient ses élèves alors qu'il enseigne au séminaire de Valleyfield. Le corpus servira d'amorce à ses premières conférences. Le professeur s'en était prévalu auprès d'Henri Bourassa qui, à la veille de la guerre, déplorait publiquement l'indigence de l'enseignement de l'histoire du Canada. S'en étaient suivis plusieurs échanges entre le directeur du *Devoir*, Mgr Bruchési et le jeune enseignant, lesquels conduiront à l'inauguration des cours publics d'histoire du Canada[31].

Précisons que le manuel manuscrit de Groulx se voulait un rectificatif à celui, très utilisé, de Laverdière, auquel les nationalistes reprochaient d'escamoter la domination britannique. Entre 1913 et 1914, l'historien visite les archives nationales à Ottawa dans l'espoir de publier un manuel mieux documenté. Entre 1915 et 1916, il en tire un autre manuscrit au titre non équivoque: *Manuel d'histoire du Canada: la domination anglaise*[32]. Autrement dit, les cours publics se situent dans le droit fil d'une activité d'enseignant et de militant nationaliste antérieure à la guerre. Le conflit ne leur en donnera cependant que plus de résonance. Groulx admettra lui-même avoir professé alors une «histoire engagée»[33] susceptible de devenir un «multiplicateur de forces»[34]. Disserter sur les trahisons passées de l'empire britannique, car tel est son propos, alors que le recrutement pour le corps expéditionnaire bat son plein, n'a certes rien d'innocent, même si Groulx tentera par la suite d'arrondir les angles en invoquant la coïncidence: «Nos problèmes constitutionnels *sans que j'y sois pour rien* [souligné par moi], prennent [...] une singulière actualité par le seul fait de la guerre. Les polémiques font rage autour de la participation du Canada à la mêlée européenne. On discute âprement l'obligation de notre pays à se porter au secours de l'Angleterre»[35]. Quoi qu'il en soit, ses cours enthousiasment un public qui semble aisément décrypter ses allusions à l'actualité. Comme le rappelle l'un de ses anciens auditeurs: «C'étaient les années de guerre. L'on devine l'effet de cette littérature nationale sur notre jeune irrédentisme»[36].

Sa première série de conférences, *Nos luttes constitutionnelles*, énumère les vexations et injustices dont sont victimes les Canadiens français entre 1791 et 1867. Et l'orateur de décliner cette problématique en autant de sujets qui fâchent: «la question des subsides» et «la responsabilité ministérielle», bien sûr, mais plus sensible encore dans le contexte d'alors: «la liberté scolaire» et «les droits du français». Ce réquisitoire coïncide avec les premiers problèmes de recrutement et les premières rumeurs de conscription. La thèse de Groulx pourrait se résumer ainsi: au XIIIe siècle, les Britanniques se sont dotés d'un système parlementaire équilibré et juste, mais la révolution industrielle l'a dénaturé en favorisant une oligarchie au détriment «la classe des petits propriétaires libres» dont les «hautes qualités morales» faisaient «la force du royaume»[37]. En 1791, les Canadiens ont donc hérité du sous-produit d'un régime déjà passablement décati: «C'est moins qu'une copie, c'est une caricature du régime parlementaire anglais»[38]. Aussi n'ont-ils eu de cesse d'en restaurer la pureté originelle car les institutions britanniques «gardant en elles-mêmes un germe incoercible de liberté ne sont jamais restées longtemps un instrument de tyrannie aux mains d'un peuple fier»[39]. Or, de souligner le professeur, le parlement canadien, quoique dépourvu de pouvoirs reste «la seule chambre de tout l'Empire, sans excepter Westminster, à comprendre et à revendiquer dans leur intégrité les principes de la liberté britannique»[40]. En décrivant par le menu les brimades du *Colonial office* à l'égard des représentants canadiens, Groulx prépare le terrain pour exposer son point de vue sur les troubles de 1837-1838: «C'est bien l'Angleterre en définitive qu'il faut tenir responsable de ce demi-siècle d'anarchie gouvernementale»[41]. La métropole est coupable d'avoir laissé le sort de sa colonie entre les mains d'une oligarchie de «boutiquiers ou de chasseurs de buffles», «d'anciens révoltés des colonies». Aux antipodes de «l'aristocratie de sang et de culture» qui inspira l'équilibre des institutions britanniques, c'est cette clique peu recommandable que les élites de son peuple doivent affronter[42].

Groulx s'avance davantage en abordant les questions explosives des libertés scolaires et des droits du français. Il rappelle que le conquérant n'a jamais cessé de menacer les écoles catholiques françaises qui, n'eût été de ses ancêtres, auraient disparu:

> Sans nos combats et nos résistances, un seul type d'écoles existerait au Canada: l'école publique et neutre, cette meule barbare du fanatisme assimilateur qui eut broyé toutes les races et toutes les croyances. Nous avons, du même coup, par nos services à la minorité ontarienne sous l'Union, sauvé l'existence de toutes les minorités françaises et peut-être préparé leur survivance à jamais[43].

Car c'est en Amérique que se livre le combat séculaire des siens. Pour appuyer ses propos, le prêtre historien n'hésite pas à adopter des métaphores dignes de la propagande de guerre de l'époque: «Du Labrador jusqu'aux Rocheuses, et depuis deux cents ans, une race, la nôtre, défend ici contre une autre son droit à la vie. À l'heure où je vous parle [le 12 avril 1916], sur plusieurs points de cette carte, dans l'Ontario et le Manitoba, c'est le corps à corps suprême, l'assaut brutal du plus fort pour l'écrasement définitif»[44]. L'auditoire aura saisi que l'ennemi héréditaire est davantage l'Anglo-saxon que le Prussien et que la seule guerre juste reste celle de la survivance canadienne-française[45].

Durant la session 1916-1917, le professeur approfondit son analyse, mais en s'arrêtant cette fois aux événements de 1837-1838, thème épineux qu'il n'a fait qu'esquisser l'année précédente. Pourquoi une telle insistance, une session complète, sur un sujet aussi pointu ? Dans ses *Mémoires*, Groulx invoque plusieurs motifs – il a voulu compléter le cours de l'année précédente, combler une lacune historiographique, rétablir les faits – pour enfin admettre à demi-mot avoir cédé au « goût du fruit défendu » : « Dans l'impitoyable histoire, les "Patriotes" occupaient à jamais ces limbes où sont condamnés, dans nos cimetières, les enfants morts sans baptême »[46]. À cet égard, le mémorialiste pèche quelque peu par excès : d'autres historiens ont abordé le sujet avant lui, et de façon sans doute plus fouillée[47]. Quant aux manuels de l'époque, non seulement ne font-ils aucun mystère de la crise[48], mais leur ligne de pensée rejoint celle de Groulx : admettre la légitimité des revendications de l'Assemblée tout en désapprouvant le recours aux armes[49].

Cependant, le prêtre historien se démarque de ses confrères sur un point : sa condamnation sans appel du « loyalisme désuet » et « naïf » qui a trop longtemps couvert le « vieux système colonial »[50]. Mil huit cent trente-sept lui permet de reprendre le réquisitoire de l'année précédente, mais amplifié par la gravité du cas à l'étude : « Le premier responsable de notre anarchie politique, puis de nos troubles, c'est le bureau colonial, écrit-il en 1917, et, en dernier ressort, le gouvernement britannique »[51]. Groulx blâme certes à part égales les « provocations de l'oppresseur » et les « excès de l'opprimé », mais les premières sont les moins excusables car elles auraient pu être évitées. Malgré les cris d'alarme de l'Assemblée et trois enquêtes défavorables, le bureau colonial a laissé pourrir la situation près de cinquante ans durant et les ministres britanniques ont fermé les yeux sur les injustices du régime[52]. En les circonstances, sa sympathie va à la poignée de paysans insurgés qui, entraînés par des chefs irresponsables, « s'arment à la hâte de faux ou de mauvais fusils, parce qu'ils croient sincèrement devoir se battre pour la liberté de leur pays ». Il se félicite surtout que l'intervention du clergé ait permis d'éviter les affres de la révolution et pavé la voie aux modérés : « La Providence n'a point voulu que la liberté nous vînt par les mains des premiers agitateurs. Leur mouvement traînait avec lui trop d'idées troubles et son triomphe eût jeté trop de germes dangereux dans notre vie nationale »[53].

C'est la seule série de conférences qui ne fera pas l'objet d'une publication intégrale à la fin des cours[54]. Néanmoins, un extrait paru en mai 1917 dans la *Revue canadienne* porte uniquement sur la partie relative aux responsabilités de l'Angleterre dans le déclenchement des rébellions[55], c'est-à-dire la plus sensible dans le contexte de l'heure. On peut y lire : « En votant les résolutions oppressives ou en se déclarant prête à les soutenir par la force des armes, l'Angleterre acceptait de sang-froid la responsabilité d'un conflit sanglant »[56]. Or le texte paraît au moment précis où Borden annonce aux Communes son intention de soumettre une mesure de conscription, et ce malgré les protestations du Québec. Le cours sur 1837-1838 a lui-même été professé durant la période d'incubation de la crise, alors que, accusés de refuser l'impôt du sang, les Canadiens français se retrouvaient déjà sur la défensive. Les principales études sur le sujet rendent compte des débats acrimonieux que la question souleva dans la presse ou aux Communes[57]. Même si un quelconque calcul éditorial de la part de Groulx reste à prouver, son réquisitoire contre le régime colonial britannique ne donne que plus de poids aux arguments anti-impérialistes de Bourassa[58]. En soulignant la morgue et l'implacabilité de la logique coloniale à l'œuvre dans les rébellions, Groulx évoque-t-il en effet autre chose que le mépris dont certains accablent ses concitoyens réfractaires à l'enrôlement? On peut raisonnablement douter que l'analogie entre les deux épreuves de force ait échappé à son auditoire. Aussi, n'est-il sans doute pas indifférent que, du propre aveu de l'orateur, on se soit inquiété en «quelques hauts lieux» du choix d'un tel sujet[59].

L'année suivante, Groulx récidive, en traitant des «Origines de la confédération canadienne». Autre titre, autre époque et autre décor, l'orateur n'en présente pas moins une variation du même thème: les méfaits du colonialisme britannique. Il confessera par la suite que ce cours porte la marque de ces temps troublés – la session 1917-1918 correspond à l'apogée de la crise de la conscription alors que des émeutes sanglantes éclatent à Montréal et surtout à Québec.

> La guerre a chauffé à blanc les susceptibilités des impérialistes. Entre eux et les nationalistes canadiens-français, la passion est bien proche d'atteindre au paroxysme. Un historien, même un historien, a grand-peine à garder son sang-froid. Me suis-je départi ici et là de la sérénité du métier? J'en ai bien peur. Je me suis laissé aller à quelques allusions par trop évidentes aux malaises de l'heure[60].

Par exemple, Groulx prophétise la chute des empires face au réveil des nationalités, allusion directe au combat des siens: «N'est-il pas évident qu'à trop démesurément s'étendre, ces deux immenses squelettes [la République américaine et l'Empire britannique] vont se disloquer? [...] L'empire anglais ne doit-il pas un jour [...] faire retentir le pôle de sa chute lamentable?». Pire, après la guerre, les grandes puissances devront rendre des comptes aux petits pays qu'ils ont assujettis: «Les nationalités menacées ou opprimées vont se fortifier de tous les principes qu'ont proclamés depuis quatre ans les belligérants et que la paix prochaine devra consacrer»[61].

Surtout, il présente l'œuvre des Pères de la Confédération comme un leurre comparable à celui de la Constitution de 1791 et de l'Union. Il ne manque pas de rappeler les promesses d'indépendance et d'égalité entre les peuples à l'origine de la nouvelle constitution. Macdonald, Cartwright, Langevin et quelques autres envisageaient la future puissance canadienne «non plus comme une dépendance coloniale, mais comme une "nation alliée ou amie" de la Grande-Bretagne»[62]. Si la Confédération assurait une égalité théorique aux deux peuples fondateurs, on le devait aux efforts des Canadiens de la province française, George-Étienne Cartier en tête, et aux craintes d'annexion aux États-Unis. Des bases bien faibles, de l'avis de Groulx, pour une entente bafouée depuis cinquante ans. «Après à peine un demi-siècle de ce régime, les minorités ne comptent plus les assauts qu'elles ont dû subir et elles se demandent avec angoisse lequel de leurs droits la majorité voudra bien ne pas leur confisquer». Quant au Canada, il ne constitue toujours pas un véritable pays: «Une vie, une âme nationale canadiennes, ce sont là des choses qu'on sent inexistantes, au milieu de la division des races et du chaos cosmopolite engendré par l'immigration à outrance»[63]. On ne sera guère étonné d'apprendre que ce «nationalisme canadien d'essence heurte de front l'hystérie impérialiste» et manque de lui coûter son admission à la Société royale du Canada[64].

Les passages sans doute les plus provocateurs dans le contexte de la guerre concernent la doctrine de défense britannique au moment de la Confédération[65]. Groulx est catégorique: la nouvelle constitution fut pour les Britanniques l'occasion de transférer le fardeau militaire sur leurs anciennes colonies. Il ne manque pas de rappeler les marques de mépris que s'attirèrent les Canadiens à Londres pour la faiblesse de leur propre programme en la matière: «Le *Times* prononça alors contre nous les graves anathèmes d'ingratitude et de déloyauté et conseilla de nous abandonner à la merci du premier venu»[66]. L'affaire du *Trent*[67] amena les «hommes d'État impériaux» à réfléchir «au lourd fardeau que leur imposerait la défense du Canada» et à se demander «s'il ne convenait pas d'en faire peser une bonne partie sur les épaules du Canada»[68]. Durant les négociations entourant l'Acte de l'Amérique du Nord britannique, au plus fort de la menace américaine, «le gouvernement impérial refusait de s'engager; il ne promettait les armements nécessaires et les garanties en argent pour les fortifications, qu'à la condition d'une politique bien définie de la part de la législature des provinces-unies»[69]. À la veille de sa promulgation, des députés britanniques «déclarent sans ambages que les taxes de l'Angleterre ne doivent pas traverser plus longtemps l'océan pour défrayer les dépenses militaires de la future confédération canadienne»[70]. Par la suite, la métropole tenta, quoiqu'en vain, d'amener le Canada à se charger «du fardeau de toute la défense et à contribuer à toutes les guerres de l'empire»[71]. Le rapprochement avec l'actualité s'impose presque de lui-même: ceux-là mêmes qui ont toujours lésiné sur la défense du Canada imposent maintenant la conscription à leurs habitants dans une guerre qui ne les concerne pas. Aussi, au terme de sa démonstration, Groulx a-t-il beau jeu d'évoquer le retour «au régime malfaisant de l'ancien colonial office»[72].

Au procès de la métropole britannique, succède celui de la Mère patrie originelle. *La naissance d'une race*, dernier cours contemporain de la guerre (1918-1919) constitue une autre justification de l'isolationnisme des Canadiens français. Ce peuple élu a développé une identité originale car, abandonné très tôt à son sort par la France, il n'a pu compter que sur lui-même pour assurer sa survie et surtout sa défense contre de multiples ennemis. Qu'il s'agisse de dompter les éléments, de combattre les Iroquois ou encore de subir les guerres que porte la France en Amérique, le colon canadien manie d'une main la charrue, de l'autre le fusil, toujours prêt à défendre sa terre et sa foi. Groulx modèle ainsi une figure héroïque sur mesure pour répondre aux accusations de lâcheté qui fusent sur ses compatriotes. Que faut-il comprendre ici ? Que les Canadiens français ne doivent plus rien à la France, moins encore des soldats. Là encore, le lien avec l'actualité saute aux yeux.

On a beaucoup disserté sur le racisme de Groulx. Dans *La naissance d'une race*, l'historien s'attache certes à établir une certaine pureté des origines. Toutefois sa préoccupation en la matière semble plutôt d'ordre moral et politique. Ce qui le préoccupe, c'est de démontrer le caractère hautement vertueux et non militaire de la souche originelle. Cette dernière se constitue principalement de gentilshommes, d'artisans, de paysans, et de femmes de qualité, contrairement à la légende voulant que la colonie ait été peuplée de repris de justice et de filles de joie. Évoluant sous la supervision bienveillante du clergé catholique, ces colons tiennent leur «noblesse native» de leur haut degré de moralité. Même s'ils répugnent à faire la guerre, ils n'hésitent pas à prendre les armes pour défendre leur terre contre l'ennemi. En ce sens, le milicien incarne la guerre juste par opposition au soldat qui incarne la guerre prédatrice. Aussi, Groulx prend-il soin de minimiser la part des militaires réguliers dans la généalogie nationale: «Il y eut également des militaires, pas un aussi grand nombre toutefois qu'on l'a écrit, ni assez surtout pour accréditer cette autre légende qui a fait des soldats de Carignan les ancêtres de la nation canadienne-française»[73]. Dans son esprit, leur arrivée a été trop tardive pour influencer suffisamment l'âme de son peuple: «La colonisation militaire n'a pris de l'importance que lorsque le noyau de la population était déjà considérable»[74]. Or cette précision compte dans une société bombardée par la propagande de guerre. Elle sous-tend en effet une logique qui se veut irrécusable: miliciens par essence, les Canadiens ne peuvent être appelés comme soldats au risque de perdre leur âme.

Par ailleurs, la tradition non-militaire des Canadiens français découle de la politique d'abandon systématique de la France. À chaque fois que la Mère patrie a consenti un soutien militaire, allègue Groulx, ces renforts sont toujours arrivés trop peu trop tard. En conséquence, les Canadiens ont dû assurer seuls leur propre défense. Ainsi, lorsque le régiment de

Carignan débarque, cela fait plus de vingt ans que les colons-miliciens affrontent seuls les Iroquois : « En 1642, Richelieu nous envoie un contingent formidable de quarante soldats, ironise Groulx. Deux ans plus tard, la régente en envoie à son tour soixante »[75]. Déjà la colonie ne compte guère outre-Atlantique : « Que voulez-vous ? En France, on est absorbé par de grandes guerres compliquées des deux Frondes (…). Il est vrai que trois ou quatre cents hommes, presque rien là-bas, eussent pu sauver un empire »[76]. Et lorsque la métropole consent à envoyer des contingents substantiels, comme pendant la guerre de la ligue d'Augsbourg, la situation du colon empire : « Transportant ici une des coutumes les plus détestables de France où l'on tire volontiers l'habitant de chez lui pour l'occuper à toutes sortes de corvées, dénonce Groulx, les gouverneurs laissent les soldats sur les terres et appellent les miliciens sous les armes »[77]. Quoiqu'elles constituent un fardeau constant, les obligations militaires contribueront cependant à façonner l'identité du milicien, héros de cette Nouvelle-France « où l'histoire du défrichement se compénètre constamment d'une histoire militaire »[78]. Dans la succession de conflits destructeurs qui affligent la colonie, le plus souvent décidés outre-mer, la guerre de Sept ans représente l'ultime épreuve du « petit peuple canadien », « sa guerre à lui ». Groulx attribue d'ailleurs tout le mérite militaire aux milices, occultant presque totalement la part des troupes régulières dans la défense du pays : « Les milices canadiennes prennent leur large part de toutes les batailles, souligne-t-il ; ce sont elles qui se battent dans les marges de l'Ohio ; elles forment les deux ailes de l'armée de Montcalm, à la bataille des plaines d'Abraham ; Montcalm et Lévis complètent avec des miliciens les cadres de leurs réguliers »[79]. L'auditoire l'aura compris, la France n'a jamais offert qu'un service minimum aux Canadiens pris dans la tourmente. Dès lors, au nom de quoi leurs descendants devraient-ils voler à son secours [par enrôlement obligatoire] ? Alors que les émeutes sanglantes de Pâques sont encore fraîches dans les mémoires et que l'étau se resserre autour des conscrits, un tel récit a de quoi électriser les foules[80].

* * *

Cette histoire a-t-elle une fonction critique ? Assurément. Les cours publics de Lionel Groulx entre 1915 et 1919 font clairement écho aux principaux enjeux de l'actualité, notamment à l'aggravation de la division ethnique du Canada sous l'impulsion de la Grande Guerre. Durant cette période, le prêtre historien développe un récit national susceptible de combler l'horizon d'attente d'un public qui s'estime injustement traité. Renvoyées dos à dos, les couronnes française et britannique sont accusées d'avoir continuellement menacé la survie de la « race » canadienne-française par leurs politiques récurrentes d'abandon ou de brimades.

Or en agissant ainsi, les métropoles ont contrarié les plans de la Providence – faire triompher le catholicisme en Amérique – et de ce fait la mission de son peuple élu. Outre qu'elle légitime leur résistance historique, cette eschatologie propulse les miliciens et chefs politiques canadiens-français au rang de héros nationaux et de défenseurs de la patrie.

Dans les cours publics des sessions 1917-1918 et 1918-1919, alors que la conscription hante les esprits, Groulx énonce clairement que la France et la Grande Bretagne ont toujours failli à leur devoir de protection à l'égard de la colonie, laissant ses habitants seuls ou presque face à l'ennemi. C'est ainsi que les Canadiens français sont devenus un peuple en armes au service d'une seule patrie, le Canada, et d'une seule cause juste, la défense du territoire ancestral. Ce raisonnement a trois implications. D'une part, il introduit un mythe que l'on pourrait qualifier de «compensateur»: la figure endogène du milicien canadien, seul véritable défenseur de la terre ancestrale, par opposition implicite à celle, exogène, de l'enrôlé au service des grandes puissances. D'autre part, il dessine les contours d'une culture stratégique qui serait propre au «petit peuple» de l'Amérique septentrionale – limiter le recours à la force aux frontières morales et géographiques de sa Terre promise.

Enfin, il induit une réponse négative à la question de l'heure: les Canadiens français doivent-ils verser l'impôt du sang que leur réclament les grandes puissances d'outre-Atlantique? Dans un Québec dressé contre le *Military act*, une telle rhétorique revient à encourager la désobéissance. Cela fait-il pour autant de Groulx un séditieux? La réponse reste partagée dans la mesure où celui-ci ne remet jamais en question les institutions britanniques. Bien au contraire, à l'instar d'Henri Bourassa, il en vénère les principes pour mieux déplorer leur asservissement aux intérêts impérialistes. En revanche, sa critique des politiques coloniales d'antan atteint par ricochet l'effort de guerre présent du Canada, ce qu'une censure un tant soit peu pointilleuse aurait pu interpréter comme des «déclarations de nature à causer du mécontentement au sein de la nation ou à nuire au recrutement et à la discipline militaire»[81]. Toutefois, les [ses?] opinions exprimées publiquement sur la politique de guerre du Canada échappent alors à la loi censoriale. Enrobées d'histoire, celles de Groulx deviennent inattaquables. Pour celui-ci, l'enseignement de l'histoire constitue donc la continuation de la politique par d'autres moyens. C'est un cheval de Troie qui lui permet d'investir les esprits au vu et au su de tous. Autrement dit, le récit du passé sert ici de parabole pour dénoncer le présent.

Cette histoire est-elle libératrice? *A priori*, la fonction cathartique des cours publics semble évidente, mais les dénonciations de Groulx n'impliquent pas forcément une doctrine de l'action dans le sens politique du terme[82]. Ses héros nationaux semblent ne disposer que du verbe et de la vertu pour conjurer une oppression historique qui, dans l'attente de la

Parousie[83], semble vouée à un éternel recommencement : voilà qui ressemble étrangement à une mythologie « inopérante »[84]. En rester là ne rendrait cependant pas complètement justice à la pensée de Groulx. Certes, son registre reste celui de la prédication : il en appelle à l'élévation des âmes pour que s'accomplissent les desseins de la Providence. Or cela ne signifie pas nécessairement le renoncement à une action indirecte. Celui que l'on a surnommé « l'éveilleur » se révèle au contraire parfaitement conscient du pouvoir des mots et c'est à ce niveau, par le biais de l'histoire, que se situe sa *praxis*. À cet égard, Lionel Groulx semble avoir compris l'importance de gagner les esprits pour infléchir le jeu politique. Vue sous cet angle, sa rhétorique peut constituer une arme machiavélique. Aussi qualifier sa pensée d'équivoque, dans le sens d'impuissante et d'incohérente, à tout le moins dans la période visée ici, me paraît-il un contresens[85].

D'une part, les cours publics dispensés pendant la Grande Guerre proposent, dans un récit cohérent et ordonné, une réponse aux « données » et aux « urgences de l'actuel », d'autre part on ne perçoit dans ce narratif ni « incertitude », ni « désarroi », ni « inhibition », ni « inertie »[86]. Cependant, puisque dans l'esprit de Groulx l'existence procède de l'essence, c'est sur ce dernier plan que se joue le destin de son peuple. Telle est la « troisième instance » qui permet au prêtre historien de concilier les « deux propositions contradictoires »[87] du peuple conquérant/conquis : le mythe de la supériorité morale des Canadiens français, gage de leur victoire inéluctable sur les forces du Mal. Tout cela reflète un certain attentisme, mais cette parole ne constituait-elle déjà pas en soi un effort critique considérable, compte tenu du contexte et de l'auteur ? Il eut été surprenant que ce membre du clergé, fils de paysan, ultramontain et admirateur de Joseph de Maistre, défie la Loi des mesures de guerre pour en appeler à une révolution fut-elle tranquille ! Autrement dit Groulx ne peut combattre qu'avec les armes dont il dispose. Son historiographie de la première heure n'en donna pas moins sens à une colère populaire grandissante. Au sujet des émeutes de Pâques 1918, Fernand Dumont évoque une « protestation » provenant « d'une servitude qu'il était impossible de traduire dans un mouvement politique »[88]. À ses risques et périls, Groulx a tenté de mettre en mots cette servitude orpheline, de l'inscrire dans le temps long de l'histoire. Ce faisant, il fut un intellectuel dans la cité et, à travers son interprétation de l'histoire, l'accoucheur d'une conscience nationale. Cela pourrait expliquer la prégnance de sa mythistoire dans le sens commun en dépit de toutes les tentatives de déconstruction posthumes. Même si on n'enseigne plus ce genre d'histoire, le filtre de la culture a conservé et transmis les sentiments et les émotions dont celle-ci était porteuse. La persistance d'une question nationale au Québec associée à la déshérence de l'histoire politique n'a pu qu'encourager la tendance. Abandonné à la mémoire collective, le roman national de Lionel Groulx serait ainsi devenu consubstantiel à l'identité québécoise moderne, donc intouchable, d'où impasse : déconstruire l'un revient à menacer l'autre. Seule la renaissance d'une histoire politique authentiquement critique permettrait de trancher ce nœud gordien. À quand le Messie ?

NOTES ET RÉFÉRENCES

1. Marie Pier Luneau, « "Je n'étais pas taillé pour une grande œuvre". Grandeurs et misères de l'écrivain Lionel Groulx », Robert Boily (dir.), *Un héritage controversé. Nouvelles lectures de Lionel Groulx*, p. 31-48.

2. Esther Delisle, *Le Traître et le Juif*, Montréal, L'Étincelle, 1992.

3. Gary Caldwell, « La controverse Delisle-Richler. Le discours sur l'antisémitisme au Québec et l'orthodoxie néo-libérale au Canada », *L'Agora*, vol. 1, n° 9 ; Andrée Ferretti, « Un bonheur de lecture : Lionel Groulx », *L'Action nationale*, vol. LXXXIV, n° 6, p. 840-850 ; Benoît Lacroix et Stéphane Stapinsky : « Lionel Groulx, actualité et relecture », *Les Cahiers d'histoire du Québec au xxᵉ siècle*, n° 8, p. 5-13 ; Dominique Garand, « Éléments de réflexion en vue d'une approche non hystérique de Lionel Groulx », *ibid.*, p. 130-150 ; Ronald Rudin, *Faire l'histoire au Québec*, Sillery, Septentrion, 1998, p. 73-74.

4. Parmi les principales, mentionnons : Robert Boily (dir.), *Un héritage controversé. Nouvelles lectures de Lionel Groulx*, Montréal, VLB éditeur, 2003, 187 p. ; Frédéric Boily (dir.), *La pensée nationaliste de Lionel Groulx*, Sillery, Septentrion, 2003, 232 p. ; Gérard Bouchard, *Les deux chanoines. Contradiction et ambivalence dans la pensée de Lionel Groulx* ; Montréal, Boréal, 313 p. ; Marie-Pier Luneau, *Lionel Groulx. Le mythe du berger*, Montréal, Leméac, 2003, 232 p.

5. Ronald Rudin, *op. cit.* p. 29-30.

6. Jacques Beauchemin, *L'histoire en trop. La mauvaise conscience des souverainistes québécois*, Montréal, VLB éditeur, 2002, p. 26.

7. Selon Norman Corbett, Groulx puise sa conception de la nation dans le modèle hébraïque. Par analogie au peuple juif et à Israël, il considère que les Canadiens français forment un peuple élu et l'Amérique du Nord représente leur Terre promise. Norman Corbett, « Théologie, incarnation et nationalisme chez Groulx », Robert Boily, (dir.), *Un héritage controversé. Nouvelles lectures de Lionel Groulx*, Montréal, VLB éditeur, 2003, p. 65-82.

8. Sylvie Beaudreau, « Déconstruire le rêve de nation. Lionel Groulx et la Révolution tranquille », *Revue d'histoire de l'Amérique française,* vol. 56, n° 1, été 2002, p. 29-61.

9. Gérard Bouchard renie l'héritage de Groulx et exprime un gêne manifeste lorsqu'il mentionne « toutes ces thèses, ces prises de position provocantes qui non seulement n'aident pas aux débats d'aujourd'hui, mais leur sont carrément, extrêmement nuisibles. C'est le cas de sa méfiance à l'égard de la démocratie et de l'État laïque, de ses sympathies fascistes et de ses diverses expressions de racisme et d'ethnicisme », *op. cit.*, p. 250-251.

10. Frédéric Boily a fait de Groulx la cheville idéologique entre le philosophe allemand réactionnaire du XVIIIᵉ siècle, Johann Gottfried Herder (1744-1803), et d'illustres représentants de l'intelligentsia québécoise contemporaine, dont

Maurice Séguin, Michel Brunet, Frégault, Fernand Dumont, de même que Gérard Bouchard et Charles Taylor. Frédéric Boily, *La pensée nationaliste de Lionel Groulx*, Sillery, Septentrion, 2003, p. 179-208.

11. Sur l'historiographie et la conception de l'histoire de Groulx, voir Jean-Pierre Wallot, «Groulx historiographe», *Revue d'histoire de l'Amérique française*, vol. 32, n° 3, 1978, p. 407-433.

12. Jocelyn Létourneau, «La production historienne courante portant sur le Québec et ses rapports avec la construction des figures identitaires d'une communauté communicationnelle», *Recherches sociographiques*, vol. 36, n° 1, p. 9-45.

13. Lionel Groulx, *Nos luttes constitutionnelles. I: La constitution de l'Angleterre. Le Canada politique en 1791; II: La question des subsides; III: La responsabilité ministérielle; IV: La liberté scolaire; V: Les droits du français*, Montréal, *Le Devoir*, 1915-1916.

14. La seule de ses quatre conférences à ne pas avoir été publiée intégralement à la suite de son cours. À ce sujet, consulter l'article de Pierre Trépanier et Stéphane Pigeon, «Lionel Groulx et les événements de 1837-1838», *Cahiers d'histoire du Québec au XXᵉ siècle*, n° 8, 1997, p. 36-58.

15. Lionel Groulx, *La Confédération canadienne, ses origines*, Montréal, *Le Devoir*, 1918, 265 p.

16. Lionel Groulx, *La naissance d'une race*, 1918-1919, Montréal, *Le Devoir*, 1919, 294 p.

17. À ce sujet, consulter l'article de Stéphane Stapinsky: «Les cours d'histoire public du Canada (1915-1942) de Lionel Groulx ou quand l'histoire se conjugue à l'art oratoire», *Cahiers d'histoire du Québec au XXᵉ siècle*, n° 8, 1997, p. 59-73.

18. Je réfère ici à une conception nietzschéenne de l'histoire. Pour Nietzsche, l'histoire a une triple dimension au passé, monumentale, traditionaliste et critique. La première cimente la collectivité, tandis que la seconde entretient le culte des origines au détriment de la nouveauté. Enfin, la troisième affranchit les vivants du passé en leur insufflant la «force de briser et de dissoudre un fragment du passé, afin de pouvoir vivre». Groulx, en faisant du passé son maître et non son serviteur, aurait-il failli à cette dernière? Friedrich Nietzsche, *Considérations inactuelles (Unzeitgemässe Betrachtungen)*, Paris, Aubier-Montaigne, 1964, Collection Bilingue, p. 223 et p. 249.

19. Je réfère ici au concept de «culture stratégique» Celui-ci se comprend ici dans le sens d'«ensemble cohérent et persistant d'idées, propres à un contexte socio-historique donné, qu'entretient une communauté à l'égard de l'usage de la force armée et du rôle des institutions militaires». Voir Stéphane Roussel et David Morin, 2007, «Les multiples incarnations de la culture stratégique», *Culture stratégique et politique de Défense. L'expérience canadienne*, Montréal, Athéna éditions, 2007, p. 18.

20. Je réfère ici à la thèse particulièrement stimulante de Gérard Bouchard, selon laquelle la pensée de Lionel Groulx aurait été «inopérante» par opposition aux pensées «radicale» et «organique», faute d'une «troisième instance» susceptible de réconcilier les mythes contradictoires inhérents à toute mythologie. Gérard Bouchard, *op. cit.*, p. 215-216.

21. Serge Gagnon, *Le Québec et ses historiens de 1840 à 1920, la Nouvelle-France de Garneau à Groulx*, Sainte-Foy, Presses de l'Université Laval, 1978, 474 p. *Cahiers d'histoire de l'Université Laval*, n° 23.

22. Ronald Rudin, *op. cit.*

23. Entre autres à travers des articles rassemblés dans un numéro thématique «Lionel Groulx. Actualités et relectures» dans *Les Cahiers d'histoire du Québec au xxᵉ siècle*, n° 8.

24. Gérard Bouchard, *op. cit.*, p. 208.

25. Suzanne Mann, *Lionel Groulx et l'Action française*, Montréal, VLB éditeur, 2005, p. 20-21.

26. Réjean Bergeron et Yves Drolet, «Les questions internationales dans les premiers inédits de Lionel Groulx (1895-1909)», *Revue d'histoire de l'Amérique française*, vol. 34, n° 2, 1980, p. 246-248.

27. Benoît Lacroix, «Lionel Groulx cet inconnu?», *Revue d'histoire de l'Amérique française*, vol. 32, n° 3, 1978, p. 331.

28. Norman Corbett, *op. cit.*

29. Lionel Groulx, *Mes mémoires*, tome 1, Montréal, Fides 1970, p. 285

30. Lionel Groulx, *Mes mémoires, op. cit.*, p. 251.

31. Lionel Groulx, «Documentaire: Henri Bourassa et la Chaire d'Histoire du Canada à l'Université de Montréal», *Revue d'histoire de l'Amérique française*, vol. 6, n° 3, 1952, p. 430-439.

32. Jean-Rémi Brault, *Les Cahiers d'histoire du Québec au xxᵉ siècle*, n° 8, p. 15.

33. Lionel Groulx, *Mes mémoires, op. cit.*, p. 302.

34. *Ibid.*, p. 303.

35. *Ibid.*, p. 253.

36. Lionel Groulx, *Mes mémoires, op. cit.*, p. 262.

37. Lionel Groulx, *Nos luttes constitutionnelles*, I, *op. cit.*, p. 17.

38. Lionel Groulx, *Nos luttes constitutionnelles*, II, *op. cit.*, p. 4.

39. *Ibid.*, p. 18.

40. *Ibid.*, p. 9.

41. Lionel Groulx, *Nos luttes constitutionnelles*, III, *op. cit.*, p. 7.

42. *Ibid.*, p. 8.

43. Lionel Groulx, *Nos luttes constitutionnelles*, IV, *op. cit.*, p. 23.

44. Lionel Groulx, *Nos luttes constitutionnelles*, V, *op. cit.*, p. 3.

45. Il fait ici écho aux arguments d'Henri Bourassa qui, un an plus tôt, rappelait à ses compatriotes que le front se situait au Canada, et non en Europe. «Les ennemis de la langue française, de la civilisation française au Canada, ce ne sont pas les Boches des bords de la Sprée, écrit-il; ce sont les anglicisateurs [sic] anglo-canadiens, meneurs orangistes ou prêtres irlandais. Ce sont surtout les Canadiens français aveulis et avilis par la Conquête et par trois siècles de servitude coloniale», Henri Bourassa, «La lutte pour le Français», *Le Devoir*, 20 avril 1915.

46. Lionel Groulx, *Mes mémoires, op. cit.*, p. 297.

47. Notamment, un débat très sérieux opposera le fils homonyme de Maximilien Globensky, artisan de la répression à Saint-Eustache, à L. O. David qui, dans les années 1870, tend à réhabiliter les Patriotes, notamment les paysans insurgés. Pour ce dernier, l'action des Patriotes constitue une étape vers le gouvernement responsable, tandis que Globensky persiste à y voir l'œuvre d'insurgés irresponsables et dépravés. Maximilien Globensky, *La rébellion de 1837 à*

Saint-Eustache, p. 52 ; L. O. David, *Les patriotes de 1837-1838*, p. 29. Pour un bilan de l'évolution historiographique, consulter Jean-Paul Bernard, *Les rébellions de 1837-1838*, Montréal, Boréal Express, p. 17-61.

48. Pierre Trépanier et Stéphane Pigeon, « Lionel Groulx et les événements de 1837-1838 », *Les cahiers d'histoire du Québec au xxe siècle*, p. 39.

49. *Ibid.*

50. Lionel Groulx, *Mes mémoires, op. cit.*, p. 296-297.

51. Lionel Groulx, « Soulèvements de 1837-1838. Les responsabilités de l'Angleterre », *Revue canadienne*, vol. XIX, n° 5, mai 1917, p. 322.

52. *Ibid.*, p. 325.

53. Cité par Pierre Trépanier et Stéphane Pigeon, *op. cit.*, p. 41.

54. En 1926, c'est la partie relative au rôle de l'Église qui sera publiée sous une forme remaniée dans *L'Action française*, puis reprise dans *Notre maître le passé*. À ce sujet, consulter Pierre Trépanier et Stéphane Pigeon, *op. cit.*, p. 39.

55. Lionel Groulx, « Soulèvements de 1837-1838. Les responsabilités de l'Angleterre », *Revue canadienne*, vol. XIX, n° 5, mai 1917, p. 321-335.

56. *Ibid.*, p. 330.

57. Elizabeth Armstrong, *La crise de la conscription de 1917* (trad.), Montréal, VLB éditeur, 1998, 296 p. ; Mason Wade, *Les Canadiens français de 1760 à nos jours*, tome 1, Ottawa, Le Cercle du livre de France, 1963, p. 142-158 ; René Chantelois, *La conscription de 1917 d'après les journaux français de Montréal*, mémoire de maîtrise, Université de Montréal, 1967.

58. Dès 1915, le tribun nationaliste redoute le recours à la conscription et en attribue d'avance la responsabilité à la mentalité coloniale des impérialistes canadiens qui « reconnaissent aux ministres britanniques le pouvoir de absolu de déterminer les conditions et l'étendue de la participation des colonies autonomes à la guerre », Henri Bourassa, *Que devons-nous à l'Angleterre ?*, Montréal, 1915, p. 256-257.

59. Lionel Groulx, *Mes mémoires, op. cit.*, p. 297.

60. *Ibid.*, p. 298-299.

61. *Ibid.*, p. 244-245.

62. Lionel Groulx, *La Confédération canadienne, ses origines*, Montréal, Le Devoir, 1918, p. 224-225.

63. *Ibid.*, p. 239. Dans son esprit, le « cosmopolitisme » et l'immigration à outrance font surtout référence à l'immigration anglo-saxonne de la métropole, perçue, plus que jamais en ces temps de guerre, comme une menace pour la souche francophone.

64. *Mes mémoires, op. cit.*, p. 312.

65. Sans surprise, là non plus, ses arguments portent la marque de l'œuvre phare de Bourassa, *Que devons-nous à l'Angleterre ?*

66. Lionel Groulx, *La Confédération, ibid.*, p. 77.

67. Pendant la guerre de Sécession, les Nordistes arraisonnent un bateau britannique (le *Trent*) et arrêtent deux commissaires sudistes à son bord. Londres riposte en réclamant la libération des prisonniers et en envoyant 14 000 hommes de troupe au Canada.

68. Lionel Groulx, *La Confédération, op. cit.*, p. 33.

69. Lionel Groulx, *ibid.*, p. 39.
70. Lionel Groulx, *ibid.*, p. 128.
71. Lionel Groulx, *ibid.*, p. 221.
72. Lionel Groulx, *ibid.*, p. 230.
73. Lionel Groulx, *La naissance d'une race, op. cit.*, p. 38.
74. *Ibid.*, p. 39.
75. *Ibid.*, p. 163.
76. *Ibid.*, p. 163-164.
77. *Ibid.*, p. 206.
78. *Ibid.*, p. 274.
79. *Ibid.*, p. 232.
80. Certes, ici, Groulx n'invente rien: il reprend la thèse de l'abandon, chère à F.-X. Garneau, que lui-même professait avant la guerre au collège de Valley-field. Cependant, cette réactualisation devrait se comprendre, déjà à l'époque, comme une réaction à la montée de l'impérialisme au Canada et aux obligations militaires à l'égard de la métropole britannique qui l'accompagnent. Dans ce contexte, l'appel aux armes de la Grande Guerre était de nature à renforcer les convictions de l'historien en particulier, et celles des nationalistes en général.
81. Il s'agit de l'un des énoncés émis à l'époque par le responsable du Bureau de la censure, le lieutenant-colonel Ernest J. Chambers. Cité par Myriam Levert, «Le Québec sous le règne d'Anastasie: l'expérience censoriale durant la Première Guerre mondiale», *Revue d'histoire de l'Amérique française*, vol. 57, n° 3, hiver 2004, p. 341.
82. Cette impression se confirme dans les années 1930, lorsque, sommé de soutenir le séparatisme, Lionel Groulx refuse d'agir de façon à «provoquer ou précipiter la séparation [entre le Québec et le reste du Canada]». Selon lui, la confédération va «se rompre d'elle-même». Voir Robert Comeau, «Lionel Groulx, les indépendantistes de *La Nation* et le séparatisme (1936-1938)», *Revue d'histoire de l'Amérique française*, vol. 26, n° 1, 1972, p. 83-102.
83. Dans le christianisme, moment du second avènement glorieux du Christ qui régnera sur le monde et du Jugement dernier.
84. Gérard Bouchard, *op. cit.*, p. 215-216.
85. Gramsci: «Un des traits caractéristiques les plus importants de chaque groupe qui cherche à atteindre le pouvoir est la lutte qu'il mène pour assimiler et conquérir "idéologiquement" les intellectuels traditionnels, assimilation et conquête qui sont d'autant plus rapides et efficaces que ce groupe donné élabore davantage, en même temps, ses intellectuels organiques», Antonio Gramsci, *Gramsci dans le texte. De l'avant aux derniers écrits de prison (1916-1935)*, recueil réalisé sous la direction de François Ricci en collaboration avec Jean Bramant, Paris, Éditions sociales, 1975, p. 604.
86. Gérard Bouchard, *ibid.*, p. 24.
87. Gérard Bouchard, *ibid.*, p. 23.
88. Préface de Jean Provencher, *Québec 1918. Sous la loi des mesures de guerre*, Montréal, Boréal express 1970, p. 9.

Le multiculturalisme en débat :
retour sur une tentation thérapeutique

Mathieu Bock-Côté

Candidat au doctorat en sociologie
UQAM

La publication du *Manifeste pour un Québec pluraliste* a relancé la contre-offensive idéologique amorcée au moment de la commission Bouchard-Taylor qui avait permis à la gauche multiculturelle de mobiliser ses ressources médiatiques, technocratiques et universitaires pour réaffirmer son hégémonie dans l'espace public, remise en question avec la crise des accommodements raisonnables. Cette dernière, qui a consacré l'implosion de la culture politique post-référendaire, a consacré le réinvestissement du nationalisme québécois dans l'espace public. Pour la gauche multiculturelle, il s'agit désormais de l'en refouler en reconfigurant les paramètres de l'espace public pour y restaurer son hégémonie idéologique. Sous le prétexte de contenir le déploiement d'une double critique « nationaliste conservatrice » et « laïciste », les signataires de ce manifeste, envoyèrent un signal clair : la démocratie québécoise serait en danger :

> nous partageons une profonde inquiétude quant à la direction que prend le débat sur l'identité et le vivre-ensemble au Québec. Il nous semble qu'une vision ouverte, tolérante et pluraliste de la société québécoise, une vision qui est selon nous en continuité avec les grandes orientations du Québec moderne, se trouve occultée par deux courants de pensée qui sont en rupture avec cette évolution et avec notre histoire. Ces deux courants finissent par converger dans une manière de concevoir la société québécoise qui, selon nous, risque de priver le Québec du dynamisme qu'insuffle aux sociétés une posture d'accueil et de dialogue, conditions essentielles à l'élaboration d'un authentique vivre-ensemble[1].

Le débat s'envenime et l'esprit de soupçon en vient à contaminer la délibération publique au point où on en vient à contester l'appartenance de certains chercheurs à la communauté universitaire : du procès d'intolérance, on passe à celui d'incompétence, ce qui laisse croire à un renouvellement du monopole progressiste de l'intelligence en sciences sociales.

Une question fondamentale se dégage du contexte actuel : comment expliquer la tentation autoritaire de la gauche multiculturelle, qui au nom du pluralisme identitaire, travaille à l'éradication du pluralisme idéologique ? Dans le cadre de cet article, nous reviendrons moins sur la critique du multiculturalisme telle qu'elle s'est manifestée avec la crise des accommodements raisonnables que sur la manière dont elle fut accueillie par la gauche multiculturaliste[2]. Nous verrons comment il parvient à reconfigurer l'espace public en y investissant ses propres catégories conceptuelles, pour mieux en exclure ses critiques. Gérard Bouchard avait déjà écrit que les « intellectuels », selon sa propre formule, n'avaient pas prévu la crise des accommodements raisonnables parce qu'elle avait « postulé que la diversité était bonne et enrichissante pour le Québec sur le plan culturel. Mais on ne l'a pas démontré avec les études nécessaires. Nous étions certains que personne ne voudrait soutenir la position contraire »[3]. Nous verrons d'où pouvait venir cette certitude. Autrement dit, il nous sera ainsi possible non pas de nous situer dans un débat dont les multiculturalistes prétendent définir exclusivement les termes, mais bien plutôt d'examiner les termes de ce débat ainsi que les postulats qu'il voile plus ou moins.

Multiculturalisme et interculturalisme :
une distinction stratégique

Un constat initial s'impose sur la conduite du débat public en contexte « pluraliste » : rien n'est moins simple que la critique du multiculturalisme, surtout dans la société québécoise, où ce terme est porteur de significations multiples, à tout le moins pour l'expertocratie qui réclame un monopole public sur les questions liées à la gestion de la diversité. Généralement, on cherche à réserver la référence au multiculturalisme à la seule politique de « gestion de la diversité » associée au gouvernement fédéral, ce qui en amène plusieurs à parler systématiquement du *multiculturalisme à la canadienne* - l'associer à celle du gouvernement québécois relèverait d'une confusion conceptuelle grave et vaut normalement à celui qui s'en rend coupable une réprimande intellectuelle de la part d'experts sentencieux reprenant une pédagogie distinguant conceptuellement entre les différents modèles d'intégration[4]. Mais cette parade relève d'un jeu de définition qui n'est finalement qu'une stratégie d'esquive par lequel les « pluralistes » québécois trouvent à se dérober du débat public en radicalisant exagérément la distinction entre le multiculturalisme et l'interculturalisme. La tactique est claire : elle vise à situer exclusivement le débat dans les paramètres du « pluralisme » qui peut se traduire dans plusieurs modèles d'intégration, mais qui ne doit jamais être contesté sur le plan des principes. On l'a vu en décembre 2009 avec la publication d'une étude de l'Institut de recherche sur le Québec, réalisée par la sociologue Joëlle Quérin à propos du cours Éthique et culture religieuse[5] où les défenseurs de ce dernier cherchèrent à la discréditer en l'accusant d'avoir occulté la distinction élémentaire entre le multiculturalisme et l'interculturalisme. Ainsi, Luc Bégin a pu écrire que «toute son analyse repose sur une confusion remarquable entre "pluralisme" et "multiculturalisme"» ce qui relèverait «soit de la mauvaise foi, soit de l'ignorance de distinctions primaires que devrait connaître tout universitaire avisé»[6]. Au moment de la même controverse, certains concepteurs du cours ECR, parmi ceux-là Georges Leroux, Jean-Pierre Proulx, Louis Rousseau et Jean-Marc Larouche se sont vite dissociés du multiculturalisme pour se réclamer plutôt de la philosophie pluraliste. «En accolant au pluralisme, un fait de la société tout autant qu'une attitude impliquant le respect de la diversité, l'étiquette de "multiculturalisme", on diabolise la philosophie politique de ce qu'on cherche à discréditer. Affirmer que le programme ECR est "multiculturaliste", c'est en effet le déclarer au service de l'idéologie "*canadian*", le dénoncer comme "chartiste" et "trudeauiste"»[7]. Cette distinction sera aussi reconduite par Gérard Bouchard au moment de lancer au début 2010 son appel à un grand débat sur l'intégration, en distinguant

> le pluralisme, qui est une orientation générale prônant une gestion démocratique de la diversité, le multiculturalisme, qui en est l'application canadienne-anglaise et que les Québécois, avec raison, s'accordent massivement à rejeter, et l'interculturalisme, qui est une conception québécoise originale, extrêmement prometteuse en ce qu'elle propose une voie mitoyenne entre la fragmentation et l'assimilation pure et simple. Mais ces trois notions sont délibérément confondues. […] Par ignorance?[8].

La volonté de se dissocier du multiculturalisme canadien est manifeste, ce qui est compréhensible politiquement quand on connaît sa mauvaise réputation au Québec. Mais surtout, nous serions donc devant une distinction conceptuelle fondamentale en sciences sociales comme en philosophie politique. Et on connaît l'argument le plus souvent repris pour justifier la dissociation conceptuelle du multiculturalisme et de l'interculturalisme, qui consiste à associer à ce dernier un socle culturel commun permettant à la diversité de se rassembler dans une certaine cohésion sociale[9]. Cette rhétorique est celle des valeurs communes dans laquelle la ministre Yolande James a enrobé sa nouvelle politique de promotion de la diversité, qui consiste à faire de la Charte des droits le texte fondateur d'une nouvelle identité québécoise[10]. C'est dans ce cadre seulement que pourrait surgir une identité québécoise véritablement «inclusive». Pour le dire comme les concepteurs du cours ECR, «la Charte québécoise des droits et libertés de la personne est au cœur de notre identité», ce qui revient à dire qu'elle en est le nouveau texte fondateur, la référence culturelle fondamentale[11]. La Charte assure ainsi le passage d'une culture nationale centrée sur la majorité historique québécoise à une autre où cette dernière est contestée dans sa prétention à se constituer comme culture de convergence[12]. Cette thèse conforme à la sociologie de Gérard Bouchard qui n'a pas hésité à dire clairement que la déhiérarchisation de la communauté politique était la condition de sa démocratisation en contexte de pluralisme – pour le citer dans le texte, « la nation co-intégrée n'admet pas de hiérarchie structurelle entre les ethnies ou les cultures »[13]. Ainsi, dans *Dialogue sur les pays neufs*, un livre d'entretiens avec le journaliste Michel Lacombe, Bouchard invitait les « Canadiens français » à se considérer comme un groupe parmi d'autres dans une nouvelle nation québécoise, et à ne plus réclamer le statut de culture de convergence. À la question de Michel Lacombe qui lui demandait s'il fallait désormais « parler des Canadiens français comme d'un groupe appelé à former la nation québécoise au même titre que les Italiens, les Grecs, les Canadiens anglais ou les Vietnamiens », Gérard Bouchard répondait qu'il était « tout à fait d'accord » en précisant qu'il « faut concevoir la nation québécoise comme un "assemblage de groupes ethniques : les Canadiens français ou Franco-Québécois, les Autochtones, les Anglo-Québécois, toutes les communautés culturelles" », la nation n'apparaissant finalement qu'au terme d'un processus refondateur dont l'interculturalisme serait la clé[14]. Cette vision de la nation qui décentre l'identité québécoise de l'expérience historique qui l'a généré a été reprise depuis par le ministère de l'Éducation, du Loisir et du Sport dont le nouveau programme d'histoire du Québec a pour trame une immigration continue sans moment fondateur, ce qui revient à relativiser l'importance de la colonisation française, devenue vague migratoire parmi d'autres, comme l'a très justement noté Charles-Philippe Courtois[15]. Dans le rapport Bouchard-Taylor, cette idée prenait forme encore plus radicalement : c'est la prétention des « Québécois d'origine canadienne-française » à se constituer comme pôle de référence qui entraverait la mise en place d'une identité québécoise véritablement inclusive. Une telle thèse porte à conséquence politiquement. Une « identité collective vraiment inclusive [serait] en formation au Québec depuis quelques décennies »[16], mais la persistance de la majorité historique à se constituer comme culture de convergence entraverait la naissance d'une citoyenneté pluraliste susceptible de refonder la communauté politique dans la diversité. La nation, au Québec, ne relèverait pas de l'héritage mais du projet social à construire selon les méthodes de l'ingénierie identitaire. Bouchard et Taylor ont aussi parlé d'une « culture citoyenne »[17] en précisant que « la thématique des valeurs communes se soustrait [...] à la principale critique à laquelle a été confronté le modèle de la convergence culturelle des années 1980 (une forme d'assimilation douce à la culture canadienne-française » [18]. On comprendra clairement cette distinction : les valeurs communes ne doivent pas être confondues avec la culture nationale[19]. On passe ainsi de la culture nationale au vivre-ensemble, terme poisseux de la novlangue managériale qui laisse croire au souci de la cohésion sociale tout en avalisant pratiquement l'égalitarisme identitaire le plus intransigeant. À terme, on assiste à une inversion du devoir d'intégration et c'est à la culture nationale de se recomposer dans les paramètres de la nouvelle «identité québécoise inclusive»[20], comme l'ont souhaité Bouchard et Taylor en se demandant «comment [la tradition canadienne-française] peut-elle se fondre dans la nouvelle identité québécoise nourrie de diversité»[21]. Ne tolérant plus «la préséance de l'ancienneté»[22] dans la composition de la communauté politique et la dynamique des rapports sociaux, l'État multiculturel entend désormais les programmer pour transformer la nation en communauté parmi d'autres dans une société dont on remontera le cadran historique à zéro.

En fait, de la culture nationale aux valeurs communes, on passe surtout à une nouvelle identité québécoise qui se désinvestit de l'épaisseur historique de la société. D'une certaine manière, la rhétorique des valeurs communes cherche à fournir l'apparence de la cohésion sociale, mais occulte la déconstruction technocratique de la culture nationale à laquelle travaille l'État multiculturel. Les valeurs communes cherchent à fonder une forme de cohésion sociale dans un contexte post-historique et postnational, bien qu'elles semblent partagées, à tout le moins dans leur formulation la plus abstraite, à des valeurs si universelles qu'elles sont partagées par l'ensemble des sociétés occidentales, ce qui rend problématique leur prétention à différencier une communauté politique d'une autre, surtout pour les souverainistes québécois qui travaillent à rompre le lien fédéral. Comme l'a noté Joseph Yvon Thériault,

> il faut cesser de penser que l'on pourrait arriver à les définir une fois pour toutes et ainsi les inscrire dans un document fondateur que chaque citoyen vénérerait comme un catéchisme. S'il existe des valeurs québécoises, au-delà des abstractions juridiques de la modernité, celles-ci se présentent plutôt comme un ensemble en conflit inscrit dans une nébuleuse: un espace public forgé par une tradition nationale. Ce qui distingue une société démocratique d'une autre, ce ne sont pas ses valeurs proprement dites, mais la manière dont elles sont historiquement débattues dans un tel espace[23].

Il n'en demeure pas moins que c'est dans cette matrice qu'on travaille à refonder l'identité québécoise dans un modèle qui n'aurait rien à voir avec le multiculturalisme. Michel Venne a explicité la «nouvelle identité québécoise» associée au discours des valeurs communes en affirmant que «Les Québécois partagent des valeurs qui fondent des lois. Les libertés fondamentales, les droits individuels et collectifs sont énoncés dans la Charte québécoise des droits de la personne depuis 1975. La Charte de la langue française, les déclarations adoptées par notre Assemblée nationale contre le racisme ou reconnaissant les nations autochtones, balisent les rapports entre majorité et minorités»[24]. Ainsi, mis à part la langue française qui demeure le seul référent identitaire enraciné dans l'expérience histori-que majoritaire, l'identité québécoise se définirait principalement dans les documents qui surplombent la majorité française et qui permettent de li-miter son investissement existentiel de la communauté politique. Le Qué-bec ne se définirait donc pas d'abord par son expérience historique mais plutôt par son adhésion officielle aux normes du progressisme contem-porain. De la même manière, la nouvelle identité fondée sur les valeurs communes qui prendraient formes dans les chartes surplomberait une majorité historique portée à s'approprier la communauté politique. Cette vision post-traditionnelle de l'identité québécoise peut se radicaliser jusqu'à ce que certains en viennent à affirmer que les valeurs communes incarnées dans les chartes seraient dépositaires de la véritable identité québécoise, malgré la persistance d'une culture nationale historiquement définie, qui appartiendrait à une époque révolue de la communauté poli-tique. Ainsi, selon Marie McAndrew,

> les chartes énoncent l'ensemble de nos valeurs et non celles qui correspondent à l'un ou l'autre des courants d'opinion majoritaires ou minoritaires de la société civile. Ainsi, par exemple, il est possible que la tolérance du port du voile dans les institutions publi-ques choque les convictions de nombre de Québécois de toutes origines mais, jusqu'à nouvel ordre, elle s'inscrit directement dans la foulée des valeurs fondamentales de la communauté politique québécoise[25].

On se retrouve donc dans la situation particulière où la culture québé-coise telle qu'elle se déploie sociologiquement serait en contradiction avec les valeurs fondamentales du Québec, qui s'incarneraient juridiquement dans la charte des droits et seraient défendues par la gauche multicultura-liste. De manière polémique, on pourrait dire que le nouveau clergé du multiculturalisme d'État est désormais dépositaire d'une «proposition d'identité collective» qui n'a toujours pas été intériorisée par la popula-tion mais qui disposerait déjà d'une légitimité identitaire supérieure.

C'est dans cette perspective que se déploie actuellement l'horizon d'une «laïcité ouverte» qui réclame un désinvestissement des institutions des symboles religieux associés au patrimoine historique de la nation[26]. Ce modèle de laïcité favorise par exemple le réajustement du calendrier pour l'ouvrir aux revendications religieuses des différentes communautés culturelles, ce qui consiste, encore une fois, à neutraliser le processus na-turel de l'assimilation qui entraînait jusqu'à récemment les immigrés à privatiser leurs symboles culturels particuliers en prenant le pli identitaire de la société d'accueil[27]. Ainsi, l'État, désinvesti de tout substrat histori-que, prend la forme d'un guichet libre service où les communautés cultu-relles peuvent négocier selon leurs propres termes leur participation à la collectivité en invitant la nation historique à vider l'espace public des symboles qui lui sont propres, surtout des symboles religieux à dimension patrimoniale, dans la mesure où leur exposition contribuerait à la stigmatisation des communautés pratiquant des religions minoritaires. À chaque année, d'ailleurs, les controverses sur la javellisation identitaire des institutions publiques se multiplient, celles relevant de la désormais «*war on christmas*» étant désormais la plus connue. Si la communauté politique s'ouvre à la nation qui l'a historiquement investie, elle doit s'ouvrir à toutes les communautés, dans la mesure où la première n'est plus qu'une communauté parmi d'autres dans une société pensée comme une page blanche sur laquelle dessiner un modèle de société égalitaire. Et cet argument ne se limite pas à la question des symboles religieux encastrés dans l'identité nationale. Comme l'écrit Jocelyn Maclure,

> lorsque l'État québécois, par la Charte de la langue française [...], fait du français la langue publique commune, la langue principale des affaires et la langue d'enseignement obligatoire, pour les enfants dont les parents sont francophones et allophones, on ne peut dissimuler le fait qu'il agisse ici au nom des intérêts de la majorité linguistique. [...] Pour être conséquent avec lui-même, l'État québécois ne peut donc pas rejeter les demandes de reconnaissance et d'accommodement des minorités culturelles en prétextant la nécessaire neutralité de l'État à l'égard des différences culturelles. L'État québécois, pour être juste, n'a d'autre choix que d'emprunter les voies accidentées de la reconnaissance et de l'accommodement (raisonnable) de la diversité culturelle[28].

Il n'y a plus de lien existentiel privilégié entre le Québec et les «Québécois francophones», et la justice sociale en contexte multiculturel exigerait donc une reconstruction de la citoyenneté pour l'ouvrir également aux revendications identitaires minoritaires sans quoi elle institutionnaliserait un système discriminatoire contradictoire avec le droit à l'égalité au cœur des chartes. Revenant sur l'épisode initial de la crise des accommodements raisonnables, Dimitrios Karmis affirmait ainsi que «les opposants au port du kirpan à l'école opèrent non seulement une interprétation unilatérale et ethnocentrique de la signification du kirpan mais ils opèrent en quelque sorte un verrouillage de la culture publique commune qui conduit à une certaine fixité des rôles d'hôte et d'invité»[29]. La société d'accueil, pour se confirmer à une éthique de l'hospitalité «postcoloniale», devrait renoncer à investir sur le plan existentiel la communauté politique et considérer toutes les cultures, celle de la nation historique comme celle des populations immigrées, comme disposant d'un droit égal à s'investir dans les institutions publiques, dans la perspective de leur reconstruction multiculturelle.

Si je m'attarde ainsi dans ma démonstration, c'est pour clarifier une chose: le pluralisme à la québécoise, peu importe qu'il revendique publiquement l'étiquette de multiculturalisme, d'interculturalisme, de «pluralisme intégrateur»[30] ou de «pluralisme intégral»[31], repose sur un travail technocratique de reprogrammation identitaire de la communauté politique qui prétend, au nom de «l'intégration dans le pluralisme, dans l'égalité et dans la réciprocité »[32], refaire la société à la lumière de la Charte québécoise des droits et libertés de la personne. Dans tous les cas, on entend décentrer la communauté politique de sa culture fondatrice qui ne dispose plus du droit d'imposer à ceux qui la rejoignent son particularisme historique. L'égalitarisme identitaire déboulonne la nation historique et la transforme en simple majorité démographique ne disposant plus d'un droit particulier à investir les institutions à partir de sa propre culture. Nous basculons ainsi, selon les mots de Georges Leroux, vers le modèle de la « société post-nationale »[33]. Il faut se demander si les « pluralistes » se laissent eux-mêmes aveugler par leurs convictions lorsqu'ils font de la distinction entre l'interculturalisme québécois et le multiculturalisme canadien une distinction de première importance pour la sociologie politique dont la contestation serait symptomatique de la pire « inculture »[34]. Je devine qu'il pouvait en être ainsi lorsqu'on regroupait sous un même label les nombreuses chapelles de l'Église marxiste dans les années 1970 et qu'on renvoyait Aron hors de la communauté intellectuelle pour avoir reconnu dans la pluralité des sectes prolétariennes une même religion politique. Si on comprend bien la volonté de ne rien devoir à Trudeau tant ce dernier demeure une référence contradictoire avec le souverainisme affiché de plusieurs intellectuels de la gauche multiculturaliste, il n'en demeure pas moins que la référence au multiculturalisme n'est aucunement une exclusivité canadienne et il suffit de consulter les travaux des nombreux auteurs qui s'en réclament pour s'en convaincre[35]. D'ailleurs, il n'est pas rare d'entendre les experts-en-diversité reconnaître que d'un modèle à l'autre, c'est une même philosophie qu'on cherche à traduire institutionnellement, comme l'ont reconnu aisément Bouchard et Taylor en confessant que « ces deux modèles, chacun à sa façon, représentent deux essais d'application de la philosophie pluraliste »[36]. Dans une autre formule encore plus limpide, ils écrivaient que « l'interculturalisme [...] est la version québécoise de la philosophie pluraliste, tout comme le multiculturalisme en est la version canadienne »[37] ce qu'a reconnu Bouchard en d'autres circonstances en disant que si l'on appréhende le multiculturalisme comme une « formule générale d'agencement de la diversité ethnique », celui-ci « se confond pratiquement avec plusieurs éléments fondamentaux de l'interculturalisme québécois »[38]. Lorsque certains sociologues québécois assimilent l'interculturalisme québécois à l'idéologie multiculturaliste, ce n'est pas par mauvaise foi non plus que par mauvaise connaissance du travail « savant » sur la diversité mais parce qu'ils contestent une distinction biaisée et mènent une critique non seulement du multiculturalisme canadien mais bien de la philosophie politique qui fait dévaler à toutes les nations occidentales la pente de l'égalitarisme identitaire[39]. Ils contestent aussi le monopole que prétend détenir le pluralisme sur la définition de la démocratie et du droit.

La confiscation de l'espace public
par le dispositif multiculturaliste

Mais on le sait, l'objectif de cette mise en scène d'un débat tenu dans l'alternative entre le multiculturalisme et l'interculturalisme est simple : si l'espace public doit s'ouvrir à la critique des modèles concurrents dans la « gestion de la diversité », il doit se fermer à ceux qui s'entêtent dans la défense d'un nationalisme plus traditionnel n'ayant pas intériorisé la philosophie pluraliste, qu'on assimilera à une dérive réactionnaire ou populiste, au mieux conservatrice[40]. Le « nationalisme conservateur », surtout, est dans la mire de l'intelligentsia et cela, de manière de plus en plus explicite d'autant plus qu'il aura trouvé dans la crise des accommodements raisonnables les conditions nécessaires à sa légitimation médiatique et politique en multipliant ses porte-paroles et en dévoilant une base populaire significative. On a pu le voir ces dernières années dans les travaux de Jocelyn Maclure, de Daniel Weinstock, dans les chroniques du journaliste Alain Dubuc et celles de Louis Cornellier où la référence au « nationalisme conservateur » ou à la « droite nationaliste » s'est imposée pour désigner un courant politique qui s'engageait dans une contestation explicite du multiculturalisme[41]. Un temps occulté, il n'est actuellement nommé par certains intellectuels pluralistes que pour être exclu du débat public, sa reconnaissance, et surtout celle de son caractère « dangereux » devant logiquement précéder sa prochaine censure ou sa disqualification morale. On devine aussi l'objectif stratégique d'une telle désignation lorsqu'on jumelle ce nationalisme conservateur avec une gauche laïque, qui se laisserait contaminer en acceptant de faire cause commune avec lui[42]. Il faut ainsi refermer les « frontières du dicible » et transformer les paramètres du débat public pour en tenir éloigné ceux qui contestent la mutation pluraliste de la légitimité démocratique. Nous assistons ainsi à une annexion de l'espace public par le dispositif idéologique du multiculturalisme qui entend définir les critères de la respectabilité médiatique et politique. Gérard Bouchard en a donné l'exemple lorsqu'il a écrit qu'il ne s'engagerait publiquement dans un débat qu'à la condition qu'il soit « a) conforme aux exigences de la démocratie et du droit, b) adapté aux défis et contraintes de notre temps, c) capable d'articuler efficacement la double obligation d'assurer l'avenir de la francophonie québécoise et de respecter la diversité. Alors seulement, il sera possible d'ouvrir une discussion utile »[43]. Jacques Beauchemin l'a noté, une telle affirmation laisse croire qu'une « position nationaliste ou républicaine […] ne serait pas recevable parce que son a priori serait celui de la règle de la majorité et de la primauté du commun sur le particulier »[44]. On pourrait aussi dire tout simplement que les défenseurs du multiculturalisme en général et Gérard Bouchard en particulier entendent fournir leur définition de la démocratie et exclure du champ de la légitimité démocratique tous ceux qui ne l'endossent pas.

Gérard Bouchard nous a donné la clef de cette censure en expliquant que la «philosophie pluraliste» avait pris forme contre un modèle antérieur, celui de «l'assimilation-exclusion»[45], une distinction déjà présente dans ses ouvrages de la période post-référendaire lorsqu'il retrouvait une césure dans l'histoire de l'idée de nation entre un modèle autoritaire et homogène et un autre démocratique et hétérogène : «la nation moderne est engagée dans une difficile transition entre le vieux paradigme de l'homogénéité, ordinairement synonyme d'assimilation forcée, de discrimination et d'exclusion, et le paradigme de la différence ou de la diversité, marqué par le respect des particularismes culturels et l'universalité des droits civiques»[46]. Dans le rapport Bouchard-Taylor, ce basculement d'un modèle à un autre était ainsi narré : «comme l'ont montré nombre d'études historiques et anthropologiques au cours des vingt ou trente dernières années, les nations d'hier devaient souvent leur cohésion à des pouvoirs autoritaires qui opprimaient les différences et ne les toléraient que dans la mesure où elles échouaient à les détruire»[47]. Cette description symptomatique de la mauvaise conscience occidentale laisse croire que les sociétés occidentales se déprendraient tout juste d'un modèle usé coupable à grande échelle de crimes contre l'altérité, la démocratie devant désormais s'accoupler avec l'esprit pénitentiel pour accoucher de ses promesses égalitaires. Après avoir affirmé que l'appel à l'assimilation des immigrés relevait d'une «d'une conception très limitée de l'hospitalité, une conception moniste et centrée sur soi»[48] symptomatique d'une conception coloniale de la communauté politique, Dimitrios Karmis se demandait comment une telle exigence pouvait «avoir survécu aux jours les plus sombres du xxᵉ siècle»[49], ce qui est une manière de nazifier subtilement la critique du multiculturalisme. Mais le récit de la culpabilité se renverse dans son double, celui de l'ouverture à l'autre, dans la mesure où la marginalisation historique de la différence se doublerait au temps présent d'une reconnaissance de la diversité, qui se déploierait comme la trame fondamentale de notre époque. On assiste ainsi à une inversion de la mémoire collective qui disqualifie radicalement l'expérience historique des sociétés occidentales pour mieux justifier au temps présent leur nécessaire reconstruction pluraliste. Au Québec, cette mutation pluraliste de la démocratie s'accompagne souvent d'une relecture dénationalisée de la Révolution tranquille, qui est assimilée à une forme de modernisation sociale et culturelle porteuse du tournant *diversitaire*, comme on peut souvent le voir dans les politiques publiques du gouvernement québécois, qui situent toujours l'ouverture de la société québécoise à la diversité avec les années 1960. Cette interprétation était aussi présente dans le rapport Bouchard-Taylor qui récupérait aussi la mémoire de la Révolution tranquille dans une perspective pluraliste : «Au Québec, on peut considérer que la prise de conscience de la pluralité ethnoculturelle s'est faite dans le sillage de la Révolution tranquille»[50]. Dans le *Manifeste pour un Québec pluraliste*, on ne se contente plus seulement de faire tenir la Révolution tranquille dans le récit de l'avènement de la Charte des droits et de l'interculturalisme qui l'accompagne aujourd'hui mais on en faisait aussi la seule trame véritable de la continuité québécoise en accusant le «nationalisme conservateur» de vouloir rompre avec l'apprentissage de la diversité qui se déploierait à travers l'histoire québécoise[51]. À travers cette métamorphose progressiste de la conscience historique, on assiste surtout à la tentative d'une construction de la mémoire officielle par la gauche multiculturaliste, qui veut effacer l'ancienne trame de la continuité nationale pour éviter qu'elle ne soit mobilisée dans une tentative de restauration du Québec historique.

La pathologisation du conservatisme (1): repli identitaire, peur de l'autre et dérive xénophobe

Ainsi biaisés, les termes du débat sont faits pour justifier une pédagogie systématique de l'accommodement à la diversité dans l'espace public. Le multiculturalisme correspondrait à une mutation en profondeur de la démocratie libérale. La diversité serait le nouvel idéal dans lequel il faudrait traduire les concepts fondamentaux de la modernité démocratique mais il «ne saurait jamais se réaliser complètement, les institutions se trouvant toujours en défaut par rapport aux exigences de la diversité»[52], ce qui revient à dire que la conversion de la démocratie au multiculturalisme sera un processus sans fin, à relancer sans cesse[53]. De ce point de vue, ceux qui font le procès de la mutation pluraliste de la démocratie s'accrochent nécessairement à un modèle historiquement disqualifié par l'expérience de l'altérité et leur discours serait d'abord symptomatique d'une pathologie sociale, Bouchard et Taylor l'assimilant ainsi au «parti de la peur, à la tentation du retrait et du rejet, à s'installer dans la condition de victime, à se replier sur un héritage qui, avec la baisse de la fécondité, ouvrirait sur un avenir sans horizon à long terme: un patrimoine figé qui isole et appauvrit, qui creuse des distances et conduit au durcissement identitaire plutôt qu'à un épanouissement. C'est le modèle de la peau de chagrin»[54]. Bouchard et Taylor posaient aussi le diagnostic d'une double pathologie identitaire au sein de l'identité québécoise, à la fois fixée sur une vieille définition de la nation exigeant l'assimilation des immigrés et traversée par une faiblesse congénitale, celle d'un Canada français existentiellement angoissé et porté à la logique du bouc émissaire, qui l'amènerait à reconnaître dans la diversité non pas une chance mais une menace[55]. Georges Leroux a quant à lui situé la crise des accommodements raisonnables dans le contexte plus large d'une montée de la xénophobie au Québec.

> Le débat sur les accommodements raisonnables n'est que la manifestation la plus récente des tensions identitaires qui agitent le Québec depuis le milieu des années 1990.

Ces tensions demeurent opaques si on cherche à les comprendre isolément, en les séparant de la croissance de la xénophobie dans une société qui semblait en avoir été protégée jusque-là. Il suffit de rappeler, pour ne citer que cet exemple, la succession des mutilations de synagogues ou de cimetières juifs à Montréal depuis 1993, et encore récemment l'attaque au cocktail Molotov d'une école hassidique. Depuis les événements du 11 septembre, les établissements islamiques ont aussi connu leur part de violence[56].

Ainsi, pour Leroux, la critique de la décision de la Cour suprême sur la kirpan ou les critiques par Mario Dumont des seuils d'immigration ne seraient pas qualitativement distinctes d'un antisémitisme épidémique qui pousserait à la profanation des cimetières ou à l'attaque à l'explosif d'une école juive.

L'exemple de la réaction populaire au jugement de la cour suprême sur le kirpan montre que la société est moins sensible aux principes du pluralisme qu'au spectre d'une généralisation de l'accommodement, conduisant à une forme de démission de la culture de la majorité. [...] Le mécanisme stimulé par cet imaginaire se laisse rapidement, et sans résistance, corrompre par la xénophobie, qui apparaît à la fois comme la solution simple aux tensions identitaires et comme une réaction de saine défense à l'égard des dérives du multiculturalisme. Si les principes politiques du pluralisme ne sont pas promus, voire activement défendus, dans une situation de stress identitaire, et si la tolérance n'apparaît plus comme une vertu, mais comme une lâcheté, on peut prévoir que les réactions défensives ne trouveront aucun obstacle sur leur chemin. Présentées comme naturelles, ces réactions susciteront la formulation de politiques conservatrices au nom de la protection de la majorité[57].

Le conservatisme est assimilé par Leroux à une tentation xénophobe, une analyse reprise par Daniel Weinstock qui affirmait que les «voix conservatrices», aussi présentées comme les «voix traditionnalistes, pour ne pas dire passéistes et réactionnaires», qui se sont exprimées dans la critique des accommodements raisonnables seraient «carrément xénophobes» et représenteraient un «nationalisme chauvin et ethnique, se dissimulant tant bien que mal derrière un discours "démocratique" qui réduit en fait la démocratie au populisme démagogique». Ce nationalisme conservateur manifestement contradictoire avec la démocratie, Weinstock le reconnaissait surtout dans le discours des tenants d'une «vision traditionnelle de l'identité québécoise»[58]. Cette diabolisation du conservatisme était aussi présente chez Dimitrios Karmis qui l'assimilera au «camp de la xénophobie»[59], Marie McAndrew préférant quant à elle reconnaître dans la crise des accommodements raisonnables la résurgence d'une forme de nazisme canadien-français qui était celui des disciples d'Adrien Arcand[60]. Micheline Labelle a aussi dépisté la trace du racisme en assimilant un «néoconservatisme» naissant à une forme de «néoracisme»[61]. On comprend ainsi que la critique du multiculturalisme qui a pris forme avec la crise des accommodements raisonnables est radicalement délégitimée, d'autant plus qu'on lui reproche d'avoir «dict[é] les termes du débat à un moment crucial de l'évolution politique du Québec »[62]. Les termes du débat remaniés par la gauche multiculturaliste sont faits pour rappeler que l'espace public est un chemin bien balisé vers une définition bien particulière du progrès. On notera que cette disqualification radicale du conservatisme passe aujourd'hui par sa pathologisation, souvent sous la forme d'une psychologisation à outrance qui le vide de son contenu rationnel pour l'assimiler à la « peur de l'autre » ou à des réflexes de « crispation identitaire » qui seraient normalement portés par des populations régionales ou rurales n'ayant aucun contact significatif avec la diversité dont elles contesteraient l'expansion.

La pathologisation du conservatisme (2) : le conservatisme comme système idéologique exclusionnaire et la sociologie antidiscriminatoire

C'est toute une sociologie – qui s'est institutionnalisée comme technique de *gestion de la diversité* - qui radicalise la pathologisation du conservatisme en le transformant en problème à résoudre de manière thérapeutique comme on peut le constater en étudiant les documents auxquels réfèrent les politiques de l'État québécois censées relever de la lutte contre les discriminations[63]. Cette sociologie qui se décline sur le mode de la lutte au racisme, au sexisme, à l'homophobie ou à l'handiphobie prétend dévoiler le système discriminatoire qui mènerait à la marginalisation des minorités culturelles et sexuelles discriminées dans l'histoire de la démocratie occidentale et qui disposeraient désormais, grâce aux chartes de droits, des moyens institutionnels nécessaires à la pleine affirmation de leur droit à l'égalité. On connaît le postulat fondamental de la lutte aux discriminations : la société libérale ferait écran sur un système exclusionnaire qui condamnerait à la marginalité certains groupes sociaux historiquement discriminés et se serait rendu coupable de discrimination systémique parce qu'elle dépolitiserait les revendications fondées sur les discriminations groupales et les neutraliserait dans la reconnaissance de droits individuels n'assurant pas la pleine visibilité sociologique et juridique des rapports de domination entre majorité et minorités. De la même manière, en individualisant le problème du racisme, devenu individuel plutôt que structurel, la société libérale travaillerait pratiquement à sa reproduction institutionnelle et culturelle, car le racisme ne serait pas d'abord une pathologie psychologique non plus qu'une théorie délirante mais un rapport de pouvoir structurant de manière hiérarchique les rapports intercommunautaires. Il faudrait désormais adapter les institutions communes aux revendications minoritaires, dans la mesure où les communautés qui les portent pourraient ainsi définir leur participation à la société selon leurs propres termes. Ainsi, les inégalités, traduites dans le langage de l'injustice, devraient être réparées à travers la reconfiguration intégrale des institutions et des pratiques sociales et la sociologie victimaire aura justement pour fonction de désigner les groupes appelés à faire valoir leur droit à l'égalité pour définir leur propre modalité de participation à la société[64]. Les groupes subordonnés doivent faire valoir leur droit à l'égalité dans une perspective réparatrice. Il sera nécessaire de construire un dispositif technocratique capable de renverser la dynamique discriminatoire en réaménageant radicalement les rapports de pouvoir entre les communautés dominantes et dominées, et cela, s'il le faut, en politisant intégralement les rapports sociaux, dans la mesure où les discriminations se reproduiraient aussi dans l'intimité, la distinction entre le public et le privé masquant l'étendue des systèmes discriminatoires auquel il faudrait mener la lutte – ce qui passera pratiquement par la multiplication des programmes de discrimination positive.

La discrimination positive va ainsi bien au-delà du clientélisme identitaire : elle consacre en fait une inversion de l'égalité démocratique. On pourrait le dire à autrement : l'égalité libérale n'a rien à voir avec l'égalité substantielle et on ne peut d'aucune manière faire de la seconde un approfondissement de la première. La mutation thérapeutique de l'État-providence transforme ainsi la société en champ d'expérimentation idéologique où l'égalitarisme le plus radical se déploie dans les domaines culturels et identitaires en plus d'étendre son contrôle administratif sur tous les acteurs sociaux ou économiques qui ont à faire avec lui. C'est d'ailleurs ce que reconnaît Maryse Potvin en écrivant que «l'évolution de la notion de discrimination passera d'une logique "libérale" […] à une logique substantive», dans la mesure où l'État est désormais appelé à reconstruire la société pour créer un contexte institutionnel favorable à la «lutte contre les discriminations. «L'égalité exige plus aujourd'hui qu'une simple concurrence égale (pour les emplois et les services) mais aussi l'adoption de mesures positives pour répondre aux besoins de certains individus dont la participation égale n'est pas assurée. L'interprétation de l'égalité repose désormais sur l'idée d'égalité des chances évaluée en regard d'une analyse des résultats, un passage de l'égalité formelle vers l'égalité réelle ou "substantive" »[65]. Cette mutation de l'égalité libérale en égalitarisme identitaire correspond à une forme de socialisme multiculturel dans la mesure où la démocratie devrait reconnaître désormais comme horizon l'égalité substantielle des groupes qui la composent – à tout le moins, des groupes qui parviennent à se constituer comme tels pour entrer dans les catégories de la sociologie victimaire mobilisée par l'État thérapeutique[66].

Mais si la discrimination est systémique, il faut comprendre que ceux qui se porteront à la défense de ce que la sociologie antidiscriminatoire croit être un système exclusionnaire ou qui lutteront contre les mécanismes institutionnels censés les démanteler se porteront conséquemment à la défense de la discrimination. Le conservatisme passera désormais pour la défense d'un système exclusionnaire en contradiction manifeste avec les exigences de la justice sociale et on plaidera pour sa criminalisation comme on a pu le lire dans le rapport Bouchard-Taylor qui appelait à ce « que la charte québécoise interdise l'incitation publique à la discrimination »[67], ce qui annonce une régression considérable de la liberté d'expression quand on connaît la définition que donne de la discrimination la sociologie antidiscriminatoire et la bureaucratie qui l'applique. On doit comprendre la portée radicale d'une telle proposition. Si la discrimination positive est là pour démanteler un système discriminatoire masquant les privilèges de la majorité historique dans la référence à l'universalisme libéral, la contester son implantation consistera conséquemment à lancer un appel public à la discrimination assimilé au « néoracisme universaliste »[68]. De la même manière, souhaiter la privatisation des symboles religieux ostentatoires de certaines communautés culturelles tout en reconnaissant la légitimité de l'institutionnalisation des symboles de la société d'accueil dans une perspective historique et patrimoniale consisterait aussi à justifier un système discriminatoire, cette fois dans la perspective du néoracisme différentialiste[69]. En fait, il ne sera plus permis de contester dans ses fondements même le multiculturalisme dans la mesure où il prétend s'institutionnaliser à la manière d'un système correcteur de la mécanique discriminatoire qui marginaliserait les minorités culturelles ou religieuses[70]. Ce dont il est question ici, c'est d'interdire l'expression d'un courant politique et l'empêcher de constituer un mouvement qui ferait le procès systématique de l'État multiculturel, en établissant un dispositif légal qui rendra possible si nécessaire sa criminalisation ou qui permettra à tout le moins l'interdiction de ses propositions qui sont le plus contradictoire avec lui. Mais il ne sera peut-être pas nécessaire d'en arriver là tant toute remise en question fondamentale du multiculturalisme d'État ou de l'idéologie antidiscriminatoire est assimilée médiatiquement à une forme de dérapage qui mérite à son auteur sa mise au ban de l'espace public et sa transformation en épouvantail. Le politiquement correct qui se déploie sur l'espace public installe un dispositif inhibiteur qui amène plus souvent qu'autrement les adversaires du multiculturalisme à relativiser leur critique, à la désinvestir de toute charge transgressive, pour ne pas voir s'abattre sur eux une collection d'accusations dévastatrices, servant à marquer ceux à qui on les destine du fer rouge du racisme. Le politiquement correct neutralise le nationalisme conservateur en l'amenant à faire le procès des dérives du multiculturalisme et non plus du multiculturalisme comme dérive.

Cet appel à l'interdiction du conservatisme en amène certains, comme Maryse Potvin, à souhaiter en censurer tout simplement l'expression publique dans la mesure où il ne devrait plus être permis de représenter négativement la société multiculturelle, cela au nom de la cohésion sociale et du vivre-ensemble.

> Sur des questions qui affectent directement la «cohésion sociale» et la dignité des personnes, des sanctions beaucoup plus sévères envers certains médias aux couvertures négatives, ou envers certains journalistes, comme l'interdiction de publier ou de diffuser pendant un certain nombre de jours, devraient être envisagées ou renforcées par le Conseil de Presse ou le CRTC, dont le pouvoir de réglementation est beaucoup plus important. À cet égard, il revient à nos législateurs d'accroître et de baliser le rôle de ces institutions afin d'éviter, à l'avenir, l'élection de faits divers en crise de société par les médias. Ils peuvent également accroître une obligation, pour les médias, d'accroître leur mission «éducative» et «civique». À cet égard, le droit à des médias formateurs garants d'une participation citoyenne dans l'espace public démocratique peut être, au même titre que les droits politiques et sociaux, un droit fondamental dans une perspective de citoyenneté. L'État ne peut certes pas «contrôler» facilement les médias, guidés par une forte logique de marché, mais il peut exercer une plus grande régulation éthique lorsqu'il s'agit de traiter des enjeux relatifs aux droits des individus, à la justice et aux rapports sociaux dans notre société, qui se veut égalitaire[71].

Ainsi, l'État devrait exercer un contrôle sur l'information et sa présentation pour éviter qu'on ne présente négativement la «diversité», ce qui revient pratiquement à en appeler à la censure de la critique du multiculturalisme ainsi que du chartisme. L'État devrait même investir les médias d'une fonction de propagande, dans la mesure où ils ne devront pas seulement censurer la critique du multiculturalisme, mais en faire la promotion active, au nom de l'éducation au pluralisme et de la sensibilisation à la diversité[72]. Il devrait de même suspendre la publication des journaux ou des publications proposant une représentation critique de la société multiculturelle.

Le paradigme pluraliste et la mutation pluraliste du marxisme

Si la gauche pluraliste se permet d'assimiler le nationalisme conservateur à une dérive xénophobe qui devrait être expulsée du débat public et criminalisée, c'est bien évidemment parce qu'elle adhère au grand récit de la philosophie pluraliste qui le présente comme un approfondissement de l'égalité démocratique. Nous serions donc devant un approfondissement de la dynamique égalitaire de la modernité qui se présente normalement comme la découverte de la diversité et de la différence qui avait été historiquement marginalisée. De ce point de vue, on pourrait parler d'une histoire naturelle de la diversité dans la mesure où celle-ci serait portée par une dynamique historique et sociologique qui correspondrait au déploiement naturel de l'égalitarisme moderne. L'avènement de la diversité se pense ainsi dans le langage de la philosophie de l'histoire de la démocratie et certains de ses critiques, comme Marcel Gauchet, reprennent d'ailleurs un tel récit, même s'ils le connotent ensuite négativement en parlant d'un retournement de la démocratie contre elle-même. Cette naturalisation de l'avènement du paradigme «diversitaire» était visible dans le rapport de la commission Bouchard-Taylor où l'on proposait une histoire de la sensibilité pluraliste faisant l'impasse sur les résistances nombreuses des sociétés occidentales devant la détraditionnalisation des pratiques sociales. Je me permets de citer longuement le rapport Bouchard-Taylor dans la mesure où il exemplifie le nouveau récit historique justifiant l'avènement du multiculturalisme d'État :

> il est bon de se demander d'où vient cette idée générale d'harmonisation. [...] Jusqu'à récemment, [la question de la gestion de la diversité] était le plus souvent résolue de façon autoritaire : une culture, plus puissante, tentait ou bien de dominer les autres en les marginalisant, ou bien de les supprimer en les assimilant. [...] Depuis quelques décennies cependant, en Occident surtout, les mentalités et le droit ont changé tandis que les nations démocratiques, comme nous l'avons déjà signalé, sont devenues beaucoup plus respectueuses de la diversité. Le mode de gestion du vivre-ensemble qui prend forme désormais est fondé sur un idéal général d'harmonisation interculturelle. En premier lieu, cette nouvelle orientation, pour l'essentiel, fait la promotion du pluralisme, ce qui permet à tout individu ou groupe de s'épanouir selon ses choix et ses caractéristiques tout en participant à la dynamique des échanges interculturels. En deuxième lieu, elle vise aussi la pleine intégration de tous les individus (ou du moins ceux qui le souhaitent) à la vie collective. Cette évolution internationale, qui instaure un peu partout le respect de la diversité, engendre une responsabilité pour toutes les instances d'une société : le gouvernement et les institutions publiques, les entreprises, les Églises, les associations volontaires, et le reste. Cette nouvelle vision ou sensibilité fonde le principe des pratiques d'harmonisation. On constate qu'elle a fait son chemin progressivement parmi les élites intellectuelles et politiques ainsi que chez les militants qui ont animé les grands mouvements sociaux de l'Occident. Selon des modalités et des rythmes divers, parsemés d'à-coups, elle pénètre maintenant les cultures nationales[73].

Il y a dans cette description qui laisse croire à l'avènement d'une nouvelle sensibilité sociologique et philosophique – comme on laissait croire il y a une trentaine d'années à l'avènement inéluctable de la révolution - une impasse à peu près complète sur la critique populaire de cette sensibilité qui n'est mentionnée qu'à la manière «d'à-coups», Bouchard et Taylor entendaient probablement par là les manifestations de plus en plus insistantes d'une frange considérable de l'électorat pour contenir la détraditionnalisation des pratiques sociales, la crise des accommodements raisonnables en étant la manifestation québécoise. On doit surtout retenir ici que la mutation pluraliste correspond à une histoire naturelle de la diversité mise de l'avant par la gauche multiculturaliste qui masque les circonstances de son avènement et qui neutralise complètement le rôle des acteurs sociaux et de l'action publique dans son institutionnalisation comme nouvelle légitimité politique.

Mais nous sommes ici devant le grand récit de la diversité qui doit être déconstruit pour laisser voir ses nombreuses zones d'ombres. Car la genèse du paradigme pluraliste est toute autre et la philosophie de l'histoire doit céder la place à une étude des acteurs sociaux et des discours qu'ils mobilisent pour définir l'espace public dans une perspective favorable à la promotion de leurs intérêts, à la réception favorable de leurs revendications. Le paradigme pluraliste qui domine l'imaginaire politique des sociétés occidentales et qui fait de la diversité le nouvel horizon de l'égalité démocratique correspond pratiquement à ce que nous avons appelé ailleurs une révolution idéologique, celle menée par la gauche progressiste dans sa conversion sur quelques décennies de la lutte des classes à la politique des identités. La référence aux années 1970 est ici fondamentale du point de vue d'une histoire des transformations de la gauche. On doit en rappeler le contexte brièvement : dès la fin des années 1950, dans le cas de l'École de Francfort, mais surtout, à partir de la fin des années 1960, la gauche radicale s'est trouvée devant une impasse théorique majeure. La classe ouvrière en particulier et les classes populaires en général n'ayant pas joué le rôle que leur réservait la théorie marxiste – Mai 68 et les années 1970 ayant marqué un passage à droite des classes populaires dans toutes les sociétés occidentales, ce qui amènera d'ailleurs le développement de leur critique systématique par la sociologie progressiste – la gauche idéologique dû partir à la recherche de nouveaux pôles de radicalité critique, cela dans la perspective de la construction d'un nouveau sujet révolutionnaire. La gauche idéologique, pour maintenir sa radicalité critique, est ainsi passée d'une sociologie ouvriériste à une sociologie des marges identitaires et culturelles. De l'ouvrier au marginal, et principalement à l'immigré, le progressisme cherche le groupe à surinvestir d'une légitimité démocratique à partir duquel il serait possible de radicaliser les exigences de l'égalitarisme. Ce tournant particulièrement visible dans l'œuvre des auteurs de référence de l'époque, qu'il s'agisse de Marcuse, de Touraine, de Foucault, et pour sauter une génération, chez Mouffe et Laclau, a ainsi permis à la gauche radicale de renouveler son imaginaire sociologique en passant de la critique du capitalisme à celle de la civilisation occidentale[74]. C'est à partir de cet ethos, de cette dynamique idéologique, que la gauche multiculturaliste travaille à reconstruire en profondeur la communauté politique occidentale.

De la gauche radicale des années 1970 à ce qui passe aujourd'hui pour la troisième voie défendue par un Anthony Giddens qui en parallèle de son ralliement à l'économie sociale de marché, a fait une promotion convaincue du multiculturalisme et du postnationalisme, on a assisté à un renouvellement en profondeur du radicalisme qui s'est reporté sur la critique des formes sociales traditionnelles, appelées à « s'ouvrir » aux revendications minoritaires les plus nombreuses pour transvider l'égalitarisme du domaine économique vers le domaine identitaire. Jocelyn Maclure, un des théoriciens de la gauche multiculturelle québécoise, reconnaissait d'ailleurs dans le pluralisme une forme d'approfondissement de la critique propre à la gauche radicale en disant que « la fascination marxiste pour les classes sociales est enrichie (et non remplacée) par d'autres enjeux tels que le genre, l'identité sexuelle et l'ethnicité », en précisant que « les combats pour la reconnaissance des peuples, cultures ou groupes minoritaires prennent de plus en plus, depuis au moins une bonne trentaine d'années, la forme des politiques de l'identité »[75]. Maclure a même affirmé que « la prise de parole par des sujets dont la voix avait été jusque-là ignorée ou faussée, constitue donc l'activité démocratique la plus fondamentale »[76]. On retrouvait d'ailleurs sans surprise, dans le rapport Bouchard-Taylor, cette revitalisation de la démocratie par les marges identitaires représentées par les cultures immigrées est présente de manière explicite.

> On doit à la nouvelle diversité culturelle (celle qui refuse les brimades et réclame ses droits) une critique des anciens mythes fondateurs qui servaient autant à exclure qu'à inclure, un renouvellement de la démocratie et une culture plus vive des droits. Or, cette nouvelle sensibilité aux droits, à la démocratie et à la diversité profite à tous les citoyens. En conséquence, le régime d'intégration de notre société, comme de la plupart des sociétés occidentales, est de loin supérieur à celui qu'il a remplacé[77].

En déstabilisant certaines formes culturelles traditionnelles, « la nouvelle diversité culturelle » aurait eu un effet émancipateur sur les sociétés d'accueil. Ainsi, contrairement à ce qu'a pu écrire Stéphanie Rousseau – « qu'ont en commun le marxisme et le multiculturalisme ? Rien »[78] – l'idéologie multiculturaliste a pris forme à travers une mutation pluraliste du marxisme et ce n'est qu'en suivant cette piste que l'on peut comprendre jusqu'à quel point elle se place en contradiction avec les formes classiques de la démocratie libérale.

L'intelligentsia, le peuple et la tentation thérapeutique

Le coup de génie du multiculturalisme est d'avoir normalisé un passage de la gauche la plus radicale au centre-gauche officiel en l'espace de moins d'une génération, ce qui s'explique moins par une « évolution des mentalités », comme on l'affirme souvent, que par un investissement particulier des institutions productrices du discours public. On devrait moins dire que nos sociétés ont intériorisé la nouvelle éthique pluraliste qu'on a cherché à leur imposer. Une histoire du multiculturalisme devrait d'abord être une histoire de l'intelligentsia qui l'a imposé aux sociétés occidentales – on ajoutera, une histoire qui explorerait les nombreuses stratégies par lesquelles l'intelligentsia est parvenue à l'institutionnaliser dans les paramètres étatiques malgré le désaveu populaire. Il ne s'agit évidemment pas ici de pratiquer une sociologie conspirationniste mais de reconnaître que les acteurs sociaux sont porteurs de projets, d'idéaux, et cherchent à les promouvoir à travers les stratégies les plus appropriées pour parvenir à définir la société. Si on refuse une histoire naturelle de la diversité, qui relève davantage de la philosophie de l'histoire que de la sociologie politique, il faut bien reconnaître que l'idéologie multiculturaliste trouve sa base sociale dans les élites intellectuelles, médiatiques et technocratiques, alors qu'elle est désavouée significativement par les classes moyennes et populaires, comme le démontrent régulièrement les sondages les mieux faits et les résultats électoraux. Mais devant le désaveu populaire de la « société des identités »[79], la gauche multiculturaliste hésite entre deux attitudes. Dans le premier cas, elle niera la contestation populaire du multiculturalisme, comme on l'a vu avec la publication du *Manifeste pour un Québec pluraliste*, quand les cent cinquante signataires se demandaient « par quelle symbiose mystique parviennent-ils à déceler le contenu véritable des valeurs de cette majorité ? Force est de constater qu'ils y projettent leurs propres préférences, leurs propres conceptions de la vie bonne, postulant qu'elles font l'objet d'un vaste consensus »[80]. De la même manière, on accusera ceux qui constatent la distance entre les préférences de l'intelligentsia et celles de la population de « populisme » et de dérive « réactionnaire »[81]. Pourtant, un tel déni est étrange dans la mesure où la sociologie progressiste elle-même constate aussi « ce gouffre » selon la formule de Jocelyn Maclure[82]. Pour reprendre encore une fois Bouchard et Taylor, la sensibilité pluraliste « a fait son chemin progressivement parmi les élites intellectuelles et politiques ainsi que chez les militants qui ont animé les grands mouvements sociaux de l'Occident ». Gérard Bouchard après avoir anticipé la critique populaire du multiculturalisme – « on va se faire dire, dans toutes les régions dans lesquelles on va s'arrêter [...], que l'immigration et la diversité, ce sont des emmerdements » – et contesté la maturité intellectuelle suffisante des classes moyennes et populaires pour aborder la question de la diversité – parlait ainsi des « gens qui ne sont pas des intellectuels mais qui regardent les nouvelles à TVA ou à TQS, dans le meilleur des cas au *Téléjournal* » - reconnaissait ensuite la responsabilité particulière de l'intelligentsia dans la promotion de la diversité comme nouvelle utopie transformatrice.

> Nous, les intellectuels, on a mal fait notre travail. [...] On a posé et on a postulé que la diversité était bonne et enrichissante pour le Québec sur le plan culturel. Mais on ne l'a pas démontré avec les études nécessaires. Nous étions certains que personne ne voudrait soutenir la position contraire. [...] Est-ce qu'on connaît un seul article présentant un argumentaire solide et convaincant démontrant de façon concrète en quoi la diversité ethnique est une source d'enrichissement culturel ? [...] Je n'ai jamais contribué à bâtir cet argumentaire[83].

Marie McAndrew reconnaissait même que les élites avaient la responsabilité de porter le projet multiculturaliste contre les dérives de la majorité. «C'est donc une responsabilité essentielle des élus politiques, des élites intellectuelles ainsi que des représentants d'organismes publics, de s'opposer catégoriquement à tous ces dérapages et à toujours systématiquement ramener le débat à ses dimensions civiques et inclusives»[84].

Toutefois, lorsqu'elle en reconnaît l'existence, la sociologie progressiste explique le malaise identitaire des classes populaires par le «vieux fond xénophobe» dans lequel elles baigneraient, ou encore, pour reprendre les termes d'un document préparatoire de la politique québécoise de lutte au racisme, parce que «la perception de la population relativement au pluralisme n'évolue pas aussi rapidement que la réalité elle-même, en raison notamment [...] d'une représentation culturelle souvent partielle, voire anachronique»[85]. Il faut réformer les attitudes devant la diversité et promouvoir des comportements qui vont bien au-delà du civisme, de la politesse ou de la courtoisie. Gérard Bouchard l'avait déjà annoncé il y a plus d'une décennie: «à certains signes, en effet, il semble parfois que la population francophone de souche n'a pas complété son apprentissage dans le rôle d'une majorité démocratique, sensible à la réalité interculturelle»[86]. Sous la plume de Georges Leroux, cette disqualification des groupes de la population qui désavouent le multiculturalisme passe aussi par une pathologisation de leur enracinement dans des régions apparemment très homogènes: «dans un contexte où une majorité, qu'elle soit attestée ou imaginaire, ou simplement nostalgique d'un passé idéalisé, se trouve toujours prompte à évoquer le milieu métropolitain comme une entité tyrannique à l'endroit des régions et du vrai pays»[87]. Marie McAndrew a aussi situé dans les régions éloignées de la diversité urbaine la critique du multiculturalisme. «Sans qu'elles leur soient propres, ces préoccupations touchent particulièrement les régions, entre autres parce que l'absence de contacts avec les personnes issues de l'immigration, et donc une connaissance directe de l'état des relations interculturelles, amplifie l'impact de la couverture médiatique presque exclusivement centrée sur les dérapages en matière d'accommodements raisonnables que nous vivons depuis quelque temps»[88]. Autrement dit, lorsque le désaveu populaire est reconnu, il n'a aucune légitimité et doit être considéré comme le symptôme d'une pathologie identitaire et sociale.

On connaît alors la solution: il faut expliquer au peuple, encore et encore, les vertus du pluralisme identitaire. C'est ainsi qu'on pouvait lire dans le rapport Bouchard-Taylor que «nous recommandons au gouvernement québécois de [...] promouvoir vigoureusement [l'interculturalisme] auprès des diverses composantes de notre société, comme le Canada le fait avec succès depuis près de quarante ans avec le multiculturalisme. Il faut que l'interculturalisme, mis en œuvre par tous les gouvernements québécois depuis quelques décennies, soit davantage connu et célébré»[89]. Sur le même registre, les commissaires Bouchard et Taylor soutenaient que «la législation sur le multiculturalisme canadien a permis de clarifier et de populariser le modèle canadien qui a fait l'objet d'une intense promotion. Il est ainsi devenu une valeur fondamentale; il a pénétré l'imaginaire et il est maintenant au cœur de l'identité nationale canadienne. Pourquoi ne pas en faire autant avec l'interculturalisme québécois, comme forme originale de pluralisme?»[90]. C'est dans le même esprit qu'on pouvait lire à la proposition G4 du rapport Bouchard-Taylor un appel à la «promotion énergique du nouveau cours Éthique et culture religieuse»[91], ce qui s'explique dans la mesure où selon Gérard Bouchard, «la crise des accommodements raisonnables n'aurait jamais éclaté si le cours était donné depuis longtemps dans les écoles québécoises»[92]. Ce cours permettra, selon Georges Leroux, de

> concevoir une éducation où les droits qui légitiment la décision de la Cour suprême [à propos de l'affaire du kirpan], tout autant que la culture religieuse qui en exprime la requête, sont compris de tous et font partie de leur conception de la vie en commun. Car ces droits sont la base de notre démocratie, et l'enjeu actuel est d'en faire le fondement d'une éthique sociale fondée sur la reconnaissance et la mutualité. C'est à cette tâche qu'est appelé le nouveau programme d'éthique et de culture religieuse[93].

Dans un semblable souci «pédagogique», Bouchard et Taylor proposaient «que l'État accroisse le soutien financier à des organismes comme la Fondation de la tolérance, l'Institut du Nouveau Monde et Vision Diversité. Il devrait encourager également la création d'autres projets du même genre à l'échelle du Québec dans l'information, la formation, l'action intercommunautaire, le débat interculturel, la diffusion du pluralisme»[94]. Le gouvernement québécois est ainsi invité à financer de manière systématique les groupes qui relaient la philosophie pluraliste. Il n'y a nul besoin d'être conspirationniste pour reconnaître dans cette intention un projet politique de reprogrammation de l'identité collective. L'État cherche à financer ainsi la constitution d'un parti multiculturaliste à même ses institutions et dans les organisations qui prétendent appartenir à la «société civile». La gauche multiculturelle mandate ainsi l'administration publique d'une tâche de reprogrammation identitaire, ce que Bouchard et Taylor nommaient un «très gros travail d'information et de sensibilisation interculturelle à faire dans la population, à Montréal comme en région»[95]. On pourrait dire plus globalement qu'elle travaille à fabriquer un nouveau peuple en reprogrammant la dynamique de socialisation pour qu'elle génère une nouvelle conscience collective.

Il faudra donc transformer radicalement les attitudes devant la diversité, ce qui relève très certainement de l'ingénierie identitaire. La tolérance libérale doit céder sa place à la reconnaissance – et c'est dans cette volonté du passage de la tolérance à la reconnaissance qu'on peut reconnaître le radicalisme idéologique du multiculturalisme qui entend explicitement reprogrammer la conscience collective, une démarche qui consiste pratiquement à transformer la société en camp de rééducation. Sur la question, on peut encore citer Bouchard-Taylor qui se montrait critique envers la forme la plus classique de la tolérance libérale : « Nous éviterons le concept de tolérance qui, pour certains, trahit une forme discrète de hiérarchie ou de paternalisme. Elle contient implicitement, chez celui qui la professe, le message suivant : vous n'êtes pas dans la norme, mais je laisse passer »[96]. Georges Leroux a su formuler la chose encore plus radicalement : « Un programme de culture religieuse doit inculquer le respect absolu de toute position religieuse »[97]. C'est pourtant le signe d'une société libérale civilisée que de laisser aux individus le soin d'apprécier ou non certains comportements sociaux ou certaines croyances légitimes ou farfelues tout en ne cherchant pas à les interdire politiquement[98]. La liberté de religion ne s'accompagne pas d'un droit à faire respecter sa religion, encore moins à faire reconnaître publiquement et juridiquement la définition très particulière qu'elle peut fournir du blasphème, comme on l'a entendu après la crise des caricatures danoises. De même, dans une société libérale civilisée, les individus sont appelés à assumer les conséquences de leurs actes ou de leur accoutrement s'ils décident de transgresser délibérément certaines pratiques sociales qui relèvent de ce qu'on croit être la décence, le bon goût et la politesse. Un jeune homme qui déciderait de s'accoutrer en pantalons déchirés au moment d'une entrevue d'embauche ne peut s'attendre à ce qu'un grand cabinet d'avocat fasse le choix de l'embaucher. De même, une enseignante qui se présenterait devant une classe d'étudiants en jupe trop courte se fera réprimander par la direction de son école, à tout le moins on pourra s'y attendre. Les pratiques vestimentaires liées à certaines religions n'ont pas à bénéficier, en la matière, d'une exemption particulière. Dans ce dernier cas, on peut même croire que c'est en se laïcisant culturellement que certaines religions feront ainsi la preuve de leur compatibilité avec la société québécoise. Contre la maximisation du respect à laquelle nous convie le pluralisme, on peut plaider pour une défense conjuguée de la politesse et du sens commun. De la tolérance à la reconnaissance, il y a une régression illibérale qui falsifie le civisme pour le faire passer à la dictature des bons sentiments.

La sacralisation des chartes et la tentation autoritaire de la gauche multiculturaliste

Mais plus fondamentalement, la gauche multiculturaliste entend transformer la dynamique institutionnelle de la démocratie occidentale pour neutraliser l'expression de la souveraineté populaire et déconnecter le système de décision collective des préférences majoritaires. Car si la majorité populaire est comme on l'a vu traversée par une pulsion xénophobe et bien disposée envers un conservatisme que l'on cherche par ailleurs à neutraliser idéologiquement et juridiquement, il faut donc veiller à ce que les « humeurs de la population », ainsi nommées par Micheline Milot, n'entravent pas la transformation multiculturaliste de la société québécoise[99]. La gauche multiculturelle assimile la défense de la souveraineté populaire à la « tyrannie de la majorité »[100]. Elle a ainsi réactivé la théorie des classes dangereuses en excluant de la délibération démocratique légitime les groupes de la population qui manifestent explicitement leur désaccord avec le multiculturalisme. De la même manière, elle exclut du débat public ceux qui reconnaissent la légitimité des préoccupations populaires en les accusant de verser dans le populisme ou pire encore, de se constituer en seuls représentants légitimes du peuple[101]. C'est dans cette perspective qu'on peut comprendre la sacralisation contemporaine des Chartes de droits dans la mesure où elles entraînent une redistribution du pouvoir dans l'État en faveur des agences administratives et vers les tribunaux (apparemment plus éclairés dans l'exercice de la souveraineté), manifestement perméables à la philosophie pluraliste. Les chartes ne sont pas là pour contenir le pouvoir de l'État mais plutôt le redistribuer à ceux qui n'aiment pas la souveraineté populaire et représentent une rupture dans la tradition juridique canadienne et québécoise. Marie Mcandrew confiait ainsi dans un article de *La Presse* : « heureusement que les droits sont protégés par les chartes et qu'ils ne sont pas soumis à la volonté de la majorité »[102]. Ailleurs, elle décrivait justement les chartes comme un outil permettant de dissocier le système de décision collective de la souveraineté populaire : « si l'on décidait de se priver de l'outil irremplaçable [que les Chartes] représentent dans le débat actuel, on en serait réduit à définir les valeurs contraignantes en vertu des seules opinions majoritaires »[103]. La démocratie repose non plus sur l'expression de la souveraineté populaire, mais sur sa neutralisation – et cela d'autant plus qu'on ne pourrait sérieusement se fier aux députés élus par la population dans la mesure où, selon la formule de Charles Taylor, « les députés ont des idées extrêmement bornées » par rapport aux questions liées à la diversité[104]. Ceux qui, comme Pierre Bosset, reconnaissent l'existence « d'un grave déficit de légitimité »[105] de la Charte québécoise, en appellent néanmoins à sa constitutionnalisation pour en faire le cadre à partir duquel reprogrammer systématiquement les interactions sociales pour générer à terme une nouvelle conscience collective ayant pleinement intériorisé l'idéologie pluraliste. Pour Bosset, d'ailleurs, il faudrait non seulement investir la Charte au cœur de l'identité québécoise mais il faudrait aussi renforcer « les institutions qui sont chargées de la promouvoir »[106], ce qui confirme par la bande l'importance de la technocratie dans la stratégie de contournement de la souveraineté populaire par le pluralisme identitaire[107]. De la même manière, Maryse Potvin, en rappelant que la citoyenneté multiculturelle reposait sur le redéploiement de la communauté politique autour de la charte, en arrivait à une conclusion semblable : « la solution n'est donc pas de changer la Charte ou de faire sauter les symboles religieux de l'espace public mais bien au contraire : de rappeler constamment la Charte et de bien l'appliquer »[108]. C'est justement parce que le chartisme multiculturel est condamné par la population qu'il faut intensifier sa promotion. Ce n'est jamais parce que le multiculturalisme a été appliqué qu'il cause des problèmes mais parce qu'il se serait déployé trop timidement, ce qui amène la gauche multiculturaliste à plaider pour l'administration d'une thérapie de choc identitaire et institutionnelle à la société qui persiste dans son désaveu politique et son adhésion à la vieille définition de la démocratie occidentale, libérale et nationale. En ce sens, il n'est malvenu de rapprocher encore une fois le multiculturalisme avec les différentes expériences socialistes au XXᵉ siècle qui interprétaient de la même manière leurs échecs comme le signe manifeste d'une nécessaire radicalisation idéologique.

La question identitaire dévoile ainsi celle du régime politique. C'est pourquoi la question des chartes est aussi fondamentale, dans la mesure où elles entraînent, par leur sacralisation, une mutation de notre rapport à la démocratie. Si on assiste au développement d'un sentiment de dépossession démocratique dans les sociétés occidentales contemporaines, et le Québec ne fait pas ici exception, c'est bien parce que le discours idéologique dominant disqualifie radicalement l'identité nationale et que les institutions associées à la démocratie représentative sont désinvesties radicalement de la souveraineté populaire. Il y a dans la réécriture chartiste de la légitimité démocratique une falsification de la démocratie libérale qui masque une extension de la démocratie managériale ayant contribué à judiciariser l'espace public en absolutisant dans le langage du droit des revendications sociales catégorielles. À moins de faire du pluralisme identitaire le cadre structurant d'une refondation intégrale de notre rapport à la liberté politique, on reconnaîtra que les démocraties occidentales n'évoluaient d'aucune manière dans un système politique autoritaire avant l'avènement des Chartes. Les Chartes ne sont pourtant aucunement investies d'une légitimité démocratique surplombante comme l'affirment leurs défenseurs et si comme l'a reconnu Georges Leroux, le « consensus sur les droits »[109] est aujourd'hui fragilité, cela en bonne partie parce que ce consensus était d'abord celui des élites et qu'il dévoile aujourd'hui son peu d'appui populaire et sa fonction dans le dispositif thérapeutique du multiculturalisme. De ce point de vue, il n'y a rien d'illégitime à plaider pour une neutralisation des Chartes en travaillant à la revalorisation de la souveraineté populaire – Courtois et Rousseau ont plaidé en ce sens en recommandant, dans le cas de la Charte canadienne, une utilisation systématique de la clause dérogatoire dans la constitution de 1982[110].

* * *

Le discours public sur la diversité qui prédomine dans les sociétés occidentales représente une nouvelle hégémonie idéologique qui recouvre l'espace politique et déporte loin de l'espace du pensable une remise en question de la philosophie pluraliste et de ses produits dérivés. La gauche multiculturaliste s'est donnée pour mission de piloter la reconstruction des attitudes, des mentalités, des comportements sociaux, de la conscience collective à partir des institutions qui ont intériorisé la philosophie pluraliste en politisant de manière extensive les relations sociales, désormais soumises à une entreprise perpétuelle d'ingénierie sociale et identitaire. À terme, elle souhaite décentrer la communauté politique de la nation qui l'avait historiquement investie, en neutralisant l'influence de sa culture sur les interactions sociales, ce qui implique la mise en place d'un dispositif administratif et juridique «antidiscriminatoire» qui accentue le contrôle bureaucratique et idéologique de la société. La société est ainsi transformée en grand laboratoire idéologique où une technocratie militante pilote l'implantation d'une utopie transformatrice qui inverse radicalement la signification de l'expérience démocratique occidentale. L'objectif est la fabrication d'un nouveau peuple qui aura pleinement intériorisé l'utopie pluraliste et qui ne contestera plus conséquemment le déploiement de la «diversité» sous toutes ses formes. Ce dispositif idéologique, intériorisé par de grands pans de l'appareil gouvernemental, génère une forme de multiculturalisme d'État, nouveau régime fondé sur la neutralisation de la souveraineté populaire et des institutions qui assuraient traditionnellement son expression.

C'est à l'histoire de ce nouveau régime qui se réapproprie la référence à la démocratie libérale pour en inverser la signification qu'on doit s'intéresser sans quoi on demeurera aveugle à la dimension révolutionnaire de l'institutionnalisation du multiculturalisme, qui ne va pas sans un certain autoritarisme dans l'entreprise de transformation sociale qu'elle met de l'avant. D'une certaine manière, la démocratie occidentale a intériorisé une utopie transformatrice particulièrement radicale qui la métamorphose de l'intérieur en allant jusqu'à la dénaturer. Le travail de la sociologie ne consiste pas à reproduire dans ses catégories les postulats de la philosophie pluraliste mais de décrypter les processus et les stratégies par lesquels elle s'institue et parvient à configurer l'espace public. Évidemment, nous l'avons vu, une telle entreprise sera probablement associée à la pratique d'une sociologie conspirationniste ou se sera présentée comme une démarche fondamentalement polémique – la polémique est l'autre nom donné à notre époque à un désaccord à droite –, accusation paradoxale souvent menée par une certaine sociologie qui nous invite à ne pas tenir compte des acteurs sociaux et de l'action publique dans la transformation des sociétés occidentales. Mais le grand récit de la culpabilité occidentale qui se renverse dans celui de l'ouverture à l'autre est celui des vainqueurs de la lutte idéologique et culturelle du dernier demi-siècle et il s'agit de questionner cette légende qui fonde la légitimité de l'État multiculturel. On verra peut-être alors comment le multiculturalisme, loin d'accomplir la démocratie libérale, la transgresse et finit par mener à son abolition.

Notes et références

1. Daniel Weinstock et al, «Manifeste pour un Québec pluraliste», *Le Devoir*, 3 février 2010.
2. Mathieu Bock-Côté, «Derrière la laïcité, la nation», *Globe. Revue internationale d'études québécoises*, volumes 10/2 et 11/1, 2007-2008, p. 95-113.
3. Cité dans Antoine Robitaille, «Bouchard à court d'arguments pro-diversité», *Le Devoir*, 17 août 2007.
4. Stéphan Gervais, Dimitrios Karmis, Diane Lamoureux, «Le concept de culture publique commune: prégnance, signification, potentiel», dans *Recherches sociographiques*, L, III, p.621-634.
5. Joëlle Quérin, *Le cours Éthique et culture religieuse: transmission des connaissances ou endoctrinement*, Cahiers de recherche de l'Institut de recherche sur le Québec, 2009
6. Luc Bégin, «Une analyse biaisée», *La Presse*, 16 décembre, 2009. Sur les liens entre le multiculturalisme canadien et le cours ECR, on consultera Guillaume Rousseau, «Un lien indéniable avec le multiculturalisme», *Le Devoir*, 4 janvier 2010.
7. Georges Leroux, Louis Rousseau, Jean-Marc Larouche et Jean-Pierre Proulx, «Critique nationaliste: erreur de lecture», *Le Devoir*, 16 décembre 2009.
8. Gérard Bouchard, «À propos d'un faux procès et d'autres procédés douteux », *Le Devoir*, 12 janvier 2010.
9. Il s'agit néanmoins d'une opposition qui naît d'une caricature grossière du multiculturalisme canadien laissant croire à un système de cloisonnement ethnique à quelques pas d'un modèle de développement séparé fait pour accommoder les communautarismes les plus hermétiques. C'est ne pas voir que le multiculturalisme canadien a plutôt pris forme dans un système généralisé d'accommodements ethno-spécifiques de la norme commune pour permettre une participation différenciée des communautés culturelles à la communauté politique (Daniel Weinstock, «Bouchard aurait dû s'y attendre», *La Presse*, 11 juin 2008; Will Kymlicka, *Finding our Way. Rethinking Ethnocultural Relations in Canada*, Oxford University Press, 1998). Il faut préciser toutefois que le multiculturalisme comme machine à intégrer présuppose la désintégration des deux nations fondatrices comme pôles historiques et l'intégration des immigrés à une nouvelle «identité canadienne» générée exclusivement dans la

matrice trudeauiste. On pourrait parler à son effet d'un modèle d'intégration à une société post-nationale. Le multiculturalisme s'est ainsi retourné assez rapidement contre la nation historique canadienne-anglaise. Il faut clairement distinguer entre le Canada historique et le Canada postnational en voyant comment ce dernier s'est constitué, selon la formule de John Ibbitson, comme « *the world's first truly cosmopolitan, post-national state* ». Ibbitson a ainsi proposé de retracer le parcours d'une jeune ingénieure des Philippines faisant le choix de s'établir au Canada et se reconnaissant très rapidement dans son nouveau pays car ce dernier aurait des exigences minimales en matière d'intégration culturelle. « *She will discover that it is the easiest thing to feel Canadian, because it means so little* » (John Ibbitson, « *Let's Sleeping Dogs Lie* », dans Janice Gross Stein et al, *Uneasy Partners*, Wilfried Laurier University Press, 2007, p. 52, 58). Jacques Attali a lui aussi proposé une semblable définition du Canada, en le présentant comme « le laboratoire de l'utopie » (Jacques Attali, Dictionnaire du XXIe siècle, Paris, Fayard, 1998, p. 63). Le nationalisme canadien incarne aujourd'hui une forme de patriotisme paradoxal qui trouve ses motifs de fierté dans le fait que le Canada soit le premier pays postmoderne affranchi du modèle de l'État-nation (Pierre Pettigrew, *Pour une politique de la confiance*, Montréal, Boréal, 1999). En cela, il est plus aisément comparable au patriotisme postnational généré par l'Europe politique qu'à une forme de nationalisme historique comme l'est celui des Québécois, des Français ou des Britanniques.

10. Ministère de l'Immigration et des Communautés culturelles, *La diversité : une valeur ajoutée. Politique gouvernementale pour favoriser la participation de tous à l'essor du Québec*, Québec, 2008.

11. Georges Leroux, Louis Rousseau, Jean-Marc Larouche et Jean-Pierre Proulx, « Critique nationaliste : erreur de lecture », *Le Devoir*, 16 décembre 2009.

12. La Charte québécoise est devenue, dans le cadre de la culture politique post-référendaire, le nouveau cadre de référence de la gauche multiculturelle, qui y a vu un instrument de première envergure pour accélérer la détraditionnalisation de la société québécoise. Une revue associée à la jeune gauche universitaire et technocratique, *Les Cahiers du 27 juin*, dirigée par Jocelyn Maclure, a exprimé cette nouvelle sensibilité politique. Jocelyn Maclure, « La signature des Cahiers du 27 juin », *Les Cahiers du 27 juin*, vol 1, no 1, février 2003, p. 4-7.

13. Gérard Bouchard, « Nation et co-intégration : contre la pensée dichotomique », dans Alain G. Gagnon et Jocelyn Maclure (dir.), *Repères en mutation. Identité et citoyenneté dans le Québec contemporain*, Montréal, Québec-Amérique, 2001, p.35

14. Gérard Bouchard et Michel Lacombe, *Dialogue sur les pays neufs*, Montréal, Boréal, 1999, p.177.

15. Charles-Philippe Courtois, *Le nouveau cours d'histoire du Québec au secondaire : l'école québécoise au service du multiculturalisme canadien ?*, Cahier de recherche de l'Institut de recherche sur le Québec, mars 2009. On peut ainsi lire la description suivante de la constitution démographique du Québec sur le site du MELS : « d'abord occupé par une population autochtone, le Québec a successivement accueilli des arrivants de France, des îles Britanniques, puis d'un nombre toujours croissant de pays. Il reçoit plus de 38 000 nouveaux arrivants par année ». Québec, Portail du Ministère de l'éducation, du loisir et du sport,

www.mels.gouv.qc.ca/scolaire/educqc, site consulté le 22 janvier 2010. La rectitude politique est d'abord une perversion du langage: c'est ainsi que la colonisation française, pourtant fondatrice sur le plan démographique, n'est plus qu'une vague «d'arrivants» parmi d'autres. Il n'y a plus de différence qualitative entre la colonisation française et l'immigration contemporaine. C'est ainsi que la Nouvelle-France comme moment fondateur est évacuée. Le Québec n'est plus une nation qui s'est constituée historiquement mais un espace vide qui s'emplit au fil des vagues migratoires. La question du substrat démographique de la nation est radicalement neutralisée, toutes les populations du globe sont interchangeables et les sociétés sont ainsi disponibles pour une perpétuelle entreprise de réingénierie identitaire. D'ailleurs, dans le document de consultation de la commission Bouchard-Taylor, on relativisait considérablement la prétention fondatrice de la culture québécoise lorsqu'il était affirmé qu'on «reconnait maintenant que la culture de l'immigrant a droit de cité toute autant que les autres cultures déjà enracinées sur le territoire (qu'il s'agisse de la culture des premiers occupants, de la culture dite fondatrice canadienne-française, de la culture anglo-québécoise ou de celle des autres groupes minoritaires)» (Gérard Bouchard et Charles Taylor, *Vers un terrain d'entente: la parole aux citoyens*, document de consultation de la Commission de consultation pour les pratiques d'accommodements reliées aux différences culturelles, 2007, p. 18). Ainsi, non seulement la culture canadienne-française aurait usurpé ses titres fondateurs mais en plus, la culture de l'immigrant aurait tout autant droit de cité que celle de la société d'accueil.

16. Rapport Bouchard-Taylor, p. 124.
17. Rapport Bouchard-Taylor, p. 125.
18. Rapport Bouchard-Taylor, p. 127. Georges Leroux, quant à lui, a clairement défini que la «culture politique et civique» commune, «fondée d'abord sur le contenu des lois et des chartes, sur les principes du droit» est désormais le seul cadre acceptable d'une société inclusive, et il ajoutait que «nous devons faire l'hypothèse que seul un processus d'approfondissement de la citoyenneté pourra être considéré comme une mesure légitime de la culture publique commune». Autrement dit, la seule identité collective légitime sera celle générée dans le cadre du chartisme. Cette culture publique commune, qui ne devrait pas pour autant se limiter aux chartes, apparemment, s'épaissira de «la conscience citoyenne des enjeux environnementaux et transgénérationnels» (Georges Leroux, «Les enjeux de la transmission», dans Stéphan Gervais, Dimitrios Karmis et Diane Lamoureux, *Du tricoté serré au métissé serré?*, Québec, Les Presses de l'Université Laval, 2008, p. 274, 275).
19. Mathieu Bock-Côté, «Le multiculturalisme d'État et l'idéologie antidiscriminatoire», *Recherches sociographiques*, L, n° 2, 2009, p. 355.
20. Rapport Bouchard-Taylor, p. 159.
21. Rapport Bouchard-Taylor, p. 40.
22. Rapport Bouchard-Taylor, p. 40.
23. Joseph Yvon Thériault, «Investir dans un espace public national», *Le Devoir*, 27 et 28 décembre 2008.
24. Michel Venne, «Dumont dérape», *Le Devoir*, 20 décembre 2006. Le Bloc Québécois, dans la mouvance du souverainisme officiel, a aussi repris la doctrine

des valeurs communes pour fixer dans une définition officielle l'identité québécoise, dans son mémoire présenté à la commission Bouchard-Taylor. Les valeurs communes du Québec seraient ainsi « le français, langue officielle et langue publique commune ; la démocratie ; les droits fondamentaux ; la laïcité ; le pluralisme ; la solidarité collective ; le respect du patrimoine ; le respect des droits historiques de la communauté anglophone ; le respect des droits des Autochtones ». Or, le Bloc affirmait que «ce "socle" de valeurs et de principes est profondément enraciné dans l'histoire du Québec. Qu'on pense à la reconnaissance du français comme langue officielle du Québec et comme langue publique commune, résultat de plusieurs décennies de combat ; à la démocratie, héritière des institutions parlementaires britanniques et des luttes pour obtenir un gouvernement responsable, mais en constante redéfinition ; aux droits fondamentaux, qui s'appuient sur la tradition chrétienne pour affirmer la dignité absolue de la personne humaine ; aux luttes en faveur de l'égalité et de la justice sociale, toujours à poursuivre ; à l'existence d'une communauté anglophone qui, elle aussi, a puissamment contribué à façonner le Québec contemporain ; à la Paix des braves, illustration s'il en est de la volonté concrète du Québec de reconnaître les droits de la nation crie ; à la solidarité sociale, héritière des traditions d'entraide, etc». Ainsi, on assiste à une réécriture de l'histoire du Québec dans la matrice des valeurs communes qui neutralise celle la majorité française, même si on prétend la reconnaître, dans la mesure où on ne reconnaît de son expérience historique que les valeurs qui peuvent être traduites dans le logiciel de l'universalisme progressisme. Ce modèle, conforme au patriotisme constitutionnel habermassien, ne particularise aucunement le Québec dans le cadre canadien, à moins d'associer ce dernier à des « valeurs conservatrices» contradictoires avec les siennes. Dans cette perspective, il ne devient possible de faire la promotion de la souveraineté qu'à travers un appel à la différenciation progressiste de la société québécoise, ce qui est conforme d'ailleurs à la stratégie souverainiste privilégiée par le BQ sous la direction de Gilles Duceppe. Toutefois, une telle description n'est pas conforme à la réalité canadienne. Si on trouve effectivement dans les provinces de l'Ouest un certain conservatisme sur le plan fiscal et social, on ne peut en dire sérieusement de même de la Colombie-Britannique, de l'Ontario urbain et des provinces maritimes. D'ailleurs, on trouve une majorité de partis marqués à gauche à la Chambre des communes, au point même où on aura assisté à l'automne 2008 à une stratégie de coalition entre les formations progressistes, à laquelle participait le Bloc Québécois, pour renverser le gouvernement de Stephen Harper (Mathieu Bock-Côté, «Qui vote Bloc vote Dion», *La Presse*, 3 décembre 2008).

25. Marie McAndrew, «Pour un débat inclusif sur l'accommodement raisonnable», dans *Éthique publique*, vol. 9, n° 1, printemps 2007, p. 155.

26. Jean Baubérot, *Une laïcité interculturelle*, Paris, L'aube, 2008.

27. Robert Dutrisac, «Un décret sur mesure pour les écoles juives», *Le Devoir*, 11 février 2010.

28. Jocelyn Maclure, «Pourquoi nous ne nous sentons pas menacés par l'accommodement raisonnable», *Les Cahiers du 27 juin*, vol. 3, n° 2, automne-hiver 2007, p. 5.

29. Dimitrios Karmis, «"Un couteau reste un couteau" : réflexions sur les limites de l'hospitalité québécoise», dans Stéphan Gervais, Dimitrios Karmis et Diane Lamoureux, *Du tricoté serré au métissé serré ?*, Québec, Les Presses de l'Université Laval, 2008, p.260.

30. Il s'agit du terme utilisé de manière récurrente dans la rapport Bouchard-Taylor (Gérard Bouchard et Charles Taylor, *Fonder l'avenir. Le temps de la conciliation*, Gouvernement du Québec, 2008).

31. Rapport Bouchard-Taylor, p. 221.

32. Rapport Bouchard-Taylor, p. 241.

33. Georges Leroux, «Un nouveau programme d'éthique et de culture religieuse pour l'école québécoise : les enjeux de la transition», dans Jean-Pierre Béland et Pierre Lebuis, *Les défis de la formation à l'éthique et à la culture religieuse*, Québec, PUL, 2008, p. 176.

34. Stéphan Gervais, Dimitrios Karmis, Diane Lamoureux, «Le concept de culture publique commune : prégnance, signification, potentiel», dans *Recherches sociographiques*, L, III, p. 630. On me concèdera une longue note de bas de page autobiographique pour témoigner de ces procédés douteux de diabolisation des critiques du multiculturalisme. C'était le cas de Diane Lamoureux, Dimitrios Karmis et Stéphan Gervais qui ont cru bon répliquer à une note critique récemment publiée dans *Recherches sociographiques*, où je m'intéressais à l'ouvrage dont ils ont assuré la direction, *Du tricoté serré au métissé serré* en multipliant les attaques *ad hominem* – j'y suis successivement décrit comme un «pamphlétaire», un «idéologue», un «populiste», un «réactionnaire», un «inculte», un chercheur de «mauvaise foi» coupable de «malhonnêteté intellectuelle» – en allant jusqu'à remettre en question le jugement de l'éditeur en confessant que «la présence du texte de Bock-Côté dans une revue que nous apprécions nous met mal à l'aise» (Stéphan Gervais, Dimitrios Karmis, Diane Lamoureux, «Le concept de culture publique commune : prégnance, signification, potentiel», dans Recherches sociographiques, L, III, p. 622, 624, 629, 629, 630, 630, 630, 629). Gérard Bouchard a quant à lui réduit la critique que j'ai menée de son œuvre, – principalement dans mon livre *La dénationalisation tranquille* (Montréal, Boréal, 2007) et dans un article substantiel de *L'Action nationale* consacré au rapport Bouchard Taylor («À défaut de convaincre le peuple, en fabriquer un nouveau», *L'Action nationale*, septembre 2008, p. 107-132) – à une entreprise «sans scrupule» reposant sur «la pratique de la citation tronquée, de l'omission, de l'interprétation à contresens, de la généralisation à l'emporte-pièce, de l'hyperbole, de l'amalgame, du catastrophisme, etc» (Gérard Bouchard, «À propos d'un faux procès et d'autres procédés douteux», *Le Devoir*, 12 janvier 2010). Stéphanie Rousseau s'est quant à elle livrée dans un texte au *Devoir* à une série d'attaques calomnieuses à mon endroit où elle questionnait mon appartenance à la communauté universitaire en plus de me caricaturer en sociologue conspirationniste victime d'un vilain fantasme de toute puissance, celui de l'intellectuel incarnant à lui seul la volonté populaire (Stéphanie Rousseau, «Identité québécoise : qui sème la terreur?», *Le Devoir*, 4 janvier 2010). On l'a vu notamment en décembre 2009 avec la publication d'une étude de la sociologue Joëlle Quérin portant sur le nouveau cours Éthique et culture religieuse, accueillie dans un mélange de condescendance

et d'hostilité viscérale de la part de la gauche multiculturelle (Krystoff Talin, « Le Lyssenko de la souveraineté », *Le Devoir*, 14 décembre 2009).

35. Bhiku Parekh, *Rethinking Multiculturalism, second edition*, Palgrave MacMilan, 2006 ; Alain Touraine, *Pourrons-nous vivre ensemble*, Paris, Fayard, 1995 ; Charles Taylor, *Multiculturalisme : différence et démocratie*, Paris, Aubier, 1994.

36. Rapport Bouchard-Taylor, p. 122.

37. Rapport Bouchard-Taylor, p. 257.

38. Gérard Bouchard, « Construire la nation québécoise : Manifeste pour une coalition nationale », dans Michel Venne (dir.) *Penser la nation québécoise*, Montréal, Québec Amérique, 2000, p. 65. Michel Seymour, une figure majeure de l'intelligentsia souverainiste post-référendaire, écrivait dans *La nation en question* que « le défaut principal de la politique de multiculturalisme est de se substituer à la reconnaissance du caractère multinational du Canada ». Autrement dit, ce n'est pas le multiculturalisme canadien qui fait problème mais le fait qu'il se soit substitué à la reconnaissance institutionnelle de la nation québécoise (Michel Seymour, *La nation en question*, Montréal, l'Hexagone, 1999, p. 51).

39. Gervais, Lamoureux et Karmis ont cru déceler dans ma critique de leur ouvrage un plaidoyer clandestin pour la souveraineté du Québec (Stéphan Gervais, Dimitrios Karmis, Diane Lamoureux, « Le concept de culture publique commune : prégnance, signification, potentiel », dans *Recherches sociographiques*, L, III, p. 629). Je ferais de l'État-nation un bien en soi, une conviction qu'on me prête et qui ne conviendrait pas à « un texte universitaire », alors que la valorisation de la diversité comme un bien en soi, elle, ne ferait pas problème. Je ne contesterai pas mes convictions en la matière bien qu'elles ne soient d'aucun intérêt ici et que je n'y ai aucunement fait référence dans mon article. Ce qui est certain, toutefois, c'est que le mouvement souverainiste québécois, en se convertissant au multiculturalisme dans le cadre de la culture politique post-référendaire, a déréalisé son option et vidé de sa raison d'être la lutte nationale. Ce n'est pas sans raison qu'une mouvance nationaliste a repris forme chez les souverainistes en recentrant son discours sur la question identitaire, en cherchant non plus seulement à réaliser la souveraineté, mais à préserver ses conditions de possibilité historique et sociologique. Sur la question, on consultera les contributions de plus en plus nombreuses à la critique de la culture politique post-référendaire (Jacques Beauchemin, *L'histoire en trop. La mauvaise conscience des souverainistes québécois*, Montréal, VLB éditeur, 2002 ; Joseph Yvon Thériault, *Critique de l'américanité. Mémoire et démocratie au Québec*, Montréal, Québec-Amérique, 2002 ; Mathieu Bock-Côté, *La dénationalisation tranquille*, Montréal, Boréal, 2007 ; Jean-François Lisée, *Nous*, Montréal, Boréal, 2007 ; Éric Bédard, « Souveraineté et hypermodernité : contre la trudeauisation des esprits », *Argument*, X, 1, automne 2007-hiver 2008, p. 101-126 ; François Charbonneau, « Les cous bleus de la Saint-Jean Baptiste », *Argument*, vol. 12, n° 1, 2009, p. 3-9 ; Joseph Facal, *Quelque chose comme un grand peuple*, Montréal, Boréal, 2010).

40. Jocelyn Maclure, « La culture publique commune dans les limites de la raison publique », dans Stéphan Gervais, Dimitrios Karmis et Diane Lamoureux, *Du tricoté serré au métissé serré ?*, Québec, Les Presses de l'Université Laval, 2008, p. 87-108.

41. Daniel Weinstock, « La crise des accommodements raisonnables au Québec : hypothèses explicatives », *Éthique publique*, vol. 9, n° 1, 2007, p. 20-27 ; Jocelyn Maclure, « Le malaise relatif aux pratiques d'accommodement de la diversité religieuse : une thèse interprétative », dans Marie McAndrew, Micheline Milot, Jean-Sébastien Milot et Paul Eid (dir.), *L'accommodement raisonnable et la diversité religieuse à l'école publique*, Montréal, Fides, 2008, p. 219-223 ; Alain Dubuc, *À mes amis souverainistes*, Montréal, Éditions Voix Parallèles, 2008, p.129-144 ; Louis Cornellier, « Qui a peur du programme d'éthique et de culture religieuse ? », *Le Devoir*, 14 mars 2009. Le conservatisme se constitue aujourd'hui par le déplacement accéléré de l'espace politique vers la gauche et la légitimité démocratique se recompose publiquement à travers la reconnaissance des acquis sociétaux de l'idéologie soixante-huitarde. Des positions encore hier assimilées au conservatisme de sens commun sont déportées désormais vers la « droite » la plus radicale, ce qui contribue à l'expulsion de tout conservatisme substantiel de l'espace public. La droite d'aujourd'hui est souvent la gauche d'avant-hier. Le vieille gauche nationaliste attachée à la social-démocratie est ainsi déclassée vers le conservatisme dans la mesure où elle ne consent pas au tournant multiculturaliste du progressisme et s'accroche à la défense de la nation historique. Ainsi, dans le rapport Bouchard-Taylor, on évoquait la naissance en Europe de « forts mouvements de droite, xénophobes, prenn[a]nt leur essor » alors qu'il aurait fallu parler, plus exactement, de mouvements *d'extrême-droite*, à moins d'assimiler la droite en elle-même à la xénophobie, ce qui consiste à faire de la « gauche » la seule dépositaire légitime de la modernité démocratique (Rapport Bouchard-Taylor, p. 191). Sur la question, je me permets de référer à Mathieu Bock-Côté, « Le conservatisme est-il une pathologie ? », à paraître, 2010.

42. Jacques Beauchemin et Louise Beaudouin ont néanmoins répliqué au *Manifeste pour un Québec pluraliste* en faisant la synthèse entre les tendances conservatrices et modernistes du nationalisme québécois – autrement dit, ils refusaient la dissociation entre ces deux tendances du nationalisme qui avaient été éloignées d'abord par la Révolution tranquille, et ensuite par la culture politique post-référendaire, et qui travaillent aujourd'hui à se réconcilier (Jacques Beauchemin et Louise Beaudouin, « Le pluralisme comme incantation », *Le Devoir*, 13 février 2010).

43. Gérard Bouchard, « À propos d'un faux procès et d'autres procédés douteux », *Le Devoir*, 12 janvier 2010.

44. Jacques Beauchemin, « Accueillir sans renoncer à soi-même », *Le Devoir*, 22 janvier 2010.

45. Gérard Bouchard, « À propos d'un faux procès et d'autres procédés douteux », *Le Devoir*, 12 janvier 2010. L'assimilationnisme serait donc un système exclusionnaire qui ne passerait pas le test de la société libérale. Dans la mesure où Bouchard a déjà écrit, sans nécessairement se tromper, que « sous la plume de M. Dumont, l'intégration des immigrants soit en réalité synonyme d'assimilation pure et simple à la culture canadienne-française », on peut en conclure que l'œuvre de Fernand Dumont, après celle de Lionel Groulx qui avait déjà subi le même sort, ne sont plus admissibles dans le débat public (Gérard Bouchard, *La nation québécoise au futur et au passé*, Montréal, VLB éditeur, 1999, p. 49 ;

Gérard Bouchard, «Ouvrir le cercle de la nation : activer la cohésion sociale», dans Michel Sarra-Bournet, *Les nationalismes au Québec du XIXᵉ au XXIᵉ siècle*, Sillery, PUL, 2001, p. 316-317).

46. Gérard Bouchard, *La nation québécoise au futur et au passé*, Montréal, VLB éditeur, 1999, p. 32.

47. Rapport Bouchard-Taylor, p. 128. Cette intériorisation de la mauvaise conscience occidentale était aussi visible dans le document de préparation de la politique québécoise de lutte au racisme, dans une formule encore plus radicale, dans la mesure où on cherchait à faire participer la société québécoise à l'histoire du racisme occidental, qui correspondrait à l'extension de la civilisation européenne. «Des traces de racisme et de discrimination apparaissent dès la période de la Nouvelle-France, en particulier avec l'esclavage des Autochtones et des Noirs1. Ce n'est pas un phénomène propre au Québec puisque le racisme des sociétés occidentales modernes est né et s'est développé avec l'aventure coloniale. En cela, les ancêtres des Québécois modernes n'ont fait que partager les idéologies et les pratiques du reste du monde occidental, sous des formes et à des degrés divers en raison de leur contexte économique, social et culturel spécifique» (Gouvernement du Québec, *Vers une politique gouvernementale de lutte contre le racisme et la discrimination*, document de consultation, juin 2006, p. 12). Ce qu'on doit voir, toutefois, c'est que le déploiement du multiculturalisme repose ainsi sur une interprétation radicalement négative de l'expérience historique des sociétés occidentales, qui se déprendraient tout juste d'un système exclusionnaire généralisé qui aurait falsifié l'idéal démocratique en le contenant dans les limites de la société libérale.

48. Dimitrios Karmis, «"Un couteau reste un couteau" : réflexions sur les limites de l'hospitalité québécoise», dans Stéphan Gervais, Dimitrios Karmis et Diane Lamoureux, *Du tricoté serré au métissé serré ?*, Québec, Les Presses de l'Université Laval, 2008, p. 251.

49. Dimitrios Karmis, «"Un couteau reste un couteau" : réflexions sur les limites de l'hospitalité québécoise», dans Stéphan Gervais, Dimitrios Karmis et Diane Lamoureux, *Du tricoté serré au métissé serré ?*, Québec, Les Presses de l'Université Laval, 2008, p. 252.

50. Rapport Bouchard-Taylor, p. 116.

51. Daniel Weinstock et al, «Manifeste pour un Québec pluraliste», *Le Devoir*, 3 février 2010. La Révolution tranquille, redéfinie comme une modernisation sociale et culturelle, devient par ailleurs la seule partie de l'histoire «majoritaire» utilisable dans la perspective d'une citoyenneté pluraliste. Ainsi, pour Georges Leroux, «l'espace civique et moral majoritaire» se définirait par «l'histoire du Québec de la Révolution tranquille aussi bien que les consensus plus récents concernant les droits» (Georges Leroux, *Éthique, culture religieuse, dialogue*, Montréal, Fides, 2007, p. 109). Ainsi, Leroux assimile la part légitime de la culture majoritaire à la seule histoire du Québec moderne et à son accouchement d'une culture officielle chartiste. Cette dénationalisation de la Révolution tranquille s'accompagne d'une multiculturalisation de la mémoire de René Lévesque. Au moment du projet de loi 195 sur l'identité québécoise, à l'automne 2007, des juristes associés à la gauche multiculturelle se deman-

daient « ce que René Lévesque penserait de ce projet, lui qui, à bon droit, re-chignait à l'idée que l'identité québécoise s'affirme en excluant certains "ci-toyens"» (Stéphane Beaulac, François Chevrette, François Crépeau, Jean-François Gaudreault-DesBiens, Jean Leclair, «Qu'aurait dit René Lévesque? – Le projet de loi 195 ne passe ni le test des Chartes ni celui de la Déclaration universelle des droits de l'homme», *La Presse*, 30 octobre 2007). Alain Noël, quant à lui, après avoir affirmé que René Lévesque était «un homme de gau-che», écrivait à propos du même projet de loi que certains «semblent tentés de clarifier les questions d'appartenance en instaurant des règles plus strictes, qui permettraient par exemple d'octroyer ou non la citoyenneté québécoise sur la base de connaissances linguistiques. Mal à l'aise avec la nécessité de légiférer sur la langue, René Lévesque l'aurait sans doute été encore plus avec l'idée de nier un droit démocratique, même circonscrit, à une personne échouant un test linguistique» (Alain Noel, «Un homme de gauche», dans Alexandre Stefanescu, *René Lévesque. Mythes et réalités*, Montréal, VLB éditeur, 2008, p. 145-146). Daniel Poliquin a aussi proposé, dans un essai récent, une interprétation de la vie de René Lévesque qui laissait dans les marges son nationalisme et son engagement pour la souveraineté (Daniel Poliquin, *René Lévesque*, Montréal, Boréal, 2009).

52. Georges Leroux, *Éthique, culture religieuse, dialogue*, Montréal, Fides, 2007, p. 12.
53. Le religieux est surtout considéré comme le prétexte à l'exploration de la di-versité dans la perspective de ce qu'on nomme de plus en plus une «éduca-tion au pluralisme». Comme l'a reconnu Georges Leroux, les objectifs du pro-gramme sont «d'abord sociaux et politiques» (Georges Leroux, «Un nouveau programme d'éthique et de culture religieuse pour l'école québécoise: les en-jeux de la transition», dans Jean-Pierre Béland et Pierre Lebuis, *Les défis de la formation à l'éthique et à la culture religieuse*, Québec, PUL, 2008, p. 170).
54. Rapport Bouchard-Taylor, p. 216.
55. Rapport Bouchard-Taylor, p. 113 et 186.
56. Georges Leroux, «Tolérance et accommodement. Le pluralisme et les vertus de la démocratie», dans *Éthique publique*, vol. 9, n° 1, printemps 2007, p. 140.
57. Georges Leroux, «Tolérance et accommodement. Le pluralisme et les vertus de la démocratie», dans *Éthique publique*, vol. 9, n° 1, printemps 2007, p. 141.
58. Daniel Weinstock, «La crise des accommodements raisonnables au Québec: hypothèses explicatives», *Éthique publique*, vol. 9, n° 1, 2007, p. 21, 26, 21, 24, 25.
59. Dimitrios Karmis, «"Un couteau reste un couteau": réflexions sur les limites de l'hospitalité québécoise», dans Stéphan Gervais, Dimitrios Karmis et Diane Lamoureux, *Du tricoté serré au métissé serré?*, Québec, Les Presses de l'Univer-sité Laval, 2008, p. 254.
60. Marie McAndrew, «Pour un débat inclusif sur l'accommodement raisonna-ble», dans *Éthique publique*, vol. 9, n° 1, printemps 2007, p. 152.
61. Micheline Labelle, «De la culture publique commune à la citoyenneté: ancra-ges historiques et enjeux actuels», dans Stéphan Gervais, Dimitrios Karmis et Diane Lamoureux, *Du tricoté serré au métissé serré?*, Québec, Les Presses de l'Université Laval, 2008, p. 39.
62. Daniel Weinstock, «La crise des accommodements raisonnables au Québec: hypothèses explicatives», *Éthique publique*, vol. 9, n° 1, 2007, p. 26.

63. Joëlle Quérin, «La sociologie antidiscriminatoire et l'État québécois», à paraître. Dans le document de consultation de la politique de lutte au racisme et à
la discrimination, Lise Thibault, alors ministre de l'Immigration et des Communautés culturelles, écrivait que «le gouvernement du Québec souhaite
consulter les différents intervenants qui ont à cœur la lutte contre le racisme et
la discrimination» dans le cadre de son élaboration, ce qui veut dire qu'il répondait dans ce cas aux pressions du lobby antiraciste qui militait depuis plusieurs années pour la mise en place d'une politique de lutte au racisme qui
reconnaîtrait le caractère systémique de la discrimination raciste dans la société québécoise. Autrement dit, le gouvernement, et surtout, certaines de ses
agences perméables à la sociologie antidiscriminatoire – dans ce cas la Direction générale des relations interculturelles et la Direction des affaires publiques et des communications du ministère de l'Immigration des Communautés
culturelles – servent ici de relais dans l'appareil d'État pour permettre à certains groupes militants d'imposer leur agenda idéologique au gouvernement
(Gouvernement du Québec, *Vers une politique gouvernementale de lutte contre le
racisme et la discrimination*, document de consultation, juin 2006, p. 1). Ce dispositif idéologique intégré à l'appareil d'État trouve néanmoins son cœur institutionnel à la Commission des droits de la personne et de la jeunesse qui
travaille à la diffusion systématique de la sociologie antidiscriminatoire comme
nouvelle technique de gestion de la diversité dans la perspective d'un égalitarisme radical.
64. Pierre Bosset et Michel Coutu, «La Charte des droits et libertés de la personne
et la culture publique commune au Québec: une quasi-absence?», dans Stéphan Gervais, Dimitros Karmis et Diane Lamoureux, *Du tricoté serré au métissé
serré?*, Québec, PUL, 2008, p. 195.
65. Maryse Potvin, «Racisme et discours public commun au Québec», dans Stéphan Gervais, Dimitrios Karmis et Diane Lamoureux, *Du tricoté serré au métissé serré?*, Québec, Les Presses de l'Université Laval, 2008, p. 238, 239.
66. Il n'y a aucun doute que l'utopie socialiste est encore active et qu'elle se dévoile à travers l'appel à la constitutionnalisation des droits économiques et
sociaux. Dans Bouchard-Taylor, cette forme de droit naturel à l'égalité sociale
était formulée ainsi: «dans une société démocratique, il importe en priorité de
protéger les droits de chacun et de poursuivre l'idéal d'égalité socioéconomique» (Rapport Bouchard-Taylor, p. 221). On peut se demander quel est le
lien entre la démocratie, qui est un régime politique fondé sur la souveraineté
populaire et l'égalité des droits individuels, et l'égalité socioéconomique, qui
appartient plutôt à l'imaginaire du socialisme. Dans une perspective encore
plus radicale, Maryse Potvin suggérait une «solution socialiste» au problème
de la discrimination systémique à la québécoise: «le Québec connaît son lot
d'inégalités, de racisme et de discriminations coutumières et systémiques, qui
trouvent leur source dans les rapports de pouvoir actuels ou historiques entre
les groupes sur la scène aussi bien locale que nationale ou internationale. Cet
écart tient également au fait que les pratiques sociales, notamment sur les
marchés de l'emploi et du logement, échappent en grande partie au contrôle
de l'État» (Maryse Potvin, «Racisme et discours public commun au Québec»,
dans Stéphan Gervais, Dimitrios Karmis et Diane Lamoureux, *Du tricoté serré*

au métissé serré?, Québec, Les Presses de l'Université Laval, 2008, p. 235-236). Le problème des droits économiques et sociaux, en plus de soustraire à la délibération publique le programme de la social-démocratie, qui passe en un tournemain conceptuel dans le registre des droits humains, est qu'ils absolutisent certaines revendications sociales en les formulant dans le langage des droits, ce qui favorise la diffusion d'une mentalité créancière dans certains groupes sociaux qui en viennent à privilégier les aides gouvernementales plutôt que la valorisation de l'effort individuel pour profiter de la prospérité généralisée dans les sociétés occidentales.

67. Rapport Bouchard-Taylor, p. 270.

68. La logique du « racisme universaliste « considère tous les individus comme semblables, c'est-à-dire comme des citoyens qui ont les mêmes droits et devraient donc être traités de façon identique. Comme les lois et les règlements s'appliquent à tous les citoyens, certains en concluent qu'ils ont automatiquement un caractère juste et universel et que toute adaptation à un groupe particulier est inacceptable. Cette logique, sous couvert d'universalisme, revient à affirmer que la seule culture acceptable est celle de la majorité. Elle s'accompagne également de frustration et d'hostilité envers les groupes qui refusent d'abandonner leurs particularités ou qui ont besoin de mesures spéciales afin de pouvoir participer pleinement à la vie économique, sociale et culturelle du pays ». Ainsi, le libéralisme classique comme le républicanisme, par leur universalisme juridique et politique, masqueraient un système discriminatoire et s'opposer à leur remplacement par un multiculturalisme fondé sur les accommodements ethno-spécifiques relevant de la discrimination positive relèverait du racisme universaliste (Gouvernement du Québec, *Vers une politique gouvernementale de lutte contre le racisme et la discrimination*, document de consultation, juin 2006, p. 12-13).

69. Il ne sera pas non plus permis de distinguer entre les populations immigrées selon un critère de proximité culturelle avec la nation d'accueil dans la mesure où cela relèverait désormais du racisme et du néo-racisme. « Les visions du monde raciste et néo-raciste valorisent les communautés qui sont perçues comme proches sur le plan culturel, donc intégrables dans la vie et culturelle, et dévalorisent celles qui sont perçues comme plus éloignées et incompatibles avec la culture nationale » (Gouvernement du Québec, *Vers une politique gouvernementale de lutte contre le racisme et la discrimination*, document de consultation, juin 2006, p. 10).

70. Selon la même logique, celui qui s'opposera au mariage homosexuel sera accusé de se porter à la défense du système discriminatoire qu'était apparemment la famille traditionnelle, et celui qui s'opposer au discours des « droits économiques et sociaux » sera accusé de chercher à maintenir les structures économiques discriminatoires qui limiteraient la pleine accession à la citoyenneté des milieux défavorisés. Ainsi, si « l'hétérosexisme est l'affirmation de l'hétérosexualité comme norme sociale ou comme étant supérieure aux autres orientations sexuelles », ceux qui s'opposeront au mariage homosexuel seront accusés de se porter à la défense d'un système discriminatoire. La sociologie antidiscriminatoire pathologise ainsi radicalement les pratiques sociales traditionnelles comme on peut le voir avec la définition de l'homophobie que

proposait le Groupe de travail mixte contre l'homophobie. «L'homophobie revêt un sens large et englobe toutes les attitudes négatives pouvant mener au rejet et à la discrimination, directe et indirecte, envers les gais, les lesbiennes, les personnes bisexuelles, transsexuelles et transgenres, ou à l'égard de toute personne dont l'apparence ou le comportement ne se conforme pas aux stéréotypes de la masculinité ou de la féminité». On devine ainsi que la simple différenciation traditionnelle entre les sexes relève de l'homophobie, tout comme la défense de l'hétérosexualité comme norme dans la fondation de la famille (Rapport de consultation du Groupe de travail mixte contre l'homophobie, *De l'égalité juridique à l'égalité sociale, Vers une stratégie nationale de lutte contre l'homophobie*, mars 2007, p. 12).

71. Maryse Potvin, *Les medias écrits et les accommodements raisonnables. L'invention d'un débat*, Rapport remis à M. Gérard Bouchard et M. Charles Taylor, janvier 2008, p. 213.

72. D'une certaine manière, le rapport à l'institutionnalisation de l'héritage soixante-huitard est la ligne de démarcation idéologique la plus fondamentale depuis le début des années 1990.

73. Rapport Bouchard-Taylor, p. 160.

74. Mathieu Bock-Côté, «Le multiculturalisme comme idéologie» dans Jacques Beauchemin et Mathieu Bock-Côté (dir.) *La cité identitaire*, Outremont, Athéna, 2007, p. 61-79.

75. Jocelyn Maclure, *Récits identitaires. Le Québec à l'épreuve du pluralisme*, Montréal, Québec-Amérique, 2000, p. 183.

76. Jocelyn Maclure, «Pluralisme et démocratie : dialogue, décision et dissensus», dans Alain G. Gagnon et Joceyn Maclure, *Repères en mutation. Identité et citoyenneté dans le Québec contemporain*, p. 256.

77. Rapport Bouchard-Taylor, p. 128.

78. Stéphanie Rousseau, «Identité québécoise : qui sème la terreur ?», *Le Devoir*, 4 janvier 2010.

79. Jacques Beauchemin, *La société des identités*, édition augmentée, Montréal, Athéna, 2007.

80. Daniel Weinstock et al, «Manifeste pour un Québec pluraliste», *Le Devoir*, 3 février 2010.

81. Stéphan Gervais, Dimitrios Karmis, Diane Lamoureux, «Le concept de culture publique commune : prégnance, signification, potentiel», dans *Recherches sociographiques*, L, III, p. 629.

82. Jocelyn Maclure, «Un gouffre», *La Presse*, 4 mars 2006.

83. Cité dans Antoine Robitaille, «Bouchard à court d'arguments pro-diversité», *Le Devoir*, 17 août 2007.

84. Marie McAndrew, «Pour un débat inclusif sur l'accommodement raisonnable», dans *Éthique publique*, vol. 9, n° 1, printemps 2007, p. 157.

85. Ministère de l'Immigration et des Communautés culturelles. *Vers une politique gouvernementale de lutte contre le racisme et la discrimination*, Québec, juin 2006, p. 22.

86. Gérard Bouchard, *La nation québécoise au futur et au passé*, Montréal, VLB éditeur, 1999, p. 77.

87. Georges Leroux, *Éthique, culture religieuse, dialogue*, Montréal, Fides, 2007, p. 37. Une telle analyse semble négliger les conclusions d'une enquête de Joëlle

Quérin, qui remarquait que c'était dans la banlieue montréalaise, chez ceux qu'elle désigne comme étant les «radicaux du 450» qu'on retrouvait la critique la plus vive du multiculturalisme, chez des populations qui pour ce qu'on en sait, sont en contact régulier avec la métropole. Joëlle Quérin, «"Accommodements raisonnables" pour motif religieux: étude d'un débat public», Mémoire de maîtrise, Université de Montréal, août 2008.

88. Marie McAndrew, «Pour un débat inclusif sur l'accommodement raisonnable», dans *Éthique publique*, vol. 9, n° 1, printemps 2007, p. 153.

89. Rapport Bouchard-Taylor, p. 257.

90. Rapport Bouchard-Taylor, p. 130.

91. Rapport Bouchard-Taylor, p. 272.

92. Cité dans Radio-Canada, «Gérard Bouchard défend la nouvelle formation», 20 mai 2009, www.radio-canada.ca/regions/estrie/2009/05/12/001-ethique-culture-drummond-mardi_n.shtml, site consulté le 17 janvier 2010.

93. Georges Leroux, *Éthique, culture religieuse, dialogue*, Montréal, Fides, 2007, p. 45-46.

94. Rapport Bouchard-Taylor, p. 266. On consultera, pour avoir une bonne idée de l'adhésion de ces organismes au multiculturalisme les mémoires qu'ils ont déposé à la Commission Bouchard-Taylor (Fondation de la tolérance, *Échanger pour s'entendre*, septembre 2007; Institut du nouveau monde, *La participation citoyenne des Québécois issus des minorités: l'ultime condition d'une intégration réussie*, octobre 2007).

95. Rapport Bouchard-Taylor, p. 250. D'une certaine manière, l'État ne tolère plus la distance naturelle qui devrait être maintenue entre ses institutions et la société et aspire à ce que la culture commune soit désormais produite à partir de ses propres laboratoires technocratiques. Les ingénieurs sociaux, qu'ils soient journalistes, technocrates ou universitaires, sont invités à constituer une nouvelle cléricature qui sera responsable de l'élévation de la conscience collective. C'est probablement dans cette perspective que Gérard Bouchard a félicité les jeunes générations de leur grande maturité morale dans la mesure où elles n'exprimaient aucun malaise avec les accommodements raisonnables. «"J'avais parfois envie d'applaudir", ajoute Gérard Bouchard, qui souligne la "sagesse" de certains jeunes. "Ils font preuve d'une telle maturité politique que, franchement, on a l'impression que le problème des accommodements n'en est pas un pour eux"» (cité dans Katia Gagnon, «Charest devrait rappeler Bouchard à l'ordre», *La Presse*, 25 août 2007). La maturité morale se reconnaîtrait dans l'adhésion au multiculturalisme et inversement, les générations adultes seraient immatures par leur critique des accommodements. Les idéologues du multiculturalisme ont fini par prendre au sérieux la boutade de Brecht: «J'apprends que le gouvernement estime que le peuple a "trahi la confiance du régime" et "devra travailler dur pour regagner la confiance des autorités". Dans ce cas, ne serait-il pas plus simple pour le gouvernement de dissoudre le peuple et d'en élire un autre». Ajoutons qu'il ne s'agit plus seulement d'une boutade dans la mesure où on cherchera non seulement à remplacer la population par un nouveau peuple fabriqué dans les écoles et les institutions sous le contrôle de l'État thérapeutique. Mais de plus en plus, l'immigration est considérée comme une stratégie de diversification accélérée

de la communauté politique. Daniel Weinstock a pu ainsi écrire que «Manifestement, la préoccupation identitaire des Québécois est plus forte que dans le reste du Canada. Le Canadien anglais, c'est déjà un "post-ethnique", une personne qui peut aussi bien être de souche écossaise que polonaise ou sud-américaine. Les Québécois, eux, ont toujours cette idée qu'ils ont un "nous" à protéger. [...] Quand Montréal comptera un aussi haut pourcentage d'immigrants que Toronto, ces questions ne se poseront plus avec autant d'acuité. Et encore moins quand on constatera qu'on n'a pas les moyens de se priver, par exemple, d'une infirmière, "hijab ou pas"»

96. Cité dans Louise Leduc, «Les Québécois restent opposés aux accommodements», *La Presse*, 27 octobre 2009. Plutôt que d'avoir à convaincre une population manifestement critique du multiculturalisme, on se contentera donc d'une solution démographique neutralisant la prétention de la majorité historique à se constituer comme la norme identitaire pour la société québécoise. Chez Weinstock, l'immigration massive se présente donc comme une méthode privilégiée pour neutraliser le substrat démographique du Québec historique.

97. Rapport Bouchard-Taylor, p. 116.

98. Georges Leroux, «Orientation et enjeux du programme d'éthique et de culture religieuse», *Formation et profession*, mai 2008, p. 9.

99. Dans le rapport Bouchard-Taylor, on pouvait lire que «les conventions sociales ou les valeurs coutumières ne sont pas illégitimes pour autant, mais elles ne sauraient justifier l'usage du pouvoir coercitif de l'État contre des personnes qui ne s'y conforment pas; par exemple, on ne peut pas demander à l'État d'interdire le port des signes religieux visibles en invoquant une norme sociale – "c'est comme cela que l'on vit ici" – comme unique justification» (Rapport Bouchard-Taylor, p. 164). Toutefois, on doit comprendre qu'on peut faire un usage du «pouvoir coercitif de l'État» pour forcer la société d'accueil à accepter certains symboles religieux ou identitaires ostentatoires.

100. Micheline Milot, «Être égal non en tant que semblable mais en tant que différent», dans *Les Cahiers du 27 juin*, automne-hiver 2007, vol. 3, n° 2, p. 25.

101. Stéphan Gervais, Dimitrios Karmis, Diane Lamoureux, «Le concept de culture publique commune: prégnance, signification, potentiel», dans *Recherches sociographiques*, L, III, p. 627.

102. Stéphanie Rousseau, «Identité québécoise: qui sème la terreur?», *Le Devoir*, 4 janvier 2010.

103. Cité dans Louise Leduc, «Les Québécois restent opposés aux accommodements», *La Presse*, 27 octobre 2009.

104. Marie McAndrew, «Pour un débat inclusif sur l'accommodement raisonnable», dans *Éthique publique*, vol. 9, n° 1, printemps 2007, p. 154. André Pratte reprenait lui aussi cette thèse sur le chartisme comme instrument de renversement de la souveraineté populaire. «C'est justement pour protéger les minorités de la "dictature de la majorité" qu'existent les chartes des droits» (André Pratte, «La majorité a tort», *La Presse*, 27 octobre 2007).

105. Cité dans le reportage de Françoise Stanton sur la laïcité dans le cadre de l'émission *Second regard*, le 17 janvier 2010.

106. Pierre Bosset et Michel Coutu, «La Charte des droits et libertés de la personne et la culture publique commune au Québec: une quasi-absence?», dans Sté-

phan Gervais, Dimitros Karmis et Diane Lamoureux, *Du tricoté serré au métissé serré?*, Québec, PUL, 2008, p. 187.

107. Pierre Bosset et Michel Coutu, « La Charte des droits et libertés de la personne et la culture publique commune au Québec : une quasi-absence ? », dans Stéphan Gervais, Dimitros Karmis et Diane Lamoureux, *Du tricoté serré au métissé serré?*, Québec, PUL, 2008, p. 192.

108. Ainsi, Bouchard et Taylor plaidaient pour la création d'un Office d'harmonisation interculturelle susceptible d'assurer la promotion systématique de l'interculturalisme à partir même de l'appareil d'État (Rapport Bouchard-Taylor, p. 253).

109. Maryse Potvin, *Les medias écrits et les accommodements raisonnables. L'invention d'un débat*, Rapport remis à M. Gérard Bouchard et M. Charles Taylor, janvier 2008, p. 214.

110. Georges Leroux, *Éthique, culture religieuse, dialogue*, Montréal, Fides, 2007.

111. Charles-Philippe Courtois et Guillaume Rousseau, « Intégration et laïcité : d'autres voies sont possibles », *Le Devoir*, 25 janvier 2010.

De quelques ouvrages sur l'athéisme

Martin Roy

Historien

Daniel Baril et Normand Baillargeon (dir.), *Heureux sans Dieu*, Montréal, VLB Éditeur, 2009. 165 p.

Jacques Bouveresse, *Peut-on ne pas croire? Sur la vérité, la croyance et la foi*, Paris, Agone, 2007. 286 p.

André Comte-Sponville, *L'esprit de l'athéisme. Introduction à une spiritualité sans Dieu*, Paris, Albin Michel, 2006. 219 p.

Richard Dawkins, *Pour en finir avec Dieu*, Paris, Robert Laffont, 2008. 425 p.

Anthologie. *La Gloire des athées. 100 textes rationalistes et antireligieux, de l'Antiquité à nos jours*, Paris, Les nuits rouges, 2006. 701 p.

En réaction contre un « retour du religieux » qui caractériserait les temps actuels, quantité d'ouvrages défendant et illustrant l'athéisme se retrouvent sur les devantures de nos librairies. Tout se passe comme si leurs auteurs désiraient regrouper les incroyants et les athées en une espèce de groupe de pression qui ferait contrepoids aux diverses communautés religieuses qui sont réputées en mener large de nos jours. Ils entendent lutter contre le fanatisme et l'obscurantisme religieux, et se réclament de la démocratie, de la laïcité, du rationalisme et de la science. Ils semblent regretter cette époque pas si lointaine – il y a une trentaine d'années environ – où le religieux paraissait engagé sur une phase de déclin et de régression.

À l'exception notable d'André Comte-Sponville, au ton beaucoup plus irénique et dépassionné, ce qui frappe chez les auteurs des ouvrages cités plus haut, c'est leur acrimonie à l'égard du phénomène religieux. C'est le cas plus particulièrement du livre de Richard Dawkins, au titre évocateur (*Pour en finir avec Dieu*), et de l'ouvrage collectif *Heureux sans*

Dieu, dans lequel des personnalités connues du Québec « sortent du placard » et avouent leur athéisme. Ces textes ne semblent retenir du religieux que ses tendances les plus obscurantistes, comme s'il s'agissait là de sa vérité et de son essence la plus profonde. Le ton est franchement et assurément à la polémique et au militantisme. La croyance religieuse se présente comme l'ennemi par excellence qu'il faut éradiquer pour le salut de l'humanité, la religion ayant été et étant encore source de conflits désastreux.

Il faut dire que ce ton polémique est peut-être dû au genre lui-même de la défense et illustration de l'athéisme. Une telle prise de position doit se poser en s'opposant au phénomène religieux. Une telle conclusion ressort d'une lecture de l'anthologie de textes rationalistes de l'Antiquité à nos jours, *La Gloire des athées*. On y trouve des textes au ton libertaire : il s'agit de se révolter contre des croyances qui infantilisent et induisent la soumission des petits aux puissants. Dans un premier temps, de l'Antiquité aux Temps modernes, les incroyants dénonçaient les fables et la crédulité immature du peuple, alors qu'à partir de l'époque des Lumières, le discours se faisait plus social, critiquant une entreprise obscurantiste de mystification et d'oppression. En lisant cette anthologie, on constate que l'athéisme a de profondes racines et ne date pas d'hier.

Malgré ce ton polémique qui peut en irriter certains, il reste cependant que les arguments à l'appui de l'athéisme ne manquent pas de force en général. De manière beaucoup plus convaincante qu'un Richard Dawkins, le philosophe André Comte-Sponville met l'accent sur les faiblesses des thèses traditionnelles cherchant à prouver l'existence de Dieu. Les « preuves » (ontologique, cosmologique et physico-théologique) invoquées la plupart du temps lui paraissent pécher par anthropomorphisme. Ce sont là des arguments qui ne le convainquent pas de croire en Dieu. Mais il est des éléments qui, plus positivement, le conduisent à croire que Dieu n'existe pas. Il mentionne le problème du mal ainsi que cette propension caractéristique du religieux à prendre ses désirs les plus profonds, comme le souhait d'une vie immortelle, pour des réalités.

Mais l'athéisme d'André Comte-Sponville, contrairement à celui de Richard Dawkins et d'autres, ne se veut pas dogmatique. Il ne dit pas purement et simplement, avec la force et la prétention d'un théorème mathématique, que Dieu n'existe pas. On ne peut rien démontrer de façon certaine en cette matière. Même s'il peut être animé d'une conviction forte et sincère, un exposé honnête en faveur de l'athéisme devrait relever de l'opinion et de la croyance, non du « savoir ».

André Comte-Sponville, tout comme d'autres auteurs considérés ici, fait ainsi l'effort d'expliquer pourquoi il ne croit pas en Dieu. Certains auteurs reprochent en revanche chez certains croyants la tendance irrationaliste qui consiste à refuser d'expliquer et de justifier leur foi. Dans un ouvrage critiquant la réhabilitation postmoderne du religieux, Jacques Bouveresse, un autre philosophe, consacre beaucoup de pages à ce problème. Pour lui, il faut pouvoir expliquer pourquoi l'on croit, en vertu d'une saine «éthique de la croyance». Dans le même esprit, Richard Dawkins se dresse contre le traitement de faveur dont bénéficieraient dans nos sociétés occidentales les croyances religieuses, même franchement absurdes, comme si elles étaient à l'abri de toute critique au nom de la tolérance, qui aurait ici le dos large. Ces deux auteurs rejettent l'idée que les croyances religieuses constituent des espèces de sanctuaires, au-delà de toute justification et explication.

Ces auteurs postmodernes tendent à défendre par ailleurs une conception particulière, disons pragmatiste, de la vérité. À la vision de cette dernière comme adéquation d'une proposition ou affirmation quelconques avec la réalité, ils semblent préférer l'idée que seul ce qui est utile ou a obtenu un succès certain mérite d'être considéré comme «vrai». Peu importe que les croyances soient vraies selon le premier sens pourvu qu'elles aient du succès et soient répandues. Une argumentation de la sorte a de quoi heurter le rationalisme d'un Jacques Bouveresse.

Celui-ci critique aussi cette tendance chez les penseurs postmodernes à concevoir le religieux comme indépassable. Pour certains d'entre eux, comme Régis Debray, les sociétés modernes ont trouvé en effet à la religion des substituts (la science, les droits de l'homme, la laïcité, etc.) qui relèvent eux aussi de la croyance et de la foi. Ce type d'arguments cherche à délégitimer ces «ersatz» de religion et conséquemment, à relégitimer les religions traditionnelles. Les croyances nouvelles qui remplacent ces dernières ne sont pas davantage justifiables; ces substituts le seraient peut-être même moins. Pour Jacques Bouveresse, la question est plutôt de savoir si ces «substituts» en sont vraiment et s'ils ne se caractérisent pas par une plus grande rationalité. À cela, Jacques Bouveresse soutient qu'on peut bien concevoir que cette nouvelle «religiosité», si tant est qu'elle en soit bien une, s'avère cependant plus en phase avec l'évolution récente du savoir et des sociétés modernes que les religions traditionnelles, irrationnelles et dépassées.

Pour la plupart des auteurs évoqués, les religions constituent des aberrations au demeurant dangereuses. Comment expliquer dès lors qu'elles aient vu le jour et continuent de hanter l'humanité? Pour répondre à ce problème, des auteurs comme le scientifique britannique Richard Dawkins et le Québécois Daniel Baril, dans *Heureux sans Dieu*, font un détour par la biologie. Ils n'ont pas recours à la psychanalyse (Freud), à l'histoire ou à la sociologie (Marx).

Pour Richard Dawkins, par exemple, la religion représente une forme de «produit dérivé», manifestement aberrant, d'une aptitude, utile quant à elle, que la sélection naturelle darwinienne a retenue. Pensons aux papillons qui se dirigent de façon suicidaire vers des sources de lumière artificielle. Elles sont ainsi faites qu'elles se servent des sources lumineuses que sont la lune et les étoiles pour s'orienter et revenir au bercail. Or, nos lampes, nos ampoules, nos bougies, etc., qui sont elles aussi des sources de lumière, les détournent de leur chemin. Les papillons s'orientent par la lumière et elles se fourvoient en se guidant sur la lumière artificielle. Il en irait de même pour la religion. L'être humain a bénéficié d'une prédisposition à considérer l'inanimé et le non-humain, comme pourvu d'une intentionnalité « anthropomorphisante », afin de se prémunir contre certains dangers. Dès lors, le surnaturalisme et le dualisme naturels qu'on retrouve par exemple chez les enfants seraient eux aussi des « produits dérivés » menant au sentiment religieux, tout comme les bougies pour les papillons. En faisant de la religion un « produit dérivé », l'auteur semble y voir pratiquement un « accident » qui ne répond pas à une vraie nécessité.

Utilisant lui aussi les sciences naturelles pour rendre compte du phénomène religieux, Daniel semble plutôt enclin de son côté à penser que l'homme est naturellement programmé à croire au surnaturel. La religion aurait ainsi devant lui encore un avenir. C'est là, dans son optique, un constat pessimiste. Mais cela ne veut pas dire pour autant, selon lui, que le travail de démystification doit être abandonné. On refuse toujours de considérer comme légitime au moins moralement et rationnellement l'existence des croyances religieuses.

Cette conception naturaliste des origines des religions s'explique sans doute par l'impuissance des processus de laïcisation à l'œuvre dans les sociétés occidentales à faire disparaître complètement le sentiment religieux. Il reste que les ouvrages considérés ne s'étendent pas longuement sur la question de la viabilité d'une organisation sociale sans dieux. Car ce programme est d'ores et déjà réalisé depuis longtemps. En Occident, du moins, les sociétés reposent sur des fondements uniquement « immanents » ou laïques. La religion n'est plus au cœur du fonctionnement des sociétés, même si, accessoirement, elle peut toujours y exercer un certain rôle, sur le plan de l'identité nationale ou ethnique notamment. Aussi, ce constat d'un « retour du religieux » que défendent la plupart de ces ouvrages passe à côté de ce fait massif. Malgré certaines absurdités et tendances à l'obscurantisme, le ton apparaît franchement alarmiste, comme si des velléités de restauration théocratique pointaient à l'horizon.

De son côté, la contribution de Normand Baillargeon à l'ouvrage collectif *Heureux sans Dieu* se révèle, dans son optique, plutôt optimiste. Il cite en effet un article scientifique qui, statistiques à l'appui, tend à montrer que plus les sociétés connaissent un haut degré de sécurité sociale et économique, entre autres, plus le taux d'incroyance est en hausse, tandis que la pratique religieuse tend à régresser. Une telle étude éclaire peut-être l'histoire socio-religieuse récente du Québec. En effet, le déclin de l'implication religieuse des Québécois coïncide avec l'avènement de l'État-providence dans les années 1960 et 1970.

Particulièrement riches en argumentations, la plupart de ces ouvrages ne sont pas toutefois sans défaut, en plus du catastrophisme déjà évoqué. On peut leur reprocher dans un premier temps d'être silencieux sur les apports civilisationnels positifs des religions. Car ces dernières n'ont pas que semé la zizanie et versé le sang. Ce silence, voire cette amnésie, laisse en effet songeur. Qu'aurait été par exemple l'Occident sans le christianisme, ainsi que le souligne A. Comte-Sponville (dont l'athéisme n'est pas moins sincère et vigoureux)? Il est loisible de se demander si les droits de l'homme, la notion de personne, la démocratie et la laïcité n'ont pas au moins partiellement des racines chrétiennes. Ne convient-il pas effectivement de voir dans ces acquis des intuitions chrétiennes qu'on aurait dégagées de leur gangue symbolique et sécularisées?

Qu'on nous comprenne bien. Il ne s'agit pas ici de lutter contre la montée de l'athéisme et le retrait du religieux ou du christianisme, de craindre un avenir sans religion. Seulement, il faut reconnaître de tels apports et porter un regard lucide et dépassionné sur l'histoire et le religieux. C'est le meilleur moyen de ne pas tourner le dos à ces acquis. L'athéisme, qui est incontestablement un droit légitime, n'implique pas obligatoirement l'amnésie et le refus obstiné du passé et de la tradition. En revanche, tout se passe dans la plupart de ces ouvrages comme si l'humanité devait faire table rase du passé, ce qui implique de s'aveugler sur les apports éthiques positifs indéniables des religions.

Du reste, que la religion n'ait pas eu que des conséquences positives, cela semble indubitable. Mais les religions n'ont pas le monopole de l'horreur. Les régimes communistes du xxᵉ siècle ont eux aussi refusé l'Autre, le croyant, et tenté d'éradiquer par le feu et le sang le sentiment religieux. L'athéisme peut lui aussi sombrer dans le fanatisme et l'intolérance. Nous ne pouvons passer sous silence par ailleurs le fait que celui-ci a constitué historiquement un rempart contre les régimes totalitaires. Nous le voyons, tout est complexe. Rien n'est ou noir ou blanc.

La notion d'*athéisme fidèle* d'André Comte-Sponville nous semble mieux en mesure d'assumer l'histoire. Cet auteur témoigne ainsi de sa propre expérience: «La fidélité, c'est ce qui reste de la foi quand on l'a perdue. J'en suis là. Je ne crois plus en Dieu, depuis fort longtemps. Notre société, en tout cas en Europe, y croit de moins en moins. Est-ce une raison pour jeter le bébé, comme on dit familièrement, avec l'eau du bain? Faut-il renoncer, en même temps qu'au Dieu socialement défunt […] à toutes ces valeurs (morales, culturelles, spirituelles), qui se sont dites en son nom? Que ces valeurs soient nées, historiquement, dans les grandes religions (spécialement dans les trois grands monothéismes, pour ce qui concerne nos civilisations), nul ne l'ignore. Qu'elles aient été transmises pendant des siècles par la religion (spécialement dans nos pays, par les Églises catholiques et protestantes), nous ne sommes pas prêts de l'oublier. Mais cela ne prouve pas que ces valeurs aient besoin d'un Dieu pour subsister. Tout prouve, au contraire, que c'est nous qui avons besoin d'elles – besoins d'une morale, d'une communion, d'une fidélité – pour pouvoir subsister d'une façon qui nous paraisse humainement acceptable »[1]. Il s'agit de concilier une forme de rupture (l'athéisme) avec la continuité et l'histoire. Se cramponner peureusement sur la tradition constitue une position indéfendable, mais faire table rase du passé est en revanche lourd de nihilisme.

Là n'est pas la seule faille de ces ouvrages sur l'athéisme. Nous pouvons leur reprocher une forme d'intolérance et une difficulté à assumer le pluralisme idéologique grandissant de nos sociétés. Par exemple, quelques contributions à l'ouvrage collectif québécois *Heureux sans Dieu* se réclament bien pourtant de la laïcité. Mais il s'agit plutôt d'une laïcité antireligieuse qui milite pour enfermer le religieux dans la sphère strictement privée. On veut que les croyants, dès qu'ils évoluent sur l'espace public de la société civile, réfrènent leurs croyances religieuses et adoptent un comportement neutre et sécularisé. C'est là limiter considérablement l'expression des convictions religieuses. N'est-ce pas là une conception abusive de la laïcité qui privilégie la majorité culturelle et les incroyants ? Ne convient-il pas plutôt d'envisager un espace public pluraliste où tous, croyants comme incroyants, collaborent à l'œuvre commune ? Ne peut-on concevoir une laïcité de « reconnaissance » qui confère véritablement autonomie et liberté de pensée aux citoyens sans leur indiquer comment agir et réfléchir[2]. Cela suppose certes un sens du dialogue et du compromis. Mais comprenons-nous bien : il ne s'agit pas d'attenter à la neutralité nécessaire des instances publiques. Le type de laïcité, ici esquissé, s'harmonise davantage avec le pluralisme de nos sociétés et la liberté de conscience.

Nous percevons dans ces ouvrages la nostalgie d'une foi laïcarde qui appartient à un autre âge. On souhaite un espace public où les considérations religieuses et spirituelles n'aient pas droit de cité. On ne veut réserver aucun rôle aux croyants dans le débat public alors que, pourtant, les religions peuvent contribuer à prévenir un certain relativisme moral ambiant. Dans l'esprit de ces ouvrages, il serait tellement plus simple que tous soient athées ou agnostiques. Or nos sociétés sont pluralistes tant sur les plans idéologique que religieux. Il convient plutôt de penser un vivre-ensemble qui cadre avec cette réalité massive. Pas plus que l'athéisme, il ne s'agit d'imposer ici la croyance religieuse. Il doit y avoir de la place pour tous. Comme l'écrit André Comte-Sponville qui, là encore, s'écarte de la tonalité acrimonieuse et antireligieuse de ces ouvrages : « La religion est un droit. L'irréligion aussi. Il faut dont les protéger l'une et l'autre [...] en leur interdisant à toutes deux de s'imposer par la force. C'est ce qu'on appelle la laïcité, et le plus précieux héritage des Lumières »[3].

Dans le fond, pour finir, ces ouvrages sont nostalgiques de cette période révolue de la modernité, alors qu'elle se présentait comme une solution de rechange des religions. Mais, avec l'échec des diverses utopies modernistes, dont l'idéal communiste, ce modernisme triomphant a fait place à une modernité désenchantée, ainsi que l'atteste l'essoufflement de l'idéal du progrès. De ce désenchantement, il en est résulté une certaine revalorisation des quêtes religieuses, sans pour autant renverser, comme on l'a dit, le fait massif que le religieux ne structure plus les sociétés modernes. Aussi ces ouvrages ont-ils un ton franchement « rétro ». Ils ne comprennent pas les changements idéologiques récents et en nourrissent un certain ressentiment. Ils concluent, tels des Cassandre, à un « retour du religieux », aussi catastrophique que délétère. Mais il reste que ces côtés excessifs n'enlèvent rien à leurs qualités. Ils ne manqueront pas de susciter chez leurs lecteurs une réflexion personnelle et stimulante sur Dieu, les religions et l'athéisme.

NOTES ET RÉFÉRENCES

1. André Comte-Sponville, *L'esprit de l'athéisme. Introduction à une spiritualité sans Dieu*, Paris, Albin Michel, 2006, p. 33-34.
2. Sur cette notion de laïcité de reconnaissance, voir Micheline Milot, *La laïcité*, Montréal, Novalis, 2008, p. 62-66.
3. André Comte-Sponville, *op. cit.*, p. 143.

Fédération autonome de l'enseignement

Jacques Rouillard, *L'expérience syndicale au Québec*, Montréal, VLB éditeur, 2008, 385 p.

Jacques Rouillard revisite le syndicalisme québécois

Rares ont été, ces derniers temps, les travaux et les ouvrages historiques portant sur les relations de travail et le mouvement syndical au Québec. Bien plus rares encore, les essais se risquant à une analyse globale de l'un des mouvements les plus ancrés à l'histoire des idées et de la démocratisation des institutions du Québec. C'est le défi qu'a relevé l'historien Jacques Rouillard, dans son dernier ouvrage *L'expérience syndicale au Québec*. Avec une approche de travail et un angle différents de son livre précédent, *Le syndicalisme québécois. Deux siècles d'histoire* (Boréal, 2004), l'auteur visite une fois de plus le xxᵉ siècle syndical québécois, portant un regard critique sur les rapports du mouvement ouvrier avec l'État, le nationalisme et l'opinion publique. Dans une démonstration complète, méthodique et rigoureuse, il met en lumière ce qui a influencé le mouvement syndical et ce que celui-ci a influencé dans l'histoire contemporaine du Québec et même, *in extenso*, du Canada. Il porte, par la même occasion, un regard particulier sur l'évolution du rôle et de la conception de l'État, ainsi que de l'idée nationale à travers le xxᵉ siècle. En plus de textes inédits, l'ouvrage contient de précieuses analyses et leçons pour les historiens du Québec contemporain, pour les spécialistes des relations industrielles mais aussi pour le mouvement syndical lui-même sur son action globale, notamment dans ses approches et stratégies de mobilisation, d'éducation et de communication.

Syndicalisme et État

Dans la première partie de son livre, Rouillard s'attarde aux différentes stratégies que les organisations syndicales (internationales ou catholiques) ont mises en œuvre pour suppléer aux limites de la seule négociation collective. La mise en place de mécanismes et structures de représentation (conseils centraux dans les villes ou les régions; création de centrales

Association québécoise d'histoire politique　　　　277

nationales ou de fédérations provinciales) auprès des différents ordres de gouvernement devait ainsi permettre au mouvement de faire infléchir les décisions et la législation en faveur des intérêts des travailleurs. De cette façon, Rouillard démontre que, loin de la confrontation systématique et directe avec l'État, le mouvement syndical a toujours été un acteur stratégique.

L'activisme syndical au Québec évolue certes selon les époques mais agit toujours dans une perspective social-démocrate, cherchant à obtenir plus de libertés, de reconnaissance syndicale et d'intervention de l'État. Que ce soient les conseils centraux des grandes villes comme Montréal ou Québec, les syndicats catholiques (CTCC) ou les syndicats internationaux (CCT, FPTQ, FUIQ), les organisations syndicales, après la Première Guerre mondiale, font pression sur les divers ordres de gouvernement afin qu'ils établissent des mesures de protection novatrices pour réduire les inégalités sociales et économiques partout au Canada. Dès les années 1920 et plus encore avec la Grande Dépression, le mouvement syndical militera notamment en faveur de l'instauration de régimes de pensions de vieillesse, de programmes d'assurance-maladie, d'assurance-chômage, d'allocations familiales et de soutien aux mères nécessiteuses, gains qu'il obtiendra au cours des années 1930 et 1940.

Après la Seconde Guerre mondiale, le mouvement ouvrier, inspiré par les thèses keynésiennes, milite sans relâche pour la mise en place d'un État Providence au Québec. Se heurtant au conservatisme du régime Duplessis, contre lequel il devra d'ailleurs constamment veiller à sa propre survie, il réclame d'importantes réformes en relations du travail, en éducation, en couvertures sociales, exigeant un interventionnisme accru de la part de l'État, ce à quoi la Révolution tranquille répondra en partie. L'obtention du Code du travail en 1964 et, ainsi, du droit de grève dans les secteurs public et parapublic accentue le rapport de force du mouvement syndical face au gouvernement et étend la portée de ses activités et de ses gains à l'ensemble des travailleurs du Québec. L'essoufflement de la Révolution tranquille crée des tensions de plus en plus vives avec l'État, favorisant l'émergence d'un discours radical, foncièrement anticapitaliste. La confrontation de 1972 entre le Front commun et le gouvernement Bourassa traduit bien cette rupture de confiance qui s'opère dès la fin des années 1960. Pourtant, la naissance du Parti québécois ranime l'espoir de définir un projet social-démocrate qui respecte et implique les travailleurs. Très vite, le PQ s'attire les sympathies de nombreux militants syndicaux et son élection, en 1976, laisse croire à de nouveaux rapports entre l'État et le mouvement ouvrier, ce qu'aucune tentative de fonder un parti ouvrier au Québec ne promettait jusque-là.

Toutefois, dans les années 1980, la montée du néolibéralisme, accélérée par une importante crise économique, accule le mouvement au pied du mur, le forçant à se retrancher dans un syndicalisme de partenariat, surtout après les coupes drastiques opérées dans les services publics et dans les conditions de travail des employés de l'État en 1982, par le Parti québécois lui-même. Pendant ce temps, la mutation du marché de l'emploi (précarisation, tertiarisation) et la création de nouveaux partenariats économiques (libre-échange avec les États-Unis, ALÉNA) pousseront, de plus, le mouvement syndical à adapter ses stratégies, ses approches, ses conceptions et ses activités. Par exemple, au discours radicalement anticapitaliste des années 1970 succède une approche plus conciliatrice, constamment préoccupée par la création et le maintien des emplois. La mise en place du Fonds de solidarité de la FTQ et du Fondaction de la CSN au courant des années 1980 participe notamment de cette nouvelle orientation.

Néanmoins, pour Rouillard, l'action syndicale s'est imposée au xxe siècle comme un véritable contrepoids aux autres forces sociales en bénéficiant à l'ensemble de la classe ouvrière et de la société québécoise. Et ce, bien avant la Révolution tranquille…

Syndicalisme et nationalisme

En seconde partie, Rouillard étudie le cheminement des différentes organisations quant à la question nationale. Si la Révolution tranquille appert pour l'auteur un point tournant rapprochant les centrales de l'idée de souveraineté ou d'indépendance, elles n'en restent pas moins selon lui attachées avant tout à un projet social progressiste. Jusqu'aux années 1960, s'ils militent pour accroître l'intervention de l'État, c'est surtout au niveau fédéral que la CTCC, les syndicats internationaux et la FTQ voient, à travers sa modernisation et sa réorganisation, la possibilité d'établir de vastes couvertures et programmes sociaux bénéficiant à l'ensemble de la population canadienne. Cependant, dans l'entre-deux-guerres, les organisations syndicales du Québec constatent les limites politiques et constitutionnelles de la fédération, notamment révélées par différents jugements et interventions du Conseil privé de Londres, mais également incarnées par la pression des forces conservatrices du Québec, au premier rang desquels l'Église catholique puis le gouvernement Duplessis, pour faire respecter l'autonomie provinciale. Réservées quant au nationalisme et à l'autonomisme canadien-français, les organisations syndicales favorisent plutôt des modifications constitutionnelles qui permettraient au pouvoir fédéral de centraliser le développement de couvertures et mesures sociales universelles.

Toutefois, pour Rouillard, la fin du régime de Duplessis et la Révolution tranquille qui suivra favoriseront la montée du nationalisme dans les rangs syndicaux. Entre autres, la FTQ et la CSN tendront à réclamer un accroissement du rôle de l'État québécois et plus d'autonomie pour le Québec dès les années 1960, discours qui s'accentuera notamment à la suite de la Crise d'octobre 1970. Liés notamment avec le Parti québécois, à un projet social dans lequel l'État est appelé à jouer un rôle déterminant, le nationalisme s'avère finalement attrayant. À compter de 1980, la CSN, la CEQ et la FTQ participeront à chacun des grands débats constitutionnels.

Somme toute, même si les diverses centrales syndicales militent depuis les années 1960 pour la protection de la langue française, voire l'unilinguisme, et la reconnaissance voire la souveraineté du Québec, elles n'en demeurent pas moins attachées avant tout à la mise en place de mesures et programmes de protection sociale. Par leur démarche, elles n'en ont pas moins affirmé leur propre autonomie par rapport au mouvement syndical international.

Syndicalisme et opinion publique

Enfin, Rouillard conclut son livre avec une approche audacieuse mais efficace qui, fondée sur l'analyse globale de tous les sondages réalisés depuis la Seconde Guerre mondiale sur le syndicalisme au Québec et au Canada, permet à l'auteur de dégager de précieuses leçons et d'établir des corrélations historiques novatrices.

D'après lui, au fil des soixante dernières années, les populations canadienne et québécoise ne remettent jamais en question l'institution syndicale, contrairement à ce qu'on en croirait aujourd'hui. Bien qu'elle reste critique envers le mouvement ouvrier, s'attendant à ce qu'il s'occupe avant tout de la promotion et de la défense des droits et conditions des travailleurs, l'opinion publique ne lui en reconnaît pas moins une valeur et une fonction importantes dans l'équilibre social.

Dans son analyse, Rouillard établit un rapport entre la conjoncture et l'appréciation de l'action syndicale par la population, démontrant ainsi que l'évolution de l'opinion publique coïncide avec celle du mouvement syndical. Ainsi, des années 1940 à la fin des années 1960, le syndicalisme jouit d'un appui populaire inégalé, qui n'est pas étranger à son rôle social et politique pour réclamer des mesures et programmes universels permettant de réduire les inégalités sociales et économiques. Sa lutte acharnée contre le régime de Maurice Duplessis, ainsi que son rôle actif dans la Révolution tranquille placent le mouvement syndical dans les bonnes grâces de la population. Toutefois, dans les années 1970, le nombre élevé de grèves coïncide avec une certaine méfiance dans l'opinion publique, qui croit le mouvement syndical trop puissant. Cela correspond avec la radicalisation anticapitaliste et l'attitude plus combative du mouvement. Le Front commun de 1972 et les grandes grèves, en plus de se multiplier comme à aucun autre moment de l'histoire québécoise, démontrent la capacité du mouvement à paralyser les services publics, ce qui tend à incommoder les citoyens. Mais, fait étonnant, depuis le milieu des années 1980, le mouvement syndical semble regagner la confiance de l'opinion publique, dans la mesure où, selon elle, il n'abuse pas du droit de grève et tente de préserver l'ordre social en coopérant avec le gouvernement et le patronat, au bénéfice du développement économique.

L'analyse de Rouillard porte ainsi à réfléchir sur le développement et les choix stratégiques, médiatiques et organisationnels du mouvement syndical. L'auteur constate une évolution comparable, à divers degrés cependant, entre la radicalisation de l'action syndicale et les transformations dans l'opinion publique en Grande-Bretagne et aux États-Unis. De tendance internationale, cette variation de l'appui populaire ne serait donc pas étrangère aux mouvements idéologiques qui caractérisent les soixante dernières années (keynésianisme, anticapitalisme, néolibéralisme), durant lesquelles le discours dominant fut abondamment relayé par l'industrie médiatique, qui a tendance à mettre l'emphase sur l'effet perturbateur de l'action syndicale plutôt que sur son apport au progrès social.

RENÉ BOULANGER
Essayiste et chroniqueur en histoire

Yves Tremblay, *Plaines d'Abraham. Essai sur l'égo-mémoire des Québécois.* Athéna Éditions, 2009.

D'entrée de jeu, je me dois, pour être honnête, mentionner que dans son livre *Plaines d'Abraham*, Yves Tremblay s'en prend vigoureusement à mon propre livre, *La Bataille de la Mémoire*, paru aux Éditions du Québécois. Je remercie donc le *Bulletin d'histoire politique* de m'ouvrir ses pages pour ce qui ne devrait être de ma part qu'une réfutation de l'essai de M. Tremblay. Ce ne sera pas le cas. Comme M. Tremblay s'est donné la peine d'écrire un livre pour répondre, entre autres, à la *Bataille de la Mémoire*, ce serait lui faire insulte que d'expédier le sien en un seul feuillet. Ma réponse se trouve donc en un texte de deux pages complètes du journal *Le Québécois* du numéro de novembre 2009.

Le livre de Yves Tremblay naît d'une colère, celle de voir l'annulation de la reconstitution de la Bataille des Plaines d'Abraham suite à une campagne politique orchestrée par le Réseau de Résistance du Québécois et le regretté cinéaste Pierre Falardeau. Une partie du livre défend la valeur pédagogique des reconstitutions, une autre illustre l'apolitisme de la Commission des Champs de Bataille, mais la meilleure part revient à l'illustration de l'ignorance des opposants campés dans un récit national nourri par l'égo-mémoire. Négligeant la valeur des historiens anglophones (sauf ceux qui font leur affaire, McCleod et Eccles), les opposants puisent leur savoir chez des auteurs dépassés, Guy Frégault et l'abbé Casgrain.

M. Tremblay, admirateur de Thomas Chapais et de l'école impérialiste en profite pour promouvoir la mode de démolir la légende d'une milice survalorisée sur le plan de la valeur militaire. Il règle finalement la vieille querelle des historiens en donnant raison à Montcalm contre Vaudreuil dans la conduite de la guerre.

Dans le journal *Le Québécois*, je souligne les erreurs un peu grossières qui minent la crédibilité de ce livre. Comme l'affirmation qu'en 1759, la promotion de Montcalm mettait fin au commandement bicéphale, alors que c'est le contraire qui arrive. Jusqu'en 1759, Montcalm était le subordonné de Vaudreuil et devait exécuter ses plans de campagne. En 1759, Vaudreuil demeure le chef nominal des armées mais Montcalm peut faire ce qu'il veut. C'est donc une crise de commandement majeur qui apparaît alors que M. Tremblay n'y voit qu'une autre persistance de la conduite déplorable de Vaudreuil qu'il associe d'ailleurs à la clique de Bigot. En faisant un anachronisme d'ailleurs, en l'insérant dans cette clique dès 1750 alors qu'il ne sera nommé gouverneur qu'en 1755.

M. Tremblay ayant traité mon ouvrage avec beaucoup de hauteur et de mépris, je serais tenté d'attaquer sa prétention scientifique sur la base des nombreuses distorsions qui apparaissent dans ce livre. Vaut mieux prendre quelques lignes pour illustrer le fossé séparant l'historien officiel du militant historien. Le militant qui veut donner un nouveau cours à l'histoire n'a pas d'autre choix que d'interroger l'histoire, donc devenir historien au même titre que les doctorants car c'est la matrice de son combat. Il n'a pas intérêt à déformer, réécrire faussement ou induire en erreur, car il a d'abord avant tout le besoin de savoir. Il s'inscrit dans l'historicité. En faisant une incursion dans le monde des historiens officiels, je ne faisais dans *La Bataille de la Mémoire* que répondre à des questions qui étaient restées sans réponse. Ou plutôt, qui n'avaient jamais été posées. Venu à l'histoire par le biais de la réflexion sur la condition québécoise, il ne m'est pas aisé de défendre ma crédibilité face aux historiens institutionnels. Mais cela devient plus facile quand je m'aperçois que ce ne sont pas des chercheurs sérieux qui m'assassinent, mais de simples idéologues comme Jocelyn Létourneau et maintenant M. Yves Tremblay, de solides défenseurs de l'ordre impérial. Tremblay ayant eu la faiblesse de s'en prendre sans nuance, agressivement et avec le même mépris à l'œuvre de Guy Frégault, détruit lui-même la valeur de ses écrits. Cela est bien dommage, car j'étais de ceux qui appréciaient sa réhabilitation de l'histoire militaire. Maintenant, j'aurai toujours un doute sur la vérité qu'il affirme défendre.

MICHEL SARRA-BOURNET
Chargé de cours en histoire et en science politique
UQAM et Université de Montréal

Alain-G. Gagnon, *La raison du plus fort : plaidoyer pour le fédéralisme multinational*, Montréal, Québec Amérique, 2008, 236 p.

Alain-G. Gagnon est titulaire de la Chaire de recherche du Canada en études québécoises et canadiennes (CRÉQC) à l'Université du Québec à Montréal. Il a écrit, co-écrit, dirigé ou co-dirigé de nombreux ouvrages sur la politique canadienne et québécoise. Ceux-ci ont été traduits dans plusieurs langues. Il s'attaque ici à une tâche imposante : démontrer que la solution aux conflits intercommunautaires dans les sociétés démocratiques composées de plusieurs nations historiques, est de façonner les institutions politiques sur le modèle du « fédéralisme multinational ». Pour y arriver, il met à profit une vaste connaissance historique (de plusieurs pays) et théorique (surtout en philosophie politique) ainsi que de nombreuses années de réflexion sur la diversité, notamment au sein du Groupe de recherche sur les sociétés multinationales. L'ouvrage regroupe les textes révisés de cinq conférences et d'un chapitre de livre que son auteur a rédigés sur le fédéralisme multinational.

Alain-G. Gagnon souligne d'abord que les États modernes sont caractérisés par la diversité. Le Canada et de nombreux autres pays sont des fédérations. Selon lui, cette institution est celle qui est le mieux en mesure de réconcilier la diversité au sein d'un État. Or, il y en aurait deux types : les fédérations « territoriales », dont les États-membres sont indifférenciés, et les fédérations « multinationales », qui sont ouvertes à la reconnaissance d'une pluralité d'identités. Malheureusement, le Canada aurait graduellement oublié l'esprit du fédéralisme, pourtant l'une de ses plus importantes caractéristiques. D'où les tensions politiques avec le Québec, province qui revendique le statut de nation. Ainsi, l'auteur énonce-t-il cette thèse : « le fédéralisme multinational devrait s'imposer comme la voie optimale pour la gestion des conflits communautaires et pour l'affirmation des identités collectives » (p. 11-12). Il consacre d'ailleurs un chapitre entier à la genèse du concept.

Afin de jauger les chances d'établir un jour une véritable fédération multinationale, l'auteur s'intéresse principalement au cas du Canada, mais aussi à ceux d'autres pays fédéraux ou en voie de fédéralisation (Belgique, Espagne, Royaume-Uni) qui auraient le potentiel de devenir des fédérations multinationales. En effet, s'il existe bel et bien des fédérations dites «territoriales» (Allemagne, Australie, États-Unis), la véritable fédération multinationale n'est encore qu'une vue de l'esprit. Son établissement exige de la nation majoritaire qu'elle mette de côté sa position dominante et qu'elle accepte de traiter l'autre avec équité, dans un esprit de compromis et de dialogue. Tout comme l'idée des «peuples fondateurs» qui a longtemps conforté la classe politique québécoise, l'essence du concept de fédéralisme multinational en précède de loin la substance. Ce sont les nationalistes québécois qui prétendent que le Canada est multinational, alors que les nationalistes canadiens continuent de parler d'unité nationale. L'auteur épouse donc le point de vue des nationalistes québécois qui veulent qu'on tire toutes les conséquences politiques de l'existence de cette nation minoritaire au sein du Canada.

S'il consacre deux chapitres aux grandeurs et misères du fédéralisme asymétrique et au fédéralisme de concertation (qu'on connaît plutôt sous le vocable de fédéralisme exécutif), l'ouvrage est muet sur la «feuille de route» conduisant au fédéralisme multinational. L'auteur l'aborde plutôt dans un autre livre écrit dans la même perspective théorique. Dans *De la nation à la multination* (Boréal, 2007), Alain-G. Gagnon et Raffaele Iacovino tablent sur l'opinion de la Cour suprême du Canada sur le droit à la sécession pour décrire les étapes d'une redéfinition du Canada au sortir d'une conversation fructueuse. Cela peut paraître curieux de la part d'un politologue ouvertement sympathique aux revendications nationalitaires, mais ce qu'il manque vraiment à ces livres, c'est l'essence même du politique: le pouvoir. Tous deux font montre d'un idéalisme presque angélique, car le Québec et le Canada ne sont pas en situation de conversation, mais bien en rapport de forces. Un de ses auteurs préférés, James Tully, ne parle-t-il pas de «camisole de force» et de «structure de domination» (cité p. 17)?

L'ouvrage recèle d'autres ambigüités. Par exemple, en s'appuyant sur Ricard Zapata-Barrero, l'auteur affirme d'entrée de jeu que certains États sont déjà caractérisés par la diversité culturelle, alors que d'autres l'acquièrent par l'immigration. L'auteur sera tenté à quelques reprises par ce rapprochement entre le multinationalisme et le muticulturalisme. Est-ce à dire que les groupes culturels issus de l'immigration seraient assimilables à des nations? Si oui, le fédéralisme multinational serait-il la solution harmonieuse tant à la question les communautés issues de l'immigration, qui n'ont pas toujours d'assises territoriales, qu'à celle des communautés historiques comme le Québec? L'auteur semble parfois oublier que le concept de «diversité profonde» de Charles Taylor, qu'il cite souvent à témoin, va bien plus loin que la simple reconnaissance de la diversité des origines. On doit pourtant se rappeler que, bien qu'il soit dans «l'air du temps», le multiculturalisme est un aspect de la diversité essentiellement différent du multinationalisme. Il est donc dangereux d'associer le second au premier dans le but de le faire apparaître comme plus pertinent. Au contraire : l'expérience canadienne nous a montré que le multiculturalisme peut avoir des effets délétères sur les nations minoritaires s'il est incorporé dans l'idéologie dominante plutôt que d'être traité comme un simple fait sociologique.

À la lecture de ce livre, on se rend vite compte que son argument principal est normatif : si le fédéralisme peut être considéré comme un moyen privilégié de réconcilier la diversité, il devrait pouvoir servir à réconcilier la diversité nationale. Cependant, Alain-G. Gagnon énumère du même souffle un grand nombre d'obstacles sur la route de la constitution de fédérations multinationales. Bien qu'il fasse appel à des citations d'un éventail impressionnant d'auteurs de différents horizons géographiques et disciplinaires, ce plaidoyer n'arrive pas à convaincre que le fédéralisme multinational ait un brillant avenir, du moins pas au Canada.

L'histoire nous enseigne que le Canada ne cède du pouvoir que lorsqu'il est en situation de rapport de force défavorable (l'Acte de Québec en 1774, la lutte pour l'autonomie fiscale gagnée en 1956, le rapatriement des points d'impôt et la Régie des rentes du Québec en 1965). La semaine précédant le référendum sécessionniste de 1995, au siège du Bureau des relations fédérales-provinciales et de celui du premier ministre Jean Chrétien dans l'Édifice Langevin à Ottawa, on travaillait tard la nuit à une proposition de réforme constitutionnelle : on craignait un résultat positif. Mais après la victoire du Non, rien de bien significatif n'a été proposé, si ce n'est qu'une motion conjointe des deux chambres du Parlement promettant de se laisser guider par le principe que le Québec était une société distincte, un droit de veto accordé par législation au Québec et à quatre autres régions du Canada, et la promesse, dans le discours du Trône qui ne vaut que pour une session, de limiter le pouvoir de dépenser.

De même, le fédéralisme d'ouverture de Stephen Harper s'est limité à une reconnaissance sociologique et symbolique de la population québécoise (probablement uniquement les francophones) comme une nation. L'extension internationale des compétences québécoises s'est traduite par un siège au sein de la délégation canadienne à l'UNESCO et le « règlement » du déséquilibre fiscal a accentué la dépendance du Québec au programme fédéral de péréquation.

Au contraire, lorsque le Québec est affaibli, le gouvernement fédéral s'empresse de profiter de la brèche, comme ce fut le cas après les Rébellions, durant la Deuxième Guerre mondiale et au lendemain du référendum de 1980 sur le mandat de négocier la souveraineté-association. Là-dessus, les meilleures pages de *La Raison du plus fort* sont celles du chapitre 5, qui portent sur le nationalisme majoritaire.

En dernière analyse, le propos du livre renvoie à l'enjeu fondamental de la question nationale, tel qu'il se manifestait dans les années 1960: le remplacement du rapport majorité-minorité par un rapport d'égalité. L'auteur sert un avertissement aux nationalistes majoritaires, notamment ceux du Canada: «Avec la création de nombreux nouveaux États depuis la fin des années 1980, il est devenu clair que nous devons développer des modèles qui peuvent davantage accommoder les minorités nationales en légitimant de nouvelles formes institutionnelles, sans quoi la sécession deviendra une des seules avenues disponibles pour les sociétés démocratiques» (p. 197). Mais même si son ouvrage fournit amplement de preuves du contraire, Alain-G. Gagnon restera convaincu jusqu'à la fin, tel Henri Bourassa et André Laurendeau, qu'il existe un moyen terme entre la soumission et la démission.

Enfin, les tensions politiques souventes fois évoquées par l'auteur sont moins présentes au Canada aujourd'hui. Cela n'est pas attribuable à la découverte soudaine par la nation canadienne majoritaire des vertus de la conversation et de la reconnaissance de la nation québécoise, mais plutôt à la dépolitisation de la question nationale et à la politisation du multiculturalisme. Ainsi, le Canada a-t-il davantage de chances d'entrer dans l'ère du postnationalisme que dans celle du multinationalisme.

Une femme à contre-coran

LOUISE MAILLOUX
Professeure de philosophie
Cegep du Vieux Montréal

Djemila Benhabib, *Ma vie à contre-Coran. Une femme témoigne sur les islamistes*. Montréal, VLB, 2009, 268 p.

> «J'ai écrit ce livre pour que les gens sachent ce qu'est l'islam politique, une idéologie de mort qu'on veut nous imposer»

La phrase est lapidaire, percutante et résume à elle seule la raison d'être de ce livre. C'est un cri du cœur lancé à tout l'Occident pour qu'il comprenne sa vulnérabilité et qu'il sache que sa liberté est menacée.

Algérienne d'origine, exilée en France avec sa famille pour échapper à la mort, elle vit au Québec depuis 1997. Djemila Benhabib vient de publier son premier essai, *Ma vie à contre-Coran. Une femme témoigne sur les islamistes* dans lequel elle raconte la terreur qu'elle a vécue avec la montée de l'intégrisme religieux et met à nu les différentes stratégies des islamistes pour imposer leur dictature. L'auteure nous met aussi en garde contre notre trop grande tolérance vis-à-vis ceux qui cherchent patiemment à saper les bases de notre démocratie pour imposer leur vision fasciste et obscurantiste de l'islam.

Benhabib nous explique que l'islamisme politique n'a rien à voir avec la spécificité culturelle mais qu'il est plutôt l'expression d'une idéologie politique misogyne, raciste et homophobe à des années-lumière des valeurs que nous estimons et que ceux qui s'appuient sur les Chartes des droits pour revendiquer le respect de la religion et le droit à la différence ne sont nullement attachés à nos libertés démocratiques mais beaucoup plus soucieux de prosélytisme et d'activisme politique. L'auteure poursuit en disant qu'il ne faut surtout pas tomber dans le piège du relativisme culturel, comme s'il suffisait, par exemple, à l'excision d'être culturelle pour être acceptable, et elle dénonce l'angélisme et la frilosité de la gauche comme Québec Solidaire et des groupes féministes comme la Fédération des femmes du Québec qui, pour éviter d'être traités d'impérialistes et se dédouaner de toute culpabilité, appuient sans réserve l'intégrisme et ses nazillons verts.

On ne sera pas étonné d'apprendre que partout dans le monde, les femmes sont les premières victimes de l'intégrisme islamique et que cette islamisation passe d'abord par le contrôle des filles dont le voile n'est que l'expression la plus manifeste. Le voile, explique l'auteure, n'est pas qu'un simple vêtement. Il fait partie d'un système de valeurs qui est rétrograde, archaïque et barbare à l'égard des femmes parce que le voile, c'est aussi la répudiation, la polygamie, le mariage forcé et arrangé, l'excision, la non-mixité, les châtiments corporels comme la flagellation et la lapidation. Or on nous le présente comme indépendant de tout cela. Mais c'est faux, dira Benhabib. Ce voile, ajoute-t-elle, tel qu'il se porte aujourd'hui ne fait pas partie de notre culture [arabe], pas plus que de nos traditions. Il est apparu dans les années 1980 avec Khomeiny. C'est l'emblème de l'intégrisme, qui depuis ce temps, s'exporte frauduleusement sous couvert de culture ou de « prêt-à-porter religieux » selon l'expression de Malek Chebel. Le voile, c'est l'odieux symbole de l'apartheid sexuel qui traduit un rapport obses-sionnel au corps et au sexe et enferme les femmes dans un linceul mor-tuaire.

L'auteure ne mâche pas ses mots pour dire que les Occidentaux ont une conception médiévale et folklorique des femmes musulmanes et elle insiste pour nous faire comprendre que ce voile que l'on voit ici même au Québec n'est pas différent de celui des femmes iraniennes, afghanes ou saoudiennes et qu'en le banalisant et l'acceptant comme certains le font, nous contribuons bien malheureusement au succès de l'intégrisme. Pour nous défaire de notre naïveté, Benhabib dévoile et conjugue en trois volets les différentes stratégies utilisées par les islamistes pour conquérir et dominer le monde. Financés par les pétro-milliards provenant d'Iran et d'Arabie Saoudite (en 1996, le budget du Hamas était estimé à 70 millions de dollars), les militants islamistes investissent d'abord le créneau de l'hu-manitaire et du social en fournissant logements, hôpitaux, écoles islami-ques et en s'occupant principalement des femmes qui sont leurs portes d'entrée dans les familles.

Pour ce qui est du travail humanitaire en immigration, il faut pour eux isoler ces gens qui sont à l'interface de deux cultures pour éviter à tout prix qu'ils s'occidentalisent. Il y a donc des réseaux très bien structurés, dit Benhabib, qui aident les gens à se trouver un logement ou un emploi, qui payent les loyers de certains immigrants, payent parfois l'université, don-nent des cours d'informatique, de langues, etc. C'est de cette façon que sont posées les assises politiques de leur organisation et que, par un retour d'ascenseur, des femmes commencent à porter le voile alors que des hommes fréquentent la mosquée. Le second volet de leur stratégie est celui de l'intimidation et de l'assassinat politique contre ceux qui veulent vivre comme des citoyens plutôt que des croyants. Enfin le dernier volet se dirige vers les Occidentaux qui osent critiquer l'islam, en criant au racisme et à l'islamophobie pour faire taire leurs détracteurs et museler la liberté d'expression.

La religion de Benhabib, ce sont les Lumières. Là où l'universel transcende le communautarisme qui fige l'individu dans une essence et l'empêche d'exercer sa pleine citoyenneté. Pour elle, l'émancipation de chacun ne peut trouver sa place que dans cet universel et l'ordre politique et l'identité nationale doivent primer sur l'identité culturelle-religieuse. Partant de là, l'auteure dénonce le «racisme du multiculturalisme» qui s'appuyant sur l'argument identitaire autorise pour les musulmans des traditions que l'on jugerait inacceptables pour nous. Elle plaide finalement en faveur d'un État laïque qui garantit la séparation du politique et du religieux en maintenant la religion dans la sphère privée, neutralisant ainsi ses ambitions hégémoniques tout en nous préservant du totalitarisme. Et l'auteure insiste sur le rôle capital de l'école laïque comme institution collective publique pour transmettre ces valeurs communes qui affranchissent les individus des carcans claniques et religieux. D'où sa farouche opposition au port de signes religieux de la part des représentants de l'État.

Citoyenne du monde, féministe et laïque, Djemila Benhabib est tissée de la même étoffe que les Taslima Nasreen, Wafa Sultan, Chadortt Djavann et Ayaan Hirsi Ali. Ces femmes, toutes de culture musulmane, reprennent le flambeau des Lumières, et au nom de la défense des droits humains, osent avec une farouche détermination, s'attaquer à l'intégrisme islamique. Et cela, au péril de leur vie. Nouvelles dissidentes de l'Histoire, elles mériteraient toutes de pouvoir jouir ici en Occident de la même sécurité, du même soutien, de la même admiration, du même respect et de la même attention médiatique auxquels les Sakharov et Soljenitsyne ont eu droit, à une époque pas si lointaine.

L'auteure dit avoir écrit ce livre «pour permettre à chacun de nourrir sa propre réflexion sur l'islamisme politique et rendre l'expérience algérienne plus compréhensible». Ce livre de Benhabib, nous l'attendions depuis longtemps. Tous les «Tremblay» du Québec l'attendaient. Puisse-t-il ouvrir une brèche dans la pensée unique de nos bien-pensants qui étouffent invariablement toute critique de l'islamisme.

SERGE GAGNON
Historien
Professeur retraité
UQTR

Bédard, Éric, *Les réformistes*, Montréal, Boréal, 2009, 412 p.

Si un historien de ma génération avait traité du sujet, il aurait peut-être insisté sur les contextes démographique, économique et social auxquels étaient confrontés les décideurs politiques canadiens-français des années 1840. Pour étoffer cet arrière-plan matériel, il aurait lu ou relu Fernand Ouellet et Albert Faucher, Jean Hamelin et Yves Roby, peut-être quelques historiens de l'Ontario, Bruce Curtis, par exemple. Car l'État est un régulateur qui intervient pour rétablir l'équilibre rompu ou résoudre des problèmes spécifiques d'une totalité : sous l'Union, les tensions démographiques suscitées par l'hypernatalité canadienne-française connaissaient enfin un dénouement ; pour atténuer l'exode vers les États-Unis, le gouvernement colonial a mis en œuvre des politiques favorisant l'accès aux territoires inoccupés. La création de bureaux d'enregistrement des hypothèques, jusqu'alors privées et secrètes, faisait disparaître un irritant du marché immobilier. Le régime seigneurial aboli en 1854, mais dès le début, l'auteur le souligne, le nouveau régime à Montréal facilitait les échanges en faisant notamment disparaître l'onéreuse taxe de vente versée au seigneur à chaque mutation de propriétaire.

Sur le plan proprement politique, un vieillard de 70 ans (comme moi) aurait peut-être rappelé ce que Michel Brunet, diplômé comme Bédard en science politique, a souvent fait valoir : la responsabilité ministérielle, essentielle à la démocratie en régime parlementaire britannique, a été accordée au Canada-Uni seulement après que les *Canadians* furent devenus majoritaires. Les prédécesseurs de la génération Bédard avaient souligné que l'Union du Haut (l'Ontario) et du Bas-Canada (le Québec) était née d'un esprit de vengeance au lendemain des rébellions, une donnée que ne conteste pas l'auteur sans qu'il sente toutefois le besoin de rappeler que la représentation égale en nombre de députés dans les anciens Haut et Bas-Canada désavantageait lourdement la province la plus peuplée, appelée par ailleurs à supporter la dette énorme de la province voisine. Il n'est pas indifférent de savoir que le service de la dette du Haut-Canada accaparait tous les revenus de cette colonie, vouant l'Ontario à l'impasse financière n'eût été le partage du fardeau avec les contribuables du Bas-Canada. La banque britannique Baring est intervenue auprès de la classe politique métropolitaine, faisant valoir que le refus de fusionner les deux provinces mettait en péril ses créances canadiennes.

Tout ce que je viens de rappeler est supposé connu par les lecteurs de Bédard qui se donne comme objectif de réhabiliter l'histoire politique tombée en disgrâce après le triomphe de l'histoire économique et sociale. L'auteur se démarque par ailleurs de l'historiographie nationaliste et néo-nationaliste, plus ou moins revancharde, qui en la personne de Maurice Séguin, avait présenté LaFontaine et sa mouvance comme des *vendus*, suivant le vocabulaire d'époque, c'est-à-dire des collaborateurs avec l'en-nemi *canadian*. L'historien corrige Brunet (p. 72) et Séguin dont les inter-prétations ont nourri la pensée souverainiste. Serait-il bon-ententiste, comme on disait dans mon temps ? Pas davantage ; on ne s'étonne donc pas que les études de Jacques Monet (sa biographie fouillée de LaFontaine et surtout *La première révolution tranquille*, 1981) ne trouvent de niche dans la nouvelle pensée historique dont l'auteur est un chef de file. Au reste, l'idée de génération est une des clés de lecture de l'essai, d'où le sous-titre du livre : « Une génération canadienne-française au milieu du XIXᵉ siècle ». Je rappelle que Bédard a collaboré à un livre-manifeste sous la direction de Stéphane Kelly (*Les idées mènent le Québec, essais sur une sensibilité histori-que*, 2003) ; comme ses pairs il croit à l'efficacité et à la sincérité du discours élitaire, sans y soupçonner une quelconque machination de la classe do-minante.

Le livre de Jacques Monet, sous-titré « le nationalisme canadien-français (1837-1850) », est paru au lendemain du référendum de 1980. L'étude de Bédard a pris forme dans la douleur de l'échec du second réfé-rendum sur la souveraineté. Contrairement à ceux qu'il appelle les cyniques, la défaite amère de 1995 ne l'a pas conduit au défaitisme et à la démission. Voilà pourquoi il a voulu connaître le cheminement d'anciens rebelles, de-venus les artisans du mouvement (l'auteur dit *moment*) réformiste lorsqu'ils ont pris conscience que le rappel de l'Union était impossible. De ce point de vue, et je le dis avec admiration, le livre constitue une magis-trale démonstration empirique de l'axiome *la politique est l'art du possible*.

Les exégètes de la pensée historique américaine ont noté que durant des périodes de stabilité sociale, une sorte de récit de consensus s'est éla-borée, alors que durant les moments de déséquilibres et de conflits, les historiens ont privilégié l'étude des affrontements survenus dans le passé. Au moment de la Révolution tranquille, alors que tout était remis en ques-tion, ma génération s'est particulièrement intéressée aux extrémistes du passé ; d'où cette profusion d'articles, livres et thèses sur les rébellions, les

Rouges et les ultramontains : « Pendant longtemps, la pensée politico-religieuse de l'époque réformiste est réduite à deux camps distincts et antagonistes : à gauche, le libéralisme doctrinal et plutôt anticlérical des rouges, et à droite, l'ultramontanisme de Mgr Bourget et d'une Église catholique alors dominée par l'intransigeance du Pape Pie IX. Dans cette lutte de titans entre deux visions irréconciliables, il ne semble pas y avoir de place, quelque part au centre, pour les réformistes au pouvoir » (p. 212). Or les décideurs ont des responsabilités que n'ont pas les intellectuels dont l'imagination fertile multiplie les scénarios de sociétés idéales. Pragmatiques, les réformistes ont conquis le pouvoir de sorte qu'ils n'avaient que faire des intellectuels sans prise sur les réalités. Le mouvement réformiste n'aurait rien accompli s'il ne s'était appliqué à proposer et à faire voter des mesures acceptables et réalistes.

Qu'est-ce qu'un Réformiste, parfois désigné comme libéral (p. 95) ? « Le libéralisme des réformistes n'est […] pas centré sur l'individu, mais sur la communauté nationale. Il s'agit moins de servir une quelconque eschatologie moderniste que de prémunir une nationalité contre d'éventuels reculs politiques, voire sa disparition » (p. 95). « […] pour ces derniers le meilleur des mondes serait celui où tous les Canadiens français parleraient d'une seule voix […] Ferments de division, les partis sont à leurs yeux une abomination » (p. 100-101). Ils poussent à l'extrême ce souci d'union nationale (p. 107) comme condition de la pérennité. Ne nous étonnons pas que ces « démocrates modérés » (p. 110) se méfient des Rouges ; à leurs yeux, ceux-ci préconisent une forme excessive de démocratie, porteuse de désordre. D'où l'admiration réformiste pour l'équilibre des pouvoirs en régime constitutionnel britannique. LaFontaine et ses alliés préconisent ce que l'auteur appelle le « suffrage capacitaire ». Le droit de vote et la capacité de gouverner sont tributaires de la propriété. Même si Étienne Parent privilégie « les capacités littéraires, intellectuelles », George-Étienne Cartier associe la « capacité politique » à la propriété ; « l'énergie déployée pour l'acquérir et les vertus démontrées pour la conserver et la faire fructifier sont les signes évidents d'un jugement éclairé » (p. 116). Dans un discours du début des années 1850, Cartier explicite en des termes on ne peut plus concrets : « Un homme qui possède une propriété de £1000 a certainement plus les qualifications pour devenir un bon législateur qu'un homme qui perd son temps à lire des ouvrages sur la politique et la démocratie […] Une constitution qui aurait pour effet d'éloigner les jeunes hommes de l'industrie au profit de la politique est mauvaise. Ceux-ci doivent d'abord apprendre à faire de l'argent, après, ils pourront s'engager en politique » (cité p. 124). On aura compris que les réformistes n'étaient « pas des penseurs » (p. 140), mais parfois des hommes que l'aisance financière (comme celle de LaFontaine) rendait disponible au service de la collectivité.

L'essai thématise en chapitres la pensée et l'action réformistes en matière économique, pénale, religieuse, mais surtout nationale. Au chapitre du développement matériel, certains auraient sans doute préféré que l'exposé commence par un état des lieux. L'auteur y vient en cours d'exposé lorsqu'il décrit le chemin parcouru en matière de transport ferroviaire et de besoin de capitaux pour financer les infrastructures (p. 157-159). Le lecteur nous persuade que les réformistes ne sont pas agriculturistes, comme l'a soutenu Michel Brunet, même si l'agriculture occupe une place considérable dans leur pensée économique. La collectivité canadienne-française n'est-elle pas massivement engagée dans cette activité économique, Montréal et Québec étant à moitié anglaises ? Lorsqu'ils parlent d'industrie, on ne sait trop à quelle réalité renvoient les réformistes ; du moins on sent le caractère polysémique du concept qui souvent désigne autant les gens industrieux les entreprises industrielles. Ces fils de la campagne, auraient dit les sociologues de l'École de Chicago, vivaient à la ville une sorte de *folk urban continuum*.

L'ouvrage se démarque sensiblement des essais à la Stanley-Bréhaut Ryerson. Les conditions misérables de la classe ouvrière, au travail comme au foyer, qui servaient de toile de fond à la critique des élites politiques ne sont pas dans la mire des historiens post-marxistes. La posture est réaffirmée dans un chapitre sur la religion. « Ma perspective est [...] "post-marxiste", c'est-à-dire qu'elle ne considère pas, *a priori*, le discours sur le religieux comme un discours de légitimation du pouvoir » (p. 213). L'auteur s'affaire à démontrer que l'union du trône et de l'autel ne s'est pas amorcée durant le « moment réformiste ». Les têtes d'affiche du groupe, surtout ceux qui ont connu la prison pour crime de lèse-majesté, n'ont pas oublié les anathèmes de l'Église contre les rebelles. LaFontaine résiste à Bourget lorsque celui-ci réclame qu'on décrète l'Action de grâces jour férié (p. 220). En dépit de tout ce que les historiens de ma génération ont pu écrire, y compris moi-même, il faut bien admettre que les réformistes ont veillé à ce que l'État, et non l'Église, reste le maître d'œuvre de l'appareil scolaire. Par contre ceux-ci reconnaissent l'importance de la mission sociale des prêtres et celle de la transmission de la morale et de la foi à travers l'institution scolaire : « Rendre le peuple meilleur », tel est le titre du chapitre sur la religion. Les campagnes contre le luxe et la tempérance ont ainsi contribué à l'assainissement des mœurs ; « l'intempérance, peut-on lire dans une déclaration d'obédience réformiste, mène au crime, à la folie et à la mendicité » (p. 239) ; il n'est pas dit que l'alcoolique risque l'Enfer, les politiciens réformistes ne répètent pas les sermons du dimanche ; on peut même douter qu'ils en aient été les auditeurs assidus ; « malgré une attention soutenue, je n'ai pu déceler chez LaFontaine d'interrogation de nature spirituelle dans sa correspondance » (p. 243), écrit Bédard. Selon un vocabulaire qui nous est familier, le cheminement du chef politique paraît épouser le profil de l'agnostique. Après sa mort subite, Étienne-Michel Faillon, historien sulpicien, écrit de leur ami : « Voilà comment il est mort, après avoir retardé de jour en jour son retour à Dieu […] Il s'est sacrifié pour les autres, n'a laissé que fort peu de biens ; et avec tout cela, n'a rien fait pour Dieu et s'est présenté devant lui les mains vides » (cité dans *Dictionnaire biographique du Canada*, vol. IX, p. 493-494 ; la lettre est reproduite au complet dans Ls.-P. Cormier, *Lettres à Pierre Margry*, PUL, 1968, p. 126 et suiv.).

Le chapitre 4, « Assainir le corps social », est peut-être le meilleur. L'auteur analyse le système pénal et judiciaire que les réformistes ont, c'est le cas de le dire, réformé. D'entrée de jeu, Bédard prend ses distances vis-à-vis des émules de Michel Foucault dont les auteurs d'ici reprennent, écrit-il, « autant les fulgurances stylistiques » que les thèses. À mon sens, l'essayiste français a quelque peu donné dans le complexe de persécution. À le lire et à le croire, on souscrit à une certaine philosophie du complot des dominants contre le bon peuple auquel les sociologues Pierre Bourdieu et Jacques Donzelot (*La police des familles*) n'ont pas, non plus, échappé. Il est courageux de critiquer cette espèce d'adulation pour la gauche intellectuelle française, si répandue dans ma génération. Sait-on seulement que Raymond Boudon, prémuni contre les postulats téléologiques de Bourdieu, a formé deux des meilleurs sociologues du Québec actuel ?

Les réformistes se sont véritablement souciés de réhabiliter le criminel et pas seulement de l'enfermer et de le punir, comme le suggère la scholastique foucaldienne. Référant au rapport de Wolfred Nelson sur le système carcéral, Bédard souligne les silences de Jean-Marie Fecteau sur les mesures de réinsertion sociale proposées par le commissaire enquêteur. Il faut traiter, préconise-t-il, les prisonniers avec humanité, faire de certains « des menuisiers, des cordonniers ou des tailleurs » (p. 197) : « Jean-Marie Fecteau ne fait jamais mention de cette partie du rapport Nelson, pas même dans la seconde partie de son ouvrage *La liberté du pauvre*, qui porte précisément sur la représentation du crime […] ni dans sa bibliographie. Ce silence ne saurait s'expliquer par l'ignorance, puisque Fecteau cite abondamment ce rapport dans un article […] écrit en collaboration avec d'autres chercheurs. Cette omission étonnante s'explique probablement par le fait que le rapport Nelson ne cadre pas du tout dans la démonstration très foucaldienne proposée par Fecteau, lequel cherche avant tout à dénoncer le caractère exclusivement répressif d'une élite bourgeoise qui ne souhaitait d'aucune manière, selon lui, la réhabilitation du criminel ou du délinquant » (p. 196 et suiv.)

Je passe mon tour (p. 200-207) sur les conceptions réformistes du rôle de la femme, confinée à la sphère privée, gardienne du foyer, auréolée de vertu. L'abolition du droit de vote des femmes (1849) institutionnalise son incapacité face à l'espace public. La transition vers ce statut inférieur a été étudiée dans un article stimulant et suggestif d'Allan Greer («La république des hommes: les Patriotes de 1837 face aux femmes», RHAF, printemps 1991).

«Conserver l'essentiel», c'est le titre du dernier chapitre. L'essentiel, ce n'était pas le ciel, du moins pas encore. Même si Gérin-Lajoie a songé au sacerdoce pour se rallier à l'idée que l'engagement dans la cité était plus utile à ses compatriotes et si Étienne Parent a été sans doute plus près de la communauté chrétienne que LaFontaine, l'essentiel, c'était la langue. Sur l'engagement national de l'historien François-Xavier Garneau, sur son acharnement à construire une mémoire collective, il y a ici des pages sublimes qui feraient bonne mine dans une anthologie… littéraire. L'émotion, après tout, n'est pas interdite dans la dissertation savante, pourvu qu'elle soit contenue dans des limites acceptables. Au reste, la solennité de la prose garnélienne invite à en rendre compte avec ce tonus particulier. Les réformistes ont donc fait tout ce qui était humainement possible afin de conserver la nationalité, faisant mentir les auteurs du dessein assimilateur de 1840. La langue a été, grâce à leur inlassable zèle, officiellement admise à l'Assemblée binationale du Canada-Uni. Réformer les institutions, sans jamais trahir la cause transcendante, transmettre la langue de «nos ancêtres» à l'école, préserver ce dépôt sacré, telle a été la priorité des réformistes. Bédard le soutient dans une langue admirable qu'on a pris la fâcheuse habitude de profaner trop souvent dans l'espace médiatique. Ce capital culturel essentiel à la survie des nations a survécu à l'échec de 1837. Quand Bédard aura mon âge, on dira, j'espère, que l'échec de 1995 n'a pas compromis cette richesse admirablement servie par la prose l'auteur.

MOURAD DJEBABLA
Chercheur post-doctoral
Chargé de cours
Université McGill

Jonathan R. Dull, *La Guerre de Sept ans. Histoire navale, politique et diplomatique*, France, Les Perséides, 2009, 536 p.

En 2009, l'ouvrage de Jonathan R. Dull, *The French Navy and the Seven Years' War* (UNP, 2005) a été traduit sous le titre *La Guerre de Sept ans. Histoire navale, politique et diplomatique*. Sans contredit, cette étude constitue une référence. Elle porte en effet un regard novateur sur un événement politico-militaire qui fut central à bien des égards, et en particulier pour la destinée de la Nouvelle-France.

Grâce à un travail minutieux dans des sources conservées à Londres ou à Paris, en plus de l'exploitation d'études françaises, allemandes et anglaises, comme en rend compte l'imposante bibliographie en fin d'ouvrage, ce livre propose une approche diplomatique et navale de la Guerre de Sept ans. Pour rendre compte de cette opposition franco-anglaise du xviiie siècle, Jonathan R. Dull a retenu un récit chronologique où chaque chapitre est consacré à une période ou à une date importante du conflit. L'auteur y déroule le fil des événements en y citant les noms des principaux lieux, ainsi que ceux d'acteurs politiques et militaires de la Guerre de Sept ans, que ce soit pour des faits s'étant déroulés sur terre ou sur mer. Jonathan R. Dull débute son étude en 1748, période caractérisée par une « paix fragile » marquée par des tensions européennes. Par la suite, il décrit minutieusement les différentes phases militaires, politiques et diplomatiques de la Guerre de Sept ans. Dans son épilogue, Jonathan R. Dull souligne en particulier les conséquences de cet événement pour la monarchie française de la fin du xviiie siècle.

Plus précisément, le but de l'ouvrage est de comprendre comment et pourquoi la France perdit ses colonies d'Amérique du Nord à la suite de la Guerre de Sept ans. Tout l'intérêt et l'aspect novateur de cette étude est d'aborder ce « premier conflit mondial de l'Histoire » (W. Churchill) du point de vue des opérations militaires navales sur les mers du globe et ce, à la lumière du contexte militaire et diplomatique européen. Alors que la période de la Nouvelle-France (en dehors de la multitude d'études sur les autochtones) demeure l'enfant pauvre des départements d'histoire québécois, ce livre est un atout important pour des étudiants et des chercheurs. Il permet en effet de comprendre tant la dimension politique et militaire de la Guerre de Sept ans, que ses conséquences pour le Canada à travers les actions militaires en Europe, navales dans l'Atlantique, et diplomatiques, de la monarchie française. Remarquons aussi que dans cette étude, les tensions coloniales prédominent sur fond de guerre navale entre la France et la Grande-Bretagne.

Il convient de remarquer que Jonathan R. Dull dépoussière nombre d'idées reçues sur l'attitude de la monarchie française (et notamment du souverain Louis XV) ou sur la valeur de la marine française face à la puissance maritime anglaise. L'auteur souligne combien les navires français, en dépit de leur infériorité numérique face à la flotte britannique, se défendirent du mieux qu'ils purent. D'ailleurs, selon l'auteur, en 1757, la France était «au bord de la victoire», notamment grâce aux efforts des secrétaires d'État de la Marine français au début du conflit pour renforcer la flotte royale française. Mais, pour Jonathan R. Dull, c'est le temps qui joua contre la France, qui était d'abord une puissance terrestre, plus que maritime, au contraire d'Albion d'abord tournée vers les mers. Avec une guerre qui s'enlisa dans le temps, le déséquilibre entre les forces navales françaises et britanniques ne fit que s'accentuer et joua en faveur de la Grande-Bretagne, notamment à partir de 1758, plaçant alors la marine royale française sur la défensive. L'auteur décrit ce déclin naval français et ses conséquences militaires. Par exemple, en 1758, la capture de la forteresse de Louisbourg, par la flotte britannique, donne aux Anglais le contrôle sur le Saint-Laurent et la Nouvelle-France. Ceci priva tant les forces françaises en Nouvelle-France de tous ravitaillements par voie maritime, que la marine française de bases arrières en Amérique du Nord. Il en résultera notamment la prise de Québec, en 1759. De manière plus générale, selon Jonathan R. Dull, l'année 1759 est celle de toutes les défaites pour la marine française.

Pour l'auteur, la France combattait sur deux fronts distincts : en Europe et sur mer. D'un point de vue diplomatique, Jonathan R. Dull soutient que si la France était consciente qu'elle pouvait perdre ses colonies face à la supériorité navale croissante et incontestable de la Grande-Bretagne, elle ne perdait néanmoins pas de vue le fait que lors de la négociation d'un traité de paix, des victoires stratégiques en Europe lui permettraient par la suite de négocier en position de force pour des compensations coloniales à obtenir. Jonathan R. Dull met ainsi sans cesse en parallèle les combats qui se déroulent en Europe et sur mer pour permettre aux lecteurs de mesurer combien ceux-ci sont inter-reliés et ont pu jouer finalement en défaveur de la France.

Même s'il faut reconnaître que le livre accorde une place plus importante à la question diplomatique qu'à la seule question navale, pour un lecteur québécois, comme le souligne justement le journaliste Christian Rioux, dans un éditorial du 22 août 2009 paru dans *Le Devoir*, «Dull n'hésite pas à critiquer ouvertement l'approche des historiens canadiens-français qui, dit-il, "ont eu tendance à projeter leur ressentiment sur la guerre de 1754-1763, convaincus que la France s'était laissé distraire par une guerre européenne et qu'elle n'avait pas fait assez pour sauver le Canada". Au contraire, selon lui, "la France a fait de grands efforts, peut-être trop, pour sauver le Canada. Jusqu'à se laisser entraîner dans une guerre européenne" ».C'est là tout l'intérêt que nous retenons de cette étude de référence sur la Guerre de Sept ans.

PIERRE VENNAT
Journaliste-historien

Bill Rawling, *La mort pour ennemi. La médecine militaire canadienne*, Montréal, Athéna, 2007, 339 p.

Les médias nous ont habitués à l'expression *médecine de guerre* pour décrire le chaos qui existe dans les urgences des hôpitaux du Québec où l'on est souvent obligé de laisser des patients croupir sur des civières dans les corridors durant de longues périodes, qui semblent interminables aux patients et au personnel débordé. Mais ces inconvénients, réels, n'ont rien à voir avec le vécu passé et présent des militaires qui pratiquent la *vraie médecine de guerre*.

Comme l'écrit Bill Rawling dans un ouvrage magistral intitulé *La mort pour ennemi*, même si parfois, un hôpital de chez nous doit s'occuper de plusieurs blessés et sécuriser quelques locaux contre les voleurs, il est rare qu'il ait à protéger un patient contre un assaillant, comme il n'a pas à tenir compte d'un ennemi qui cherche par tous les moyens à nuire à ses activités et s'attaquer à son personnel. Pour les membres du groupe médical des Forces armées canadiennes, la mort n'est pas seulement un ennemi, mais un ennemi omniprésent, visant tout aussi bien le personnel médical que les patients.

Dans un volumineux ouvrage de 350 pages, nullement complaisant même s'il provient d'un historien à l'emploi de la Défense nationale, Rawling raconte de long en large, parfois même de façon un peu aride pour un lecteur profane, l'histoire non seulement du corps médical canadien depuis ses débuts mais, dans une large mesure, l'évolution de la médecine militaire au cours des âges un peu partout à travers le monde.

Pendant longtemps, trop diront les âmes sensibles, les états-majors ont conçu la pratique médicale en temps de guerre comme destinée à rendre les blessés et malades aptes à participer à la prochaine bataille, sans égard aux besoins ou aux volontés des patients. Les médecins militaires, eux, tentaient bien que mal de concilier à la fois leur devoir de médecin et celui de militaire. Pas facile…

Pas plus tard que durant la Première Guerre mondiale, les services hospitaliers furent l'objet de critiques sévères des autorités, non parce qu'on les jugeait incompétents mais parce qu'ils affectaient des ressources importantes au traitement d'hommes qui, même guéris, ne pourraient plus retourner au combat.

Il fallut des années pour que le *shell shock* et les cas médicaux de nature psychologique soient reconnus. Dans une étude publiée en 1925, un rédacteur du *Canadian Medical Association Journal* s'était fait particulièrement cinglant en affirma que *shell shock* fut une expression jadis utilisée pour décrire divers états, depuis la lâcheté jusqu'à la «folie maniaque» et ajouta que «l'hystérie est la plus épidémique des maladies et la présence trop évidente de centres de traitement en encourage le développement. Le *shell shock* est une manifestation d'infantilisme et de féminité. Il n'existe à cela aucun remède». Il faudra attendre le milieu de la Deuxième guerre mondiale pour que le *shell shock* ou l'épuisement du combattant, soit considéré généralement comme un état pathologique.

Mais même aujourd'hui, il n'est pas facile de déterminer si des militaires canadiens ont été exposés à des contaminants environnementaux dangereux durant la guerre du Golfe. Selon Rawling, dès que les médias en parlèrent, la controverse contribua en fait à l'augmentation du nombre des demandes d'indemnités pour cause de maladies dues à la guerre du Golfe. En d'autres termes, conclut Rawling, la couverture médiatique sous forme de reportages et de documentaires ouvrit les yeux du personnel des Forces canadiennes et des anciens combattants sur la possibilité que tout symptôme dont ils souffraient, qu'il soit apparu sur le champ ou après la guerre contre l'Irak, pouvait être attribuable à ce conflit.

La tâche des médecins militaires est sur ce plan plus difficile que leurs confrères non militaires (sauf peut-être ceux qui ont à examiner des gens demandant une compensation de la *Commission de santé et sécurité au travail*), car non seulement ils doivent recommander un traitement adéquat, mais il leur faut aussi jouer souvent au détective et établir la responsabilité financière de la maladie ou de l'invalidité du patient. Car souvent les blessures de guerre ne sont pas que physiques ni décelées sur le champ. C'est ainsi qu'après la Première Guerre mondiale, le nombre de cas psychiatriques ne cessa d'augmenter, contrairement au cas d'invalidité physique. On signale parfois des cas d'hommes qui étaient apparemment en excellente santé au moment de leur démobilisation et qui, par la suite, ont manifesté des symptômes de désordre relevant de la neuropsychiatrie. Cela n'est guère étonnant, dans la mesure où de très nombreux soldats ont tenu le coup tant et aussi longtemps qu'ils étaient astreints à la discipline militaire; ils vivaient alors *sur les nerfs,* pour ainsi dire, mais ils se sont effondrés dès la disparition de cette contrainte.

Le livre de Rawling regorge d'exemples d'horreurs vécues sur les champs de bataille par les membres de services de santé œuvrant dans des conditions réelles de *médecine de guerre,* au péril de leur propre vie ou santé.

Le livre paraîtra aride à certains, tant Rawling a recueilli une énorme documentation qu'il cite à profusion. Il en ressort quand même clairement à qui se donne la peine de tout lire que la notion d'un traitement médical conçu pour renvoyer le plus rapidement possible les patients au combat relève, du moins en ce qui concerne les Canadiens, plus d'un cliché que d'une politique précise.

Un chirurgien de 1914-1918 pouvait fort bien se trouver entouré d'une centaine de blessés en attente de soins, une infirmière de 1939-1945 d'une douzaine de grands brûlés à la suite du torpillage d'un pétrolier et un infirmier auxiliaire des années 1990 devant des milliers de réfugiés victimes de déshydratation. De la nature même des conflits modernes, médecins, infirmières, sous-officiers et soldats, aussi compétents eussent-ils été avant leur arrivée au front, ont essentiellement appris leur métier en l'exerçant. Bref, la *médecine de guerre* ne peut s'apprendre qu'en *temps de guerre*.

Et Rawling de conclure son ouvrage, qui constitue une contribution importante à l'histoire militaire canadienne, que tout au long de l'histoire, les médecins canadiens ont adopté devant la maladie et les blessures une attitude combative que les détracteurs de la médecine occidentale qualifient de *médecine héroïque*, mais qui convient parfaitement à une organisation militaire.

PIERRE VENNAT

Journaliste-historien

Yves Tremblay, *Instruire une armée: Les officiers canadiens et la guerre moderne, 1919-1944*, Montréal, Athéna, 2007, 380 p.

Les Québécois et Canadiens connaissent mal leur histoire militaire, mais nombreux sont les Canadiens qui savent que leur armée a joué un grand rôle dans la libération de la Normandie, de la Belgique et de la Hollande. D'autres savent qu'elle a également participé à la libération de l'Italie et bien sûr, qu'elle a été la victime du raid sanglant de Dieppe en août 1942. Les plus calés savent également que les nôtres ont vaillamment combattu mais ont perdu la bataille de Hong Kong.

Mais rares sont ceux qui savent que cette armée, dont nos politiciens ne manquent jamais de vanter les mérites passés, et qui au moment des victoires de 1945 comptait jusqu'à 700 000 hommes et femmes, ne comptait que 4000 membres réguliers et quelques milliers de miliciens plus ou moins entraînés au déclenchement des hostilités en septembre 1939. Et que si cette armée a réussi des exploits dont on peut, à juste titre, être fiers, cela tient presque du miracle, ses états-majors l'ayant mal préparée, mal entraînés et pour la plupart étant complètement ignorants de la façon moderne de mener la guerre. Et que ce n'est qu'en 1943, à quelques exceptions près, que l'on commença à donner à nos troupes une formation digne d'une armée moderne, capable d'affronter un ennemi qui, lui, avait commencé à se préparer à un conflit d'envergure bien avant le début des hostilités.

Yves Tremblay est historien à l'emploi du ministère de la Défense nationale. Cela n'en fait pas pour autant un chantre de l'état-major présent et passé. Au contraire! D'ailleurs, ceux qui ont lu son récent pamphlet *Plaines d'Abraham*, sur l'égo-mémoire des Québécois savent qu'il n'a pas la langue dans sa poche. Aussi ne faut-il pas se surprendre que dans *Instruire une armée*, une étude sur la formation des officiers canadiens des lendemains de la Première Guerre mondiale jusqu'à l'offensive en Normandie de juin 1944, il ne mâche pas ses mots et n'hésite pas à dénoncer ceux à qui il reproche d'avoir mal préparé nos troupes, au premier plan l'ancien chef d'état-major puis ministre Allan McNaughton.

Le jugement de Tremblay est sans appel: bien des officiers supérieurs canadiens ne maîtrisaient pas l'art de la guerre de leur temps et ne s'intéressaient pas aux problèmes tactiques ou opérationnels. Il reproche en particulier à McNaughton et à son entourage un manque d'intérêt pour les questions d'entraînement et de tactique.

Malheureusement, plusieurs de ces officiers, du simple fait de l'expansion soudaine de l'armée en septembre 1939, ont occupé trop longtemps des fonctions stratégiques dans l'organisation, comme par exemple le premier commandant de l'école des officiers à Brookville, le colonel R. G. Whitelaw. Cette nomination, affirme Tremblay, preuves à l'appui, sera désastreuse, car sous sa férule l'école reproduisit pendant de longs mois les déficiences du système d'instruction d'avant-guerre, basé sur des stratégies héritées de la Grande guerre, comme si aucune leçon n'était à retenir de l'invasion rapide de la Pologne en septembre 1939 puis de la conquête par les troupes allemandes de la Hollande, de la Belgique et surtout de la France au printemps 1940.

Un de ces fossiles était nul autre que le major général G. R. Pearkes, héros de la Première Guerre mondiale et qui à ce titre, jouissait d'un prestige considérable auprès de l'état-major canadien au début des hostilités. Pearkes s'est montré, jusqu'à la fin, opposé aux nouveautés comme le *battle drill*, qui faisait davantage appel à l'initiative des commandants sur le terrain plutôt qu'à des méthodes traditionnelles du passé, même lorsqu'on l'affecta au commandement d'une division dans l'ouest du pays à défaut d'un commandement au front.

Pourquoi cette résistance? Selon Tremblay, il s'agit peut-être tout simplement «d'une méfiance congénitale de vieux soldats». Déjà âgé de plus de 50 ans au début de la Deuxième Guerre mondiale, Pearkes était passé de l'ancêtre de la GRC, la «Police montée à cheval», à l'armée en 1915, s'était couvert de gloire dans les tranchées et s'était même mérité la plus haute décoration, la *Croix Victoria (V.C.)*. Il était demeuré dans la Force permanente après la guerre. Comment, se demande Tremblay, ce prestigieux guerrier pouvait-il accepter que des jeunots provenant de la milice lui montrent comment on entraîne un soldat? À ses yeux, tout comme à ceux de McNaughton, d'ailleurs, cela revenait à contester le professionnalisme des soldats de carrière.

Le plus surprenant, c'est que plusieurs années après le conflit, c'est à Pearkes, vieux général retraité de 70 ans, que John Diefenbaker confia, de 1957 à 1960, le ministère de la Défense, avant de le nommer lieutenant-gouverneur de la Colombie-Britannique.

Ces difficultés étaient aggravées du fait que les généraux canadiens de 1939-1945 manquaient cruellement d'expérience de commandement, ne serait-ce que parce que les sept divisions d'infanterie d'avant-guerre n'existaient que sur papier et qu'à aucun moment n'ont été tenues de grandes manœuvres où aurait pu être testé le savoir-faire des généraux et de leurs états-majors. Les généraux de 1943 n'étaient la veille que des commandants de bataillon, des officiers d'état-major potentiels pour quelques brigades ou des officiers d'armes spécialisées et n'avaient donc l'habitude que de commandements relativement modestes.

Le soir du 31 août 1939, veille du déclenchement officiel de la Deuxième Guerre mondiale, il n'y avait aucun major-général canadien commandant une division, aucun brigadier-général commandant une brigade et aucun état-major à ces niveaux, ni d'ailleurs au niveau du corps d'armée. Plus grave encore, à moyen et long terme, les commandants de bataillon étaient eux aussi mal préparés à affronter un adversaire mieux instruit en tactique et dans l'art de conduire les opérations.

L'expansion rapide de l'armée canadienne jusqu'à 1943 a propulsé vers le haut de nombreux officiers qui n'étaient pas faits pour les grandes responsabilités. On ne centuple pas un corps des officiers sans compromettre des erreurs d'affectation, d'autant plus que les systèmes de sélection et de promotion étaient demeurés imparfaits et que ceux qui étaient chargés d'évaluer et d'affecter les officiers n'étaient souvent guère plus qualifiés. Selon Tremblay, « pour faire mieux, une volonté inflexible de former et de nommer les meilleurs et les plus compétents, et sa contrepartie, l'élimination sans pitié des inefficaces, auraient dû être la règle. Il ne semble pas que dans l'armée canadienne, on pouvait ou voulait agir ainsi ».

Heureusement, quelques bons subalternes ont pu profiter de l'élimination rapide d'officiers supérieurs incompétents pour gravir rapidement les échelons, si bien que l'armée canadienne avait à la fin de 1945, plusieurs bons commandants de bataillons et de brigade, dont quelques-uns poursuivirent une carrière brillante par la suite, comme par exemple Jean-Victor Allard et Jacques Dextraze, qui tous deux devaient terminer leur carrière en tant que généraux d'armée et chefs d'état-major des Forces armées canadiennes.

Au sujet de Dextraze, Tremblay souligne d'ailleurs un fait cocasse et peu connu : en 1941, désireux de devenir officier, il se présenta devant un comité de sélection, qui après l'avoir interviewé, décida qu'il ne possédait pas les qualités nécessaires pour devenir officier ! Heureusement, Dextraze ne lâcha pas prise, revint à la charge quelques mois plus tard et finalement, en 1944, prit le commandement des Fusiliers Mont-Royal et fut promu lieutenant-colonel à 25 ans. Par la suite, il gravit tous les échelons de la hiérarchie jusqu'au poste suprême de chef d'état-major avant de devenir, à sa retraite de l'armée, président des Chemins de fer nationaux. Pas mal pour quelqu'un censé manquer de leadership !

Tremblay explique, de long en large, tous les aléas de la formation des officiers après le premier conflit mondial et durant la période entre les deux guerres, non seulement au Canada mais un peu partout dans le monde occidental, bref aux États-Unis, en Grande-Bretagne, en France et évidemment en Allemagne.

C'est ici que le bât blesse un peu pour le lecteur profane. Le livre est tellement documenté, les exemples foisonnent tellement, les rapports épluchés sont tellement cités, les exemples des réussites et d'échecs tellement nombreux, que le non-militaire ou même le féru d'histoire militaire non spécialiste y perd son latin. Tremblay est tellement méticuleux, a tellement étudié tous les documents que non seulement on ne peut lui reprocher d'avoir oublié quoi que ce soit, mais lui reprocher gentiment d'en avoir trop mis, au risque de perdre en chemin des lecteurs.

Reste que ce livre fera époque dans notre historiographie militaire. Et qu'il aurait intérêt à être traduit en anglais, puisqu'il est bien connu que, si les passionnés d'histoire militaire au Canada français (et il y en a encore même si cette discipline y est bien mal enseignée) sont pratiquement tous bilingues et lisent ce qui s'écrit au Canada anglais, le contraire, hélas!, est peu fréquent.

GASTON DESCHÊNES
Historien

Charles-Philippe Courtois (choix de textes et introduction), *La Conquête. Une anthologie*, Montréal, Typo, 2009, 496 p., annexes, chronologie.

Le 250ᵉ anniversaire de la Conquête ne nous a pas enterrés sous les livres. On a réimprimé *La guerre de la conquête* de Frégault, réédité *Québec, 1759* de Stacey et *L'année des Anglais* (avec une iconographie renouvelée en couleur, quand même!); des historiens militaires ont réexaminé la bataille des Plaines d'Abraham (*La vérité sur la bataille de plaines d'Abraham*, par D. Peter Macleod, et *Plaines d'Abraham*, par Yves Tremblay), Septentrion a publié un recueil de témoignages qui constitue aussi une chronologie de la Conquête (*Québec, ville assiégée*, par Jacques Lacoursière et Hélène Quimper). C'est cependant le dernier arrivé, à l'automne 2009, *La Conquête. Une anthologie*, qui apparaît le plus novateur.

L'auteur, Charles-Philippe Courtois, est un nouveau venu dans ce dossier. Son parcours académique est jalonné de thèses aux sujets aussi éloignés de la Conquête que le libertinage des idées au XVIIᵉ siècle (maîtrise), la noblesse au siècle des Lumières (D.E.A.), et trois mouvements intellectuels québécois de l'entre-deux guerres (doctorat); il inclut aussi un stage postdoctoral dans une chaire de recherche en rhétorique. On comprend cependant que sa décision de réaliser une anthologie sur la Conquête est davantage liée à ses nombreuses interventions dans les débats sur l'enseignement de l'histoire.

C'est ce qui ressort des premières lignes de l'introduction. Si l'importance de la Conquête dans l'histoire du Québec lui apparaît contestée depuis un quart de siècle, Courtois y voit l'effet du désintérêt des départements universitaires pour l'histoire politique et « d'une certaine rectitude politique imbue de multiculturalisme » qui influence les nouvelles pédagogies. L'usage d'euphémisme comme « cession » et « changement d'empire » pour désigner ce qui s'est passé en 1759-1763 témoignent d'un déni des conséquences de la Conquête et Courtois veut profiter du 250ᵉ anniversaire pour raviver l'intérêt pour cet événement capital dans l'histoire de la nation québécoise mais aussi dans celle de plusieurs peuples impliqués dans ce conflit: la Grande-Bretagne qui voit naître un empire, la France qui perd le sien, les colonies américaines qui sont sur le point d'amorcer leur émancipation, le Canada anglais qui prend forme, les Acadiens qui sont déportés, les Amérindiens qui sont au tournant de leur histoire. « Cet événement, écrit Courtois, est déterminant pour comprendre le Québec d'aujourd'hui, son poids démographique, sa culture et ses institutions influencées par le monde anglo-saxon, certains traits encore prégnants de la mentalité québécoise et les limites du pouvoir d'autodétermination des Québécois. »

En 55 textes, l'anthologie offre « un panorama récapitulatif des interprétations concurrentes et des représentations littéraires notables que cet événement a suscitées à travers l'histoire du Québec, aussi bien qu'ailleurs en Occident ». Il ne s'agit pas d'une étude historiographique. L'auteur a regroupé des textes de diverses natures (ouvrages d'histoire, textes littéraires, essais, discours, correspondance) pour présenter « non seulement des réflexions de fond sur l'événement mais aussi les pages marquantes qu'il a pu inspirer » chez les *hommes* de lettres, une expression appropriée car seulement deux textes sont signés par des femmes.

L'ouvrage de Charles-Philippe Courtois est divisé en trois parties de longueurs à peu près égales et comprend quelques annexes dont une chronologie comparée de la guerre de Sept Ans et de la guerre de la Conquête.

La première partie présente des épisodes significatifs de la guerre de la Conquête et constitue un bref rappel des événements de 1754 à 1763. Courtois a réuni des textes qui suivent la trame chronologique, de Frégault qui expose le motif principal de l'agression anglaise (« Il faut détruire la Nouvelle-France ») jusqu'à Parkman qui brosse un tableau des conséquences du traité de Paris sur la France, la Nouvelle-France et son peuple « encore ignorant des premiers bienfaits de la liberté civile ». Courtois a retenu les textes de plusieurs historiens de renom (Casgrain, Garneau, Stacey, Dechêne, Groulx) mais aussi des témoignages d'époque (Washington, Wolfe, Pouchot) et même des extraits d'œuvres d'écrivains comme Longfellow (la déportation), Marmette (la trahison de Vergor) et Fréchette (l'arrivée des renforts anglais en 1760).

Les textes de la deuxième partie traitent de la Conquête dans son ensemble. On y retrouve successivement les points de vue de Québécois, de Français et d'Anglo-Saxons. Du côté québécois, entre le couple Du Calvet-Plessis (le premier revendiquant la liberté et le second se réjouissant de son absence…) et le couple Trudeau-Lévesque, Courtois a inséré le « *Vae victis* » de Philippe Aubert de Gaspé et le « Chant du vieux soldat canadien » d'Octave Crémazie. Chez les Français, il ne pouvait éviter les « arpents de neige » voltairiens auxquels succèdent des textes d'auteurs conservateurs (Chateaubriand, Rameau de Saint-Père) et libéraux (Henri Martin, Jules Michelet) où percent la nostalgie des pertes de la France mais aussi une critique de ses négligences administratives. Chez les anglophones, Courtois retient trois auteurs (Durham, Fiske, Wood) qui illustrent comment,

« du côté anglo-saxon, pendant deux cents ans, on a surtout cherché à voir dans la conquête un signe, généralement providentiel, de la supériorité de sa culture ou de la "race" anglo-saxonne et de sa vocation à dominer le monde ».

La troisième partie porte sur les conséquences de la Conquête ; les textes y sont regroupés par thématiques. D'abord, trois auteurs anglophones qui voient la chose sous l'angle du conquérant : Eccles, qui se préoccupe des coûts dans une perspective britannique, puis Creighton et Cook, qui s'inquiètent du problème de la dualité canadienne. Suivent quatre textes qui expriment davantage le point de vue du conquis : celui de Tocqueville, où on peut lire que « le plus irrémédiable malheur pour un peuple c'est d'être conquis », celui d'Edmond de Nevers qui explique le repli des Canadiens dans l'agriculture et la religion, celui de Lower, pour qui les conquérants peuvent se faire tolérer mais « ne peuvent se faire aimer » à moins de renoncer à leur mode de vie, et finalement celui de Fernand Dumont qui dissèque le sentiment national québécois.

Viennent ensuite les protagonistes de la classique opposition Québec-Montréal, deux équipes de trois historiens précédés de leurs mentors respectifs, l'abbé Maheux et l'abbé Groulx. À Québec, dans le sillage de Plessis, l'abbé Maheux voit la Conquête (pardon, la « cession ») comme un événement heureux pour les Canadiens qu'il invite à cesser d'aborder leur histoire dans une perspective nationaliste. Son successeur à la direction de l'Institut d'histoire et de géographie de Laval, Marcel Trudel, dressera un véritable catalogue des bienfaits de la Conquête tandis que les élèves de ce dernier, Fernand Ouellet et Jean Hamelin, soutiendront que l'infériorité des Canadiens français ne découle pas de la Conquête mais d'une mentalité mal adaptée au capitalisme. À Montréal, l'abbé Lionel Groulx ouvre la route en rompant avec la thèse de la Conquête providentielle pour mettre plutôt de l'avant son caractère catastrophique. Les trois ténors de l'école historique de Montréal seront Maurice Séguin, qui donne la mesure du repli évoqué par Edmond de Nevers, Guy Frégault, selon qui la Conquête est venue briser l'élan d'une nation en devenir, et Michel Brunet, qui développe la thèse de la décapitation sociale.

À ces approches déjà bien connues dans la communauté historienne, Courtois ajoute quelques points de vue nouveaux : celui de Young et Dickinson, pour qui l'industrialisation du XIXe siècle aura beaucoup plus de conséquences que la Conquête, celui de Kelly, sur la paupérisation des colons qui sera le prélude de l'exode aux États-Unis, celui de Legault, qui constate le déclassement des couches supérieures de la nation canadienne, notamment sur le plan militaire.

La Conquête. Une Anthologie deviendra une référence sur cet épisode déterminant de notre histoire. Son auteur a ratissé large ; la plupart de ses lecteurs découvriront des nouveautés. Il a ouvert ses pages à toutes les

opinions mais ne cache pas très loin la sienne. Dans une introduction substantielle, il met l'événement en contexte et remet les pendules à l'heure sur
plusieurs questions, dont la thèse de l'abandon du Canada par la France
et certaines conséquences dites «positives» comme cette «démocratie»
que certains ont cru apercevoir dans la constitution de 1791. Par ailleurs,
dans la présentation des textes de l'anthologie, il insère parfois des commentaires personnels significatifs. Ainsi, en introduisant le texte d'un
membre de l'école de Québec, il s'étonne «qu'un historien aussi rigoureux
présente une argumentation aussi biscornue en défense de la thèse d'une
Conquête avantageuse».

Québec, 20 février 2010

Parution récentes

Compilation de Sébastien Vincent

Bergeron, Patrice, *La sortie de la religion. Brève introduction à la pensée de Marcel Gauchet*, préface de Gilles Labelle, Outremont, Athéna, 2009, 172 p.

Bertrand, Denis, Robert Comeau et Pierre-Yves Paradis, *La naissance de l'UQAM. Chronologie et témoignages*, Sainte-Foy, PUQ, 2009, 212 p.

Boileau, Gilles, *Étienne Chartier. La colère et le chagrin d'un curé patriote*, Sillery, Septentrion, 2010, 366 p.

Boulet, Gilles, Jacques Lacoursière et Denis Vaugeois, *Le Boréal Express. Journal d'histoire du Canada (1524-1760)*, Sillery, Septentrion, 2009, 276 p.

Chung, Ryoa et Geneviève Nootens (dir.), *Le cosmopolitisme. Enjeux et débats contemporains*, Montréal, PUM, 2010, 272 p.

Cordillot, Michel, *Révolutionnaires du Nouveau Monde. Une brève histoire du mouvement socialiste francophone aux États-Unis, 1885-1922*, Montréal, LUX, 2009, 220 p.

Coulon, Jocelyn (dir.), *Guide du maintien de la paix 2010*, Outremont, Athéna, 2010, 208 p.

Dramé, Patrick et Jean Lamarre (dir.), *1968. Des sociétés en crise. Une perspective globale*, Québec, PUL, 2010, 216 p.

Facal, Joseph, *Quelque chose comme un grand peuple*, Montréal, Boréal, 2010, 320 p.

Froger, Marion, *Le cinéma à l'épreuve de la communauté. Le cinéma francophone de l'Office national du film 1960-1985*, Montréal, PUM, « coll. Socius », 2010, 296 p.

Gazibo, Mamoudou, *Introduction à la politique africaine*, 2ᵉ éd. rev. et augm., Montréal, PUM, «coll. Paramètres», 2010, 192 p.

Leblanc, Josée (dir.), *Je me souviens… des premiers contacts. De l'ombre à la lumière*, ill. de Ernest Aness Dominique, Québec, Éditions Multimondes, 2010, 108 p.

Maclure, Jocelyn et Charles Taylor, *Laïcité et liberté de conscience*, Montréal, Boréal, 2010, 161 p.

Meney, Lionel, *Main basse sur la langue. Idéologie et interventionnisme linguistique au Québec*, Montréal, Éditions Liber, 2010, 512 p.

Morton, Desmond, *Une histoire militaire du Canada*, nouv. éd. rev. et augm., Outremont, Athéna, 2010, 375 p.

Prashad, Vijay, *Les nations obscures. Une histoire populaire du tiers-monde*, Montréal, Écosociété, 2010, 360 p.

Rancière, Jacques, *Moments politiques. Interventions 1977-2009*, Montréal, LUX, 2009, 280 p.

Invitation à faire partie de l'AQHP

Le 10 avril 1992, une trentaine de personnes ont fondé l'Association québécoise d'histoire politique lors d'une assemblée tenue à l'Université du Québec à Montréal, convoquée par Robert Comeau du département d'histoire.

Nous vous invitons à adhérer dès maintenant à cette association qui regroupe des chercheures et chercheurs, des enseignantes et enseignants, des journalistes, des archivistes, des politologues et des historiennes et historiens, dont les objectifs sont les suivants :

1. promouvoir l'histoire politique auprès des organismes publics et privés, des milieux d'enseignement et de recherche, et dans la société en général ;

2. favoriser les recherches et la publication de travaux en histoire politique ;

3. favoriser le dialogue entre chercheures et chercheurs de divers horizons, entre celles et ceux qui ont fait et qui font l'histoire, dans un cadre de collaboration et d'ouverture ;

4. organiser des activités publiques sur une base non partisane par divers moyens, par exemple des colloques, des débats, des soupers-causeries (les lundis de l'AQHP).

Adhésion et abonnement

Pour devenir membre et vous abonner au *Bulletin d'histoire politique*, libellez votre chèque à l'ordre de l'AQHP et faites-le parvenir à :

Association québécoise d'histoire politique (AQHP)
a/s de Pierre Drouilly, Département de sociologie
UQAM, C.P. 8888, succursale Centre-ville
Montréal (Québec)   H3C 3P8

Pour les 3 numéros du vol. 17 (2008-2009) :

Membres réguliers : 50 $
Étudiants : 40 $
Institutions : 60 $

VENTE AU NUMÉRO

Les anciens numéros et les numéros courants du *Bulletin d'histoire politique* sont en vente auprès de l'AQHP: les numéros disponibles sont vendus 15 $ (commande minimale de 10 numéros, frais de port compris).

Vol. 1 (1992-1993) – *épuisé*

Vol. 2 (1993-1994) – *épuisé*

Vol. 3, n° 1: «Les intellectuels et la politique dans le Québec contemporain» (automne 1994) – *épuisé*

Vol. 3, n° 2: «L'histoire du Québec revue et corrigée» (hiver 1995) – *épuisé*

Vol. 3, n° 3/4: «La participation des Canadiens français à la Deuxième Guerre mondiale: mythes et réalités» (printemps-été 1995) – *épuisé*

Vol. 4, n° 1: «Québec: le pouvoir de la ville et la ville du pouvoir» (automne 1995) – *épuisé*

Vol. 4, n° 2: «Y a-t-il une nouvelle histoire du Québec?» (hiver 1996) – *épuisé*

Vol. 4, n° 3: «Bilan du référendum de 1995» (printemps 1996) – *épuisé*

Vol. 4, n° 4: «Histoires du monde: Allemagne, Japon, Italie, États-Unis, France» (été 1996) – *épuisé*

Vol. 5, n° 1: «L'enseignement de l'histoire au Québec» (automne 1996) – *épuisé*

Vol. 5, n° 2: «Les anglophones du Québec à l'heure du plan B» (hiver 1997) – *épuisé*

Vol. 5, n° 3: «Mémoire et histoire» (printemps 1997) – *épuisé*

Vol. 6, n° 1: «L'histoire sous influence» (automne 1997) – *épuisé*

Vol. 6, n° 2: «Question sociale, problème politique: le cas du Québec de 1836 à 1939» (hiver 1998) – *épuisé*

Vol. 6, n° 3: «Genèse et historique du gouvernement responsable au Canada» (printemps 1998) – *épuisé*

Vol. 7, n° 1: «Les Rébellions de 1837-1838 au Bas-Canada» (automne 1998) – *épuisé*

Vol. 7, n° 2: «Vichy, la France libre et le Canada français» (hiver 1999) – *épuisé*

Vol. 7, n° 3: «Les sciences et le pouvoir» (printemps 1999) – *épuisé*

Vol. 8, n° 1: «Instantanés de la vie politique aux États-Unis» (automne 1999) – *épuisé*

Vol. 8, n° 2/3: «L'histoire militaire dans tous ses états» (hiver 2000) – *épuisé*

Vol. 9, n° 1: «Présence et pertinence de Fernand Dumont» (automne 2000) – *épuisé*

Vol. 9, n° 2: «Les années 1930» (hiver 2001) – *épuisé*

Vol. 9, n° 3 : « Art et politique » (printemps 2001) – *épuisé*

Vol. 10, n° 1 : « Les nouvelles relations internationales » (automne 2001) – *épuisé*

Vol. 10, n° 2 : « Corps et politique » (hiver 2002) – *épuisé*

Vol. 10, n° 3 : « Folie et société au Québec, xixe-xxe siècles » (printemps 2002) – *épuisé*

Vol. 11, n° 1 : « La mémoire d'octobre : art et culture » (automne 2002) – *épuisé*

Vol. 11, n° 2 : « Sport et politique » (hiver 2003) – *épuisé*

Vol. 11, n° 3 : « Les débats parlementaires » (printemps 2003) – *épuisé*

Vol. 12, n° 1 : « Les Patriotes de 1837-1838 » (automne 2003) – *épuisé*

Vol. 12, n° 2 : « Le Rapport Parent » (hiver 2004) – *épuisé*

Vol. 12, n° 3 : « La philosophie politique » (printemps 2004) – *épuisé*

Vol. 13, n° 1 : « Histoire du mouvement m.-l. au Québec 1973-1983 » (automne 2004) – *épuisé*

Vol. 13, n° 2 : « Humour et politique » (hiver 2005)

Vol. 13, n° 3 : « La laïcité au Québec et en France » (printemps 2005) – *épuisé*

Vol. 14, n° 1 : « Rituels et cérémonies du pouvoir du xvie au xxie siècle » (automne 2005) – *épuisé*

Vol. 14, n° 2 : « Culture démocratique et aspirations populaires au xixe siècle » (hiver 2006)

Vol. 14, n° 3 : « Le rapport Lacoursière, dix ans plus tard » (printemps 2006) – *épuisé*

Vol. 15, n° 1 : « Sexualité et politique » (automne 2006)

Vol. 15, n° 2 : « Débat sur le programme d'enseignement de l'histoire au Québec » (hiver 2007) – *épuisé*

Vol. 15, n° 3 : « Les quinze ans du *Bulletin d'histoire politique* » (printemps 2007)

Vol. 16, n° 1 : « Les 50 ans du Rapport Tremblay » (automne 2007)

Vol. 16, n° 2 : « Les mouvements étudiants des années 1960 » (hiver 2008)

Vol. 16, n° 3 : « Homosexualités et politique : Québec et Canada » (printemps 2008)

Vol. 17, n° 1 : « L'Expo 67, 40 ans plus tard » (automne 2008)

Vol. 17 n° 2 : « Le Québec et la Première Guerre mondiale 1914-1918 » (hiver 2009)

Vol. 17, n° 3 : « L'idée de république au Québec » (printemps 2009)

Vol. 18, n° 1 : « La gouvernance en Nouvelle-France » (automne 2009)

Vol. 18, n° 2 : « Homosexualités et politique en Europe » (hiver 2010)

Offre spéciale

Il nous reste quelques séries presque complètes des volumes 5 à 15 (tous les numéros sauf le vol. 5 n° 2; le vol. 12 n° 1; et le vol 13 n° 1, soit en tout 30 numéros du *Bulletin d'histoire politique*, que nous offrons pour le prix de 120$ (port compris).

Adressez votre commande à :

Pierre Drouilly
Département de sociologie
Université du Québec à Montréal
C.P. 8888, succursale Centre-Ville
Montréal (Québec)
H3C 3P8

Pour contacter Charles-Philippe Courtois, responsable des recensions, adresser votre courriel à : courtoiscp@yahoo.fr

Pour contacter Sébastien Vincent, reponsable de la compilation des nouvelles parutions, adressez votre courriel à : svincent@hotmail.com

Pour un changement d'adresse d'un abonné, adressez votre courriel à : drouilly.pierre@uqam.ca

Pour soumettre des textes au BHP

Veuillez communiquer avec Robert Comeau, directeur du *Bulletin d'histoire politique*, à l'adresse courriel :

comeau.robert@sympatico.ca

RÈGLES DE PRÉSENTATION DES MANUSCRITS

Les manuscrits doivent être soumis sur disquette et avec une version papier. La disquette peut être en format PC ou MacIntosh. De préférence, utilisez les traitements de texte Word ou WordPerfect. Vous pouvez aussi envoyer votre manuscrit par courriel, comme fichier attaché, à Pierre Drouilly, à l'adresse suivante : drouilly.pierre@uqam.ca

De manière générale, veuillez présenter votre texte avec un formatage minimal :

- fonte suggérée : Helvetica, 12 points, interligne un et demi, pas de retrait, 6 po de large (marges de 1,19 po), marges de 1 po en haut et en bas ;
- n'utilisez pas d'espaces insécables, ni de tirets conditionnels ;
- ne mettez pas d'espace avant les points-virgules, deux-points, ou », ni après le «. Ne mettez pas de double espace après le point ;
- utilisez l'apostrophe française (') et non l'apostrophe anglaise ('), ainsi que les guillemets français (« et ») et non les guillemets anglais («) pour les citations ;
- n'utilisez pas d'en-tête, ni de bas de page ;
- les notes, numérotées à partir de 1, doivent avoir une référence automatique et figurer à la fin du texte ;
- les titres de livres, de revues et de journaux doivent être en italique ;
- effectuez une correction orthographique automatique afin de corriger les erreurs de frappe ;
- ne pas inclure de bibliographie ;
- sauf à la demande du comité éditorial, le *Bulletin* n'acceptera pas d'autres versions des textes déjà soumis ;
- le *Bulletin* préfère publier des articles courts pour aborder une grande diversité de thèmes. Tout article dépassant 4000 mots pourra être refusé d'emblée.

La Société du patrimoine politique du Québec (SPPQ)

présente

Le 8ᵉ colloque des Entretiens Pierre-Bédard.

Hector Fabre
et les relations France-Québec - 1882-1960

16 et 17 septembre 2010
Assemblée Nationale du Québec

Entrée Libre

Journaliste, fondateur de *L'Événement*, Hector Fabre s'est également illustré dans sa carrière de sénateur et de diplomate. Nommé en 1882 au poste d'agent général de la Province de Québec à Paris par le premier ministre Chapleau, Hector Fabre devient le premier représentant diplomatique canadien installé dans l'Hexagone. Soucieux de développer les échanges économiques et culturels, Fabre œuvre jusqu'à sa mort au renforcement des liens entre les dirigeants et les intellectuels de part et d'autre de l'Atlantique.

Un siècle après la mort du diplomate, survenue à Paris le 2 septembre 1910, nous analyserons les relations culturelles entre le Québec, le Canada et la France avant la création de la Délégation du Québec à Paris en 1961, à travers 6 sessions :

Hector Fabre : son action et ses écrits
Hector Fabre à Paris, 1882-1910
Les échanges intellectuels après la Première Guerre mondiale
Aspects diplomatiques et politiques des années 1930-1950
Les années 1940 et la culture
Institutions et réseaux intellectuels avant 1960

Conférenciers :

Louise **Beaudoin**, Yvan **Lamonde**, Gilles **Duguay**, Jocelyn **Saint-Pierre**, Jacques **Portes**, Jonathan **Livernois**, Sylvain **Simard**, Samy **Mesli**, Philippe **Garneau**, Fernand **Harvey**, Michel **Lacroix**, Charles-Philippe **Courtois**, Robert **Gagnon**, Denis **Goulet**, David **Cloutier**, Mourad **Djebabla-Brun**, Magali **Deleuze**, Olivier **Courteau**, Gérard **Fabre**, David **Meren**, Gilles **Lapointe**, Jean-Philippe **Warren**, Jules **Racine**, Fanie **Saint-Laurent**, Martin **Pâquet**, Patrick-Michel **Noël**…

Comité organisateur :

Marc Beaudoin, Fédération des sociétés d'histoire du Québec
Ivan Carel, Université Concordia
Robert Comeau, UQAM
Gérard Fabre, EHESS
Jean Lamarre, Collège militaire Royal du Canada à Kingston
Samy Mesli, Université de Sherbrooke

Inscription et renseignements :

www.archivespolitiquesduquebec.com
ColloqueHectorFabre@gmail.com

Cet ouvrage composé en Palatino corps 10 a été achevé d'imprimer au Québec
le huit avril deux mille dix sur papier Enviro 100 % recyclé
pour le compte de VLB éditeur.

100%

VLB éditeur
1010, rue de La Gauchetière Est
Montréal (Québec)
H2L 2N5

www.edvlb.com